E-Book inklusive:

Mit folgendem persönlichen Code können Sie die E-Book-Ausgabe dieses Buches downloaden:

abyz6-p56r4-01800-6e1tb

Registrieren Sie sich unter

www.hanser-fachbuch.de/ebookinside

und nutzen Sie das E-Book auf Ihrem Rechner*, Tablet-PC und E-Book-Reader.

Der Download dieses Buches als E-Book unterliegt gesetzlichen Bestimmungen bzw. steuerrechtlichen Regelungen, die Sie unter **www.hanser-fachbuch.de/ebookinside** nachlesen können.

* Systemvoraussetzungen: Internet-Verbindung und Adobe® Reader®

Schels

M

Ignaz A. Schels

M

Daten abfragen und verarbeiten mit Excel und Power BI

2., überarbeitete Auflage

HANSER

Der Autor:
Ignaz A. Schels, München

Bibliografische Information der Deutschen Nationalbibliothek:

Die Deutsche Nationalbibliothek verzeichnet diese Publikation in der Deutschen Nationalbibliografie; detaillierte bibliografische Daten sind im Internet über http://dnb.d-nb.de abrufbar.

Lektorat: Brigitte Bauer-Schiewek
Copy editing: Petra Kienle, Fürstenfeldbruck
Umschlagdesign: Marc Müller-Bremer, München, www.rebranding.de
Umschlagrealisation: Max Kostopoulos
Satz: Eberl & Koesel Studio, Kempten
Druck und Bindung: Hubert & Co. GmbH & Co. KG BuchPartner, Göttingen
Printed in Germany

Print-ISBN: 978-3-446-47760-5
E-Book-ISBN: 978-3-446-47811-4
E-Pub-ISBN: 978-3-446-47944-9

Inhalt

Vorwort XI

1 Grundlagen der Abfrage-Logik 1

2 Abrufen: Verbindungen zu externen Quellen herstellen 3
2.1 Einfache Abfrage auf Excel-Datei 5
2.2 Aktualisieren der Abfrage 8
2.3 Abfragen automatisch aktualisieren 9
2.4 Kann man Abfragen separat speichern? 11

3 Transformieren: Aufbereiten der abgerufenen Daten 13
3.1 Der Power Query-Editor 13
3.2 Transformationsschritte löschen 15
3.3 Zeilen filtern 16
3.4 Überschriften (Header) einfügen 17
3.5 Spalten entfernen 17
3.6 Werte ersetzen 18
3.7 Datentypen bestimmen 18
3.8 Transformationsschritte prüfen und benennen 22
3.9 Abschließen der Transformation 23
3.10 Erneutes Bearbeiten der Abfrage 23

4 Erweiterte Transformationen 25
4.1 Nach unten bzw. oben ausfüllen 27
4.2 Zeilen und Spalten vertauschen (Transponieren) 28
4.3 Spalten verbinden 29
4.4 Entpivotieren 30
4.5 Spalten teilen und Abschluss der Transformation 31

5 Anpassen der Rohdaten ... 33
5.1 Texttransformationen ... 33
5.2 Datumstransformationen ... 36
5.3 Zahlentransformationen ... 37
5.4 Gruppieren ... 38

6 Abfragen auf Webseiten ... 40
6.1 Webabfrage auf eine Tabelle ... 40
6.2 Webabfrage ohne Tabellen ... 42
6.2.1 Das Element *Document* ... 43
6.2.2 Untersuchen des HTML-Codes ... 46
6.2.3 Den Text der Homepage direkt auswerten ... 47

7 Abfragen auf relationale Datenbanken ... 48
7.1 Beispiel mit Oracle-Datenbank ... 48
7.2 Query Folding ... 54

8 Mehrere Quellen kombinieren ... 58
8.1 Abfragen anfügen ... 58
8.2 Abfragen zusammenführen ... 61
8.3 Alle Dateien in einem Ordner einlesen ... 67

9 Spalten hinzufügen – erste Schritte mit M ... 72
9.1 Bedingte Spalten ... 72
9.2 Datums- und Rechenfunktionen ... 76
9.3 Benutzerdefinierte Spalten ... 76
9.3.1 Spaltenformeln für Berechnungen eingeben ... 77
9.3.2 Bedingungslogik mit if ... 78
9.3.3 M-Funktionen ... 80

10 Abfragecode bearbeiten mit M ... 82
10.1 Die Bearbeitungsleiste ... 82
10.2 Das Editor-Fenster ... 83
10.3 Erstellen einer leeren Abfrage ... 84
10.4 Die Grundstruktur des Abfrage-Codes ... 85
10.5 Schritte und Schrittnamen verstehen ... 86
10.6 Fehler im M-Code vermeiden ... 88
10.7 Schritte zusammenfassen ... 89
10.8 Kommentare ... 90

11 Werte und Datentypen ... 92
11.1 Einfache Datentypen ... 92
11.1.1 Null ... 92
11.1.2 Logical (true/false) ... 92

11.1.3 Number (Zahl) ... 94
11.1.4 Time (Zeit) ... 95
11.1.5 Date (Datum) ... 95
11.1.6 Datetime (Datum/Uhrzeit) ... 96
11.1.7 Datetimezone (Datum/Uhrzeit/Zeitzone) ... 96
11.1.8 Duration (Dauer) ... 97
11.1.9 Text ... 98
11.1.10 Binary (Binär) ... 101

11.2 Übergeordnete Datentypen ... 101
11.2.1 List (Liste) ... 101
11.2.2 Record (Datensatz) ... 103
11.2.3 Table (Tabelle) ... 104

11.3 Spezielle Datentypen ... 107
11.3.1 Type (Datentyp) ... 107
11.3.2 Function (Funktion) ... 109

12 Abfragen flexibel gestalten ... 111

12.1 Nicht-lineare Abfragen ... 111

12.2 Unterschiedliche Tabellenzeilen vergleichen ... 117
12.2.1 Zeilensprung über den Index ... 118
12.2.2 Schnellerer Zeilensprung mit Index und Join ... 120

12.3 Abfragen mit Parametern ... 122
12.3.1 Power-Query-Parameter ... 122
12.3.2 Parameter aus anderen Quellen ... 125

13 Fehlerbehandlung ... 129

13.1 Fehler vorbeugen ... 129

13.2 Error-Werte entfernen ... 130

13.3 Fehler abfangen mit try ... 132

13.4 Fehlermeldungen erzeugen ... 133

14 M-Funktionen ... 137

14.1 Das Syntax-Schema ... 137

14.2 Abruf der Funktionsliste ... 138

14.3 Listenfunktionen ... 142
14.3.1 Listenerstellung ... 142
14.3.2 Informationen über Listenelemente ... 145
14.3.3 Berechnungen ... 149
14.3.4 Ordnung und Reihenfolge ... 151
14.3.5 Auswahl ... 154
14.3.6 Transformationen ... 160
14.3.7 Vergleiche mehrerer Listen ... 167

14.4 Datensatzfunktionen ... 168
14.4.1 Erstellung und Umwandlung ... 168
14.4.2 Informationen über Datensätze ... 170

14.4.3 Auswahl ... 171
14.4.4 Transformationen ... 173
14.5 Tabellenfunktionen ... 176
14.5.1 Informationen über Tabellen ... 176
14.5.2 Umwandlungen ... 179
14.5.3 Spalten ... 181
14.5.4 Zeilen ... 188
14.5.5 Ordnung und Sortierung ... 201
14.5.6 Erstellung ... 204
14.5.7 Transformationen ... 208
14.5.8 Arbeiten mit mehreren Tabellen ... 217
14.5.9 Ähnlichkeiten erkennen (Fuzzy-Funktionen) ... 220
14.5.10 Sonstige ... 223
14.6 Textfunktionen ... 223
14.6.1 Erstellung und Konvertierung ... 223
14.6.2 Informationen über Texte ... 227
14.6.3 Auszüge von Textteilen ... 229
14.6.4 Modifikationen ... 231
14.6.5 Transformationen ... 232
14.7 Zahlenfunktionen ... 238
14.7.1 Informationen über Zahlen ... 238
14.7.2 Rechenoperationen ... 239
14.7.3 Rundung ... 243
14.7.4 Zufallszahlen ... 245
14.7.5 Trigonometrie ... 246
14.7.6 Konvertierung und Formatierung ... 248
14.8 Logical-Funktionen ... 254
14.9 Datumsfunktionen ... 255
14.9.1 Erzeugung und Umwandlung ... 255
14.9.2 Informationen über Datumswerte ... 257
14.9.3 Berechnungen ... 263
14.9.4 Vergleiche mit 'Jetzt' ... 264
14.10 DateTime-Funktionen ... 268
14.10.1 Erzeugung und Umwandlung ... 268
14.10.2 Vergleiche mit ‚Jetzt‘ ... 271
14.11 DateTimeZone-Funktionen ... 273
14.12 Duration-Funktionen ... 278
14.13 Zeitfunktionen ... 281
14.14 Hilfsfunktionen ... 283
14.14.1 Comparer-Funktionen ... 283
14.14.2 Replacer-Funktionen ... 285
14.14.3 Combiner-Funktionen ... 286
14.14.4 Splitter-Funktionen ... 289

15 Eigene Funktionen erstellen 295
15.1 Funktionen innerhalb einer Abfrage 295
15.2 Das Schlüsselwort *each* 296
15.3 Funktionen als eigene Abfrage 297
15.4 Funktionen, die aus mehreren Schritten bestehen 301
15.5 Rekursive Funktionen 305
15.6 Funktionsbeschreibungen in der Metadata 306
15.7 Funktionen teilen 309
15.7.1 Aktivierung und Vorbereitung 309
15.7.2 Funktionserweiterungen 310

16 Die KI macht's möglich 313
16.1 Spaltenformeln aus Beispielen erstellen 313
16.2 KI-Funktionen (in Power BI mit Premium-Lizenz) 316
16.2.1 Textanalyse mit KI-Insights 317
16.2.2 Bildanalyse mit KI-Insights 319

17 M und VBA 321
17.1 Abfragen per VBA-Befehl aktualisieren 321
17.1.1 Schaltflächen zum Aktualisieren nutzen 321
17.1.2 Aktualisieren bei Ereignissen 323
17.2 Abfrage-Code per VBA anpassen 325
17.3 Abfrageergebnisse mit VBA auslesen 328

18 Excel-Datentypen aus Power Query 331
18.1 Eigenen Datentyp per Abfrage erzeugen 332
18.2 Datentypen aus Power BI-Datasets für die ganze Organisation 335

19 Datenschutz und Firewall 338
19.1 Datenschutz bei verschiedenen Datenquellen 338
19.2 Der Formula.Firewall-Fehler 339

20 Tipps für mehr Geschwindigkeit 342
20.1 Schnelleres Entwerfen der Abfrage 342
20.2 Schnelleres Aktualisieren 343
20.3 Messen der Geschwindigkeit 345
20.3.1 Power BI: Nutzen der Diagnose-Werkzeuge 346
20.3.2 Excel: Messen der Zeit über VBA 347
20.3.3 Auswertung der Trace-Datei 347

Index 350

Vorwort

Es mag ungewöhnlich erscheinen, ein Fachbuch zu schreiben, das nur einen Teilbereich von zwei so vielseitigen Programmen wie Excel und Power BI Desktop behandelt. Warum nicht stattdessen ein Buch, das entweder Excel oder Power BI in allen Facetten erklärt?

Wenn Sie dieses Buch gekauft haben, ahnen Sie zumindest, welches Potenzial in den Features schlummert, die unter dem Namen *Power Query* zusammengefasst werden. Excel-Nutzer verbringen unzählige Stunden damit, Daten aus den verschiedensten Quellen zusammenzukopieren und dabei händisch zu modellieren. Etliche Power-BI-Nutzer wissen zwar, wie Daten abgerufen werden, stoßen aber schnell an ihre Grenzen, wenn die Datenbasis nicht richtig aufbereitet ist. Wenn Sie nicht zu diesen Benutzern gehören wollen, haben Sie das richtige Buch gefunden.

Das Thema des vorliegenden Buchs

Was als Add-In für Excel begann, ist nun fester Teil von einer wachsenden Menge an Microsoft-Produkten, allen voran Excel und Power BI Desktop. Die Funktionsweise der Abfragen und die Benutzeroberfläche des Abfrage-Editors sind dabei bis auf wenige Ausnahmen programmübergreifend gleich. Deshalb ist es durchaus möglich, Power Query sowohl für Excel als auch Power BI Desktop zu erklären.

Aus genau diesem Grund findet aber auch eine starke Beschränkung der abgedeckten Themen statt: Das Buch behandelt nur das Abrufen von externen Daten und die Bearbeitung (Transformation) im Power Query-Editor, basierend auf der Abfragesprache M. Sie werden lernen, wie Sie Daten in Ihr Programm laden und dabei genau in die Form bringen, in der Sie sie benötigen. Die so aufbereiteten Tabellen können dann in Excel und Power BI nach Belieben interpretiert und visualisiert werden – doch das ist nicht mehr Thema des Buchs.

Unterschiede zwischen den Versionen

Die Grundlagen der Abfrage-Logik und der Formelsprache M haben sich seit den ersten Versionen von Power Query kaum verändert. Die Benutzeroberfläche und die Entwicklungsumgebung des Abfrage-Editors werden jedoch laufend optimiert.

Die regelmäßige Verbesserung eines Programms ist natürlich zu begrüßen, doch erschwert sie das Lernen und Lehren der Grundlagen. Es ist nicht auszuschließen, dass das eine oder andere Beispiel auf Ihrem Computer nicht genauso funktioniert wie hier beschrieben – sei es, dass Sie eine ältere Version benutzen oder sei es, dass nach der Buchveröffentlichung weitere Neuerungen eingeführt wurden.

Seien Sie aber bitte nicht frustriert, wenn eine Beschreibung oder eine Abbildung nicht exakt zutrifft. In den meisten Fällen ist das entsprechende Werkzeug nur anders benannt oder befindet sich an einer anderen Stelle. Spätestens wenn es um das Schreiben von M-Code geht, sind Versionsunterschiede ohnehin kaum mehr von Belang.

Kontakt zum Autor

Auch bei einem so starren Medium wie einem Buch darf der Kontakt zwischen Leser und Autor nicht zu kurz kommen. Scheuen Sie sich nicht, mir zu schreiben, wenn Sie Fragen zu einem der behandelten Themen haben. Ein Software-Spezialist lebt von solchen Herausforderungen. Feedback jeder Art, egal ob Lob oder Kritik, ist natürlich auch immer willkommen. Schicken Sie einfach eine Mail an *ignaz.alexander@schels.de.*

Der Verlag und die Autoren haben sich mit der Problematik einer gendergerechten Sprache intensiv beschäftigt. Um eine optimale Lesbarkeit und Verständlichkeit sicherzustellen, wird in diesem Werk auf Gendersternchen und sonstige Varianten verzichtet; diese Entscheidung basiert auf der Empfehlung des Rates für deutsche Rechtschreibung. Grundsätzlich respektieren der Verlag und die Autoren alle Menschen unabhängig von Ihrem Geschlecht, ihrer Sexualität, ihrer Hautfarbe, ihrer Herkunft und ihrer nationalen Zugehörigkeit.

1 Grundlagen der Abfrage-Logik

Der ursprüngliche Name der hier behandelten Technologie, *Power Query*, wird in aktuellen Microsoft-Produkten fast nicht mehr verwendet. Stattdessen sieht man je nach Programm und Version meist verschiedene Varianten der Begriffsgruppe „Daten abrufen und transformieren" (englisch „Get & Transform Data"). Diese Bezeichnung ist zwar etwas sperriger, beschreibt aber treffend die zwei Schritte, in die sich jede Abfrage aufteilen lässt:

1. *Abrufen:* Eine externe Datenquelle, z.B. eine Excel-Arbeitsmappe, eine Textdatei oder eine Datenbank, wird „angezapft" und die enthaltenen Informationen werden eingelesen.
2. *Transformieren:* Wenn die Daten abgerufen sind, werden sie in die gewünschte Form gebracht. Dabei können zum Beispiel die benötigten Zeilen und Spalten ausgewählt, Formate angepasst oder Sortierungen vorgenommen werden. Auch Ersetzungen oder Berechnungen sind in diesem Schritt schon möglich.

Das Ergebnis einer Power-Query-Abfrage ist im Normalfall eine Tabelle. Diese kann wiederum als Basis für weitere Auswertungen oder Visualisierungen verwendet werden.

Wenn Sie bereits etwas Erfahrung mit dem Erstellen von Diagrammen, Pivot-Tabellen oder anderen Visualisierungen in Excel und Power BI haben, wissen Sie, dass eine saubere Datenbasis dabei unerlässlich ist. Damit eine Visualisierung das zeigt, was sie soll, müssen die Ausgangsdaten in der entsprechenden Form sein. Schon eine Zwischenüberschrift oder ein Zeilenumbruch kann alles durcheinanderbringen.

Die Möglichkeit, die eingelesenen Daten direkt zu transformieren, kann also ein wahrer Segen sein: Egal in welcher Form die Quelldaten vorliegen, Sie können in der Abfrage definieren, welche Daten Sie benötigen und wie sie angepasst werden sollen. Wenn sich die Quelldaten ändern, liest die Abfrage die neuen Daten ein und führt damit die festgelegten Transformierungsschritte durch.

! Die Quelldaten werden durch eine Abfrage nicht verändert.

Falls Sie mehrere Datenquellen gemeinsam auswerten wollen, ist das auch kein Problem: Abfragen können miteinander verbunden werden. Das Ergebnis einer Abfrage kann auch die Basis einer weiteren Abfrage sein. Ihre Quelldaten müssen nicht einmal immer am gleichen Ort liegen: Sie können beispielsweise bestimmte Dateien innerhalb eines Ordners auswählen oder Parameter für die Quelladresse festlegen.

In den folgenden Kapiteln erhalten Sie einen Einblick in die vielen Möglichkeiten, die eine Abfrage mit Power Query bietet. Die meisten Techniken werden anhand von Beispielen gezeigt, die Sie Schritt für Schritt nachvollziehen können. Die zugehörigen Beispieldateien finden Sie zum Download unter dieser Adresse:

www.schels.de/publikationen

2 Abrufen: Verbindungen zu externen Quellen herstellen

Um zu sehen, welche Vielzahl an Datenquellen für die Abfrage zur Verfügung stehen, verschaffen Sie sich am besten selbst einen Überblick.

EXCEL:

Um eine neue Abfrage in Excel (ab Version 2016) zu erstellen, wählen Sie das Register **DATEN** und klicken Sie unter der Rubrik *Daten abrufen und Transformieren* auf **DATEN ABRUFEN**. Daraufhin können Sie Ihre Datenquelle auswählen.

> Bei Excel-Versionen vor Januar 2018 ist die Schaltfläche mit **NEUE ABFRAGE** beschriftet.
>
> Bei den Excel-Versionen vor Excel 2016 sind die Abfrage-Tools noch nicht integriert. Nutzer von Excel 2010 und 2013 müssen aber nicht das Nachsehen haben: Die Werkzeug-Rubrik *Abrufen und Transformieren* ist lediglich die Weiterentwicklung eines Add-Ins, das schon ab Excel 2010 verfügbar ist. Das Add-In *Power Query* basiert auf den gleichen grundlegenden Methoden wie die späteren, integrierten Werkzeuge. Es gibt jedoch Unterschiede, etwa bei den Bezeichnungen und Positionen einzelner Features. Mit leichten Abwandlungen können aber fast alle Beispiele in diesem Buch auch von Nutzern der älteren Excel-Versionen nachvollzogen werden.
>
> Den Download-Link für das Add-In und Hinweise zur Installation gibt es auf der Seite von Microsoft:
>
> *https://www.microsoft.com/en-us/download/details.aspx?id=39379*

POWER BI:

In Power BI Desktop haben Sie zwei Möglichkeiten, eine Abfrage zu erstellen: Gleich bei Programmstart erscheint ein kleines Begrüßungsfenster, in dem Sie auf der linken Seite **DATEN ABRUFEN** anklicken können. Alternativ finden Sie auch im Programmfenster auf dem Register **START** eine Schaltfläche **DATEN ABRUFEN**. In beiden Fällen gelangen Sie zu einem Fenster, in dem Sie Ihre Datenquelle auswählen können.

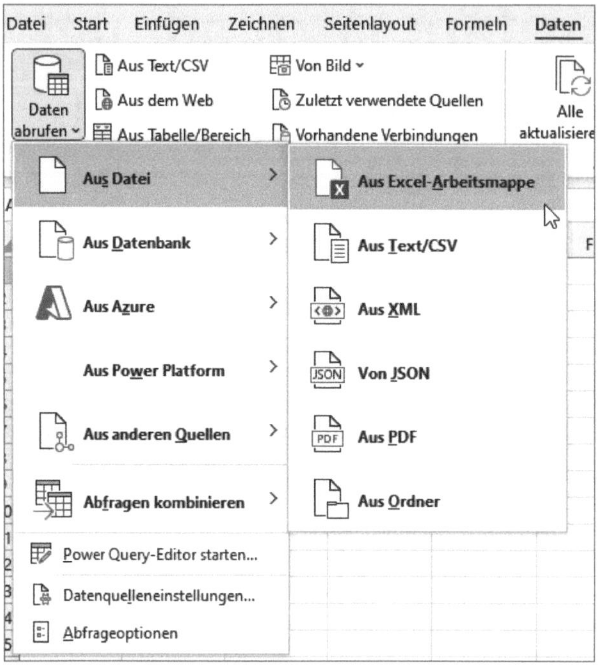

Bild 2.1 Erstellen einer Abfrage in Excel.

Die Auswahl der Datenquellen ist beträchtlich: Neben einfachen Excel- und Textdateien können Sie auf die meisten gängigen Datenbanksysteme zugreifen. Microsofts Sharepoint und Azure werden natürlich ebenfalls unterstützt. Sie können sogar Daten von Exchange-Servern oder Webseiten auslesen.

Das Vorgehen ist für die verschiedenen Datenquellen ähnlich und meist selbsterklärend: Zunächst wählen Sie den Speicherort oder die Adresse Ihrer Quelle aus. Je nach Art der Verbindung können zusätzlich noch weitere Informationen wie z.B. Zugangsdaten oder Teilbereiche der jeweiligen Datei oder Datenbank ausgewählt werden. Zum Abschluss haben Sie die Möglichkeit, die Daten unverändert einzulesen oder vorher im Abfrage-Editor zu bearbeiten. Der folgende Abschnitt zeigt eine einfache Abfrage ohne Transformation am Beispiel einer Excel-Datei.

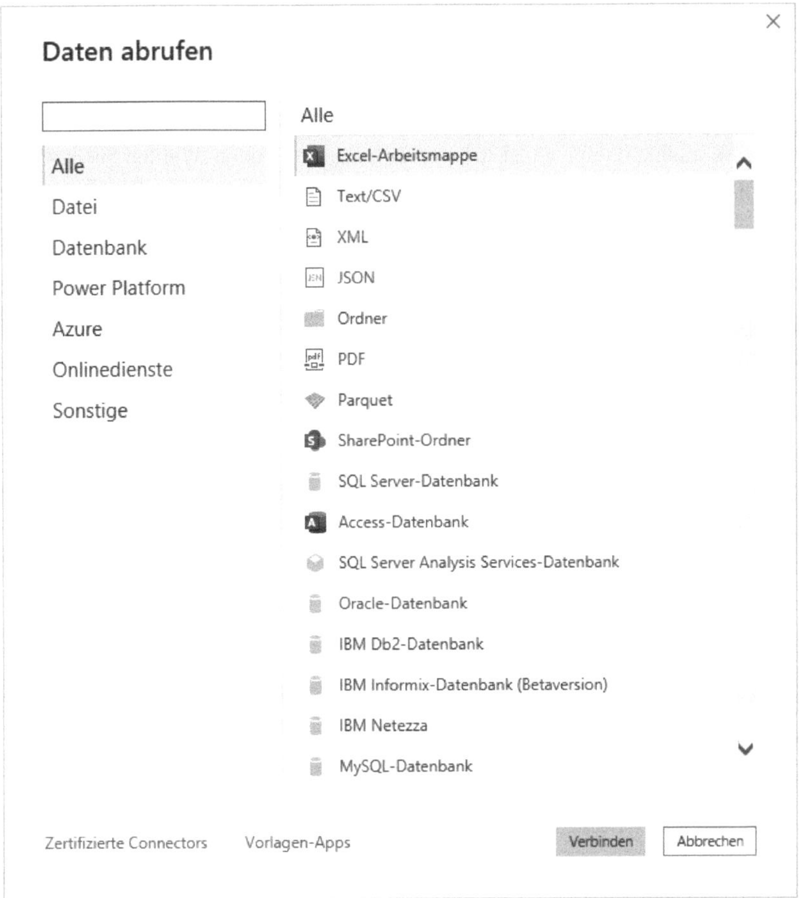

Bild 2.2 Auswahl der Datenquelle in Power BI Desktop.

2.1 Einfache Abfrage auf Excel-Datei

Das erste Beispiel können Sie, wie fast alle Beispiele dieses Buchs, gleichermaßen mit Excel und Power BI Desktop nachvollziehen. Die Arbeitsschritte sind meistens für beide Programme die gleichen. Falls es Unterschiede gibt, ist dies im Text hervorgehoben.

> Die Übungsdateien zu diesem Buch können Sie unter folgender Adresse herunterladen:
>
> *www.schels.de/publikationen*

- **EXCEL:** Öffnen Sie eine neue Arbeitsmappe, wählen Sie das Register **DATEN** und klicken Sie unter der Rubrik *Daten abrufen und transformieren* auf **DATEN ABRUFEN**. Wählen Sie im Menü **AUS DATEI** – **AUS EXCEL-ARBEITSMAPPE**.
- **POWER BI:** Klicken Sie auf **DATEN ABRUFEN** und wählen Sie die Quelle **EXCEL**.

Sie haben nun die Möglichkeit, eine Excel-Arbeitsmappe auszuwählen. Wählen Sie aus den Übungsdateien zum Buch die Datei *2-01-Umsatz.xlsx*. Daraufhin erscheint das Navigator-Fenster, in dem Sie wählen können, welches Arbeitsblatt aus der Excel-Arbeitsmappe eingelesen werden soll. Wählen Sie *Umsatz 2015*.

> Das Navigator-Fenster zeigt Ihnen bei Excel-Quelldateien nicht nur Arbeitsblätter, sondern, wenn verfügbar, auch Tabellen und benannte Bereiche zur Auswahl an.

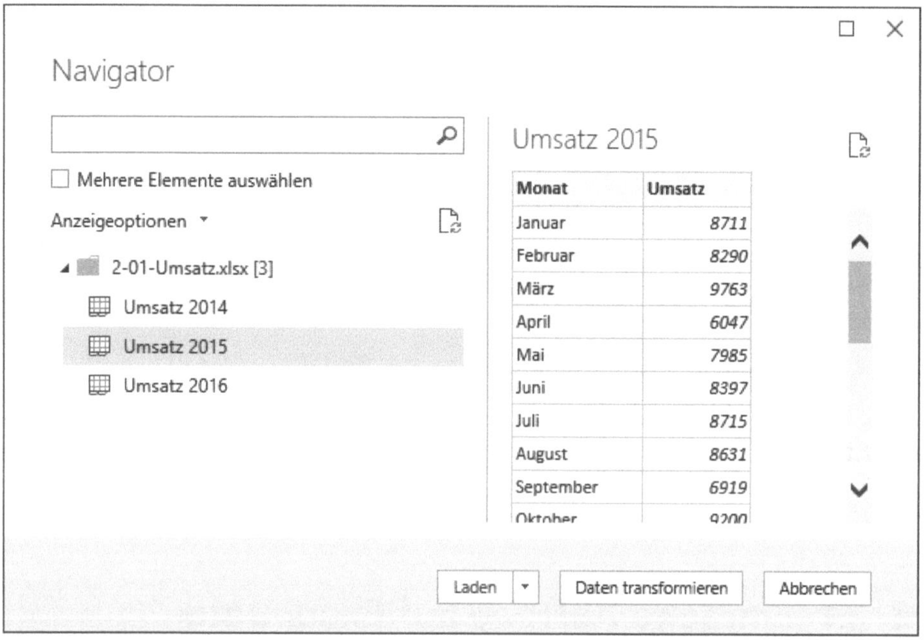

Bild 2.3 Im Navigator-Fenster können Sie das gewünschte Tabellenblatt auswählen.

In der rechten Fensterhälfte sehen Sie eine Vorschau der Tabelle, die importiert wird. Sie können nun bereits auf **LADEN** klicken, um die Abfrage abzuschließen.

EXCEL:

In Excel haben Sie mehrere Möglichkeiten, das Abfrageergebnis zu laden. Wenn Sie direkt auf die Schaltfläche **LADEN** klicken, wird eine Tabelle mit den abgerufenen Daten auf einem neuen Arbeitsblatt angelegt. Um weitere Optionen zu erhalten, klicken Sie auf den kleinen Pfeil neben der Schaltfläche und wählen Sie **LADEN IN ...**

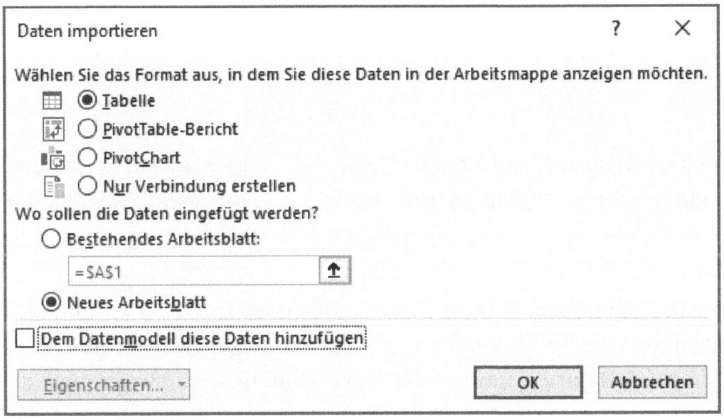

Bild 2.4 Über den Dialog *Laden in* wird der Zielort bestimmt.

Daraufhin erscheint ein neuer Dialog, in dem Sie mehrere Auswahlmöglichkeiten haben:

- *Tabelle:* Mit der Standard-Option werden die importierten Daten in einer Tabelle gespeichert. Weiter unten können Sie genau bestimmen, wo die neue Tabelle angelegt werden soll.
- *PivotTable-Bericht:* Die abgerufenen Daten bilden die Quelle einer Pivot-Tabelle.
- *PivotChart:* Die abgerufenen Daten dienen als Datenbasis eines Pivot-Charts.
- *Nur Verbindung erstellen:* Wenn Sie diese Option wählen, werden die importierten Daten nicht in einem Arbeitsblatt angezeigt. Dies kann nützlich sein, wenn Sie mehrere Abfragen kombinieren wollen (vgl. Kapitel 8) oder wenn Sie lediglich Ihr Datenmodell befüllen wollen (siehe nächster Punkt).
- *Dem Datenmodell diese Daten hinzufügen:* Falls Sie die importierten Daten in einer Pivot-Tabelle oder einem PivotChart verwenden wollen, aktivieren Sie diese Option. Die Daten stehen dann direkt zur Verfügung, ohne dass Sie die Quell-Tabelle angeben müssen. (Diese Option ist nicht in allen Excel-Versionen vorhanden.)

POWER BI:

In Power BI Desktop müssen Sie keinen Zielort für die abgefragten Daten angeben. Sobald Sie auf **LADEN** klicken, werden sie zu Ihrem Datenmodell hinzugefügt. Anschließend können Sie sie mit anderen Tabellen in Verbindung setzen oder direkt Visualisierungen daraus erstellen.

Um den Bericht schließlich in der Cloud auf Power BI Service verfügbar zu machen, klicken Sie im Register **START** auf **VERÖFFENTLICHEN**. Daraufhin können Sie online auf die Visualisierungen zugreifen oder den Bericht mit anderen Nutzern teilen.

Analog zur Option *Nur Verbindung erstellen* in Excel, haben Sie auch in Power BI Desktop die Möglichkeit, Abfragen so zu erstellen, dass sie nur für andere Abfragen verwendet werden können.

Auf der linken Seite des Abfrage-Editors befindet sich eine Liste mit allen Abfragen einer Datei. Klicken Sie mit der rechten Maustaste auf eine Abfrage und deaktivieren Sie die Option *Laden aktivieren*. Das bewirkt, dass die Tabelle nicht ins Datenmodell geladen wird. ■

2.2 Aktualisieren der Abfrage

EXCEL:

Wenn Sie den Abfrage-Dialog ganz normal mit **Laden** geschlossen haben, erhalten Sie eine einfache Tabelle mit den eingelesenen Daten. Das ist zunächst nicht spektakulär, denn dafür hätten Sie die Daten auch einfach per Copy & Paste in Ihre Arbeitsmappe kopieren können.

Doch nehmen Sie einmal an, die Quelldatei wird regelmäßig geändert. In vielen Firmen gibt es Excel-Listen mit Umsatzzahlen oder Personaldaten, die laufend angepasst werden. Mehrere Personen greifen auf dieselbe Datei zu, um jeweils unterschiedliche Auswertungen zu erstellen. Wer nicht in der Originaldatei arbeiten will oder darf, muss daher immer wieder die Originaldatei öffnen, die aktuellen Daten herauskopieren und in sein Auswertungsmodell übertragen.

Viel schneller geht es mit einer Abfrage, denn dabei müssen Sie nur einmal eine Verbindung zur Quelldatei herstellen. Anschließend können Sie sie jederzeit aktualisieren, um die neuesten Daten zu erhalten. Hierfür klicken Sie im Register **Daten** auf **Alle aktualisieren.** Noch schneller geht es mit der Tastenkombination **Strg + Alt + F5**.

Bild 2.5
Aktualisieren Sie alle Abfragen mit einem Klick.

Falls Sie mehrere Abfragen oder Verbindungen in Ihrer Arbeitsmappe haben, möchten Sie vielleicht nur eine bestimmte Abfrage aktualisieren (z. B. um Zeit zu sparen). Auch das ist möglich: Falls am rechten Bildschirmrand nicht die Liste der Abfragen angezeigt wird, aktivieren Sie diese über **Daten – Abfragen und Verbindungen**. Rechts neben den jeweiligen Abfragen in der Liste können Sie nun auf das Aktualisieren-Symbol klicken. Alternativ können Sie auch einen Rechtsklick auf die Abfrage machen und **Aktualisieren** wählen.

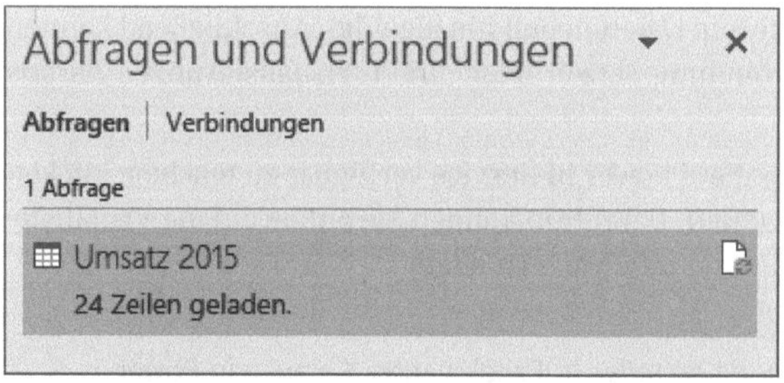

Bild 2.6
Die Liste der Abfragen.

POWER BI:

Auch bei Power BI kann es natürlich vorkommen, dass die Quelldaten sich ändern. Damit die aktuellsten Daten neu geladen werden, klicken Sie einfach auf die Schaltfläche **Aktualisieren** im **Start**-Register. Dadurch wird die Datenquelle erneut eingelesen.

Bei bestimmten Datenquellen haben Sie zusätzlich die Möglichkeit, eine Verbindung per *DirectQuery* herzustellen. Bild 2.7 zeigt, wie diese Option beim Erstellen einer Abfrage auf eine SQL-Server-Datenbank aussieht.

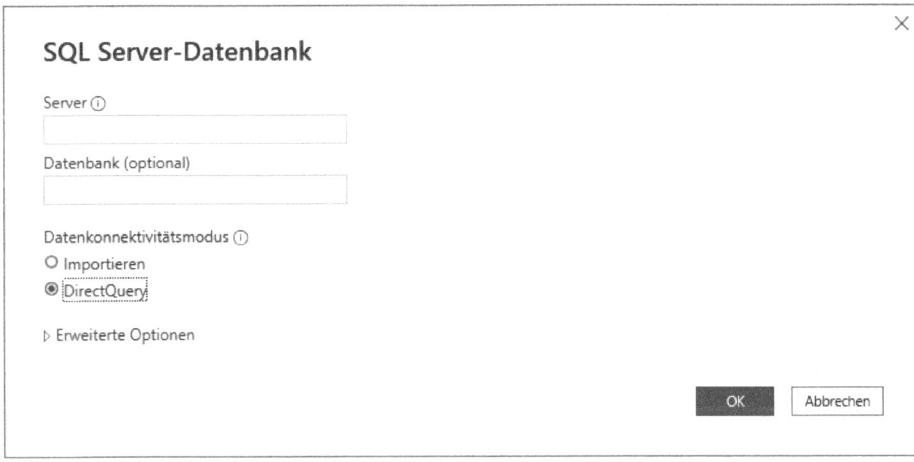

Bild 2.7 DirectQuery beim Erstellen einer SQL-Server-Abfrage.

Wenn Sie eine Abfrage mit *DirectQuery* erstellen, werden die abgefragten Daten nicht in der Power-BI-Datei gespeichert, wie es normalerweise der Fall wäre. Stattdessen wird eine direkte Verbindung zur Datenquelle hergestellt. Die benötigten Daten werden jedes Mal neu geladen, wenn Visualisierungen erstellt oder verändert werden. Wenn Sie beispielsweise durch Klick auf eine Visualisierung nach einem bestimmten Datenbereich filtern, werden diese Daten live abgerufen. Besonders bei großen Datenmengen kann diese Methode effizienter sein als eine permanente Speicherung der Daten, da immer nur der jeweils benötigte Teil gespeichert wird. Andererseits können jedoch Verzögerungen entstehen, wenn die Verbindung zum Server nicht schnell genug ist.

2.3 Abfragen automatisch aktualisieren

EXCEL:

Excel bietet die Möglichkeit, Abfragen automatisch in bestimmten Zeitabständen oder beim Öffnen der Datei zu aktualisieren. Das kann von Vorteil sein, wenn sich die Quelldatei häufig ändert und Sie sicherstellen wollen, immer die neuesten Daten zu haben. Andererseits kann es aber zu störenden Verzögerungen führen. Es hängt also immer vom jeweiligen Anwendungsfall ab, ob eine automatische Aktualisierung sinnvoll ist.

Falls die Liste der Abfragen nicht sichtbar ist, öffnen Sie sie über **Daten – Abfragen und Verbindungen**. Klicken Sie mit der rechten Maustaste auf eine Abfrage und wählen Sie **Eigenschaften**.

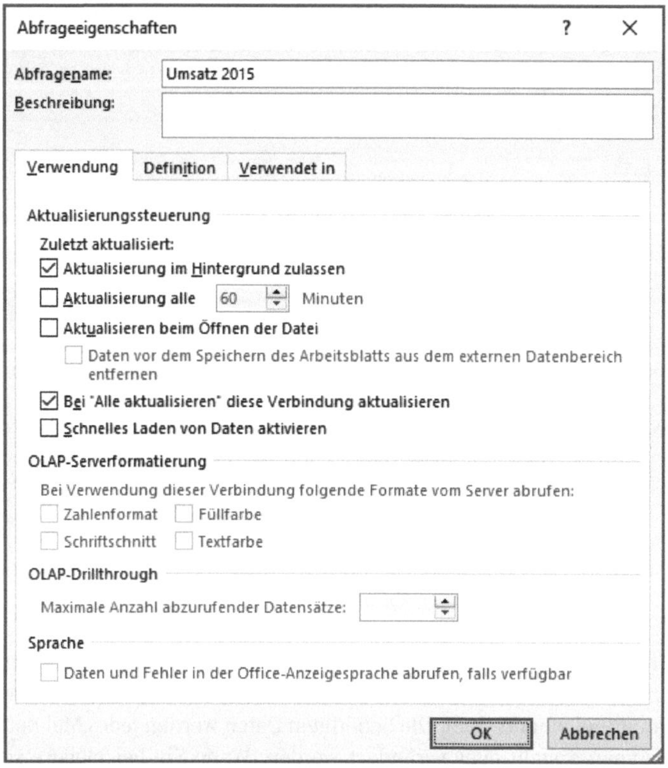

Bild 2.8 Die Abfrageeigenschaften.

Bei älteren Excel-Versionen (vor Februar 2018) finden Sie den entsprechenden Dialog unter **Daten – Verbindungen – Eigenschaften.**

Im Dialog *Abfrageeigenschaften* können Sie zum Beispiel einstellen, dass die Abfrage stündlich aktualisiert wird. Oder Sie können sie bei jedem Öffnen der Datei automatisch aktualisieren lassen. Wenn Sie diese Einstellung aktivieren, haben Sie auch die Möglichkeit, die Daten „vor dem Speichern des Arbeitsblatts aus dem externen Datenbereich (zu) entfernen". Das bedeutet, dass die Tabelle mit den importierten Daten nicht mit der Arbeitsmappe gespeichert wird, sondern immer neu geladen werden muss. Dadurch reduziert sich die Dateigröße, insbesondere bei großen Tabellen. Ein weiterer Vorteil dieser Einstellung ist die Datensicherheit: Bei sensiblen Quelldaten innerhalb eines Firmennetzwerks ist die Datei mit der Abfrage unbrauchbar, solange sich der Benutzer außerhalb des Netzwerks befindet.

POWER BI:

Eine Option zum automatischen Aktualisieren gibt es in Power BI Desktop nicht. Klicken Sie also bei Bedarf auf die Schaltfläche **Aktualisieren**, um die neuesten Daten einzulesen.

Etwas mehr Flexibilität bietet Power BI Service. Wenn Sie Ihre Daten dort veröffentlichen, können Sie regelmäßige Aktualisierungen einrichten. Die Voraussetzung ist natürlich, dass Ihre Datenquelle auch für Power BI Service zugänglich ist.

Befinden sich Ihre Quelldaten in einer lokalen Datei auf Ihrem Computer und Sie möchten die Abfrage auf Power BI Service mit anderen teilen, ist es das einfachste, die Quelldatei auf OneDrive hochzuladen. Auf diese Weise kann die Abfrage auch online jederzeit aktualisiert werden.

2.4 Kann man Abfragen separat speichern?

Sowohl in Excel als auch in Power BI Desktop werden Abfragen zusammen mit der Datei gespeichert. Bei Power BI haben Sie zusätzlich noch die Möglichkeit, die Abfrage zusammen mit dem Datenmodell und dem Bericht in der Cloud zu veröffentlichen.

Vielleicht möchten Sie manchmal aber nur eine Abfrage speichern, unabhängig von anderen Tabellen, Diagrammen und sonstigen Daten. Eine Exportmöglichkeit oder eine Speichern-Schaltfläche im Fenster von Power Query gibt es dafür leider nicht. Aber es gibt ähnliche Alternativen.

EXCEL:

Sie können Excel-Abfragen als ODC-Dateien exportieren. ODC steht für Office Data Connection und ist ein Format, um Verbindungseigenschaften zu speichern. Es basiert auf den Formaten HTML und XML, Sie können es also mit einem beliebigen Texteditor öffnen, wenn Sie neugierig auf den gespeicherten Inhalt sind.

- Um eine Abfrage zu exportieren, öffnen Sie die Seitenleiste *Abfragen und Verbindungen* in Excel und klicken mit der rechten Maustaste auf eine Abfrage.
- Klicken Sie im Kontextmenü auf den Eintrag *Verbindungsdatei exportieren.*
- Es erscheint ein Dialogfeld, in dem Sie den Speicherort der Datei auswählen können. Der Standardordner hierfür ist der Ordner *Meine Datenquelle* in Ihrem Benutzer-Verzeichnis, aber Sie können natürlich auch einen anderen Ordner wählen.

Alternativ zu diesem Kontextmenü-Befehl, gibt es auch eine Schaltfläche **VERBINDUNGSDATEI EXPORTIEREN** bei den Verbindungseigenschaften auf dem Register *Definition.*

Diese ODC-Datei enthält nun alle Informationen, um die Abfrage in einer anderen Excel-Datei zu verwenden. Sie können es ausprobieren, indem Sie im Windows Explorer einen Doppelklick auf die Datei machen.

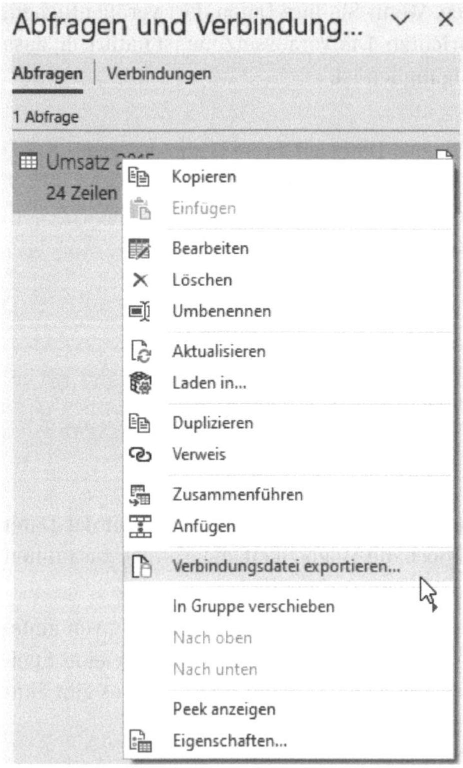

Bild 2.9 Erstellen einer Verbindungsdatei über das Kontextmenü der Abfrage.

Wenn Sie bereits eine Arbeitsmappe geöffnet haben, klicken Sie auf dem Register **DATEN** auf die Schaltfläche **VORHANDENE VERBINDUNGEN**. Die Verbindungen, die hier aufgelistet sind, stammen aus Ihrem Standard-Verbindungsordner, aber nach einem Klick auf die Schaltfläche **NACH WEITEREN ELEMENTEN SUCHEN**, können Sie eine beliebige ODC-Datei auswählen.

(*Hinweis:* In älteren Excel-Versionen finden Sie die Arbeitsmappenverbindungen im Register **DATEN** unter **VERBINDUNGEN**.)

POWER BI:

Eine Export-Funktion, die nur die Power-Query-Abfrage betrifft, gibt es in Power BI leider nicht. Eine einfache Alternative ist, den M-Code der Abfrage in einer Textdatei zu speichern und bei Bedarf im Erweiterten Editor einzufügen. In Kapitel 10 erfahren Sie mehr dazu. Eine professionellere Lösung ist das Erstellen eines eigenen Connectors. So werden die verschiedenen Datenquellenverbindungen genannt, die zur Auswahl stehen, wenn Sie auf **DATEN ABRUFEN** klicken. Es würde zu weit führen, an dieser Stelle zu erklären, wie benutzerdefinierte Connectors erstellt und zertifiziert werden, aber für fortgeschrittene Benutzer ist das durchaus möglich. In Kapitel 15 wird das Grundprinzip kurz gezeigt anhand eines Beispiels mit einer benutzerdefinierten Funktion.

3 Transformieren: Aufbereiten der abgerufenen Daten

Das Layout der Quelldaten ist nicht immer geeignet für die gewünschten Auswertungen. Oft muss erst eine Menge verschoben, gefiltert, ersetzt und gelöscht werden, bis eine brauchbare Analyse oder Visualisierung erstellt werden kann. Zudem benötigen Sie meist nur einen bestimmten Teil aus einer größeren Tabelle oder Datenbank. Je weniger unnötige Daten Sie ansammeln, umso kleiner und schneller ist Ihre Datei.

Aus diesen Gründen wird oft viel Arbeitszeit damit verbracht, Daten „in die richtige Form zu bringen", bevor mit der eigentlichen Auswertung begonnen werden kann. Besonders frustrierend ist dies, wenn die gleichen Aktionen regelmäßig wiederholt werden müssen, z. B. wenn die gleiche Auswertung monatlich oder wöchentlich erstellt werden muss.

Der Power-Query-Abfrage-Editor kann Ihnen in solchen Fällen sehr viel Zeit sparen. Sie müssen die Daten nicht jedes Mal selbst aufbereiten, sondern nur einmal die nötigen Arbeitsschritte aufzeichnen. Die aufgezeichneten Transformationsschritte werden dann bei jeder Aktualisierung der Abfrage innerhalb weniger Sekunden ausgeführt.

3.1 Der Power Query-Editor

Um beim Erstellen einer Abfrage zum Abfrage-Editor zu gelangen, klicken Sie im Navigator-Fenster nicht auf **Laden** wie im letzten Beispiel, sondern stattdessen auf **Daten transformieren** oder **Bearbeiten**.

Das folgende Beispiel verdeutlicht, wie der Editor funktioniert.

- Öffnen Sie Excel oder Power BI in einer neuen Datei und erstellen Sie eine Abfrage auf die Datei *3-01-Umsatz_Kwik-E-Mart.csv*. Da es sich um eine CSV-Datei handelt, wählen Sie den entsprechenden Dateityp aus.
- Es erscheint ein Fenster, in dem Sie die Text-Codierung und das Trennzeichen auswählen können. In diesem Fall wählen Sie UTF-8 und das Trennzeichen Komma. Der Text wird so in mehrere Spalten aufgeteilt. In der Vorschau sehen Sie direkt, ob Sie richtig gewählt haben.

> **!** Bei CSV-Dateien im deutschen Sprachraum wird üblicherweise das Komma als Dezimaltrennzeichen und das Semikolon als Markierung der Spaltengrenzen verwendet. Bei der Beispieldatei handelt es sich um eine CSV-Datei, wie sie international üblich ist: Das Komma trennt die Spalten und der Punkt markiert die Dezimalstellen bei Zahlen.
>
> Solche Dateien können in Excel bei deutscher Regionseinstellung nicht richtig angezeigt werden – was in internationalen Unternehmen schon viele Nerven gekostet hat. Eine Abfrage schafft hier Abhilfe.

Klicken Sie unten im Fenster auf die Schaltfläche **DATEN TRANSFORMIEREN** bzw. **BEARBEITEN** (je nach Version).

Daraufhin öffnet sich der Power Query-Editor. Obwohl er auf den ersten Blick ähnlich wie ein Excel-Fenster aussieht, ist sein Zweck ein ganz anderer. Sie können beispielsweise nicht den Wert einzelner Zellen verändern. Auch Formatierungen oder Rahmen sind hier nicht möglich.

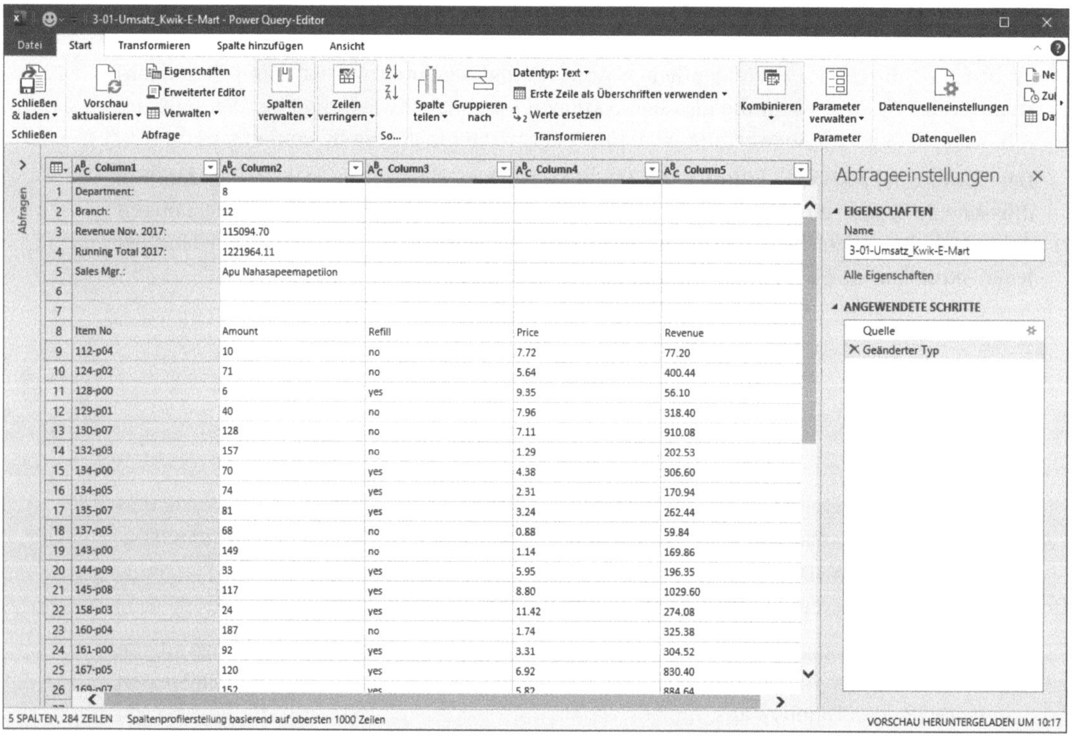

Bild 3.1 Der Power Query-Editor in Excel.

Der Power Query-Editor sieht in Excel fast genauso aus wie in Power BI Desktop.

In diesem Fenster werden Transformationsschritte festgelegt, die auf die Quelldaten angewendet werden. Bei jeder Aktualisierung der Abfrage werden die Schritte wieder nacheinander abgearbeitet. Auf diese Weise können Sie auch aufwendige Aufgaben so automatisieren, dass sie künftig mit einem einzigen Klick erledigt werden.

Die Schritte werden am rechten Fensterrand unter *Angewendete Schritte* aufgelistet. Hier sind auch schon zwei Schritte angelegt:

1. *Quelle:* Das ist der erste Schritt bei fast jeder Abfrage. Er stellt die Verbindung zu den Quelldaten, also in diesem Beispiel der CSV-Datei, her.
2. *Geänderter Typ:* Dieser Schritt wird automatisch eingefügt, ist aber nicht immer sinnvoll. Power Query versucht hier, die Datentypen der einzelnen Spalten zu erkennen. In diesem Beispiel brauchen Sie diesen Schritt nicht, da wir die Datentypen später selbst festlegen werden. Sie können ihn also gleich entfernen.

3.2 Transformationsschritte löschen

- Wenn Sie den letzten Schritt („Geänderter Typ") anklicken, sehen Sie links daneben ein Kreuz. Klicken Sie darauf, um den Schritt zu entfernen.

Im Abfrage-Editor gibt es keine Rückgängig-Funktion wie in den meisten anderen Programmen. Doch jede Aktion, die Sie vornehmen, wird in einem Transformierungsschritt aufgezeichnet. Wenn Sie einen Fehler machen, können Sie also einfach den entsprechenden Schritt löschen.

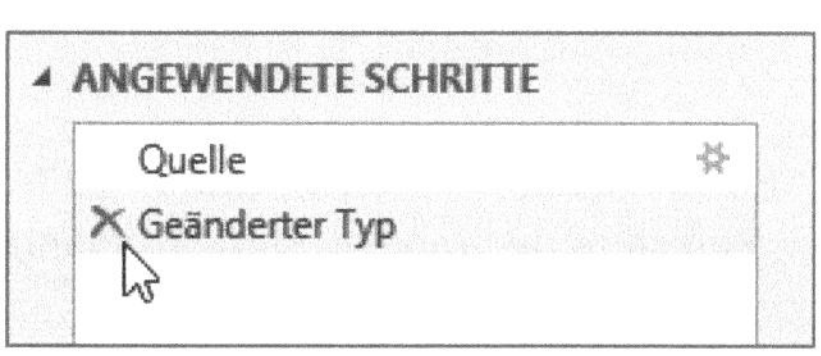

Bild 3.2
Mithilfe des Kreuz-Symbols werden Schritte gelöscht.

Beachten Sie jedoch, dass jeder Schritt auch die nachfolgenden Schritte beeinflusst. Sollten bereits Arbeitsschritte nach dem entfernten Schritt existieren, kann es sein, dass diese nicht mehr wie gewünscht funktionieren oder Fehlermeldungen erzeugen. Nur beim Entfernen des letzten Schritts müssen Sie sich darüber keine Sorgen machen.

3.3 Zeilen filtern

Wenn Sie sich die Vorschau-Tabelle ansehen, stellen Sie fest, dass sie eigentlich in mehrere Tabellen aufgeteilt ist. Oberhalb der Tabellenüberschriften stehen immer sieben Kopfzeilen, die zum Teil leer sind und zum Teil Zusatzinformationen enthalten, die für die Auswertung nicht relevant sind (z. B. „Department"). Diese Kopfzeilen sollten entfernt werden, damit sich am Ende nur eine zusammenhängende Tabelle ergibt.

- Die überflüssigen Zeilen haben die Gemeinsamkeit, dass sie ab Spalte drei leer sind. Nutzen Sie daher die Filterfunktion, indem Sie auf das Quadrat mit dem Filterpfeil rechts neben dem Spaltentitel *Column3* klicken.

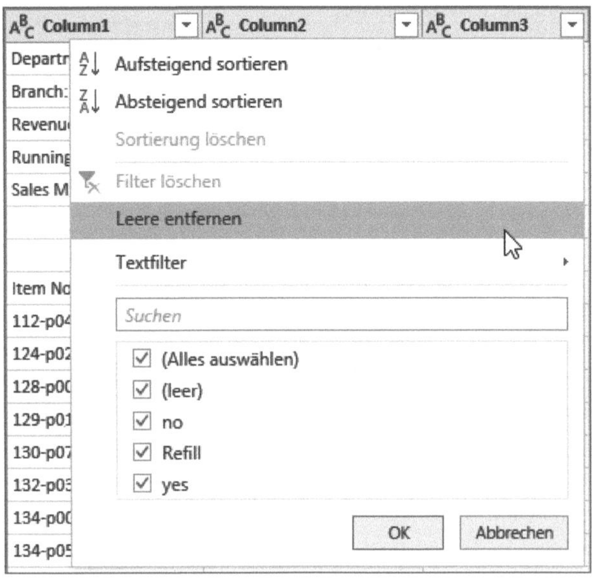

Bild 3.3 Mit der Filter-Funktion reduzieren Sie die Tabelle auf das Wesentliche.

In der Filter-Box sehen Sie eine Auswahl aus den verschiedenen Einträgen in der Spalte. Nur die angekreuzten Einträge verbleiben nach dem Filtern in der Tabelle. Standardmäßig werden bis zu 1000 verschiedene Einträge angezeigt. Sollte es mehr als 1000 geben, erscheint eine Schaltfläche **Mehr anzeigen**. Mit dieser Schaltfläche können dann alle Einträge angezeigt werden (was jedoch je nach Tabellengröße eine Weile dauert).

Zusätzlich zu den Einträgen, die per Häkchen ausgewählt werden können, gibt es je nach Typ der Spalte noch spezielle Filter. Mit den Textfiltern können Sie beispielsweise festlegen, dass alle Einträge herausgefiltert werden, die eine bestimmte Zeichenfolge enthalten. Analog gibt es Zahlenfilter (z. B. alle Zahlen größer als 5) oder Datumsfilter (z. B. nur dieses Jahr), falls die Spalte den entsprechenden Datentyp hat.

- Klicken Sie auf **Leere entfernen**. Alternativ können Sie auch das Häkchen neben dem Eintrag *(leer)* wegklicken und auf **OK** klicken.

3.4 Überschriften (Header) einfügen

In den meisten Fällen werden Sie Überschriften für die Spalten Ihrer Tabellen benötigen. Bisher haben wir nur die generischen Standard-Überschriften *Column1*, *Column2* usw. Die eigentlichen Überschriften liegen in der ersten Zeile.

- Klicken Sie im Register **START** im Bereich *Transformieren* auf die Schaltfläche **ERSTE ZEILE ALS ÜBERSCHRIFTEN VERWENDEN**.
- Die erste Zeile ist nun in den Überschriften-Bereich gerutscht. Jedoch hatte anfangs jede der einzelnen Tabellen eine Überschriften-Zeile. Die Zeilen mit Zwischenüberschriften können nun auch entfernt werden. Nutzen Sie hierzu wieder die Filterfunktion in der dritten Spalte, entfernen Sie das Häkchen neben dem Wort *Refill* und klicken Sie auf **OK**.

Die Tabelle sollte nun nur noch die reinen Umsatzdaten enthalten. Sie können Spaltenüberschriften übrigens auch direkt ändern:

- Führen Sie einen Doppelklick auf die Spaltenüberschrift der letzten Spalte *(Revenue)* aus. Ersetzen Sie den Spaltentitel durch den neuen Titel *Umsatz* und bestätigen Sie mit der **ENTER**-Taste.

3.5 Spalten entfernen

Sie haben gesehen, wie Sie Zeilen über die Filterfunktion entfernen. Das Entfernen von Spalten geht noch einfacher:

- Markieren Sie die Spalte *Refill*, indem Sie auf den Spaltentitel klicken.
- Machen Sie einen Rechtsklick auf die Spaltenüberschrift und wählen Sie **ENTFERNEN**. Noch schneller geht es mit der **ENTF**-Taste auf Ihrer Tastatur.
- Sie können auch gleich mehrere Spalten auf einmal entfernen. Wählen Sie hierzu die Spalten *Amount* und *Price* mit gedrückter **STRG**-Taste aus und entfernen Sie sie.

Unter dem Menüeintrag **ENTFERNEN** gibt es auch die Option **ANDERE SPALTEN ENTFERNEN**. Mit diesem Befehl entfernen Sie alle Spalten außer der/den markierten. Dies erspart Klickarbeit, wenn Sie viele Spalten entfernen wollen.

Außerdem kann diese Funktion nützlich sein, wenn Sie nicht sicher sind, dass das Layout der Quelltabelle unverändert bleibt. Bei **ENTFERNEN** werden nur die ausgewählten Spalten entfernt. Wenn Sie **ANDERE SPALTEN ENTFERNEN** benutzen, funktioniert die Transformation auch noch, wenn zu einer späteren Aktualisierung zusätzliche Spalten in der Tabelle auftauchen.

3.6 Werte ersetzen

Die Quelldatei verwendet offenbar ein fremdes Zahlenformat: Anstatt mit Komma werden Dezimalzahlen mit einem Punkt angegeben. Damit die Zahlen im deutschen System korrekt angezeigt werden, müssen die Punkte durch Kommas ersetzt werden.

- Klicken Sie mit der rechten Maustaste auf die Spaltenüberschrift *Umsatz* und wählen Sie **WERTE ERSETZEN**.
- Geben Sie als zu suchenden Wert einen Punkt und als Ersatzwert ein Komma an.
- Bestätigen Sie mit **OK**.

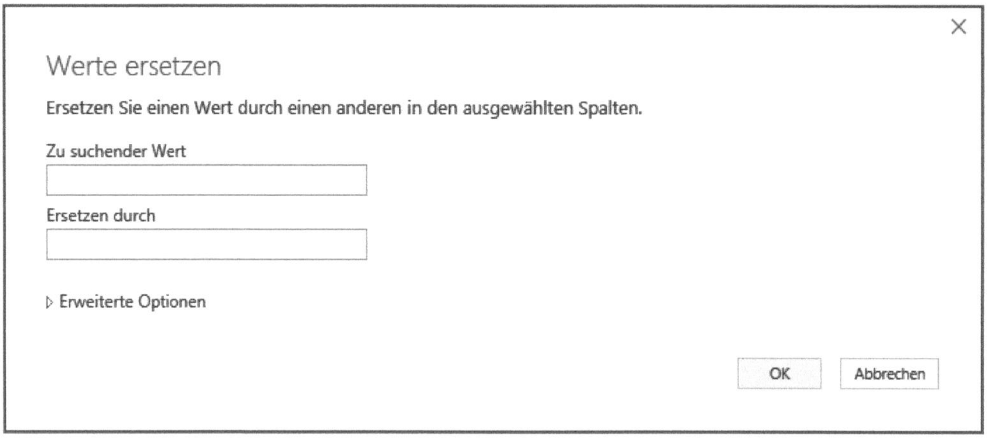

Bild 3.4 Mit *Werte ersetzen* ersetzen Sie Zeichenfolgen in einer Spalte.

3.7 Datentypen bestimmen

In einer ordentlichen Tabelle enthält jede Spalte nur Daten eines bestimmten Typs. Im Abfrage-Editor können Sie daher festlegen, ob eine Spalte z. B. Zahlen, Texte oder Datumswerte enthält.

- In den aktuellsten Versionen von Excel und Power BI sehen Sie neben den Spaltentiteln ein Symbol, das den Datentyp anzeigt. In unserem Beispiel sollte das „ABC" für den Datentyp *Text* sein. Klicken Sie auf das ABC-Symbol links neben dem Spaltentitel *Umsatz*.

  Falls in Ihrer Version kein Typ-Symbol angezeigt wird, klicken Sie mit der rechten Maustaste auf den Spaltentitel und wählen Sie das Untermenü **TYP ÄNDERN**.
- Wählen Sie für die Umsatz-Spalte den Typ *Dezimalzahl*.

Bild 3.5
Auswahl des Datentyps.

Power Query versucht bei jeder Abfrage, die Datentypen automatisch zu bestimmen. Dies gelingt in vielen Fällen, doch Sie sollten sich nicht darauf verlassen. Für die Typbestimmung werden nur die ersten 200 Zeilen ausgewertet. Je nachdem, wie eindeutig die ersten 200 Zeilen aussehen und welche Transformationsschritte Sie noch durchführen wollen, kann die automatische Datentypänderung auch kontraproduktiv sein. Um immer auf der sicheren Seite zu sein, empfiehlt es sich daher, die Datentypen immer zu überprüfen und ggf. selbst zu bestimmen.

Das Einstellen des richtigen Datentyps hat mehrere Vorteile:

- Viele Transformationsfunktionen arbeiten nur mit bestimmten Datentypen. Beispielsweise können Berechnungen nur mit Zahlen-Spalten angestellt werden.
- Wie im Filter-Kapitel erwähnt, gibt es Spezialfilter, die nur bei bestimmten Typen möglich sind (Textfilter, Zahlenfilter, Datumsfilter, Zeitfilter, logische Filter).
- Alle Einträge werden entsprechend umgewandelt. Die Erkennungsfunktion ist dabei relativ flexibel. Beispielsweise wird der Text *1. Apr 17* beim Umwandeln in ein Datum richtig erkannt und dargestellt als *01.04.2017* (wobei die Anzeigeart abhängig von der Einstellung des Betriebssystems ist).
- Umwandlungsfehler durch die automatische Datentyperkennung werden vermieden. So werden zum Beispiel bei Zahlen standardmäßig führende Nullen entfernt: Statt *001* wird nur *1* ausgegeben. Es gibt aber Fälle, in denen die führenden Nullen beibehalten werden sollen, z. B. bei Postleitzahlen, Telefonnummern oder Personalnummern. Verwenden Sie in diesen Fällen den Datentyp *Text*, damit die Nummern so belassen werden, wie sie sind.

In der folgenden Tabelle sehen Sie die verschiedenen Datentypen und ihren Anwendungsbereich.

Tabelle 3.1 Die Datentypen, die für Spalten möglich sind.

Symbol	Bezeichnung	Beschreibung	Beispiele
1.2	Dezimalzahl	Dies ist der Standardtyp für Zahlenwerte und kann für ganze Zahlen sowie Dezimalzahlen mit sehr hoher Genauigkeit verwendet werden.	1,5 -7 0,00000152
$	Feste Dezimalzahl/ Währung	Bei diesem Datentyp werden Zahlenwerte mit bis zu vier Nachkommastellen gespeichert. Alle weiteren Nachkommastellen werden speziell gerundet (siehe Hinweiskasten).	23,9887 12 -0,0001
$1^2{}_3$	Ganze Zahl	Hiermit speichern Sie ganze Zahlen. Sollten die Zahlen Nachkommastellen haben, werden sie speziell gerundet (siehe Hinweiskasten).	0 -1 54888273
%	Prozentsatz	Zahlenwerte mit diesem Datentyp werden als Prozentwerte interpretiert. Eine 1 in der Datenquelle entspricht 100 %.	50% 99,99%
	Datum/ Uhrzeit	Zeitwerte mit Datum und Uhrzeit. Es werden alle Datumswerte ab 1900 bis zum Jahr 9999 unterstützt.	31.12.2000 14:00:01
	Datum	Datumswerte ohne Uhrzeit.	06.02.2017
	Zeit	Uhrzeit ohne zugehöriges Datum.	06:30 11:55
	Datum/ Uhrzeit/ Zeitzone	Zusätzlich zum Datum und der Uhrzeit wird noch die Zeitzone angezeigt. Die Zeitzone wird angegeben als der Unterschied zwischen der Ortszeit und der UTC-Zeit (in Deutschland +1:00 zur Winterzeit bzw. +2:00 zur Sommerzeit). Beim Laden der Abfrage werden die Werte jedoch ohne Zeitzone gespeichert und in den Datentyp *Datum/Uhrzeit* umgewandelt.	21.04.2001 08:30:00 +01:00
	Dauer	Ein Zeitraum, der z. B. bei der Addition oder Subtraktion von Datums- und Zeitwerten ermittelt wird. Er kann daher positiv oder negativ sein. Die Werte werden als Tage, Stunden, Minuten und Sekunden angezeigt, aber als Dezimalzahlen gespeichert. Eine 1 entspricht dabei einem Tag, 1,5 ist ein Tag und 12 Stunden.	1.12:00:00 (= eineinhalb Tage) 0.00:30:00 (= eine halbe Stunde)
$A^B{}_C$	Text	Zeichenketten, bestehend aus Buchstaben, Zeichen oder Zahlen. Eine einzelne Zeichenkette darf bis zu 268 Mio. Zeichen enthalten.	Das ist ein Text. 'XYZ{$$$}' :-)

Symbol	Bezeichnung	Beschreibung	Beispiele
	TRUE/FALSE	Boolesche Wahrheitswerte, die für verschiedene M-Funktionen von Bedeutung sind, aber auch in Excel- oder DAX-Formeln verwendet werden können.	TRUE FALSE
	Binär	Ein einzelner Wert in einer Spalte kann kurioserweise auch eine Datei umfassen. Diese „Werte" werden in der Vorschau-Tabelle nicht angezeigt, können aber in weiteren Transformationen verwendet werden. Hierfür wird der Datentyp *Binär* verwendet, der jede Art von Information im Binärformat speichert.	*Binary*
ABC 123	Any	Spalten vom Typ *Any* können jede Art von Daten enthalten. Dieser Datentyp wird nach dem Einlesen einer Quelle angezeigt, wenn kein anderer Datentyp eingestellt wurde. *Any* ist eigentlich kein richtiger Datentyp, denn er kann nicht explizit zugewiesen werden, sondern bedeutet lediglich, dass kein Datentyp festgelegt wurde.	*(alles)*

Mathematisches Runden: Beim Umwandeln von Datentypen, z. B. von Dezimalzahlen auf ganze Zahlen, verwendet Power Query eine andere Rundungstechnik, als es die meisten Benutzer erwarten würden. So wird die Zahl *2,5* nicht aufgerundet zu *3*, sondern abgerundet zu *2*. Die Zahl *3,5* wird dagegen aufgerundet zu *4*.

Es handelt sich dabei um die sogenannte *mathematische Rundung* (engl. *Round to Even*). Die Dezimalstellen *1, 2, 3, 4* werden wie gewohnt abgerundet und die Dezimalstellen *6, 7, 8, 9* werden wie gewohnt aufgerundet. Die *5*er-Stellen werden allerdings nicht, wie bei der allgemein üblichen sogenannten *kaufmännischen Rundung* aufgerundet, sondern so auf- oder abgerundet, dass die gerundete Zahl bzw. Dezimalstelle immer gerade ist.

Beispiele:

- 1,1 wird zu 1.
- 1,5 wird zu 2.
- 1,8 wird zu 2.
- 2,4 wird zu 2.
- **2,5 wird zu 2.**
- 2,6 wird zu 3.
- 3,5 wird zu 4.
- **4,5 wird zu 4.**

Diese Art zu runden wird im Alltag zwar eher selten benutzt, hat aber tatsächlich Vorteile. Stellen Sie sich eine große Menge an Dezimalzahlen vor, die zu ganzen Zahlen gerundet werden. Die Zahlen, die auf *,5* enden, liegen genau zwischen zwei ganzen Zahlen. Wenn sie immer aufgerundet werden, entsteht ein leichtes Ungleichgewicht. Der Durchschnitt oder die Summe aus den gerundeten Zahlen wird tendenziell größer sein als bei den ursprünglichen Dezimalzahlen. Beim mathematischen Runden wird davon ausgegangen, dass ungefähr genauso viele gerade wie ungerade Zahlen vorliegen. Wenn das der Fall ist, werden die 5er-Stellen genauso oft auf- wie abgerundet. Diese Rundung erzeugt somit weniger Abweichungen und wird daher auch symmetrische oder unverzerrte Rundung genannt.

Wenn Sie die herkömmliche Rundung verwenden wollen, benutzen Sie die Funktion Number.Round mit dem Rundungsmodus *2* (vgl. Kapitel 14.7.3). ■

3.8 Transformationsschritte prüfen und benennen

Wenn Sie die Übung bis hierher gemacht haben, sehen Sie nun in der Liste auf der rechten Seite alle Transformationen, die Sie vorgenommen haben. Unter *Angewendete Schritte* können Sie die verschiedenen Schritte anklicken, um in der Vorschau das Ergebnis der jeweiligen Aktion zu sehen.

Achten Sie jedoch darauf, stets wieder den letzten Schritt zu markieren, bevor Sie eine neue Aktion durchführen – es sei denn, Sie möchten einen Schritt vor einem anderen Schritt einfügen.

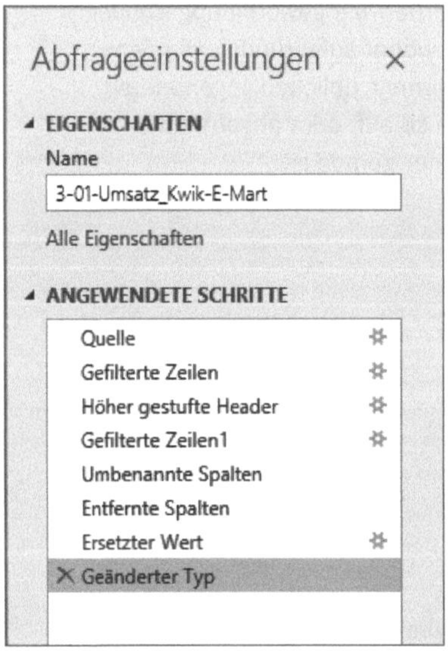

Bild 3.6
Alle Aktionen werden als Schritte aufgezeichnet.

Ihre Aktionen werden automatisch benannt, Sie können sie aber jederzeit umbenennen. Es empfiehlt sich, besonders bei umfangreichen Transformationen, den Schritten aussagekräftige Namen zu geben. Auf diese Weise können Sie später besser nachvollziehen, was genau gemacht wurde.

Bei der Benennung der Transformationsschritte sind Sie relativ frei. Es dürfen nur nicht zwei Schritte den gleichen Namen haben.

- Klicken Sie mit rechts auf den Schritt *Gefilterte Zeilen* und wählen Sie **Umbenennen**.
- Geben Sie den neuen Namen *Kopfzeilen entfernt* ein.
- Bestätigen Sie mit der **Enter**-Taste.
- Ändern Sie auf die gleiche Weise den Namen des Schritts *Gefilterte Zeilen1* in *Zwischenüberschriften entfernt*.

3.9 Abschließen der Transformation

Sie haben nun die Tabelle auf die relevanten Informationen reduziert, die Formate und Datentypen festgelegt sowie die Überschriften definiert. Sie ist nicht nur deutlich übersichtlicher als die Ausgangstabelle, sondern eignet sich nun für Visualisierungen in Power BI bzw. für Berechnungen und Auswertungen in Excel.

- Auf der rechten Fensterseite unter Abfrageeinstellungen sollte noch ein aussagekräftiger Name angegeben werden. Geben Sie den Namen *Umsatz November 2017* ein und bestätigen Sie mit der **Enter**-Taste.
- Klicken Sie zum Abschließen der Bearbeitung in **Excel** auf **Schliessen & laden** bzw. in **Power BI** auf **Schliessen und übernehmen**. Die Schaltflächen befinden sich jeweils links oben im Register **Start**.

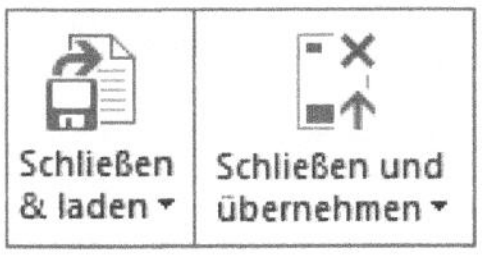

Bild 3.7
Hiermit beenden Sie den Editor (links: Excel, rechts: Power BI).

3.10 Erneutes Bearbeiten der Abfrage

Die Transformationsschritte sowie die Verbindung zur Quelldatei sind nun in der Abfrage gespeichert. Bei jedem Aktualisieren der Abfrage wird die Quelldatei neu eingelesen und alle Transformationsschritte werden abgearbeitet.

Sie können die Schritte natürlich jederzeit anpassen.

EXCEL:

Sollte am rechten Rand des Excel-Fensters nicht die Liste mit den Arbeitsmappenabfragen angezeigt werden, klicken Sie im Register **Daten** auf **Abfragen und Verbindungen**.

In der Liste der Abfragen machen Sie einfach einen Doppelklick auf die Abfrage, um zum Power Query-Editor zu gelangen.

POWER BI:

Im Register **Start** gibt es die Schaltfläche **Daten transformieren**. Damit öffnen Sie die Abfrage im Power- Query-Editor.

4 Erweiterte Transformationen

Sowohl Excel als auch Power BI sind leistungsfähige Werkzeuge zum Visualisieren von großen Datenmengen. Erfahrene Nutzer wissen jedoch, dass die Möglichkeiten der Darstellung oft durch die Form bzw. das Layout der Ausgangsdaten beschränkt werden. Besonders wenn Daten bereits als Report aufbereitet sind, kann es schwer sein, eine andere Ansicht zu erstellen.

Glücklicherweise sind Sie mit dem Power Query-Editor gewappnet: Funktionen wie *Transponieren*, *Entpivotieren* oder *Ausfüllen* helfen Ihnen, unübersichtliche Reports zu entwirren und in lesbare Tabellen umzuwandeln.

Werfen wir zunächst einen Blick auf die Beispieldatei *4-01-Arbeitsstunden.xlsx* in Excel (Bild 4.1).

								2015
Arbeitsbereich	**Mitarbeiter**	*Januar*	*Februar*	*März*	*April*	*Mai*	*Juni*	*Juli*
Maschine A	Müller	17	16	16	17	17	18	
	Meier	18	18	12	11	17	19	
	Huber	16	11	0	0	13	18	
Maschine B	Müller	29	21	25	29	20	28	
	Meier	30	21	25	20	22	20	
	Huber	26	20	0	0	25	27	
	Schmidt	20	22	30	30	25	26	
Maschine C	Müller	19	14	11	18	17	18	
	Meier	20	13	20	13	20	11	
	Huber	10	15	0	0	20	15	
	Schulz	6	8	9	8	8	14	

Bild 4.1 Der Inhalt der Beispieldatei (Ausschnitt).

Die Datei stellt die Nutzungszeiten dreier Maschinen durch verschiedene Mitarbeiter über einen Zeitraum von drei Jahren dar. Die Tabelle ist zwar optisch gut strukturiert, aber sie eignet sich kaum für eine weitere Auswertung. Möchte man beispielsweise die Nutzungszeiten der einzelnen Maschinen für jeden Monat ermitteln, sind erst umständliche Einfügungen und Berechnungen nötig. Eine ansprechende Visualisierung mit Filterfunktion, etwa in Power BI oder mithilfe der Excel Pivot Charts, ist mit dieser Ausgangstabelle nicht möglich: Anstatt einer Monatsspalte gibt es einzelne Spalten für alle Monate, die sich auch noch für jedes Jahr wiederholen (in Bild 4.1 nur teilweise sichtbar). Zudem ist die Zuordnung der Maschinen nur optisch möglich, in vielen Zeilen fehlt die Maschine.

Diese Art von Report ist häufig eine Kopie einer Pivot-Tabelle, wobei die zugrunde liegenden Basisdaten fehlen. Es sind zunächst mehrere Transformierungsschritte nötig, damit die Daten weiter aufbereitet werden können – etwa für einen anderen Report, der die gesamte Nutzungszeit pro Maschine oder pro Jahr zeigt.

Das Ziel der Transformation ist eine Tabelle, wie sie in Bild 4.2 zu sehen ist.

Arbeitsbereich	Mitarbeiter	Monat	Jahr	Stunden
Maschine A	Müller	Januar	2015	17
Maschine A	Müller	Februar	2015	16
Maschine A	Müller	März	2015	16
Maschine A	Müller	April	2015	17
Maschine A	Müller	Mai	2015	17
Maschine A	Müller	Juni	2015	18
Maschine A	Müller	Juli	2015	10
Maschine A	Müller	August	2015	14
Maschine A	Müller	September	2015	19
Maschine A	Müller	Oktober	2015	20
Maschine A	Müller	November	2015	13
Maschine A	Müller	Dezember	2015	16
Maschine A	Müller	Januar	2016	23
Maschine A	Müller	Februar	2016	20
Maschine A	Müller	März	2016	20
Maschine A	Müller	April	2016	23
Maschine A	Müller	Mai	2016	22
Maschine A	Müller	Juni	2016	27
Maschine A	Müller	Juli	2016	20
Maschine A	Müller	August	2016	21
Maschine A	Müller	September	2016	23
Maschine A	Müller	Oktober	2016	25
Maschine A	Müller	November	2016	22
Maschine A	Müller	Dezember	2016	25
Maschine A	Müller	Januar	2017	20
Maschine A	Müller	Februar	2017	30
Maschine A	Müller	März	2017	20

Bild 4.2 So soll die Tabelle aussehen, nachdem sie transformiert wurde.

EXCEL:

- In Excel können Sie die Abfrage in derselben Datei wie die Quelldaten erstellen. Öffnen Sie hierzu die Datei *4-01-Arbeitsstunden.xlsx*.
- Setzen Sie den Zellzeiger irgendwo in die Liste mit den Arbeitsstunden.
- Klicken Sie im Register **DATEN** im Bereich *Daten abrufen und transformieren* auf **AUS TABELLE/BEREICH**.
- Es erscheint ein Fenster, in dem der Bereich der Tabelle angegeben werden kann. Stellen Sie sicher, dass alle Daten markiert sind.
- Entfernen Sie das Häkchen neben *Tabelle hat Überschriften*. Die Überschriften werden erst definiert, nachdem die Tabelle im Abfrage-Editor bearbeitet ist.

- Klicken Sie **OK**, um die Abfrage im Power Query-Editor zu bearbeiten.

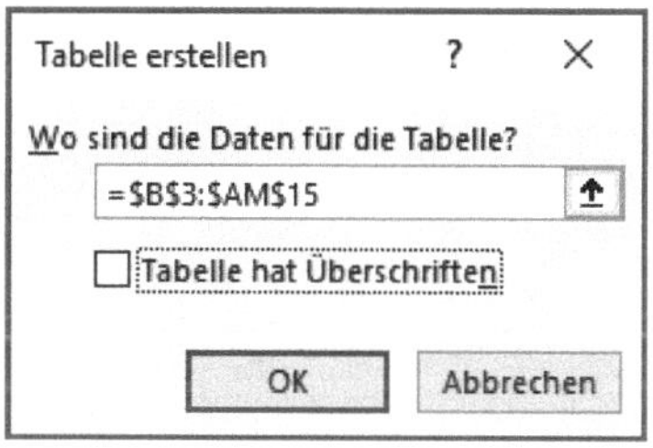

Bild 4.3
Erstellen Sie eine Tabelle ohne Überschriften.

POWER BI:

- Starten Sie eine neue Abfrage auf die Excel-Datei *4-01-Arbeitsstunden.xlsx.*
- Wählen Sie das Tabellenblatt *Arbeitsstunden* und klicken Sie auf **DATEN TRANSFORMIEREN**.

4.1 Nach unten bzw. oben ausfüllen

Im Abfrage-Editor sehen Sie die Tabelle auf die Rohdaten reduziert, d. h. ohne Formatierungen und Rahmen. Hier wird offensichtlich, dass die optische Zuordnung der Jahre und Maschinen nicht mehr genügt. In der ersten Spalte und der ersten Zeile befinden sich leere Zellen. Diese Zellen müssen mit den entsprechenden Maschinen bzw. Jahren gefüllt werden.

! Leere Zellen werden im Abfrage-Editor immer mit dem Hinweistext *null* angezeigt.

	Spalte1	Spalte2	Spalte3	Spalte4	Spalte5
1	*null*	*null*	*2015*	*null*	
2	Arbeitsbereich	Mitarbeiter	Januar	Februar	März
3	Maschine A	Müller	*17*	*16*	
4	*null*	Meier	*18*	*18*	
5	*null*	Huber	*16*	*11*	
6	Maschine B	Müller	*29*	*21*	
7	*null*	Meier	*30*	*21*	
8	*null*	Huber	*26*	*20*	
9	*null*	Schmidt	*20*	*22*	
10	Maschine C	Müller	*19*	*14*	
11	*null*	Meier	*20*	*13*	
12	*null*	Huber	*10*	*15*	
13	*null*	Schulz	*6*	*8*	

Bild 4.4 Die erste Zeile und die erste Spalte enthalten leere Zellen.

- Klicken Sie mit der rechten Maustaste auf den Spaltentitel der ersten Spalte und wählen Sie im Kontextmenü **Ausfüllen – Nach unten**. Sie finden den Befehl alternativ auch im Register **Transformieren**.

	Spalte1	Spalte2	Spalte3	Spalte4	Spalte5
1	null	null	2015	null	
2	Arbeitsbereich	Mitarbeiter	Januar	Februar	März
3	Maschine A	Müller	17	16	
4	Maschine A	Meier	18	18	
5	Maschine A	Huber	16	11	
6	Maschine B	Müller	29	21	
7	Maschine B	Meier	30	21	
8	Maschine B	Huber	26	20	
9	Maschine B	Schmidt	20	22	
10	Maschine C	Müller	19	14	
11	Maschine C	Meier	20	13	
12	Maschine C	Huber	10	15	
13	Maschine C	Schulz	6	8	

Bild 4.5 Nach dem Ausfüllen stimmen die Zuordnungen der Maschinen.

Durch diese Funktion werden alle leeren Zellen in Spalte1 mit dem jeweils darüberliegenden Wert gefüllt. Maschine A, B und C sind nun nicht mehr nur Überschriften eines Bereichs, sondern können eindeutig den entsprechenden Zeilen zugeordnet werden.

Bei der Zeile mit den Jahren haben wir ein ähnliches Problem: Die Jahreszahlen erscheinen nur einmal, jeweils beim Januar. Leider gibt es die Funktion *Ausfüllen* nur nach oben und unten, nicht nach rechts oder links. Wir können uns aber mit einem kleinen Trick behelfen.

4.2 Zeilen und Spalten vertauschen (Transponieren)

Da es keine Funktion „Ausfüllen – nach rechts" gibt, müssen wir die Tabelle vorübergehend „kippen". Bei der Funktion *Vertauschen*, auch *Transponieren* genannt, werden Spalten zu Zeilen und umgekehrt. Somit kann die Funktion *Ausfüllen – nach unten* angewendet werden, bevor die Tabelle wieder zurück „gekippt" wird.

- Klicken Sie im Register **Transformieren** auf die Schaltfläche **Vertauschen**. Sie befindet sich in der ersten Rubrik *Tabelle*.
- Wenden Sie nun wie zuvor die Funktion **Ausfüllen – nach unten** auf die erste Spalte an.

Nun kann jedem Zahlenwert genau eine Maschine, ein Monat und ein Jahr zugeordnet werden.

4.3 Spalten verbinden

Bevor Sie die Vertauschen-Funktion erneut anwenden, sollte ein weiteres Problem aus dem Weg geräumt werden: Eine Tabelle sollte im Idealfall nur eine Zeile als Überschrift haben. Ansonsten funktioniert die Entpivotieren-Funktion später nicht. Wir helfen uns also mit einem weiteren Trick und verbinden die Monats- und Jahresangaben.

- Markieren Sie die ersten beiden Spalten, indem Sie mit gedrückter **SHIFT**-Taste die Spaltentitel anklicken.
- Klicken Sie mit rechts auf einen der Spaltentitel und wählen Sie **SPALTEN ZUSAMMENFÜHREN**.
- Es erscheint ein Dialog, in dem Sie das Trennzeichen angeben können. Wählen Sie hier *Leerzeichen*. Geben Sie als Titel für die neue Spalte *Zeitraum* ein.
- Klicken Sie auf **OK**.

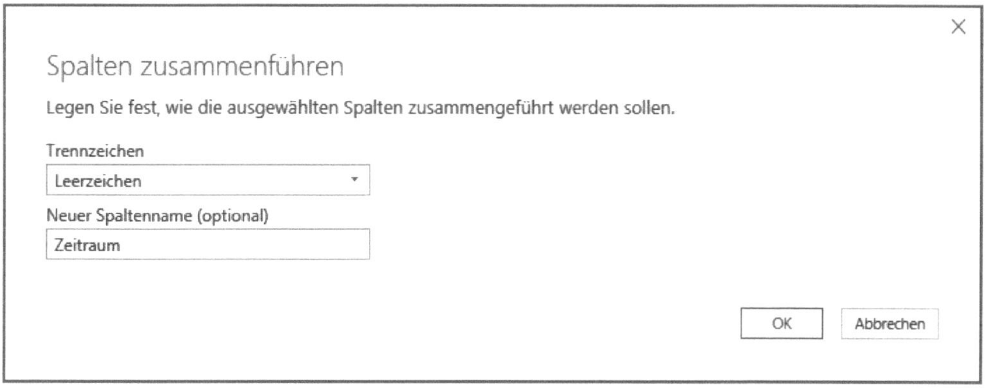

Bild 4.6 Mit *Spalten zusammenführen* verbinden Sie zwei Spalten zu einer.

Die Reihenfolge, in der Sie die Spalten markieren, ist übrigens entscheidend für die Reihenfolge, in der sie beim Verbinden angeordnet werden. Also je nachdem, ob Sie zuerst die Jahresspalte oder die Monatsspalte angeklickt haben, ist der erste Eintrag nun „Januar 2015" oder „2015 Januar". Das ist in diesem Fall egal, denn die Werte werden später wieder getrennt.

- Nun kann die Tabelle wieder in die ursprüngliche Ausrichtung gebracht werden. Klicken Sie im Register **TRANSFORMIEREN** auf **VERTAUSCHEN**.

	Column1	Column2	Column3	Column4	Column5	Column6
1	Arbeitsbereich	Mitarbeiter	Januar 2015	Februar 2015	März 2015	April 2015
2	Maschine A	Müller	17	16	16	
3	Maschine A	Meier	18	18	12	
4	Maschine A	Huber	16	11	0	
5	Maschine B	Müller	29	21	25	
6	Maschine B	Meier	30	21	25	
7	Maschine B	Huber	26	20	0	
8	Maschine B	Schmidt	20	22	30	
9	Maschine C	Müller	19	14	11	
10	Maschine C	Meier	20	13	20	
11	Maschine C	Huber	10	15	0	
12	Maschine C	Schulz	6	8	9	

Bild 4.7 Die Tabelle ist nach dem erneuten Transponieren bereits deutlich übersichtlicher.

4.4 Entpivotieren

- Klicken Sie im Register **Start** im Bereich *Transformieren* auf die Schaltfläche **Erste Zeile als Überschriften verwenden**, damit die Spaltenüberschriften gesetzt werden.

Die Spalten, die Zahlen enthalten, sind die, die entpivotiert werden müssen. Ähnlich wie beim Entfernen von Spalten gibt es auch hier wieder zwei Wege zum Ziel: **Spalten entpivotieren** oder **Andere Spalten entpivotieren**. Wir wählen die schnellere Variante:

- Wählen Sie die ersten beiden Spalten mit gedrückter **Shift**-Taste aus. Klicken Sie mit der rechten Maustaste auf einen Spaltentitel und wählen Sie **Andere Spalten entpivotieren**.

Der Vollständigkeit halber sei noch eine weitere Variante erwähnt: Neben **Spalten entpivotieren** und **Andere Spalten entpivotieren** gibt es seit Mai 2017 die Funktion **Nur ausgewählte Spalten entpivotieren**. Sowohl bei **Spalten entpivotieren** als auch bei **Nur ausgewählte Spalten entpivotieren** müssen Sie die zu entpivotierenden Spalten auswählen. Der Unterschied tritt zutage, falls irgendwann neue Spalten in der Quelltabelle erscheinen sollten: Bei der Funktion **Spalten entpivotieren** werden diese dann auch entpivotiert, bei **Nur ausgewählte Spalten entpivotieren** werden sie nicht entpivotiert. ■

An Stelle der Monatsspalten erscheinen nun zwei neue Spalten: Die Spalte *Attribut* enthält die Zeiträume (ehemals Spaltentitel) und die Spalte *Wert* die zugehörigen Zahlenwerte. Beachten Sie, dass sich zwar die Spaltenzahl verringert hat, aber dafür deutlich mehr Zeilen entstanden sind (vorher: 38 Spalten, 11 Zeilen; nachher: 4 Spalten, 396 Zeilen). Die Ausgangsdaten sind also noch vorhanden, nur in anderer Form.

	Arbeitsbereich	Mitarbeiter	Attribut	Wert
1	Maschine A	Müller	Januar 2015	17
2	Maschine A	Müller	Februar 2015	16
3	Maschine A	Müller	März 2015	16
4	Maschine A	Müller	April 2015	17
5	Maschine A	Müller	Mai 2015	17
6	Maschine A	Müller	Juni 2015	18
7	Maschine A	Müller	Juli 2015	10
8	Maschine A	Müller	August 2015	14
9	Maschine A	Müller	September 2015	19
10	Maschine A	Müller	Oktober 2015	20
11	Maschine A	Müller	November 2015	13
12	Maschine A	Müller	Dezember 2015	16
13	Maschine A	Müller	Januar 2016	23
14	Maschine A	Müller	Februar 2016	20
15	Maschine A	Müller	März 2016	20
16	Maschine A	Müller	April 2016	23
17	Maschine A	Müller	Mai 2016	22

Bild 4.8 So sieht die Tabelle nach dem Entpivotieren aus.

4.5 Spalten teilen und Abschluss der Transformation

Um die Auswertung der Daten weiter zu erleichtern, soll nun die Spalte mit den Zeiträumen wieder getrennt werden, sodass eine Monatsspalte und eine Jahresspalte entstehen.

- Klicken Sie mit der rechten Maustaste auf den Titel der Spalte *Attribut* und wählen Sie im Kontextmenü **Spalte teilen – Nach Trennzeichen**.
- Wählen Sie wie zuvor beim Verbinden der Spalten das Leerzeichen als Trennzeichen.

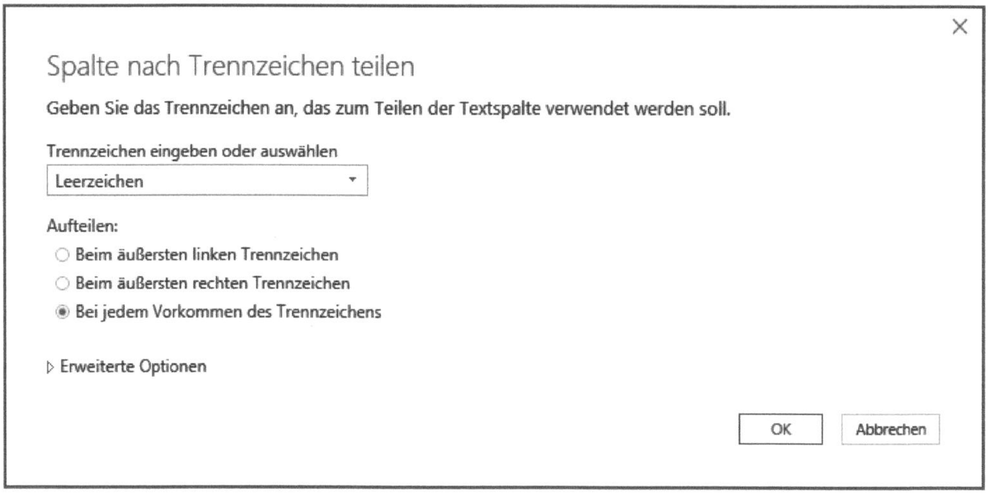

Bild 4.9 Das Teilen von Spalten ist mit einem oder mehreren Trennzeichen möglich.

- Da das Trennzeichen in diesem Fall nur einmal vorkommt, müssen Sie nichts weiter auswählen. Klicken Sie auf **OK**, um die Spalte aufzuteilen.
- Ändern Sie die Titel der nun getrennten Spalten in *Monat* und *Jahr*, indem Sie einen Doppelklick auf die alten Spaltentitel ausführen, den Text ändern und mit der **ENTER**-Taste bestätigen.
- Ändern Sie den Titel der Spalte *Wert* auf *Stunden*.
- Als letzten Schritt stellen Sie bei der Zahlenspalte *Stunden* den Typ *Dezimalzahl* ein. Damit ist sichergestellt, dass es keine Hindernisse bei der Visualisierung gibt.
- Damit ist die Transformation abgeschlossen. Schließen Sie den Abfrage-Editor mit **SCHLIESSEN & LADEN** (Excel) bzw. **SCHLIESSEN UND ÜBERNEHMEN** (Power BI).

Die Tabelle ist nun so aufbereitet, dass sie für diverse Visualisierungen geeignet ist: Sie können die Nutzungszeiten der einzelnen Maschinen pro Monat oder pro Jahr darstellen. Oder Sie ermitteln die Arbeitszeiten der einzelnen Mitarbeiter oder gleich die gesamte Arbeitszeit.

> Die Funktionen *Ausfüllen* und *Entpivotieren* sind in Excel nur im Abfrage-Editor verfügbar. Abfragen können also auch für das einmalige Aufbereiten von Daten von Nutzen sein, da diese Aktionen im „normalen“ Excel sonst nicht ohne Weiteres möglich sind. ■

5 Anpassen der Rohdaten

Wie Sie wissen, können Sie im Abfrage-Editor nicht direkt einen Wert ändern. Sie können beispielsweise nicht einfach einen Schreibfehler ausbessern. Das liegt daran, dass der Abfrage-Editor lediglich eine Vorschau des Abfrageergebnisses zeigt. Bei der nächsten Aktualisierung könnten die Quelldaten schon völlig anders aussehen, daher müssen die Transformationsschritte immer mehr oder weniger allgemeingültig sein. Das heißt aber nicht, dass Sie die Werte innerhalb der Tabelle nicht verändern können.

Es gibt eine Reihe von Funktionen, mit denen Sie Werte aus einer Spalte verändern oder extrahieren können. Sogar Berechnungen sind möglich, wie das folgende Beispiel zeigt.

- Erstellen Sie eine Abfrage auf die Excel-Datei *5-01-Kundenliste.xlsx* und öffnen Sie den Abfrage-Editor durch Klick auf **BEARBEITEN**.

5.1 Texttransformationen

Ein Blick auf die Tabelle zeigt, dass der Text in einigen Spalten etwas unschön geraten ist: Einige Werte sind in Großbuchstaben, andere ausschließlich in Kleinbuchstaben. In der Straßen-Spalte gibt es zudem überflüssige Leerzeichen.

	Kundennummer	Nachname	Vorname	Straße
1	1202	APAK	ELISABETH	STUTTGARTER STR. 40
2	1228	CERNJEVIC	WERNER	AUF DEN BEETEN 11
3	1257	Friedl	Fritz	Schnellenstr. 13
4	1271	Gruhlke	Fazli	Seestr. 18
5	1279	HASIL	GESINE	ROTHWEG 12
6	1296	kappel	johann	löcherhaldenstr. 44
7	1297	karabetyan	ruth	eicherhof 12
8	1299	käser	ulrich	böhmerwaldstr. 10
9	1302	kellermann	milan	hartauerweg 10
10	1321	List	Walter	Bayerwaldstr. 8
11	1325	Maaß	Reinhold	Furtstr. 23
12	1327	maisch	maria	hohenheimer str. 221
13	1352	nording	karl	klosterhof 11
14	1383	SCHAAL	JAKOB	LUPINENSTR. 6

Bild 5.1 Diese Tabelle kann bereinigt werden.

- Markieren Sie die Spalten *Nachname*, *Vorname* und *Straße*.
- Klicken Sie im Register **TRANSFORMIEREN** auf **FORMAT** und wählen Sie **ERSTEN BUCHSTABEN IM WORT GROSSSCHREIBEN**. Dadurch werden die Wörter in die richtige Schreibweise umgewandelt.
- Klicken Sie erneut auf **FORMATIEREN** und wählen Sie **KÜRZEN**. Wie bei der Excel-Funktion *GLÄTTEN* werden Leerzeichen am Anfang und am Ende der Textwerte entfernt.
- Für das Entfernen der überflüssigen Leerzeichen in der Mitte des Textes gibt es leider keine Funktion in der Benutzeroberfläche. Wir können aber die Ersetzen-Funktion benutzen: Klicken Sie im Register **TRANSFORMIEREN** auf **WERTE ERSETZEN**.
- Geben Sie als zu suchenden Text zwei Leerzeichen und als Ersatztext ein Leerzeichen ein.
- Klicken Sie auf **OK**.
- Da es in einigen Fällen mehr als zwei Leerzeichen nacheinander gab, muss die Ersetzen-Funktion nochmal ausgeführt werden. Ersetzen Sie daher erneut doppelte Leerzeichen durch ein einzelnes Leerzeichen.

Theoretisch können Sie diesen Schritt so lange wiederholen, bis Sie sicher sind, dass keine doppelten Leerzeichen mehr auftreten. Sinnvoller wäre hier jedoch eine eigene M-Funktion. Wie das geht, lernen Sie in Kapitel 15.

	Kundennummer	Nachname	Vorname	Straße
1	1202	Apak	Elisabeth	Stuttgarter Str. 40
2	1228	Cernjevic	Werner	Auf Den Beeten 11
3	1257	Friedl	Fritz	Schnellenstr. 13
4	1271	Gruhlke	Fazli	Seestr. 18
5	1279	Hasil	Gesine	Rothweg 12
6	1296	Kappel	Johann	Löcherhaldenstr. 44
7	1297	Karabetyan	Ruth	Eicherhof 12
8	1299	Käser	Ulrich	Böhmerwaldstr. 10
9	1302	Kellermann	Milan	Hartauerweg 10
10	1321	List	Walter	Bayerwaldstr. 8
11	1325	Maaß	Reinhold	Furtstr. 23
12	1327	Maisch	Maria	Hohenheimer Str. 221
13	1352	Nording	Karl	Klosterhof 11
14	1383	Schaal	Jakob	Lupinenstr. 6

Bild 5.2 Nach der Transformation sind die Texte besser lesbar.

Als Nächstes versuchen wir, die Vornamen abzukürzen, sodass z. B. „Elisabeth" zu „E." geändert wird.

- Markieren Sie die Spalte *Vorname*.
- Klicken Sie im Register **TRANSFORMIEREN** auf **EXTRAHIEREN** und wählen Sie **ERSTE ZEICHEN**.

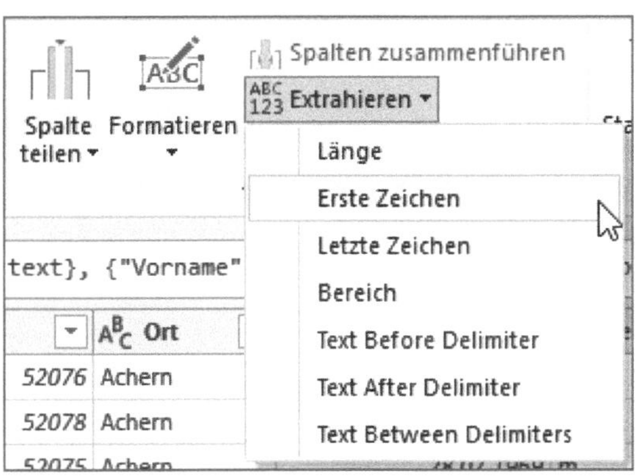

Bild 5.3 Die Extrahieren-Funktionen reduzieren Textwerte auf einen bestimmten Abschnitt.

- Es erscheint ein Dialog, in dem Sie gefragt werden, wie viele Zeichen behalten werden sollen. Geben Sie die Zahl *1* ein und klicken Sie auf **OK**.
- Nachdem die Vornamen auf den ersten Buchstaben reduziert wurden, soll noch ein Punkt angefügt werden. Klicken Sie hierfür auf **FORMAT – SUFFIX HINZUFÜGEN**.
- Im nun erscheinenden Dialog geben Sie einen Punkt ein und klicken auf **OK**.

	Kundennummer	Nachname	Vorname	Straße
1	1202	Apak	E.	Stuttgarter Str. 40
2	1228	Cernjevic	W.	Auf Den Beeten 11
3	1257	Friedl	F.	Schnellenstr. 13
4	1271	Gruhlke	F.	Seestr. 18
5	1279	Hasil	G.	Rothweg 12
6	1296	Kappel	J.	Löcherhaldenstr. 44
7	1297	Karabetyan	R.	Eicherhof 12
8	1299	Käser	U.	Böhmerwaldstr. 10

Bild 5.4 Die Vornamen sind nun abgekürzt.

5.2 Datumstransformationen

Werfen Sie nun einen Blick auf die beiden Datumsspalten *Geburtstag* und *Kunde seit*. Obwohl im Original normale Datumswerte eingetragen sind, hat Power Query bei der automatischen Erkennung des Datentyps hier den Typ *Datum/Uhrzeit* gewählt. Daher wird zusätzlich die Uhrzeit *00:00:00* angezeigt (vgl. Bild 5.5).

Geburtstag	Geschlecht	Kunde seit
07.05.1962 00:00:00	w	07.02.2015 00:00:00
15.01.1980 00:00:00	m	04.06.2013 00:00:00
28.07.1969 00:00:00	m	29.05.2017 00:00:00
19.10.1978 00:00:00	m	01.03.2011 00:00:00
06.02.1976 00:00:00	w	27.08.2014 00:00:00
05.07.1967 00:00:00	m	29.11.2012 00:00:00
09.11.1973 00:00:00	w	29.08.2012 00:00:00
23.04.1987 00:00:00	m	09.08.2012 00:00:00
03.05.1964 00:00:00	m	22.10.2011 00:00:00
24.01.1984 00:00:00	m	05.07.2014 00:00:00
27.05.1972 00:00:00	m	06.06.2015 00:00:00
12.05.1964 00:00:00	w	18.03.2014 00:00:00
29.02.1984 00:00:00	m	18.05.2012 00:00:00

Bild 5.5 Die Datumswerte werden mit dem falschen Datentyp angezeigt.

- Ändern Sie den Datentyp für die Spalten *Geburtstag* und *Kunde seit* auf *Datum*.

Je nachdem, welchen Datentyp die jeweils markierten Spalten besitzen, stehen verschiedene Funktionen zur Verfügung.

Bild 5.6
Die Datum- und Zeit-Funktionen.

- Markieren Sie die Spalte *Kunde seit*.
- Klicken Sie im Register **Transformieren** auf **Datum** und wählen Sie im Menü den Eintrag **Jahr – Jahr**.

Die Datumswerte in dieser Spalte werden dadurch auf das jeweilige Jahr reduziert. Gleichzeitig wird der Datentyp der Spalte auf *Zahl* geändert.

5.3 Zahlentransformationen

Im Normalfall ist der Hauptzweck einer Abfrage, Rohdaten in eine Excel-Arbeitsmappe oder das Power-BI-Datenmodell zu holen, um damit anschließend Berechnungen und Auswertungen durchzuführen. Es kann aber von Vorteil sein, erste Berechnungen schon während der Abfrage zu beginnen, um die spätere Auswertung zu erleichtern oder zu beschleunigen.

Wenn Sie zum Beispiel schon wissen, dass die Nachkommastellen in einer Spalte nicht relevant sein werden, runden Sie die Zahlen einfach schon während der Abfrage:

- Markieren Sie die Spalte *Guthaben*. Sie sollte bereits den Datentyp *Dezimalzahl* haben, wodurch die Zahlenfunktionen zur Verfügung stehen.
- Im Register **Transformieren** gibt es den Bereich *Zahlenspalte*. Öffnen Sie dort das Menü **Runden** und wählen Sie den Eintrag **Abrunden**.

Im Bereich *Zahlenspalte* finden Sie noch weitere Funktionen. Sie könnten zum Beispiel auch alle Werte einer Spalte mit einem bestimmten Wert multiplizieren oder sich nur absolute Werte anzeigen lassen (d. h. die Zahlen ohne Berücksichtigung des Vorzeichens).

Nicht alle Funktionen verändern übrigens die einzelnen Werte der Spalte:

- Beachten Sie, was passiert, wenn Sie im Menü **Statistiken** den Eintrag **Maximum** auswählen.

  Bei dieser Transformation verschwindet die gesamte Tabelle und es bleibt nur die Zahl 298, der höchste Wert aus der ausgewählten Spalte. Eine Abfrage muss also nicht immer eine Tabelle zurückgeben, es kann auch ein einzelner Wert sein.
- Löschen Sie den letzten Arbeitsschritt wieder, indem Sie auf das Kreuz links davon klicken. Daraufhin erscheint die Tabelle wieder.

5.4 Gruppieren

Eine besonders wirkungsvolle Rechenoperation ist das Gruppieren. Die Struktur der Tabelle wird dabei komplett verändert und die Datenmenge deutlich reduziert. Dies verringert wiederum die Größe Ihrer Datei und erhöht die Effizienz bei späteren Berechnungen.

Nehmen wir an, Sie benötigen nicht die Details aller Kunden, sondern möchten nur wissen, wie viele Kunden männlich und wie viele weiblich sind. Zudem interessiert Sie die Gesamtzahl der Bonuspunkte aller Männer bzw. Frauen.

- Klicken Sie im Register **TRANSFORMIEREN** auf die Schaltfläche **GRUPPIEREN NACH.**
- Es erscheint ein Dialogfenster, wo die Details der Gruppierung angegeben werden müssen. Bei *Gruppieren nach* muss die Spalte angegeben werden, die die verschiedenen Gruppen enthält. In unserem Beispiel ist das *m* für männlich und *w* für weiblich. Wählen Sie daher im oberen Auswahlfeld den Spaltennamen *Geschlecht.*
- Neben der Spalte für das Geschlecht wollen wir zwei weitere Spalten: die jeweilige Anzahl und die Bonuspunkte. Klicken Sie in dem Dialog auf die Option **WEITERE.**
- Dadurch erscheint eine Schaltfläche **AGGREGATION HINZUFÜGEN.** Klicken Sie auf diese.

> Falls Sie noch eine ältere Version haben, gibt es die Option **WEITERE** evtl. nicht. Stattdessen sollten Sie neben *Neuer Spaltenname* ein Plus-Symbol finden. Klicken Sie darauf, um eine neue Spalte einzufügen.

- Sie können nun zwei neue Spalten anlegen: Geben Sie für die erste Spalte den Namen *Anzahl* und den Vorgang **ZEILEN ZÄHLEN** an.
- Geben Sie für die zweite Spalte den Namen *Bonuspunkte* an, wählen Sie als Vorgang **SUMME** und als Spalte *Bonuspunkte.* Dadurch werden die Werte in der Spalte *Bonuspunkte* für die jeweiligen Geschlechter (m und w) aufsummiert.

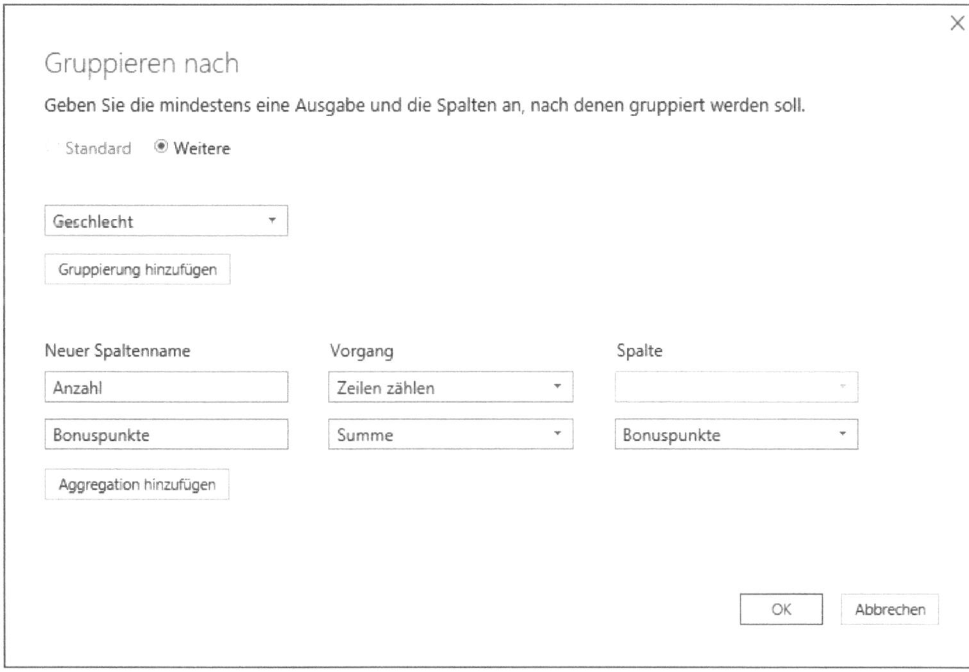

Bild 5.7 *Gruppieren* ermöglicht die Zusammenfassung von Teilbereichen der Tabelle.

- Klicken Sie auf **OK**, um den Dialog zu schließen.

Die ursprüngliche Tabelle wurde durch das Gruppieren deutlich reduziert. Alle Spalten, die nicht in den Vorgang einbezogen wurden, sind nun entfernt. Es gibt nur je eine Zeile für Männer und Frauen sowie die jeweilige Anzahl und die Summe der Bonuspunkte (vgl. Bild 5.8).

	ABC Geschlecht	1.2 Anzahl	1.2 Bonuspunkte
1	w	60	80100
2	m	183	221710

Bild 5.8 Die Tabelle ist nun stark zusammengefasst.

Wie Sie sehen, gehen viele Informationen aus der ursprünglichen Tabelle durch das Gruppieren verloren. Wenn Sie diese Informationen nicht im Einzelnen benötigen, ist es aber von Vorteil, sie nicht in Ihr Auswertungsmodell zu übernehmen.

Wie bei vielen Funktionen des Abfrage-Editors können Sie das Gruppieren alternativ auch nach der Abfrage machen, z. B. mit einer Pivot-Tabelle in Excel oder einer Visualisierung in Power BI. Es gilt immer abzuwägen: Stellen Sie sicher, dass die Abfrage alle Details liefert, die Sie in der Auswertung brauchen, aber reduzieren Sie die Datenmenge auf das Wesentliche, um spätere Berechnungen und Visualisierungen zu erleichtern. ■

6 Abfragen auf Webseiten

Sie haben gesehen, wie einfach Sie Dateien auf Ihrem Computer in einer Abfrage einlesen und verarbeiten können. Auf ähnliche Weise können auch Abfragen auf Webseiten erfolgen. Daten, die regelmäßig geändert werden – in unserem Beispiel Währungskurse – holen Sie damit mit nur einem Klick in Ihre Excel- oder Power-BI-Auswertung.

6.1 Webabfrage auf eine Tabelle

Grundsätzlich können Daten von jeder Webseite per Abfrage ausgelesen werden. Am besten eignen sich jedoch Quelldaten, die in Tabellenform vorliegen und im Quellcode der Webseite entsprechend als Tabelle formatiert sind. Ist dies nicht der Fall, ist meist etwas mehr Aufwand nötig, um die gewünschten Daten zu extrahieren (vgl. nächstes Kapitel).

Im folgenden Beispiel sollen Währungskurse von der Wiener Börse eingelesen werden. Da die Kurstabelle auf der Homepage der Börse laufend aktualisiert wird, erhalten Sie mithilfe einer Webabfrage stets die neuesten Kurse z. B. für Währungsumrechnungen.

- **EXCEL:** Klicken Sie im Register **DATEN** auf **DATEN ABRUFEN – AUS ANDEREN QUELLEN – AUS DEM WEB.**

> **Achtung:** Bei älteren Excel-Versionen gibt es auch eine Schaltfläche **AUS DEM WEB** unter der Rubrik *Externe Daten abrufen*. Hier handelt es sich jedoch um eine ältere, einfachere Abfragetechnik, die keine Transformationsmöglichkeiten bietet. Verwechseln Sie sie daher nicht mit der Webabfrage aus der Rubrik *Daten abrufen und transformieren*.

- **POWER BI:** Starten Sie eine neue Abfrage über **DATEN ABRUFEN** und wählen Sie unter der Rubrik **SONSTIGE** den Eintrag **WEB**. Klicken Sie anschließend auf **VERBINDEN.**

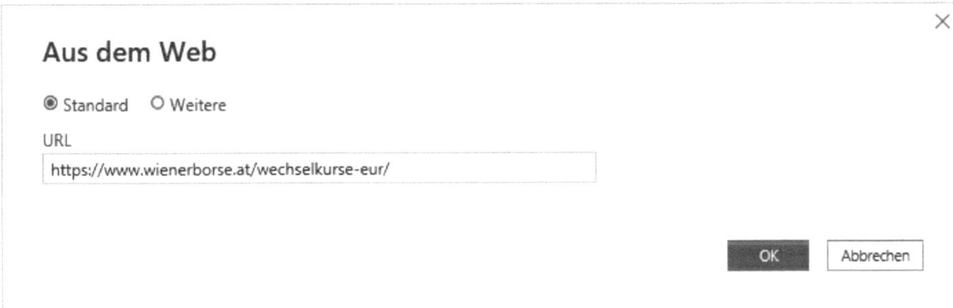

Bild 6.1 Eingabe der URL für die Webabfrage.

- Nun sollte ein Fenster erscheinen, in dem Sie die URL einer Webseite eingeben können. Geben Sie folgende Adresse ein: *https://www.wienerborse.at/wechselkurse-eur/.*
- Nachdem Sie **OK** klicken, erscheint unter Umständen ein Dialogfenster, in dem Sie die Möglichkeit haben, Anmeldedaten einzugeben. In unserem Beispiel ist das jedoch nicht nötig, belassen Sie einfach die Vorauswahl auf *Anonym* und klicken Sie auf **VERBINDEN**.
- Die Webseite wird nun nach verwertbaren Tabellen abgesucht. Sie erhalten eine Liste der möglichen Quelltabellen, die Sie auswählen und in der rechten Fensterhälfte in der Vorschau ansehen können. Suchen Sie nach der Tabelle, in der Sie alle Devisen mit dem jeweils aktuellen Kurs sehen. Falls sich das Layout der Homepage seit Verfassen dieses Buchs nicht geändert hat, sollte das die erste Tabelle sein (vgl. Bild 6.2).

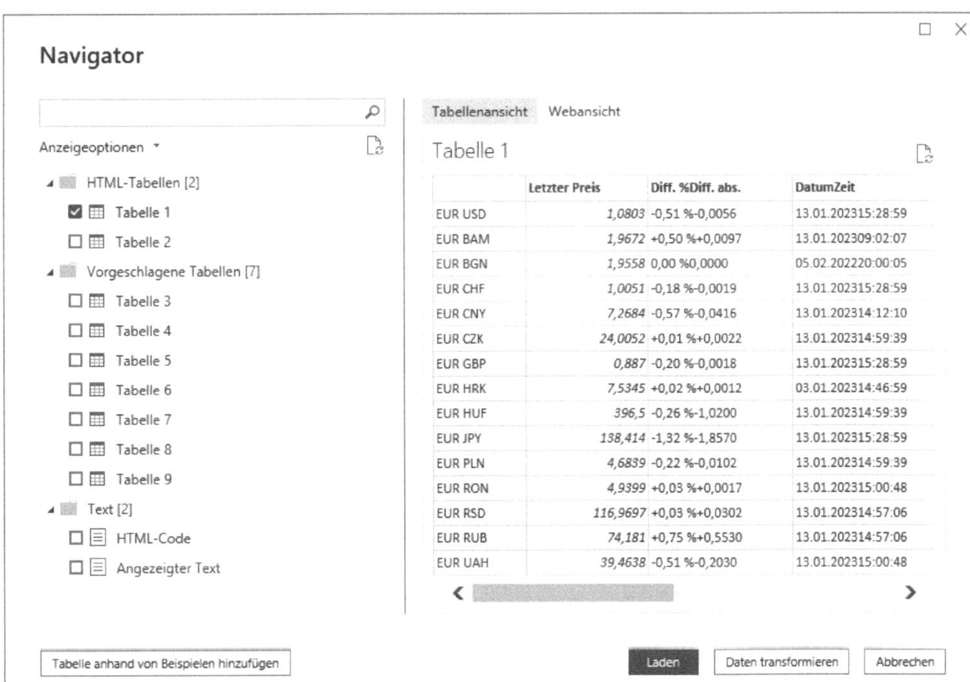

Bild 6.2 Wählen Sie die gewünschte Tabelle mit Hilfe der Vorschau aus.

- Klicken Sie auf **Daten transformieren**, um den Abfrage-Editor zu öffnen.
- Die erste Spalte hat keinen Namen, deshalb wird Sie umbenannt in *Bezeichnung*.
- In diesem Beispiel sind nur die ersten beiden Spalten relevant. Wählen Sie beide mit gedrückter *Strg*-Taste aus, klicken Sie mit der rechten Maustaste auf die Spaltentitel und führen Sie die Aktion **Andere Spalten entfernen** aus.

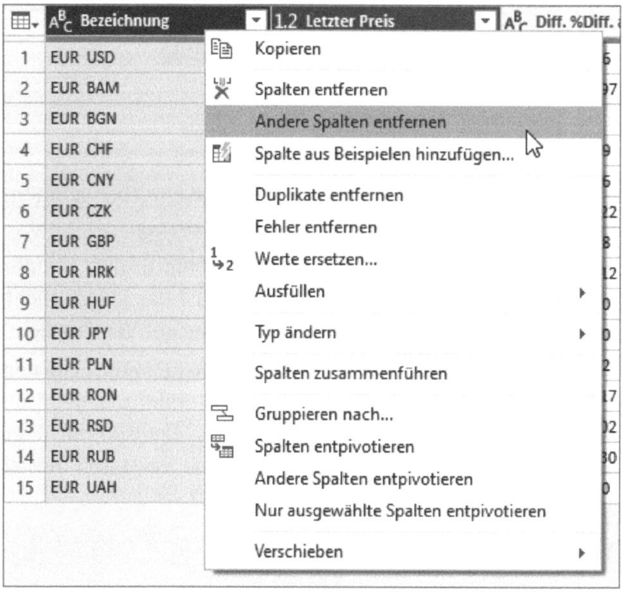

Bild 6.3 Die nicht ausgewählten Spalten werden entfernt.

- Überprüfen Sie noch, ob die Datentypen der Spalten richtig erkannt wurden. Die *Bezeichnung* sollte den Datentyp *Text* haben, *Letzter Preis* muss eine *Dezimalzahl* sein.
- Zum Abschluss geben Sie der Abfrage noch den Namen *Währungskurse*.
- Klicken Sie auf **Schliessen & Laden** (Excel) bzw. **Schliessen und übernehmen** (Power BI).

Sie haben nun eine Tabelle mit Devisenkursen, die mit den Devisenkursen im Web verknüpft ist. Sie können sie jederzeit aktualisieren und die einzelnen Kurse für weitere Berechnungen verwenden.

6.2 Webabfrage ohne Tabellen

Im letzten Beispiel haben Sie den einfachsten Fall einer Webabfrage gesehen. Die benötigten Daten lagen in einer Tabelle vor, die von Power Query als solche identifiziert werden konnte, weil sie im HTML-Code der Webseite mit `<table>`-Tags markiert war. Oft können Daten auf diese Weise eingelesen werden, selbst wenn sie auf der Webseite nicht als Tabellen erkennbar sind.

Leider ist das nicht immer der Fall. Sofern die gesuchten Daten aber irgendwo im Quellcode der Homepage als Text zu finden sind, ist es trotzdem fast immer möglich, sie per Abfrage zu extrahieren. Grundkenntnisse in HTML sind dabei hilfreich, doch sogar dann ist es meist ein sehr mühsamer Prozess. An dieser Stelle sollen daher nur die Grundprinzipien erläutert werden.

Auf der Homepage *www.wetter.com* werden unter anderem auch die Unwetterwarnungen des Deutschen Wetterdienstes veröffentlicht. Der Text ist zwar relativ einfach an einer zentralen Stelle der Homepage zu finden, ist aber, wie üblich, von einer Vielzahl anderer Elemente, wie Bilder, Werbebanner, Rubrik-Links usw. umgeben. Die Herausforderung liegt also darin, ihn aufzuspüren. Hierfür gibt es folgende Strategien, die je nach Situation sinnvoll sein können.

6.2.1 Das Element *Document*

Die ungünstigste Ausgangslage liegt vor, wenn Sie im Navigatorfenster keine brauchbaren Tabellen vorfinden, sondern auf ein Element namens *Document* zurückgreifen müssen. Bild 6.4 zeigt so einen Fall.

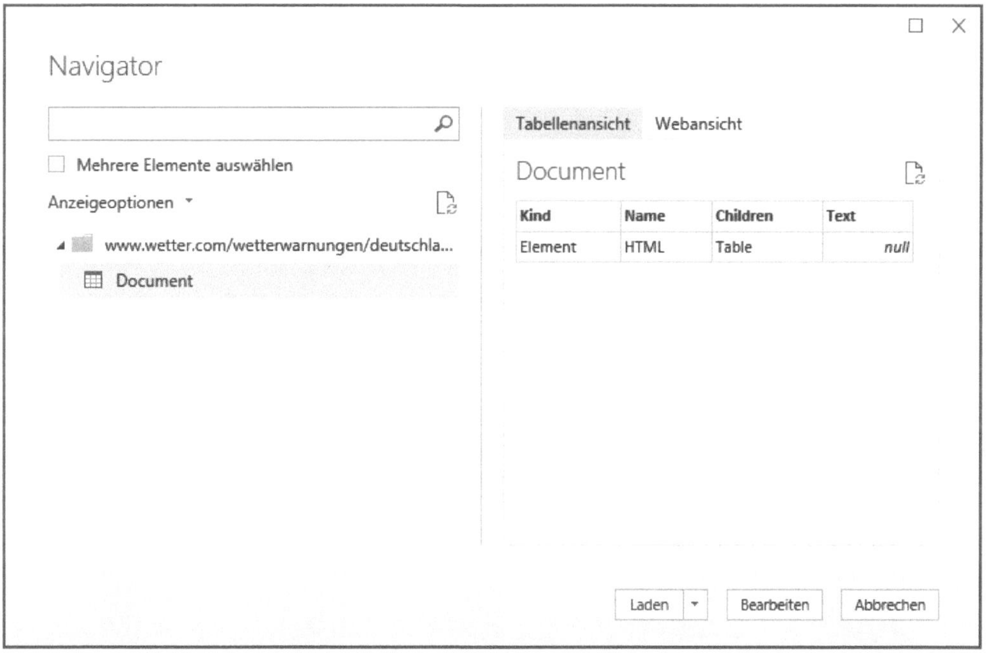

Bild 6.4 Nicht immer werden Tabellen für den Import gefunden.

Wenn Sie dieses Element im Power Query-Editor bearbeiten, sehen Sie eine Tabelle, die auf den ersten Blick nicht viel mit der eingelesenen Homepage zu tun hat. Die Elemente, die auf der Webseite sichtbar waren, sind hier kodiert in einer Art Baumstruktur, durch die Sie zum gesuchten Element, d. h. dem Text mit den Wetterwarnungen navigieren müssen. Es beginnt die Suche nach der Nadel im Heuhaufen.

	Kind	Name	Children	Text
1	Element	HTML	Table	*null*

Bild 6.5 Die erste Ebene der Homepage-Struktur.

Die erste Ebene der Homepage-Struktur zeigt nur ein Element. In der Spalte *Children* sehen Sie farbig hervorgehoben das Wort **Table**. Wenn Sie es anklicken, gelangen Sie zur nächsten Ebene.

	Kind	Name	Children	Text
1	Element	HEAD	Table	*null*
2	Element	BODY	Table	*null*

Bild 6.6 Die zweite Ebene der Homepage-Struktur.

Auf der nächsten Ebene sehen Sie üblicherweise zwei Elemente. Das Element mit dem Namen *BODY* enthält den sichtbaren Hauptteil der Webseite. Klicken Sie daher auf den zugehörigen, unteren **Table**-Link, um zur nächsten Ebene zu gelangen.

	Kind	Name	Children	Text
1	Element	NOSCRIPT	*null*	*null*
2	Element	DIV	*null*	*null*
3	Element	SCRIPT	*null*	*null*
4	Element	IMG	*null*	*null*
5	Text	*null*	*null*	
6	Element	SCRIPT	*null*	*null*
7	Element	SCRIPT	*null*	*null*
8	Element	SCRIPT	*null*	*null*
9	Element	DIV	Table	*null*
10	Element	DIV	*null*	*null*
11	Element	SCRIPT	*null*	*null*
12	Element	SCRIPT	*null*	*null*
13	Element	SCRIPT	*null*	*null*
14	Element	SCRIPT	*null*	*null*
15	Element	SCRIPT	*null*	*null*
16	Element	SCRIPT	*null*	*null*
17	Element	footer	Table	*null*
18	Element	DIV	Table	*null*
19	Element	SCRIPT	*null*	*null*
20	Element	IFRAME	*null*	*null*
21	Element	SCRIPT	*null*	*null*
22	Element	SCRIPT	*null*	*null*
23	Element	SPAN	*null*	*null*
24	Element	SCRIPT	*null*	*null*
25	Element	SCRIPT	*null*	*null*
26	Element	NOSCRIPT	*null*	*null*
27	Element	SCRIPT	*null*	*null*
28	Element	SCRIPT	*null*	*null*
29	Element	DIV	Table	*null*

Bild 6.7 Die dritte Ebene der Homepage-Struktur.

Spätestens ab hier wird es unübersichtlich (vgl. Bild 6.7). Die meisten **TABLE**-Links führen zu weiteren Unterebenen und diese wieder zu weiteren Unterebenen. In der Benutzeroberfläche des Abfrage-Editors haben Sie keine Möglichkeit, das gesuchte Element zu erkennen.

Dennoch werden Sie sich durch die verschiedenen Ebenen klicken müssen, bis Sie die gewünschten Daten gefunden haben. Das Zahnrad-Symbol neben dem Arbeitsschritt *Navigation* hilft Ihnen, zu übergeordneten Strukturebenen zurückzukehren, falls Sie in eine Sackgasse geraten.

Wer sich ein bisschen mit HTML auskennt, kann den Quellcode der Webseite zu Hilfe nehmen. Dort findet man die Zieldaten oft leichter und kann so durch Abzählen der Elemente das entsprechende Element im Abfrage-Editor finden. Benutzen Sie beispielsweise die Funktion *Element untersuchen*, die im Kontextmenü erscheint, wenn Sie im Browser (z. B. Google Chrome, Mozilla Firefox oder Internet Explorer) mit der rechten Maustaste auf ein Webseitenelement klicken. ■

Wir wollen nicht im Detail auf den langwierigen Suchprozess eingehen, der nötig ist, bis schließlich die gesuchten Daten im Editor erscheinen. Es sollte lediglich das Grundprinzip dieser Art von Web-Abfrage verdeutlicht werden.

In der Praxis gestaltet sich das Thema oft noch komplizierter, weil die *Table*-Elemente, die Sie in jedem Schritt auswählen, nur über Ihre Positionsnummer gespeichert werden. Selbst, wenn Sie die gesuchten Informationen aus der *Document*-Baumstruktur isolieren können, reicht schon eine geringfügige Änderung an der Webseite, damit Ihre Abfrage nicht mehr funktioniert. Unter Umständen müssen Sie also verschiedene Szenarien berücksichtigen, was nur mithilfe der später im Buch vorgestellten Abfragesprache M möglich ist.

	Kind	Name	Children	Text
1	Element	H3	Table	null
2	Element	BR	null	null
3	Element	DIV	Table	null
4	Element	BR	null	null
5	Text	null	null	am Mittwoch, 03.01.2018, 07:00 Uhr
6	Element	BR	null	null
7	Element	BR	null	null
8	Text	null	null	Sturmlage mit Böen bis Orkanstärke. Im Schwarzwald unwetterartiger
9	Element	BR	null	null
10	Text	null	null	Dauerregen.
11	Element	BR	null	null
12	Element	BR	null	null
13	Text	null	null	Entwicklung der Wetter- und Warnlage für die nächsten 24 Stunden
14	Element	BR	null	null
15	Text	null	null	bis Donnerstag, 04.01.2018, 07:00 Uhr:
16	Element	BR	null	null
17	Element	BR	null	null
18	Text	null	null	Die Ausläufer eines in die Nordsee ziehenden Sturmtiefs überqueren
19	Element	BR	null	null
20	Text	null	null	Deutschland. Dahinter strömt erwärmte Meeresluft ein.

Bild 6.8 Die zehnte Ebene der Homepage-Struktur.

6.2.2 Untersuchen des HTML-Codes

In den neueren Versionen von PowerBI und hoffentlich bald auch Excel findet sich die Option, direkt den HTML-Code einer Homepage zu untersuchen.

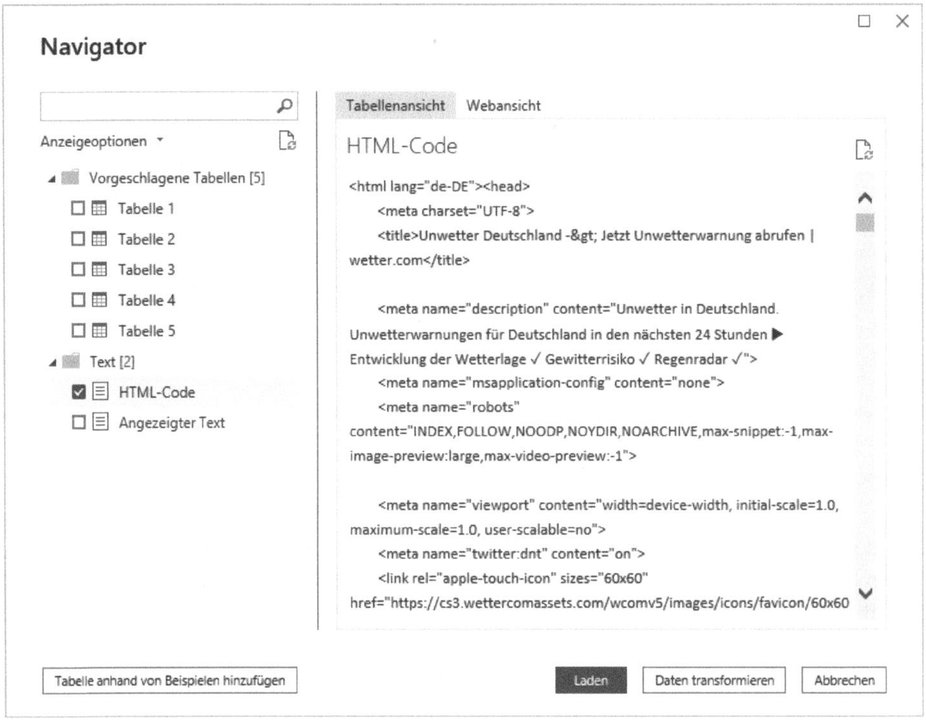

Bild 6.9 Der komplette HTML-Code in PowerBI

Wie in Bild 6.9 zu sehen ist, kann die Power-Query-Abfrage direkt den HTML-Code einer Homepage liefern. HTML ist die Sprache, in der alle Webseiten des Internets kodiert sind. Normalerweise übersetzt der Browser diese Sprache in das, was wir als Webseite sehen. Der Code selbst ist eher unübersichtlich. Der Vorteil innerhalb Power Query ist jedoch, dass fast alle Texte, die auf der Webseite auftauchen, auch in diesem Code enthalten sind (Ausnahme: Text in Bildern und Ausgabe von Skript-Programmen). Sogar Informationen, die im Browser nicht sichtbar sind, wie URLs von Bilddateien könnten auf diese Weise extrahiert werden.

Dieses Extrahieren ist jedoch die große Herausforderung. Die Daten liegen bei einer HTML-Abfrage nicht in einer Tabelle vor, sondern in einem einzigen langen Text. Der Großteil des Textes ist dabei irrelevant und muss von den gesuchten Daten getrennt werden. Power Query bietet Ihnen dafür eine Reihe an Text-Funktionen, die Sie in diesem Buch noch kennen lernen werden.

HTML-Code ist voll von sogenannten *Tags*, mit denen bestimmte Bereiche markiert werden. Diese Codewörter in spitzen Klammern (beispielsweise <H1>) können unter Umständen hilfreich sein bei der Suche nach bestimmten Daten. In vielen Fällen sind Sie aber eher hinderlich. Es kann daher angenehmer sein, in einer Web-Abfrage nur den angezeigten Text auszuwerten. Das nächste Kapitel zeigt, wie das geht.

6.2.3 Den Text der Homepage direkt auswerten

Die dritte Möglichkeit, per Power Query Daten von Webseiten abzufragen, ist die Option *Angezeigter Text*. Falls die gesuchten Daten nicht in einer Tabelle vorliegen und Ihre Excel- oder PowerBI-Version diese Funktion unterstützt, ist das meist der beste Weg. Wie bei der Option *HTML-Code*, liefert auch *Angezeigter Text* einen langen zusammenhängenden Text. Weil Bilder und Formatierungen fehlen, ist dieser Text aber nicht so gut strukturiert wie auf der Original-Webseite. Aber wenn Sie wissen, wonach Sie suchen, können Sie meist die relevanten Textteile isolieren.

Eine gute Technik ist, sich Signalwörter zu suchen, die vor oder nach den gesuchten Texten stehen. Mit Hilfe von verschiedenen M-Funktionen, die sie später im Buch kennenlernen, können Sie so eine flexible und stabile Abfrage erstellen.

7 Abfragen auf relationale Datenbanken

Im letzten Kapitel haben Sie gesehen, dass Tabellen in Power Query nicht nur lesbare Werte, sondern auch Verweise zu anderen Tabellen enthalten können. Die Webabfrage ist nicht gerade ein gutes Beispiel für die Vorteile dieses Konzepts. Anders sieht es bei relationalen Datenbanken aus. Die meisten gängigen Datenbank-Systeme sind relational aufgebaut, dazu zählen Access, Oracle, IBM DB2, Microsoft SQL Server, Azure SQL Database und viele mehr.

Die Besonderheit bei relationalen Datenbanken ist, dass die enthaltenen Tabellen miteinander in Beziehung stehen. Ein typisches Beispiel: In einer Tabelle mit Bestellungen ist zu jeder Bestellung eine Kundennummer eingetragen. In einer anderen Tabelle sind die Informationen aller Kunden wie Name, Adresse, Bankverbindung etc. gespeichert. In beiden Tabellen wird die gleiche Kundennummer verwendet, sodass über dieses Feld eine Beziehung zwischen den Tabellen besteht. Dank dieser Beziehung müssen die Kundendaten nicht mit jeder Bestellung gespeichert werden, denn sie sind sofort über die Kundennummer abrufbar.

Mit Power Query können Sie diese Verknüpfungen zwischen Tabellen für sich nutzen. Das Prinzip soll hier anhand einer Oracle-Datenbank gezeigt werden. Für andere Datenbanken ist es sehr ähnlich gestaltet.

7.1 Beispiel mit Oracle-Datenbank

> **!** Das ist das einzige Beispiel im Buch, das Sie nicht „live“ mitmachen können, da Sie dafür Zugriff auf einen Datenbank-Server benötigen.

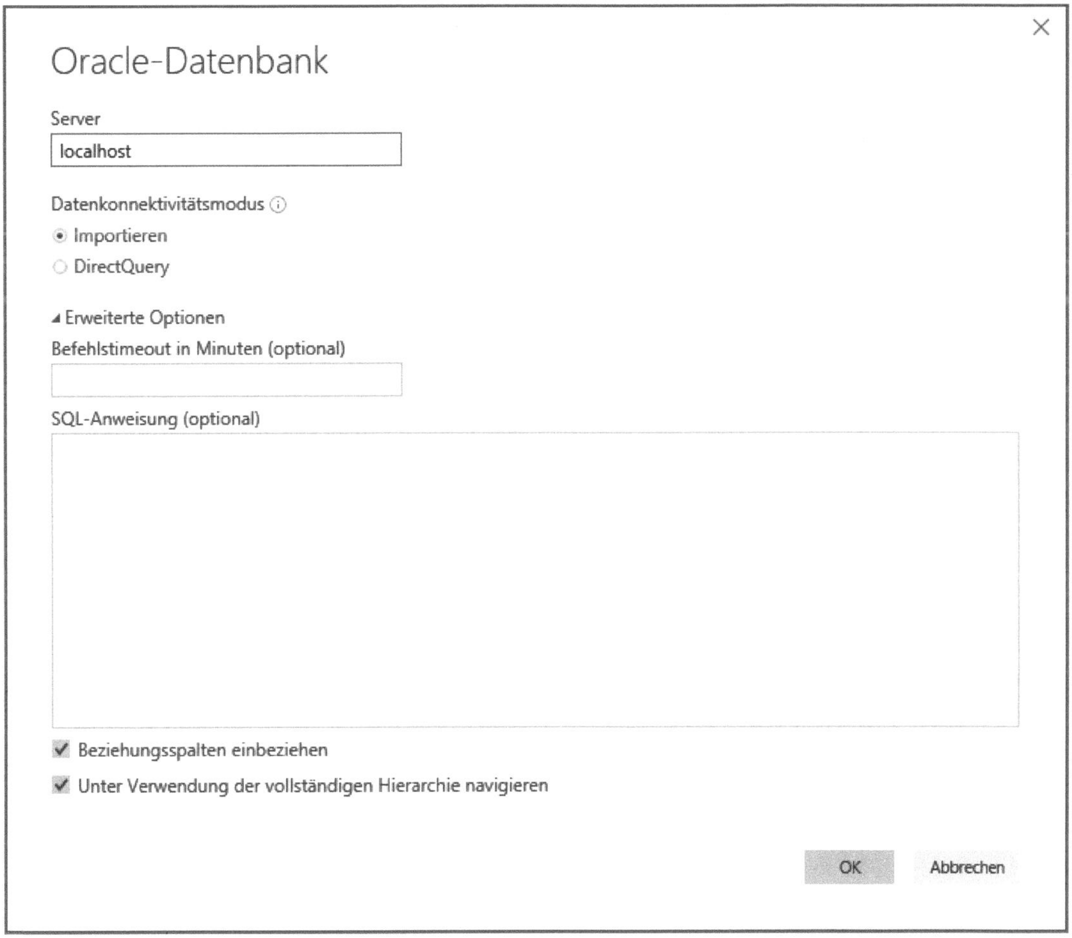

Bild 7.1 Dialog für die Server-Adresse (bei Oracle-Server in Power BI).

Zunächst wird eine neue Abfrage erstellt und dabei die jeweilige Datenbank ausgewählt (in diesem Beispiel Oracle). Daraufhin erscheint ein Dialog, in dem der Name des Servers und ggf. weitere Informationen eingegeben werden können (vgl. Bild 7.1). Je nachdem, auf welche Art von Datenbank Sie zugreifen, stehen Ihnen hier verschiedene Optionen zur Verfügung:

- *Server:* der Name des Servers.
- *Datenbank* (wird z. B. bei Microsoft SQL-Server angezeigt): Hier können Sie optional den Namen einer Datenbank angeben.
- *Datenkonnektivitätsmodus*: Hier können Sie entscheiden, ob die Daten komplett eingelesen und gespeichert werden *(Importieren)* oder ob die jeweils benötigten Daten bei jeder Aktualisierung und jeder Interaktion mit einer Visualisierung neu abgefragt werden *(DirectQuery)*. Weitere Informationen hierzu finden Sie in Kapitel 2.2.

- *Befehlstimeout in Minuten (optional):* Bei Verbindungsproblemen wird die Abfrage nach einer bestimmten Zeit abgebrochen.
- *SQL-Anweisung (optional):* Sie können das Ergebnis der Abfrage schon in diesem Schritt mit einem SQL-Befehl eingrenzen oder verändern. Sie können entweder eine SELECT-Anweisung eingeben oder, wenn verfügbar, eine Prozedur aufrufen.

Die Abfrage ist oft effizienter, wenn Sie auf einen SQL-Befehl verzichten und nötige Transformationen wie Filter und Gruppierungen im Abfrage-Editor einstellen. Der Grund dafür wird später unter der Überschrift *Query Folding* erklärt. ■

- *Beziehungsspalten einbeziehen:* Wenn Sie diese Option deaktivieren, werden Beziehungen zwischen Tabellen nicht abgebildet. Bei Beziehungsspalten wird dann nur der eingetragene Fremdschlüssel angezeigt.
- *Unter Verwendung der vollständigen Hierarchie navigieren:* Mit dieser Option können verschiedene Schemas berücksichtigt werden.

Authentifizierung

Im nächsten Schritt erscheint ein Dialog, in dem Sie die Zugangsdaten für den Server angeben können. Der Dialog erscheint allerdings nur bei der ersten Abfrage auf diesen Server.

Die eingegebenen Zugangsdaten werden gespeichert und bei zukünftigen Abfragen auf diesen Server nicht mehr erfragt. Sie können alle gespeicherten Zugangsdaten bei den Datenquelleneinstellungen ansehen. Dort haben Sie auch die Möglichkeit, sie zu bearbeiten oder zu löschen.

- **Excel:** Die Datenquelleneinstellungen finden Sie im Menü DATEN – DATEN ABRUFEN.
- **Power BI Desktop:** Klicken Sie auf DATEI – OPTIONEN UND EINSTELLUNGEN – DATENQUELLENEINSTELLUNGEN. ■

Auf der linken Seite des Dialogs gibt es zwei Register: Im ersten Register, *Windows*, stellen Sie ein, dass die Windows-Zugangsdaten für die Authentifizierung am Server verwendet werden. Im zweiten Register, *Datenbank*, haben Sie die Möglichkeit, einen Benutzernamen und ein Passwort für den Serverzugriff einzugeben.

Bild 7.2 Einwahl mit den Windows-Anmeldeinformationen.

Bild 7.3 Das zweite Register für serverspezifische Zugangsdaten.

Das Navigator-Fenster

Falls Sie im ersten Schritt einen SQL-Befehl angegeben haben, erscheint nun eine Vorschau der daraus resultierenden Tabelle. Sie haben die Möglichkeit, sie direkt zu laden oder sie im Abfrage-Editor weiter zu bearbeiten.

Wenn kein SQL-Befehl eingegeben wurde, erscheint das Navigator-Fenster. Hier haben Sie die Auswahl aus allen Tabellen, Views und ggf. Funktionen, die die Datenbank bereitstellt. Auf der rechten Seite sehen Sie wie immer eine Vorschau des ausgewählten Elements.

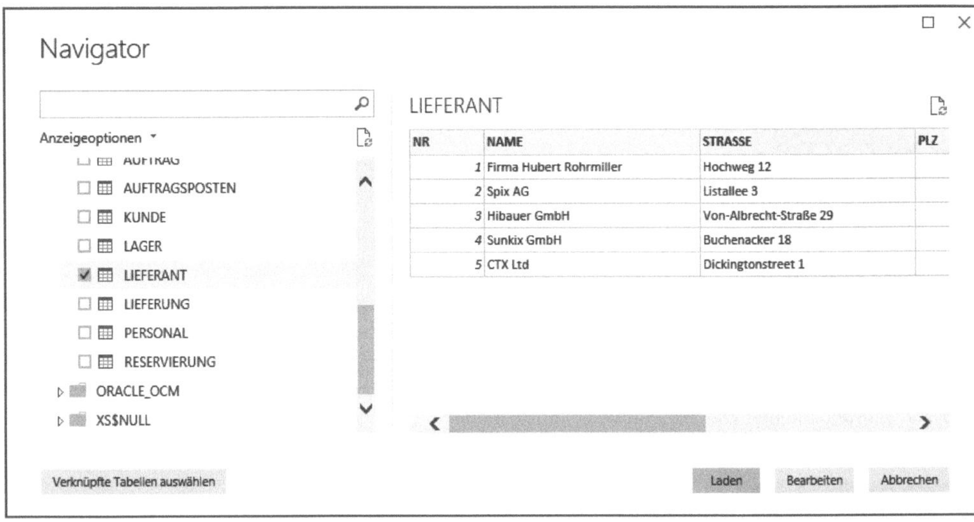

Bild 7.4 Auswahl einer Tabelle im Navigator-Fenster.

Wenn Sie eine Tabelle ausgewählt haben, können Sie sie mit einem Klick auf **BEARBEITEN** im Abfrage-Editor weiter transformieren.

Verknüpfte Tabellen zusammenführen

Hier zeigt sich die Besonderheit bei relationalen Datenbanken. Falls die Tabelle eine Spalte mit einem Fremdschlüssel enthält, werden nicht die einzelnen Schlüsselwerte angezeigt, sondern stattdessen ein Link auf ein Table-Objekt.

Bild 7.5 zeigt eine Tabelle mit Lieferanten. Sie ist mit einer anderen Tabelle namens *Lieferung* verknüpft. Die Verknüpfung findet über die letzte Spalte statt: Die dort zu sehenden Table-Objekte verweisen auf die zugehörigen Einträge aus der Tabelle *Lieferung*. Sie enthalten also zu jedem Lieferanten die Zeilen mit dessen Lieferungen.

	1.2 NR	ABC NAME	ABC STRASSE	1.2 PLZ	ABC ORT	USR1.LIEFERUNG
1	1	Firma Hubert Rohrmiller	Hochweg 12	81369	München	Table
2	2	Spix AG	Listallee 3	90403	Nürnberg	Table
3	3	Hibauer GmbH	Von-Albrecht-Straße 29	51143	Köln	Table
4	4	Sunkix GmbH	Buchenacker 18	93051	Regensburg	Table
5	5	CTX Ltd	Dickingtonstreet 1	null	London	Table

Bild 7.5 Eine Beispieltabelle mit Beziehungsspalte.

Es gibt mehrere Möglichkeiten, die verknüpften Daten sichtbar zu machen:

Klicken Sie auf das farbig hervorgehobene Wort *Table*. Dadurch führen Sie einen sogenannten Drilldown durch und die hinterlegten Daten werden angezeigt. Wenn Sie beispielsweise das oberste Table-Objekt anklicken, erscheint ein Bereich aus der Tabelle *Lieferung*, der nur die Lieferungen enthält, die zum ersten Lieferanten gehören.

Eine weitere Möglichkeit ist, die Daten aus der verknüpften Tabelle in der angezeigten Tabelle einzubinden. Klicken Sie dazu auf die Schaltfläche mit den zwei Pfeilen neben dem Titel der Beziehungsspalte. Es öffnet sich ein Menü, wie es in Bild 7.6 zu sehen ist.

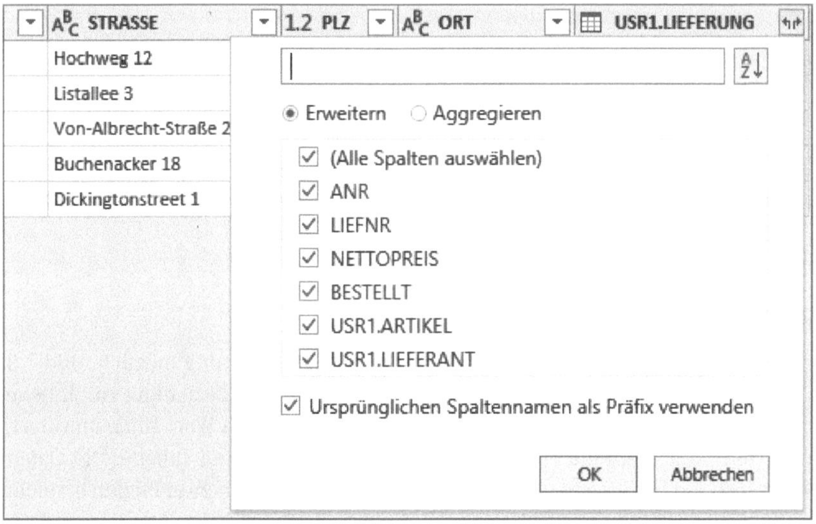

Bild 7.6 Die Pfeil-Schaltfläche öffnet ein Menü zum Einfügen der Daten.

In diesem Menü können aus der Tabelle *Lieferung* die Spalten ausgewählt werden, die in die aktuelle Tabelle eingefügt werden sollen. Unter den Spaltennamen gibt es die Option *Ursprüngliche Spaltennamen als Präfix verwenden*. Dies bewirkt, dass die Titel der neuen Spalten zusammengesetzt werden aus dem Tabellennamen und dem Original-Spaltennamen, also zum Beispiel *LIEFERUNG.BESTELLT*.

Unter Umständen enthalten die eingebetteten Tabellenobjekte mehrere Zeilen. Im aktuellen Fall gibt es etwa mehrere Lieferungen zu den einzelnen Lieferanten. Die Tabelle enthält bisher aber nur eine Zeile pro Lieferant. Aus diesem Grund haben Sie noch zwei Optionen zur Auswahl:

- *Erweitern:* Es werden zusätzliche Zeilen eingefügt, sodass alle verknüpften Daten eingefügt werden können. Die Daten in den bereits vorhandenen Spalten werden dabei entsprechend wiederholt.
- *Aggregieren:* Die Anzahl der Zeilen in der Tabelle bleibt gleich. Die eingefügten Daten werden zu einem Wert pro Spalte zusammengefasst. Je nach Art der Daten gibt es verschiedene Aggregationsmethoden (Anzahl, Summe, Mittelwert, ...). Sobald Sie *Aggregieren* auswählen, erhalten Sie entsprechende Vorschläge. Am rechten Rand gibt es noch einen kleinen Dropdown-Pfeil, mit dem Sie die Aggregationsmethode ändern können.

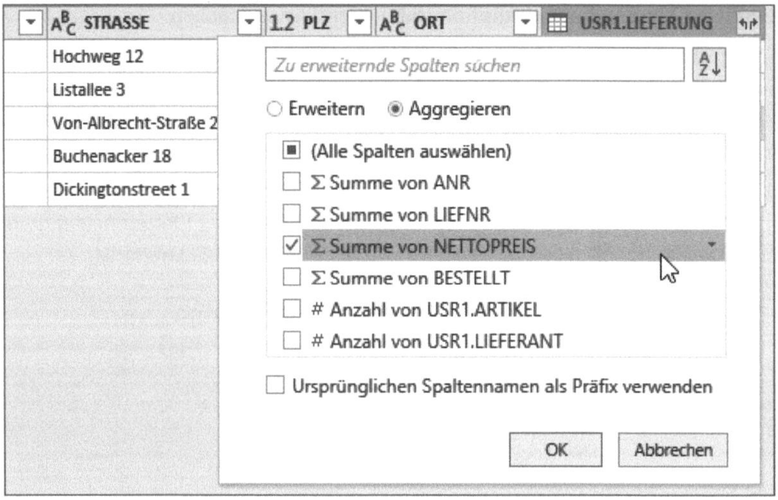

Bild 7.7 Das Menü bei Auswahl der Aggregieren-Option.

Navigation zum Datensatz

Eine Navigation entlang einer Beziehung ist auch in die andere Richtung möglich. Bild 7.8 zeigt einen Ausschnitt aus der Tabelle *Lieferung*. Auch hier wird die Beziehung zur Tabelle *Lieferant* angezeigt. Anders als dort, sind die Einträge jedoch mit dem Wort *Value* markiert. Jeder dieser Werte bezeichnet eine einzelne Zeile aus der verknüpften Tabelle. Die Daten können aber genauso per Drilldown oder über die Schaltfläche mit den zwei Pfeilen erreicht werden. Falls Sie einen Drilldown ausführen, erhalten Sie allerdings keine Tabelle, sondern einen einzelnen Datensatz. Dieser kann aber bei Bedarf über die Funktion **Konvertieren – in Tabelle** umgewandelt werden.

NETTOPREIS	1.2 ANZAHL	USR1.ARTIKEL	USR1.LIEFERANT
3,5	3	Value	Value
44	1	Value	Value
8,7	1	Value	Value
7,7	4	Value	Value
12,1	8	Value	Value

Bild 7.8 Die Beziehung aus Sicht der anderen Tabelle.

■ 7.2 Query Folding

Bei Abfragen auf große Datenbanken fällt oft auf, dass Power Query selbst bei komplexen Transformationen relativ schnell ein Ergebnis liefert. Ein Grund dafür ist ein Trick namens Query Folding, der vom Nutzer meist unbemerkt abläuft: Weil der Datenbank-Server dafür optimiert ist, große Datenmengen zu verarbeiten, versucht Power Query, möglichst viel Arbeit an den Server auszulagern. Hierfür werden Transformationsschritte in die jeweilige Sprache des Servers übersetzt (SQL-Select-Befehle oder OData URLs) und gesendet. Power Query empfängt und verarbeitet also nur das Nötigste.

Wenn beispielsweise bei einer Tabelle mit einer Million Zeilen ein Filter angewendet werden soll, sodass nur 100 Zeilen übrig bleiben, dann sorgt Query Folding dafür, dass nur diese 100 Zeilen heruntergeladen werden. Query Folding kann also die Effizienz einer Abfrage ungemein erhöhen. Leider ist Query Folding nicht immer möglich und manchmal auch nicht sinnvoll.

Welche Datenquellen unterstützen Query Folding?

Zurzeit unterstützen die folgenden Datenquellen Query Folding:

- Relationale Datenbanken (SQL Server, Oracle, ...)
- OData
- Exchange
- Active Directory
- HDFS
- Ordnerabfragen

Query Folding überprüfen

Manchmal ist es interessant zu wissen, was „unter der Motorhaube" passiert, auch wenn man es nicht direkt beeinflussen kann. Sie können überprüfen, ob Query Folding stattfindet, indem Sie einen Rechtsklick auf einen Transformationsschritt unter *Angewendete Schritte* ausführen. Sofern Sie eine neuere Version von Excel bzw. Power BI nutzen, sollte das Kontextmenü den Eintrag **Systemeigene Abfrage anzeigen** enthalten.

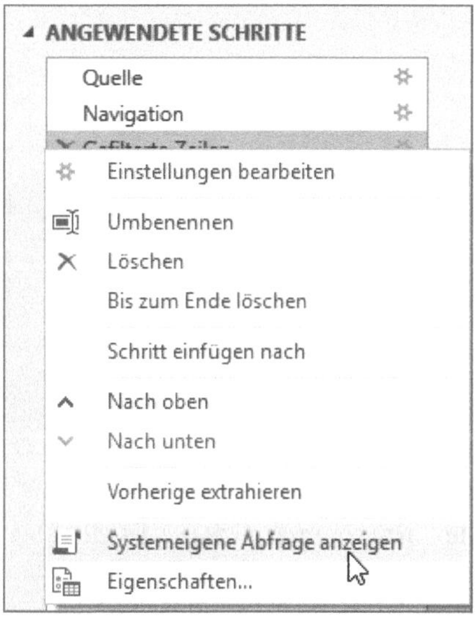

Bild 7.9
Der Kontextmenübefehl zeigt den zugrunde liegenden Abfrage-Befehl.

Falls dieser Eintrag im Kontextmenü deaktiviert ist und nicht ausgewählt werden kann, bedeutet das, dass Query Folding nicht stattfindet. Das kann mehrere Gründe haben: Nicht alle Transformationen können entsprechend übersetzt werden, Query Folding wird daher oft nur für einen Teil der Abfrage durchgeführt. Möglicherweise unterstützt auch die Datenquelle kein Query Folding. Oder Sie haben einen eigenen SQL-Befehl bei der Verbindung zur Datenquelle angegeben. Daraufhin kann auch kein weiteres Query Folding stattfinden.

Bestimmte Transformationsschritte können nicht durch Query Folding optimiert werden. Allerdings sind dann auch alle nachfolgenden Schritte vom Query Folding ausgeschlossen. Sie können daher versuchen, die Geschwindigkeit der Abfrage zu verbessern, indem Sie solche Transformationen möglichst spät durchführen. ■

Falls der Menübefehl **Systemeigene Abfrage anzeigen** nicht deaktiviert ist, können Sie damit den zugrunde liegenden Befehl anzeigen.

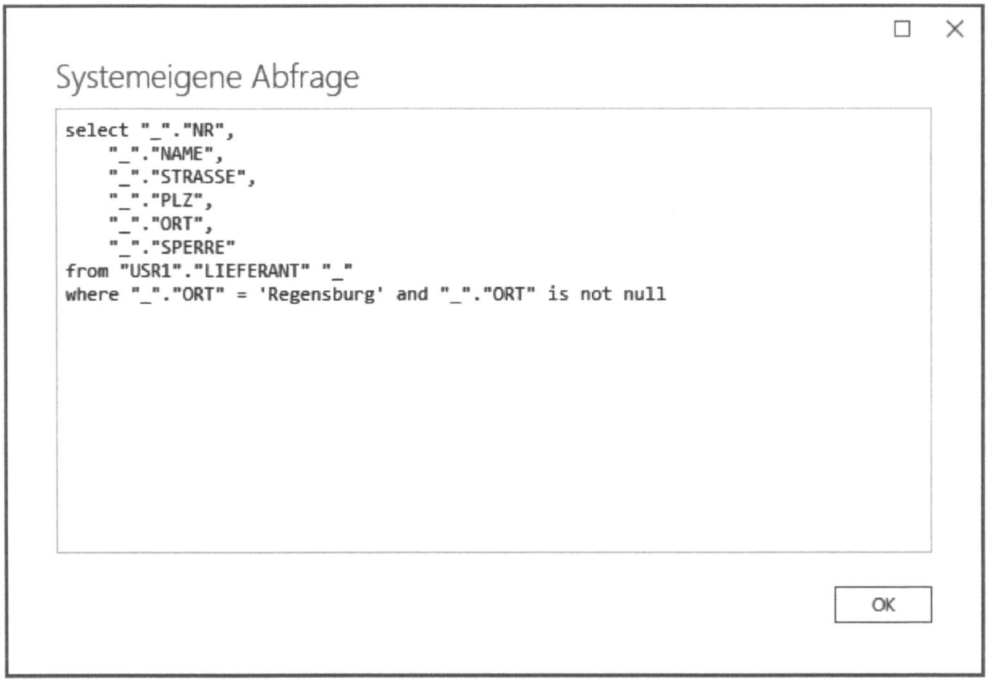

Bild 7.10 Ein SQL-Befehl, der durch Query Folding erzeugt wurde.

Query Folding verhindern

In den meisten Fällen verbessert Query Folding die Effizienz einer Abfrage. Es gibt aber auch Fälle, in denen die Transformation durch Power Query schneller wäre. Es können keine generellen Ratschläge dafür gegeben werden, wann Query Folding hilft und wann es stört. Wenn Sie aber die Geschwindigkeit Ihrer Abfrage erhöhen wollen, ist es ein guter Ansatz, einfach mit verschiedenen Szenarien zu experimentieren.

Wie vorhin schon erwähnt, wird Query Folding deaktiviert, wenn Sie bei der Verbindung zur Datenquelle einen SQL-Befehl angeben.

Sie können Query Folding aber auch erst im Abfrage-Editor unterbinden. Es gibt drei M-Funktionen, mit denen Sie gezielt bestimmen können, an welchem Punkt das Query Folding abgebrochen wird: List.Buffer, Table.Buffer und Binary.Buffer. Die Verwendung von M-Funktionen wird erst später im Buch erklärt. An dieser Stelle wird aber schon mal der Code für eine Tabelle verraten:

```
= Table.Buffer(#"Vorhergehender Transformationsschritt")
```

Die Anweisung muss in die Bearbeitungsleiste eingegeben werden, wobei der Name des vorhergehenden Transformationsschritts entsprechend einzusetzen ist. Dies bewirkt, dass die Tabelle in jedem Fall komplett vom Server empfangen wird.

8 Mehrere Quellen kombinieren

In der Arbeitspraxis reicht es oft nicht, eine einzige Datenquelle einzulesen. Häufig sind die Daten, die ausgewertet werden sollen, auf verschiedene Dateien, Datenbanken oder sonstige Quellen verteilt. Auch hier zeigen sich die Stärken von Power Query: Sie müssen nicht immer wieder die gleichen Daten von A nach B kopieren oder mit Excel-Funktionen wie SVERWEIS verknüpfen. Stattdessen erstellen Sie mehrere Abfragen auf die verschiedenen Datenquellen, die Sie dann entweder zusammenführen oder anfügen.

Der Unterschied zwischen den beiden Methoden ist schnell erklärt:

- Beim *Anfügen* wird eine Tabelle einfach unter einer anderen Tabelle angefügt. Die Tabellen sollten daher dieselbe Spaltenstruktur haben.
- Beim *Zusammenführen* müssen die Tabellen nicht gleich aufgebaut sein. Es muss aber mindestens eine Schlüsselspalte in beiden Tabellen geben, um die Verbindung zwischen den Tabellen herzustellen. Damit Einträge (Zeilen) zusammengeführt werden können, müssen die Tabellen in der Schlüsselspalte den gleichen Wert haben.

8.1 Abfragen anfügen

In diesem Beispiel gibt es zwei Excel-Listen mit Bestelldaten: Eine für das erste Halbjahr 2017 und eine für das zweite Halbjahr. Durch das Anfügen von Abfragen werden beide Listen in einer Tabelle zusammengeführt.

- Erstellen Sie eine neue Abfrage auf die Excel-Datei *8-01-Bestellungen_H1.xlsx.*
- Klicken Sie auf **Bearbeiten**, um den Abfrage-Editor zu öffnen.
- Damit die verschiedenen Abfragen später unterschieden werden können, ist es wichtig, sie zu benennen. Geben Sie dieser Abfrage den Namen *Bestellungen_H1*. Sie finden das entsprechende Feld auf der rechten Fensterseite bei den Abfrageeinstellungen.
- Stellen Sie sicher, dass für alle Spalten ein passender Datentyp eingestellt ist. Für diese Abfrage sind ansonsten keine weiteren Anpassungen nötig.
- **EXCEL:** Die Abfrage kann nun abgeschlossen werden. Sie muss allerdings nicht in ein Tabellenblatt geladen werden, da sie nur die Basis für eine spätere Abfrage ist. Klicken

Sie deshalb nicht direkt auf *Schließen & laden*, sondern klicken Sie auf den kleinen Pfeil darunter und wählen Sie im Menü **SCHLIESSEN & LADEN IN ...**

- **EXCEL:** Aktivieren Sie im Laden-in-Dialog die Option *Nur Verbindung erstellen* und klicken Sie auf **LADEN**.

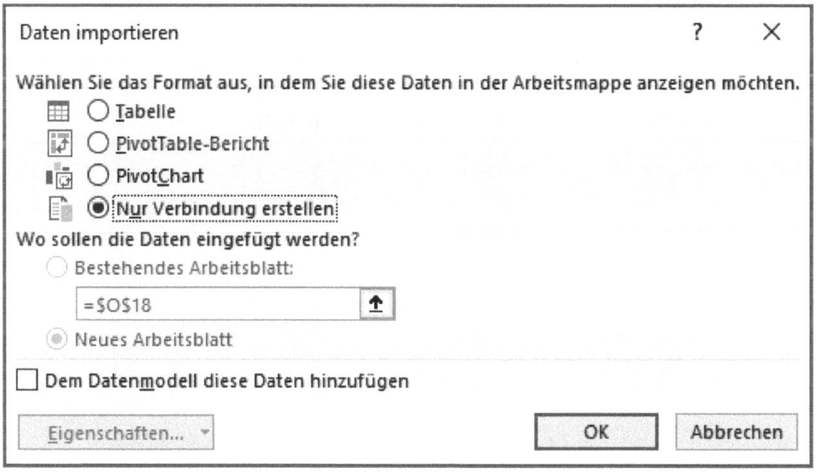

Bild 8.1 Erstellen einer Verbindung zur Quelldatei, ohne sie als Tabelle in Excel sichtbar zu machen.

Wenn Sie eine Abfrage bereits versehentlich als Tabelle geladen haben, aber sie lieber als Verbindung laden möchten, können Sie auch in Excel unter der Liste der Abfragen einen Rechtsklick auf eine Abfrage machen und dort **LADEN IN ...** wählen. ■

- **POWER BI:** Öffnen Sie den Dialog unter der Schaltfläche **SCHLIESSEN UND ÜBERNEHMEN** und wählen Sie **ÜBERNEHMEN**, um im Abfrage-Editor zu bleiben.
- Erstellen Sie nun in der gleichen Datei eine zweite Abfrage auf die Datei *8-02-Bestellungen_H2.xlsx*. Sie können sie entweder wie üblich aus dem Hauptfenster erstellen oder direkt aus dem Abfrage-Editor im Register **START** über die Schaltfläche **NEUE QUELLE**.
- Geben Sie dieser Abfrage den Namen *Bestellungen_H2* und stellen Sie sicher, dass passende Datentypen für alle Spalten eingestellt sind.
- Schließen Sie auch diese Abfrage wie oben beschrieben ab.

Sie haben nun zwei Abfragen auf Tabellen mit der gleichen Spaltenstruktur. Mit wenigen Klicks werden sie zusammengefügt.

- **EXCEL:** Kehren Sie zum Abfrage-Editor zurück, indem Sie in der Liste der Abfragen einen Doppelklick auf eine Abfrage machen.
- Im **START**-Register des Abfrage-Editors gibt es unter der Kategorie *Kombinieren* die Schaltfläche **ABFRAGEN ANFÜGEN**. Öffnen Sie das zugehörige Menü über den Pfeil und wählen Sie **ABFRAGEN ALS NEU ANFÜGEN**.

> **!** Bei der hier vorgestellten Methode wird eine neue, dritte Abfrage erstellt, die die beiden vorherigen Abfragen vereint. Sie hätten an dieser Stelle alternativ die Möglichkeit, die zweite Abfrage direkt innerhalb der ersten Abfrage zu integrieren. ■

- Im nun erscheinenden Dialog müssen Sie nur noch die Abfragen angeben, die aneinandergefügt werden sollen. Wählen Sie die erste Abfrage als primäre Tabelle, sodass der Inhalt der zweiten Tabelle darunter angefügt wird (vgl. Bild 8.2).

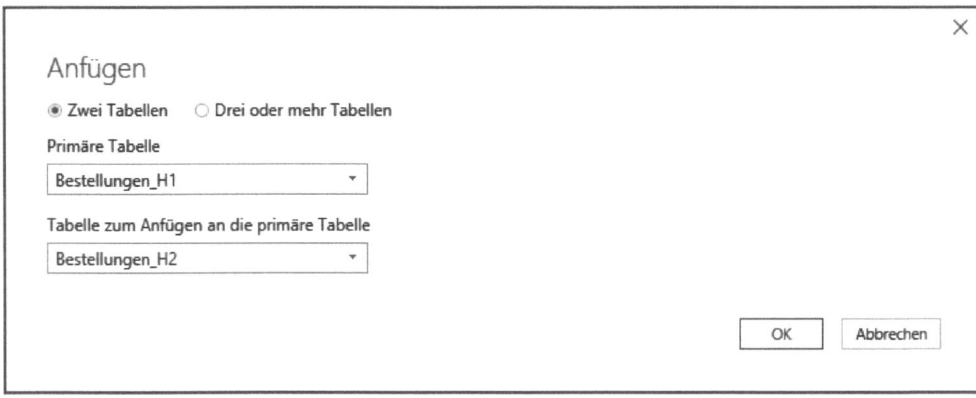

Bild 8.2 Wählen Sie die Abfragen aus, die zusammengefügt werden sollen.

Das Ergebnis ist eine dritte Anfrage, die die beiden vorherigen Abfragen vereint. Die Kopfzeile der zweiten Abfrage wird praktischerweise nicht übernommen, ansonsten sind alle Zeilen aus beiden Abfragen enthalten.

- Geben Sie der neuen Abfrage den Namen *Bestellungen_Gesamt*.
- Schließen Sie die Abfrage ab mit **SCHLIESSEN & LADEN** (Excel) bzw. **SCHLIESSEN UND ÜBERNEHMEN** (Power BI).

	ReNr	Datum	KundenID	ProduktID	Menge	Stückpreis
242	170625	22.06.2017	1223	34801	1	13,36
243	170625	22.06.2017	1223	27301	1	9,83
244	170625	22.06.2017	1223	30602	1	17,11
245	170626	24.06.2017	1212	24901	3	4,53
246	170627	25.06.2017	1348	17001	1	11,2
247	170628	26.06.2017	1369	17901	3	16,67
248	170628	26.06.2017	1369	19601	3	6,12
249	170628	26.06.2017	1369	30803	1	9,61
250	170629	28.06.2017	1255	16302	1	11,16
251	170629	28.06.2017	1255	16502	3	8,29
252	170629	28.06.2017	1255	29201	4	16,38
253	170629	28.06.2017	1255	31801	3	14,72
254	170630	30.06.2017	1267	32501	3	3,44
255	170631	02.07.2017	1305	35601	1	4,38
256	170631	02.07.2017	1305	23801	1	12,15
257	170631	02.07.2017	1305	15802	2	15,55
258	170632	04.07.2017	1320	34901	4	4,96
259	170632	04.07.2017	1320	33001	2	16,39
260	170632	04.07.2017	1320	24301	4	15
261	170633	07.07.2017	1330	24501	1	14,93

Bild 8.3 Die neue Abfrage enthält die Datensätze aus beiden Abfragen.

> Falls Tabellen mit unterschiedlichen Spaltenstrukturen aneinander angefügt werden, werden dennoch alle Spalten übernommen. Die Spalten sind dann jedoch zum Teil leer.

8.2 Abfragen zusammenführen

In der Liste der Bestellungen sind die jeweiligen Kunden anhand einer Kunden-ID aufgeführt. In einer separaten Datei sind weitere Details zu den Kunden wie Name, Adresse, Geschlecht usw. gespeichert. Auch hier gibt es eine Spalte für die Kunden-ID *(Kundennummer)*, womit die Kunden aus den Bestellungen eindeutig zugeordnet werden können. Diese Spalte stellt also den Schlüssel beim Zusammenführen der Tabellen dar.

Kundennummer	Nachname	Vorname	Straße	Land	PLZ	Ort
1202	Apak	E.	Stuttgarter Str. 40	D	52076	Achern
1228	Cernjevic	W.	Auf Den Beeten 11	D	52078	Achern
1257	Friedl	F.	Schnellenstr. 13	D	52075	Achern
1271	Gruhlke	F.	Seestr. 18	D	52074	Achern
1279	Hasil	G.	Rothweg 12	D	52078	Achern
1296	Kappel	J.	Löcherhaldenstr. 44	D	52076	Achern
1297	Karabetyan	R.	Eicherhof 12	D	52077	Achern
1299	Käser	U.	Böhmerwaldstr. 10	D	52076	Achern
1302	Kellermann	M.	Hartauerweg 10	D	52079	Achern
1321	List	W.	Bayerwaldstr. 8	D	52072	Achern
1325	Maaß	R.	Furtstr. 23	D	52079	Achern
1327	Maisch	M.	Hohenheimer Str. 221	D	52071	Achern
1352	Nording	K.	Klosterhof 11	D	52077	Achern

Bild 8.4 Die Kundenliste enthält ebenfalls eine Spalte mit der Kundennummer.

Damit die Kundendetails zusammen mit den Bestellungen ausgewertet werden können, muss die soeben erstellte Bestellabfrage mit der Kundentabelle verknüpft werden.

- Erstellen Sie zunächst in der gleichen Datei wie zuvor eine neue Abfrage auf die Datei *8-03-Kunden.xlsx*.
- Da die Kundenliste als Tabelle formatiert ist, haben Sie im Navigator-Dialog die Auswahl zwischen dem Tabellenblatt *Kunden* und der Tabelle *tbl_Kunden*. Wählen Sie die Tabelle und klicken Sie auf **BEARBEITEN**.
- Stellen Sie sicher, dass die Datentypen der Spalten richtig eingestellt sind, und geben Sie der Abfrage den Namen *Kunden*.
- Schließen Sie die Abfrage ab mit **ÜBERNEHMEN** (Power BI) bzw. **SCHLIESSEN & LADEN – LADEN IN… – NUR VERBINDUNG ERSTELLEN** (Excel).
- Wählen Sie im Abfrage-Editor die Abfrage *Bestellungen_Gesamt* aus.
- Öffnen Sie im Register **START** das Menü bei **ABFRAGEN ZUSAMMENFÜHREN** und wählen Sie den Eintrag **ABFRAGEN ALS NEUE ABFRAGE ZUSAMMENFÜHREN**.
- Wählen Sie nun, wie in Bild 8.5 zu sehen, als erste Abfrage *Bestellungen_Gesamt* und als zweite Abfrage *Kunden*.

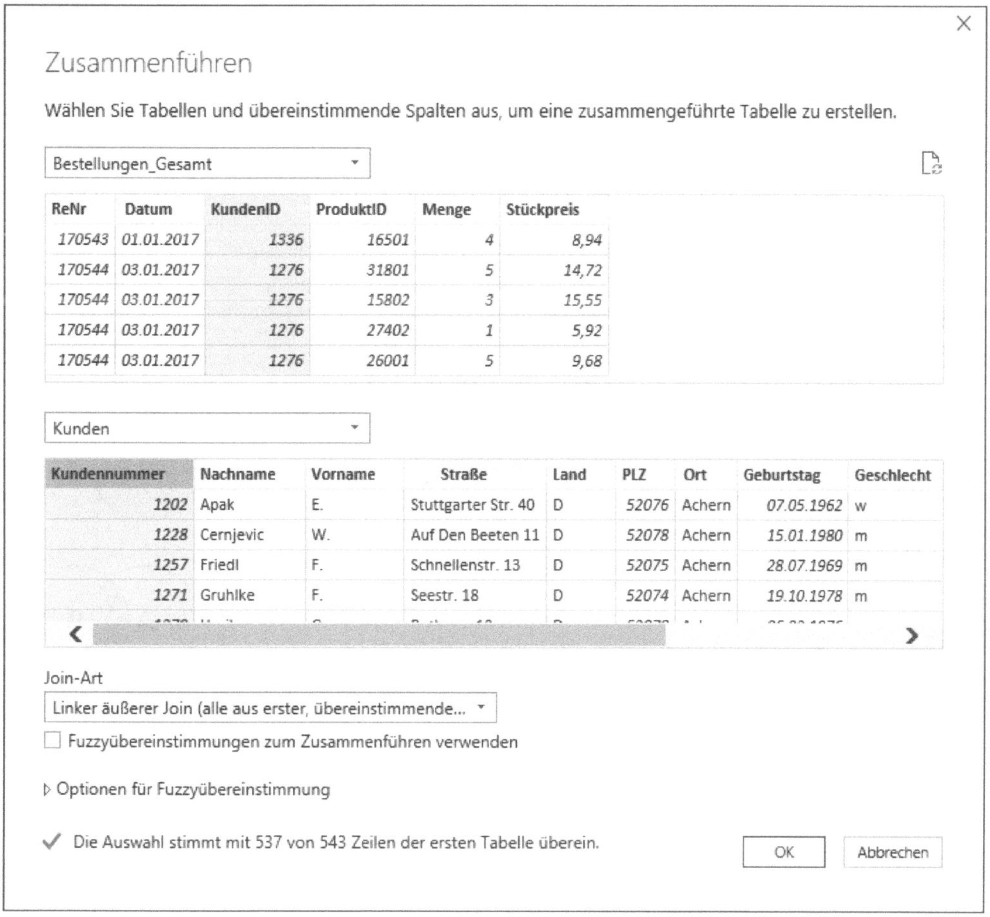

Bild 8.5 Der Dialog für den Kombiniervorgang.

- Nun muss noch die Schlüsselspalte angegeben werden, damit Power Query weiß, wie die zusammengehörenden Einträge ermittelt werden können. Markieren Sie die Spalten *KundenID* und *Kundennummer* in den Vorschautabellen.

> **!** Die Schlüsselspalte ist immer die Spalte, die in beiden Tabellen vorkommt. Sie muss nicht gleich benannt sein, aber die enthaltenen Werte werden verwendet, um die Einträge zuzuordnen. ■

Unterhalb der Vorschautabellen gibt es ein Dropdown-Feld, in dem die Art der Verknüpfung festgelegt werden kann. Dies ist relevant, wenn in den beiden Schlüsselspalten nicht für alle Einträge entsprechende Einträge in der jeweils anderen Tabelle existieren. Die folgende Tabelle zeigt die verschiedenen Möglichkeiten.

Tabelle 8.1 Die Join-Arten beim Zusammenführen.

Bezeichnung	Ausgabe	Schema
Linker äußerer Join	Alle Zeilen aus Tabelle A. Die entsprechenden Einträge aus Tabelle B werden zugeordnet, wenn möglich.	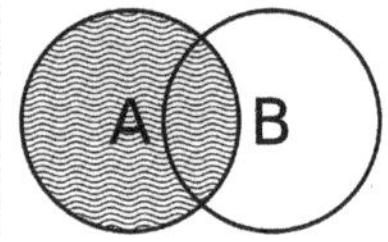
Rechter äußerer Join	Alle Zeilen aus Tabelle B. Die entsprechenden Einträge aus Tabelle A werden zugeordnet, wenn möglich.	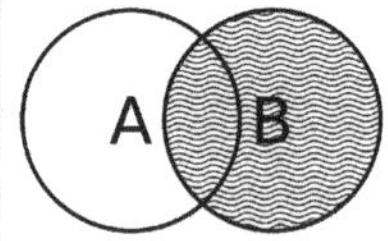
Vollständiger äußerer Join	Alle Einträge aus beiden Tabellen werden übernommen. Dort, wo sie zugeordnet werden können, werden sie zugeordnet.	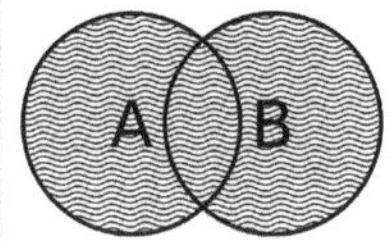
Innerer Join	Nur die Einträge, die zugeordnet werden können, werden übernommen.	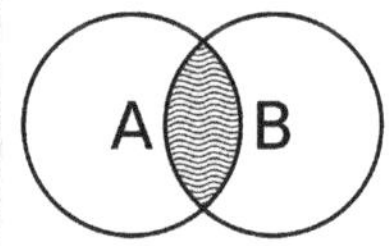
Linker Anti-Join	Nur die Einträge, die in Tabelle A vorkommen und in Tabelle B keine Entsprechung haben.	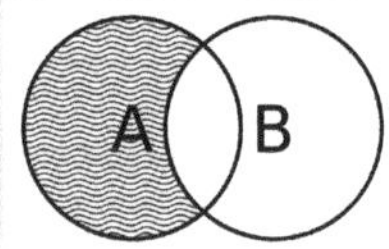
Rechter Anti-Join	Nur die Einträge, die in Tabelle B vorkommen und in Tabelle A keine Entsprechung haben.	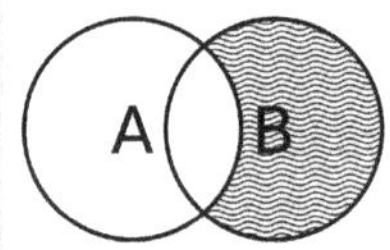

Wie in Bild 8.5 zu sehen ist, wird am unteren Rand des Dialogfensters angezeigt, bei wie vielen Zeilen eine Zuordnung möglich ist. In unserem Beispiel sieht man, dass die Kundenliste offenbar unvollständig ist:

Die Auswahl stimmte mit 537 der ersten 543 Zeilen überein.

Das heißt, für sechs Kundennummern aus der Bestellungsliste können keine entsprechenden Kundennummern in der Kundenliste gefunden werden. Die Join-Variante bestimmt, ob die Zeilen ohne Übereinstimmung ignoriert werden oder ob sie in der Ausgabetabelle erscheinen.

Im Normalfall gibt es nur eine Übereinstimmung, wenn zwei Werte in der Schlüsselspalte exakt gleich sind. Falls Sie mit Textwerten arbeiten, bei denen verschiedene Schreibweisen vorkommen (z. B. unterschiedliche Groß- und Kleinschreibung oder kleine Rechtschreibfehler), dann hilft Ihnen vielleicht die Option *Fuzzyübereinstimmung* im oben genannten Dialogfeld (vgl. Bild 8.5). Bei dieser Variante gibt es auch schon bei ähnlichen Werten Entsprechungen.

Sie können mit einem Schwellenwert festlegen, wie großzügig und ungenau (also „fuzzy“ = „unscharf“) der Abgleich sein darf. Je niedriger der Schwellenwert ist, umso größer ist die Anzahl der Entsprechungen aber leider auch die Anzahl der Fehler. ■

- Wählen Sie im unteren Dropdown *Linker äußerer Join* und klicken Sie auf **OK**.

Das Ergebnis dieser Aktion ist eine Tabelle, die der Ausgangstabelle *Bestellungen* fast gleicht. Nur ganz rechts gibt es eine zusätzliche Spalte, bei der in jeder Zeile das Wort *Table* eingetragen ist. Dieses Konzept ist zunächst etwas gewöhnungsbedürftig, bringt aber Vorteile mit sich: In Power Query bzw. in M ist eine Tabelle ein Element, das auch als Eintrag in einer anderen Tabelle stehen kann. In diesem Fall sind es die Zeilen, die beim Zusammenführen der beiden Tabellen zugeordnet wurden.

Sie können sich ansehen, welche Daten in den einzelnen *Table*-Elementen enthalten sind, ohne einen neuen Transformationsschritt zu erstellen. Klicken Sie dazu innerhalb der Spalte rechts neben das Wort *Table*. Der Mauszeiger sollte dabei keine Hand, sondern ein Pfeil sein. Am unteren Fensterende wird daraufhin der Tabelleninhalt angezeigt. ■

- Um den Inhalt der Untertabellen in die neue Tabelle einzubinden, klicken Sie auf das Symbol mit den zwei Pfeilen direkt neben dem Spaltentitel der letzten Spalte *NewColumn*.
- Nun können Sie bestimmen, welche Spalten aus der Kundentabelle in die Bestellungstabelle aufgenommen werden. Kreuzen Sie nur die Spalten *Nachname, Vorname, Geschlecht* und *Guthaben* an.

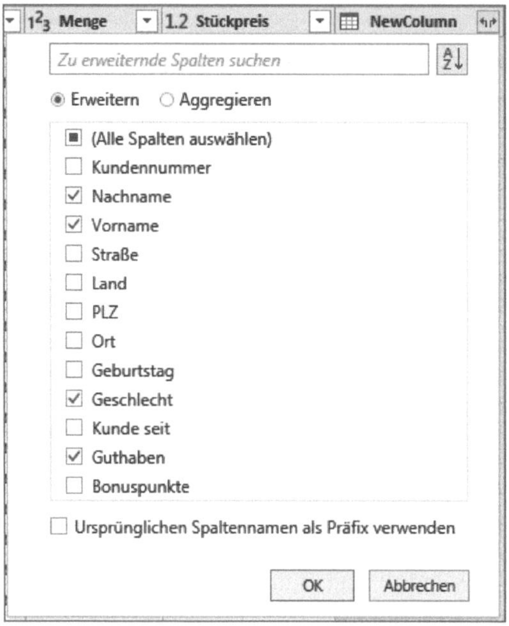

Bild 8.6
Durch Klick auf das Pfeil-Symbol können Sie die gewünschten Spalten auswählen.

- Die Option *Ursprüngliche Spaltennamen als Präfix verwenden* können Sie deaktivieren. Dies würde bewirken, dass die eingefügten Spalten zusammengesetzte Titel wie z. B. „NewColumn.Nachname" erhalten. Entfernen Sie also das Häkchen neben dieser Option und klicken Sie auf **OK**.

Das Resultat ist eine Tabelle mit den ursprünglichen Spalten aus der Abfrage *Bestellungen* sowie den ausgewählten Spalten aus der Abfrage *Kunden*. Wie in Bild 8.7 zu sehen ist, zeigt sich nun auch die Bedeutung der gewählten Join-Variante. Sie erinnern sich an den Hinweis, dass nur 537 von 543 Kundennummern zugeordnet werden konnten (vgl. Bild 8.5). Da *linker äußerer Join* gewählt wurde, sind die verbleibenden sechs Einträge aus der ersten Abfrage zwar noch in der Tabelle enthalten, die Spalten aus der zweiten Abfrage bleiben jedoch leer.

	ReNr	Datum	KundenID	ProduktID	Menge	Stückpreis	Nachname	Vorname	Geschlecht	Guthaben
6	170545	06.01.2017	1307	24301	1	15	Klement	J.	m	162
7	170545	06.01.2017	1307	28001	2	3,27	Klement	J.	m	162
8	170545	06.01.2017	1307	35001	5	10,24	Klement	J.	m	162
9	170545	06.01.2017	1307	35301	3	6,6	Klement	J.	m	162
10	170555	27.01.2017	1307	22502	3	7	Klement	J.	m	162
11	170555	27.01.2017	1307	35003	1	16,31	Klement	J.	m	162
12	170555	27.01.2017	1307	21001	4	14,72	Klement	J.	m	162
13	170555	27.01.2017	1307	20901	3	8,22	Klement	J.	m	162
14	170546	08.01.2017	1390	30702	4	14,74	null	null	null	null
15	170546	08.01.2017	1390	16901	1	13,02	null	null	null	null
16	170546	08.01.2017	1390	19201	1	16,15	null	null	null	null
17	170546	08.01.2017	1390	35901	3	16,45	null	null	null	null
18	170623	20.06.2017	1390	22201	1	5,16	null	null	null	null
19	170623	20.06.2017	1390	30903	1	13,61	null	null	null	null
20	170603	08.05.2017	1327	26802	1	7,3	Maisch	M.	w	88

Bild 8.7 Die Einträge aus beiden Abfragen wurden – wo möglich – kombiniert.

- Geben Sie der Abfrage noch einen passenden Namen, z. B. *Bestellungen_Kunden* und schließen Sie sie mit **Schließen & laden** (Excel) bzw. **Schließen und übernehmen** (Power BI) ab.

Die finale Tabelle aus diesem Kapitel speist sich nun aus insgesamt drei Dateien: Die zwei Halbjahreslisten mit Bestellungen, die mit *Anfügen* kombiniert wurden, sowie die Kundenliste, die über den Schlüssel der Kundennummer mit *Zusammenführen* einbezogen wurde.

Für diese drei Dateien wurden insgesamt fünf Abfragen erstellt, obwohl nur eine Ausgabetabelle relevant ist. Tatsächlich ist es nicht immer nötig, beim Anfügen bzw. Zusammenführen von zwei Abfragen gleich eine dritte, neue zu erstellen. Sie können auch innerhalb einer Abfrage die Transformation **ABFRAGEN ZUSAMMENFÜHREN** bzw. **ABFRAGEN ANFÜGEN** durchführen. Das Erstellen einer neuen Abfrage ist aber oft übersichtlicher (wobei das natürlich Geschmackssache ist).

8.3 Alle Dateien in einem Ordner einlesen

Die bisher vorgestellten Abfragemethoden setzen voraus, dass die Quelldaten immer genau adressiert werden. Bei Dateien bedeutet das, dass sie immer am gleichen Ort liegen und gleich benannt sein müssen. Wesentlich mehr Flexibilität bietet die Ordnerabfrage: Hierbei können beliebig viele Dateien gleichzeitig eingelesen werden. Sie müssen nur zwei Voraussetzungen erfüllen: Sie müssen alle das gleiche Layout haben und sie müssen im gleichen Ordner gespeichert sein.

Bestellschein			
Filiale	27-01-S		
Stadt:	Stuttgart		
Straße, Hausnr.	Steinstraße 14		
Filialleiter:	Peter Huber		
Datum:	01.04.2015		
Artikelnummer	Stückkosten	Anzahl	Preis
12_1	2,99	30	89,70
15_8	1,99	30	59,70
32_5	4,70	30	141,00
32_9	2,20	50	110,00
33_2	3,99	30	119,70
37_6	2,10	50	105,00
39_4	4,99	50	249,50
49_7	1,85	40	74,00
56_3	3,30	40	132,00
56_4	2,99	50	149,50
61_7	4,70	40	188,00
63_2	2,25	30	67,50
63_9	5,10	50	255,00
76_5	2,80	40	112,00
97_9	1,99	30	59,70
99_8	3,80	50	190,00
		Summe	2102,30

Bild 8.8
Einer von 24 Bestellscheinen im Beispielordner

Stellen Sie sich folgendes Szenario vor: Sie möchten die Nachfrage verschiedener Produkte anhand von Bestellungen analysieren. Leider haben Sie keine Übersichtsdatei, sondern nur jeweils eine Datei pro Bestellung. Die Dateien verteilen sich auf Unterordner und es kommen regelmäßig neue Dateien dazu. Ohne Power Query würde es Stunden dauern, alle Daten in eine Übersicht zu kopieren. Mit einer Abfrage schaffen Sie es in wenigen Klicks.

- **EXCEL:** Öffnen Sie eine neue Excel-Arbeitsmappe und klicken Sie im Register **DATEN** auf **DATEN ABRUFEN – AUS DATEI – AUS ORDNER**.
- **POWER BI:** Starten Sie eine neue Abfrage über **DATEN ABRUFEN**, wählen Sie **DATEI – ORDNER** und klicken Sie auf **VERBINDEN**.
- Sobald der Dialog für den Ordnerpfad erscheint, klicken Sie auf **DURCHSUCHEN** und navigieren Sie zu dem Beispielverzeichnis *8-04-Ordnerabfrage_CSV*.
- Bestätigen Sie den Dialog für die Ordnerabfrage mit **OK**.
- Klicken Sie im Navigator-Fenster auf **BEARBEITEN**, um den Abfrage-Editor zu öffnen.

Die Tabelle, die Sie nun im Abfrage-Editor sehen, wirkt zunächst nicht sehr hilfreich: Anstelle der Bestellscheine wird eine Liste der Dateinamen angezeigt (vgl. Bild 8.9).

	Content	Name	Extension	Date accessed
1	Binary	Apr-15.csv	.csv	10.01.2018 11:22:32
2	Binary	Aug-15.csv	.csv	10.01.2018 11:22:32
3	Binary	Dec-15.csv	.csv	10.01.2018 11:22:32
4	Binary	Feb-15.csv	.csv	10.01.2018 11:22:32
5	Binary	Jan-15.csv	.csv	10.01.2018 11:22:32

Bild 8.9 Zu Beginn ist nur die Liste der Dateien sichtbar.

Auch wenn man letztendlich natürlich den Inhalt der Dateien einlesen möchte, ist es äußerst nützlich, dass der Abfrage-Editor zuerst die Liste der eingelesenen Dateien anzeigt. Denn bei der Ordnerabfrage werden alle Dateien eingelesen, die sich im ausgewählten Ordner sowie in allen Unterordnern befinden. Das umfasst unter Umständen auch Dateien, die für die Auswertung nicht relevant sind.

Immer erst filtern

Nutzen Sie die Filterfunktionen der verfügbaren Spalten, um die Transformation auf die benötigten Dateien zu beschränken. Über die Spalte *Date created* können Sie beispielsweise nur die neuesten Dateien auswählen. Wenn nur bestimmte Unterordner relevant sind, wenden Sie einen Textfilter auf die Spalte *Folder Path* an.

Bedenken Sie auch, dass bei künftigen Durchführungen der Abfrage plötzlich neue Dateien im Ordner liegen könnten, die die Transformation durcheinanderbringen können. Obwohl im Moment nur CSV-Dateien im Quellordner liegen, können Sie im Arbeitsalltag oft nicht verhindern, dass jemand z. B. ein Word-Dokument in diesem Ordner ablegt. Damit Ihre Abfrage in diesem Fall keinen Fehler erzeugt, gehen Sie lieber auf Nummer Sicher:

- Klicken Sie den Filter-Pfeil neben der Spaltenüberschrift *Extension* an und wählen Sie im Menü **TEXTFILTER – IST GLEICH ...**
- Setzen Sie den Filter auf *Ist gleich* mit dem Wert „.csv“ (ohne Anführungszeichen).

Auch wenn sich an der Tabelle nichts ändert, ist sichergestellt, dass Dateien eines anderen Formats einfach ignoriert werden. Wenn Sie wollen, können Sie es ausprobieren, und eine Text- oder Bilddatei in den Ordner kopieren.

- Nun ist es Zeit, den Inhalt der Dateien zum Vorschein zu bringen. Klicken Sie dazu einfach auf die kleine Schaltfläche mit den zwei Pfeilen neben dem Spaltentitel der Spalte *Content* (vgl. Bild 8.10).

Bild 8.10 Der Inhalt der Dateien verbirgt sich in der Spalte *Content*.

- Wie auch beim Einlesen einer einzelnen Datei werden Sie nun unter Umständen (je nach Programmversion und Dateiart) nach den Einleseoptionen gefragt. Geben Sie als Trennzeichen das Semikolon an und klicken Sie auf **OK**.

Ihnen fällt vielleicht auf, dass sich die Liste der Abfragen am linken Fensterrand deutlich vergrößert hat. Die neuen Abfragen und Funktionen sind sozusagen Zwischenschritte, die für die Ordnerabfrage nötig sind. Sie können sie einfach ignorieren und in Ihrer Anfangsabfrage weiterarbeiten.

- In unserem Beispiel interessieren uns nur die Spalten *Artikelnummer* und *Anzahl*. Markieren Sie daher die entsprechenden Spalten (*Column2* und *Column4*) und entfernen Sie die übrigen.

	Column2	Column4
2	Bestellschein	
3		
4	Filiale	
5	Stadt:	
6	Straße, Hausnr.	
7	Filialleiter:	
8		
9	Datum:	
10		
11	Artikelnummer	Anzahl
12	12_1	30
13	15_8	30
14	32_5	30
15	32_9	50
16	33_2	30
17	37_6	50
18	39_4	50
19	49_7	40
20	56_3	40
21	56_4	50
22	61_7	40
23	63_2	30
24	63_9	50
25	76_5	40
26	97_9	30
27	99_8	50
28		
29		Summe
30		

Bild 8.11
Die Tabellen sind noch nicht vereint.

- Beim Aneinanderfügen der Dateiinhalte wurden auch Leerzeilen und Zwischenüberschriften aus den einzelnen Dateien übernommen. Diese müssen nun entfernt werden. Nutzen Sie dafür die Filterfunktion in der ersten Spalte und entfernen Sie das Häkchen von allen überflüssigen Einträgen – also alle *Leer*-Werte sowie die Wörter, die keine Artikelnummern sind („Bestellschein“, „Filiale“, „Artikelnummer“, ...).
- Ändern Sie die Spaltentitel auf *Artikelnummer* und *Anzahl*.
- Ändern Sie die Datentypen der Spalten: *Artikelnummer* ist eine Textspalte und *Anzahl* ist eine Zahlenspalte (ganze Zahlen).
- Da sich die Artikelnummern in jedem Bestellschein wiederholt haben, kann die Liste zum Abschluss noch mit der Funktion **GRUPPIEREN** reduziert werden: Gruppieren Sie nach Artikelnummer und stellen Sie ein, dass die Werte aus *Anzahl* aufsummiert werden (vgl. Bild 8.12).

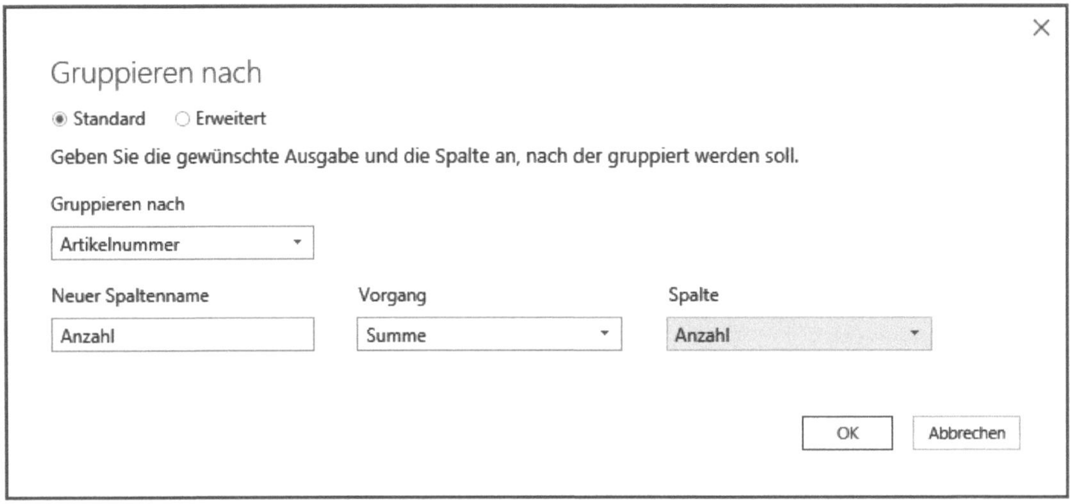

Bild 8.12 Durch Gruppieren werden wiederholte Einträge zusammengefasst.

Damit kann die Abfrage abgeschlossen werden. Sie haben eine Übersicht über alle Daten im Quellordner erstellt, ohne mühevoll die Tabellen aus den einzelnen Dateien kopieren zu müssen. Und das Beste daran: Sollten Sie neue Dateien im gleichen Layout erhalten, müssen Sie sie lediglich in den Quellordner (oder einen Unterordner) schieben und die Abfrage aktualisieren. Probieren Sie es aus:

- Wenn Sie die Abfrage abgeschlossen haben, kopieren Sie die Datei *8-04-Bestellungen-Jan-17.csv* in den Quellordner der Abfrage.
- Aktualisieren Sie die Abfrage – nach wenigen Sekunden ist die Übersicht angepasst und die Anzahl der Artikel erhöht sich entsprechend.

	Artikelnummer	Anzahl
1	12_1	1370
2	15_8	1440
3	32_5	1420
4	32_9	1420
5	33_2	1350
6	37_6	1560
7	39_4	1460
8	49_7	1410
9	56_3	1500
10	56_4	1430
11	61_7	1360
12	63_2	1420
13	63_9	1470
14	76_5	1490
15	97_9	1450
16	99_8	1430

Bild 8.13 Die Daten aus allen Dateien sind in einer Übersicht zusammengefasst.

Ursprünglich war das Anfügen von Dateiinhalten aus einer Ordnerabfrage nur für CSV-Dateien möglich. Wenn Sie die aktuelle Version von Excel bzw. Power BI Desktop benutzen, funktioniert das obige Beispiel auch mit XLSX-Dateien. Sie finden dazu ähnliche Beispieldateien im Ordner *8-05-Ordnerabfrage_XLSX*.

9 Spalten hinzufügen – erste Schritte mit M

Selbstverständlich können im Power Query-Editor nicht nur die vorhandenen Daten modelliert werden. Auf der Registerkarte **Spalte hinzufügen** findet sich eine Vielzahl von Möglichkeiten, um eine Tabelle um neue Spalten zu erweitern. Neben einfachen Funktionen, die die Benutzeroberfläche bereitstellt, können Sie auch frei definierte Formeln anwenden. Hierbei wird bereits die Formelsprache M angewandt, Sie erhalten also in diesem Kapitel erste Einblicke in den Aufbau dieser leistungsfähigen Abfragesprache, die später im Buch noch ausführlich behandelt wird.

9.1 Bedingte Spalten

In Bild 9.1 sehen Sie einen Auszug aus der Beispieldatei *9-01-Bestellungen_Alle_2017.xlsx*. Sie enthält mehrere aneinandergehängte Tabellen, die für eine Auswertung in eine einzelne Tabelle transformiert werden müssen. Es reicht hier leider nicht, die Filterfunktion zu verwenden, da die über den einzelnen Tabellen stehenden Informationen, wie „Filiale“ oder „Datum“, beibehalten werden sollen.

Das Ziel ist also zunächst, diese Informationen in eigene Spalten zu verschieben, sodass anschließend die nicht-tabellarischen Zeilen herausgefiltert werden können.

Filiale:	27-01-S	
Stadt:	Stuttgart	
Straße, Hausnr.	Steinstraße 14	
Filialleiter:	Peter Huber	
Datum:	07.01.2017	
Artikelnummer	**Stückkosten**	**Anzahl**
12-1	2,99 €	46
15-8	1,99 €	44
32-5	4,70 €	47
32-9	2,20 €	28
33 2	3,99 €	21
37-6	2,10 €	39
39-4	4,99 €	36
49-7	1,85 €	36
56-3	3,30 €	20
56-4	2,99 €	31
61-7	4,70 €	20
63-2	2,25 €	38
63-9	5,10 €	30
76-5	2,80 €	26
97-9	1,99 €	12
99-8	3,80 €	47
Filiale:	27-01-S	
Stadt:	Stuttgart	
Straße, Hausnr.	Steinstraße 14	
Filialleiter:	Peter Huber	
Datum:	03.02.2017	
Artikelnummer	**Stückkosten**	**Anzahl**
12-1	2,99 €	44

Bild 9.1
In der Beispieldatei sind mehrere Tabellen untereinandergesetzt.

- Erstellen Sie eine neue Abfrage auf die Excel-Datei *9-01-Bestellungen_Alle_2017.xlsx*, wählen Sie das Blatt *Bestellungen* und klicken Sie auf **BEARBEITEN.**
- Versuchen wir zunächst, die Filialnummer in eine neue Spalte zu bringen. Klicken Sie im Register **SPALTE HINZUFÜGEN** auf die Schaltfläche **BEDINGTE SPALTE.**
- Geben Sie als neuen Spaltennamen *Filiale* ein.
- Darunter haben Sie nun die Möglichkeit, eine Bedingungslogik einzustellen (vgl. Bild 9.2). Zuerst stellen Sie die Spalte ein, die überprüft wird. Das ist die erste Spalte bzw. *Column1*.

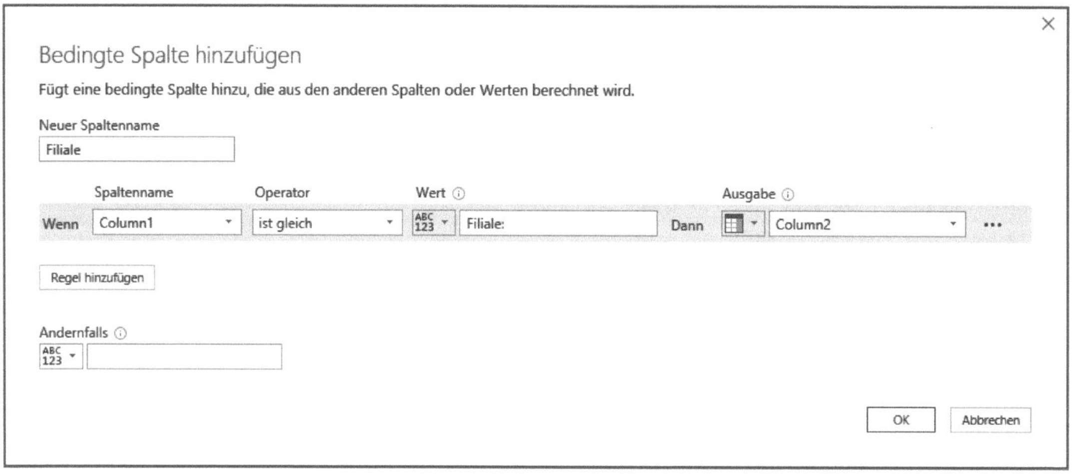

Bild 9.2 Im Dialog stellen Sie Bedingungen und Ausgaben ein.

- Der Operator lautet *Ist gleich* und der Wert, auf den geprüft werden soll, ist „Filiale:" (mit Doppelpunkt aber ohne Anführungszeichen).
- Bei *Ausgabe* können Sie angeben, was in der neuen Spalte ausgegeben wird, wenn die Bedingung wahr ist (also wenn in der ersten Spalte „Filiale:" steht). Sie könnten hier einen fixen Wert eingeben, aber wir benötigen die jeweilige Filialnummer. Stellen Sie daher im Dropdown-Feld unter *Ausgabe* um auf *Spalte auswählen* (vgl. Bild 9.3).

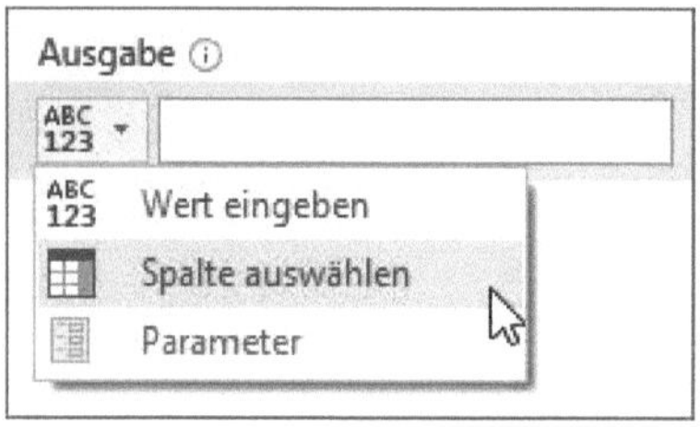

Bild 9.3
Als Ausgabe können Werte oder Spalten gewählt werden.

- Daraufhin haben Sie die Möglichkeit, eine Spalte für die Ausgabe zu wählen. Wählen Sie *Column2*.
- Über die Einstellung *Andernfalls* könnten Sie nun sogar einen Alternativwert festlegen, der ausgegeben wird, wenn die Bedingung nicht erfüllt ist. Dies ist aber in unserem Beispiel nicht nötig. Schließen Sie stattdessen den Dialog mit **OK**.
- Wie erwartet erscheinen die Filialnummern in der neuen Spalte. Da sie nur in den Zeilen auftreten, in denen auch die eingestellte Bedingung erfüllt war, müssen sie nur noch nach unten übertragen werden. Klicken Sie hierfür mit der rechten Maustaste auf die neue Spalte *Filiale* und wählen Sie **Ausfüllen – Nach unten**.
- Wiederholen Sie den gleichen Prozess für „Filialleiter:" und „Datum:". Vergessen Sie nicht, die Werte genauso als Bedingung einzutragen, wie sie in der ersten Spalte stehen.

Am Ende sollte Ihre Tabelle aussehen wie in Bild 9.4.

	Column1	Column2	Column3	Filiale	Filialleiter	Datum
1	Filiale:	27-01-S	*null*	27-01-S	*null*	*null*
2	Stadt:	Stuttgart	*null*	27-01-S	*null*	*null*
3	Straße, Hausnr.	Steinstraße 14	*null*	27-01-S	*null*	*null*
4	Filialleiter:	Peter Huber	*null*	27-01-S	Peter Huber	*null*
5	Datum:	*07.01.2017*	*null*	27-01-S	Peter Huber	*07.01.2017*
6	*null*	*null*	*null*	27-01-S	Peter Huber	*07.01.2017*
7	Artikelnummer	Stückkosten	Anzahl	27-01-S	Peter Huber	*07.01.2017*
8	12-1	*2,99*	*46*	27-01-S	Peter Huber	*07.01.2017*
9	15-8	*1,99*	*44*	27-01-S	Peter Huber	*07.01.2017*
10	32-5	*4,7*	*47*	27-01-S	Peter Huber	*07.01.2017*
11	32-9	*2,2*	*28*	27-01-S	Peter Huber	*07.01.2017*
12	33-2	*3,99*	*21*	27-01-S	Peter Huber	*07.01.2017*
13	37-6	*2,1*	*39*	27-01-S	Peter Huber	*07.01.2017*

Bild 9.4 In jeder Zeile sind nun die entsprechenden Filialnummern, Filialleiter und Datumswerte aufgeführt.

- Die untereinandergereihten Tabellen können nun in eine einzige Tabelle umgewandelt werden. Nutzen Sie dafür die Filterfunktion an der Spalte *Column3* und entfernen Sie alle *Null*-Werte sowie das Wort *Anzahl.*
- Ändern Sie die Spaltentitel der ersten drei Spalten in *Artikelnummer, Stückkosten* und *Anzahl.*
- Da nun die Werte in den Spalten einheitlich sind, ist es Zeit, die Datentypen einzustellen. Stellen Sie die Datentypen wie in der folgenden Übersicht ein.

Tabelle 9.1 Die richtigen Datentypen für alle Spalten.

Spaltenname	Datentyp
Artikelnummer	Text
Stückkosten	Dezimalzahl
Anzahl	Ganze Zahl
Filiale	Text
Filialleiter	Text
Datum	Datum

9.2 Datums- und Rechenfunktionen

Nachdem Sie der Datumsspalte den richtigen Datentyp gegeben haben, stehen Ihnen im Register **Spalte hinzufügen** spezielle Datumsfunktionen zur Verfügung.

- Wählen Sie die Spalte *Datum* aus und öffnen Sie im Register **Spalte hinzufügen** das Menü **Datum**.
- Wählen Sie den Menübefehl **Monat - Monat**.
- Markieren Sie erneut die Spalte *Datum*, klicken Sie auf **Spalte Hinzufügen - Datum** und wählen Sie **Monat - Name des Monats**.

Sie erhalten zwei neue Monatsspalten, die je nach Anforderung für die Auswertung nützlich sein können. Der ausgeschriebene Monatsname („Januar") ist in Übersichten meist anschaulicher, wohingegen die Monatszahl („1") für Sortieroperationen verwendet werden kann.

- Ändern Sie die Überschriften der beiden neuen Spalten in *Monat* und *Monatsname*.

> Diese Funktionen befinden sich übrigens wie auch die anderen Datums-, Rechen- und Textfunktionen sowohl auf dem Register **Spalte hinzufügen** als auch auf dem Register **Transformieren**. Während mit den Transformieren-Funktionen jedoch die Werte innerhalb einer Spalte geändert werden, erzeugen die gleichnamigen Funktionen im Register **Spalte hinzufügen** eine neue Spalte. Die ursprüngliche Spalte bleibt dabei unverändert.

Ein weiterer Unterschied zu den Transformieren-Funktionen zeigt sich, wenn Sie mehrere Spalten markieren:

- Markieren Sie die Spalten *Stückkosten* und *Anzahl*.
- Klicken Sie im Register **Spalte hinzufügen** in der Rubrik *Aus Zahl* auf die Schaltfläche **Standard** und wählen Sie **Multiplizieren**.
- Es erscheint eine neue Spalte, in der die Werte aus *Stückkosten* und *Anzahl* multipliziert sind. Geben Sie der neuen Spalte den Namen *Gesamtkosten*.

9.3 Benutzerdefinierte Spalten

Nehmen Sie sich ruhig Zeit, alle Werkzeuge zu erkunden, die auf der Benutzeroberfläche des Abfrage-Editors zu finden sind. Die häufigsten Herausforderungen können damit schon bewältigt werden. Es gibt aber auch Situationen, in denen diese Funktionen nicht ausreichen. Im obigen Beispiel haben Sie neue Spalten eingefügt, in denen Werte aus anderen Spalten extrahiert oder miteinander verrechnet werden. Sie können aber noch wesentlich komplexere Berechnungen oder Bedingungen einfügen. Dies gelingt mit einer benutzerdefinierten Spalte.

9.3.1 Spaltenformeln für Berechnungen eingeben

Nehmen wir an, im obigen Beispiel gibt es einen Bonus, der am Jahresende an die jeweiligen Filialen ausgezahlt wird. Er hängt davon ab, was sie bestellt haben, und beträgt 3 % des Bestellwerts. Um hierfür ohne Zwischenschritte eine Spalte zu erzeugen, benötigen Sie eine benutzerdefinierte Formel – und hier kommt die Formelsprache M ins Spiel.

- Klicken Sie im Register **Spalte hinzufügen** auf **Benutzerdefinierte Spalte**.
- Es erscheint ein Dialog, in dem Sie den Namen der neuen Spalte und die Formel für die Berechnung der Werte eingeben können (vgl. Bild 9.5). Geben Sie als Name *Bonus* ein.

Die Spaltenformel für das oben erwähnte Szenario lautet:

```
[Gesamtkosten] * 100 / 3
```

Gesamtkosten ist hierbei der Name der Spalte, die im vorhergehenden Schritt eingefügt wurde. Spaltennamen werden immer in eckigen Klammern angegeben. Sie können den Spaltennamen entweder per Tastatur eingeben oder aus der Liste auf der rechten Seite des Dialogfensters per Doppelklick einfügen.

Die Leerzeichen zwischen den Elementen sind für die Berechnung nicht erforderlich, aber verbessern die Lesbarkeit.

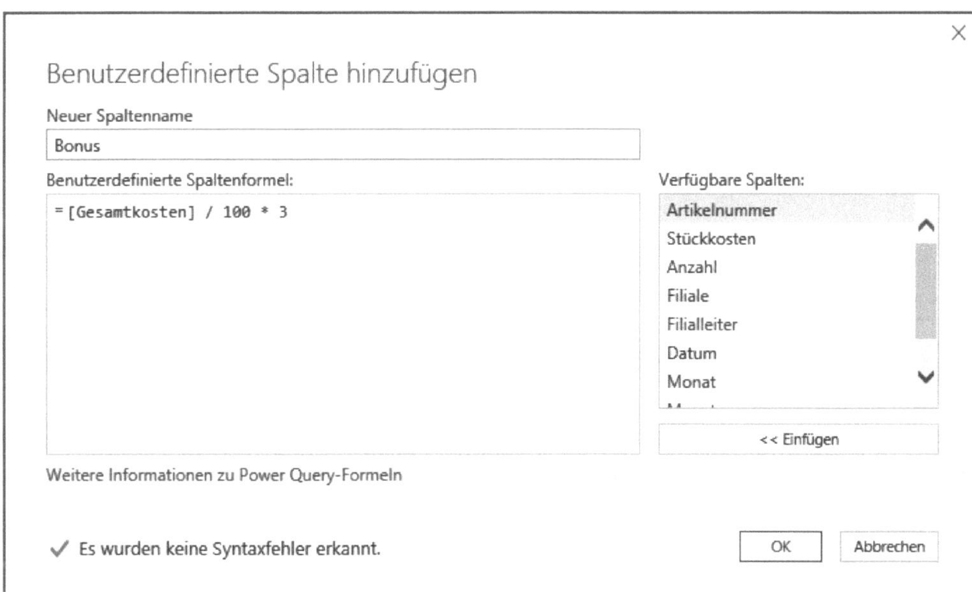

Bild 9.5 In diesem Dialog definieren Sie die zugrunde liegende Logik der benutzerdefinierten Spalte.

- Während Sie die Formel eingeben, wird sie auf Gültigkeit geprüft. Das Ergebnis der Prüfung sehen Sie am unteren Rand des Dialogfensters. Wenn Sie sich nicht vertippt haben, steht dort „Es wurden keine Syntaxfehler erkannt“ und Sie können **OK** anklicken.

Schon haben Sie eine neue Spalte, in der für jeden Eintrag 3 % der jeweiligen Kosten angezeigt werden. Die Formel ist nicht schwer zu verstehen: Die Werte aus Gesamtkosten werden durch 100 geteilt und mit 3 multipliziert.

Operatoren in M

- Die vier Grundrechenarten werden durch die Zeichen + (Plus), - (Minus), * (Mal),/(Geteilt) dargestellt.
- Um Texte zu verketten, benutzen Sie wie in Excel das Symbol &. Beachten Sie, dass Textwerte immer in Anführungszeichen stehen müssen.

Die folgende Liste zeigt Beispiele für einfache Spaltenformeln:

- `[Stückkosten] * [Anzahl] + 10`
- `5 + 2`
- `"Viele Grüße von " & [Filialleiter]`

9.3.2 Bedingungslogik mit if

Ein häufig verwendeter Ausdruck in M ist `if ... else`. Damit können Sie komplexe Bedingungen festlegen, wenn die Optionen des Dialogs für bedingte Spalten nicht ausreichen.

Die Syntax ist folgendermaßen:

```
if <Bedingung> then <Ausgabe1> else <Ausgabe2>
```

if, then und *else* müssen klein geschrieben werden.

Wenn die Bedingung erfüllt ist, wird der Wert bzw. das Ergebnis nach `then` ausgegeben, anderenfalls wird der Wert bzw. das Ergebnis nach `else` verwendet. Für die Bedingung können Sie die Vergleichsoperatoren > (größer), < (kleiner), = (gleich) verwenden.

Das Tolle am if-Ausdruck ist, dass Sie beliebig viele dieser Ausdrücke ineinander verschachteln können. Nehmen wir für unser Beispiel ein komplexeres Szenario an: Der Bonus beträgt bei Bestellungen zum Jahresende 5 %, im restlichen Jahr 3 %. Zudem soll er nur gegeben werden, wenn mehr als 25 Stück eines Artikels bestellt wurden.

- Unter *Angewendete Schritte* sehen Sie als letzten Schritt die soeben hinzugefügte benutzerdefinierte Spalte. Klicken Sie auf das Zahnrad-Symbol direkt neben diesem Transformationsschritt, um die Spaltenformel zu bearbeiten.

- Löschen Sie die alte Spaltenformel und geben Sie stattdessen diese Formel ein:

```
if [Anzahl] > 25 then
  if [Monatsname] = "Dezember" then [Gesamtkosten] / 100 * 5
  else [Gesamtkosten] / 100 * 3
else 0
```

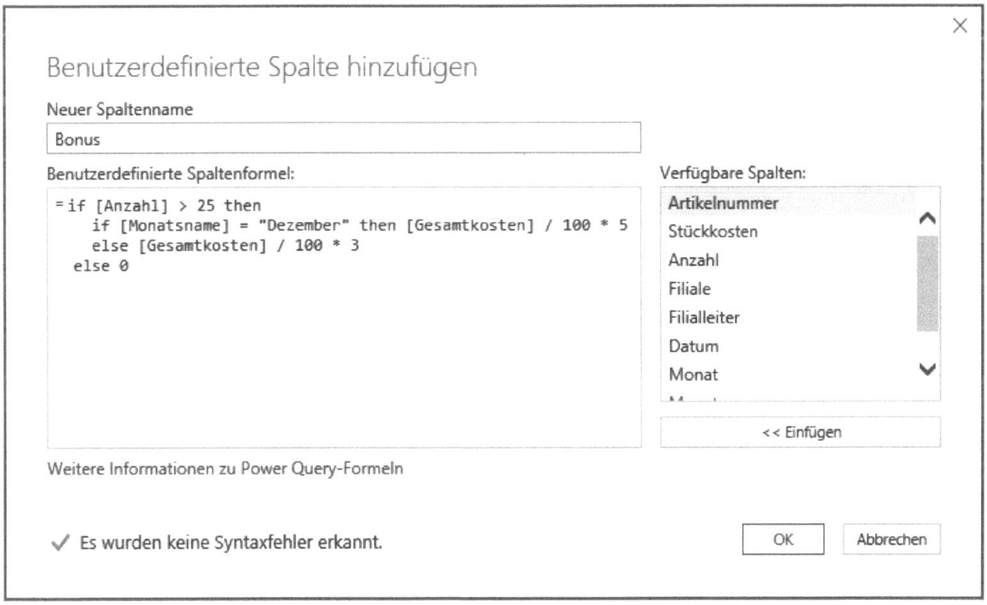

Bild 9.6 Formeln können sich über mehrere Zeilen erstrecken.

- Wenn die Fehlerprüfung keine Syntaxfehler anzeigt, klicken Sie auf **OK**, um die Spalte zu aktualisieren.

Zeilenumbrüche dienen ebenso wie die Leerzeichen zwischen den Elementen nur der besseren Lesbarkeit. Für die Gültigkeit und die Berechnung der Formel sind sie irrelevant.
Die obenstehende Formel hätte also auch in einer einzigen Zeile geschrieben werden können. Durch die Zeilenumbrüche und Einrückungen erkennen Sie jedoch auf einen Blick, welches `else` zu welchem `if` gehört.

Diese Formel ist schon komplexer. Sie erahnen, warum das Feld für die Spaltenformel so groß ist: In der Praxis können diese Formeln weit ausufern und etliche Arbeitsschritte ersetzen.

9.3.3 M-Funktionen

In M-Formeln stehen Ihnen nicht nur Zahlen, Texte und Werte aus anderen Spalten zur Verfügung. Es gibt eine ganze Reihe an Funktionen, um Werte zu verarbeiten oder zu erzeugen. In Kapitel 14, das fast die Hälfte dieses Buchs ausmacht, werden einige davon erklärt.

- Um einen kleinen Vorgeschmack zu erhalten, geben Sie folgende Spaltenformel für die Bonusspalte ein:

```
Number.RoundUp(
 if Text.Length([Filialleiter]) > 15 then
  Number.Power([Gesamtkosten], 5)
 else
  Number.Sqrt([Gesamtkosten])
)
```

> Beachten Sie, dass Groß- und Kleinschreibung in M unterschieden wird. Die Funktionsnamen müssen genauso geschrieben werden wie hier angegeben. ■

Das Beispiel ist zugegebenermaßen nicht sehr praxisnah, aber es enthält eine schöne Auswahl an M-Funktionen. Zunächst wird mit der Funktion `Number.RoundUp` festgelegt, dass das Ergebnis der folgenden Berechnung zur nächsten Ganzzahl aufgerundet wird. Dann wird mit `if` und der Funktion `Text.Length` geprüft, ob der Name des Filialleiters aus mehr als 15 Zeichen besteht. Falls ja, ist der Bonus die fünfte Potenz der Gesamtkosten, die mit der Funktion `Number.Power` berechnet wird. Falls der Name höchstens 15 Zeichen lang ist, bekommt der Filialleiter einen etwas kleineren Bonus, der mithilfe der Funktion `Number.Sqrt` als die Quadratwurzel der Gesamtkosten ermittelt wird.

Die Informationen, die die Funktionen benötigen, um einen Ausgabewert zu erzeugen, werden *Argumente* genannt. Sie werden in runde Klammern hinter die Funktionsnamen geschrieben. Argumente können einzelne Werte, Werte aus Spalten oder weitere Berechnungen und Funktionen sein.

> Es ist Ihnen vermutlich schon aufgefallen: Power Query unterstützt Sie bei der Eingabe von Code, indem es passende M-Funktionen vorschlägt. Wenn Sie den Anfang einer M-Funktion schreiben, erscheint eine Liste mit entsprechenden Funktionen und sogar eine kurze Beschreibung der markieren Funktion. Mit den Pfeiltasten Ihrer Tastatur und der Enter-Taste können Sie die gewünschte Funktion auswählen.

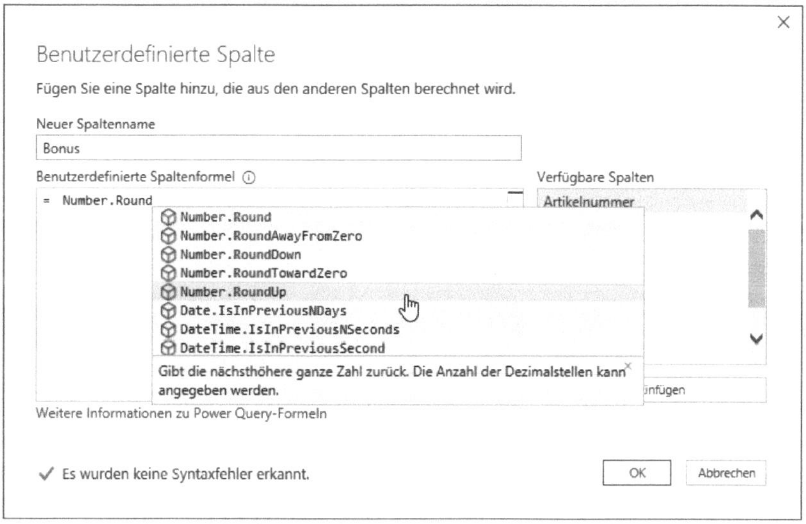

Bild 9.7 Eingabehilfen erleichtern das Schreiben von M-Code.

Eine weitere nützliche Hilfe ist der Syntaxcheck im Dialogfenster für die Benutzerdefinierte Spalte. Im Beispiel von Bild 9.7 sehen Sie links unten den Hinweis, dass keine Syntaxfehler erkannt wurden. Diese Prüfung wird zwar (leider) nicht alle Ihre Programmierprobleme lösen, aber wenn Sie klare Syntaxfehler machen, beispielsweise wenn Sie vergessen eine Klammer zu schließen, werden Sie an dieser Stelle darauf hingewiesen. Es erscheint sogar ein Link, den Sie anklicken können, damit die fehlerhafte Stelle im Code hervorgehoben wird. ■

10 Abfragecode bearbeiten mit M

M ist eine leistungsfähige Programmiersprache, genauer gesagt eine Formelsprache, die Microsoft eigens für die Abfragetechnologie Power Query entwickelt hat. Der offizielle Name ist *Power Query Formula Language*, obwohl selbst Microsoft auch den inoffiziellen Terminus *M* zu bevorzugen scheint.

Viele Nutzer, die bereits erfolgreich Power-Query-Abfragen erstellt haben, schrecken davor zurück, sich mit M auseinanderzusetzen. Vielleicht hat man schon mit Mühe diverse Excel-Formeln oder sogar die eine oder andere Programmiersprache gelernt und hat keine Lust, sich noch eine zusätzliche komplexe Sprachlogik anzueignen.

Nun, die gute Nachricht ist: Wenn Sie bereits erfolgreich Abfragen im Abfrage-Editor erstellt haben, haben Sie bereits in M programmiert. Jeder Transformationsschritt, den Sie erzeugen, erzeugt eigentlich M-Code. Dieses Prinzip erleichtert das Erlernen von M ungemein. Sie können Abfrageschritte über die Benutzeroberfläche erstellen und anschließend den Code betrachten. Sie werden sehen, dass er so relativ einfach zu verstehen ist. Der Anteil an Code, den Sie selbst schreiben, ist üblicherweise ziemlich gering. Den größten Teil Ihrer Abfragen können Sie weiterhin über die Benutzeroberfläche erstellen und nur dort Ihre M-Kenntnisse einsetzen, wo die vorgefertigten Werkzeuge an ihre Grenzen stoßen.

10.1 Die Bearbeitungsleiste

In der Bearbeitungsleiste sehen Sie jederzeit, welcher Code für den aktuell ausgewählten Transformationsschritt hinterlegt ist. Aktivieren Sie im Abfrage-Editor auf dem Register **Ansicht** die Option **Bearbeitungsleiste**, damit sie immer angezeigt wird.

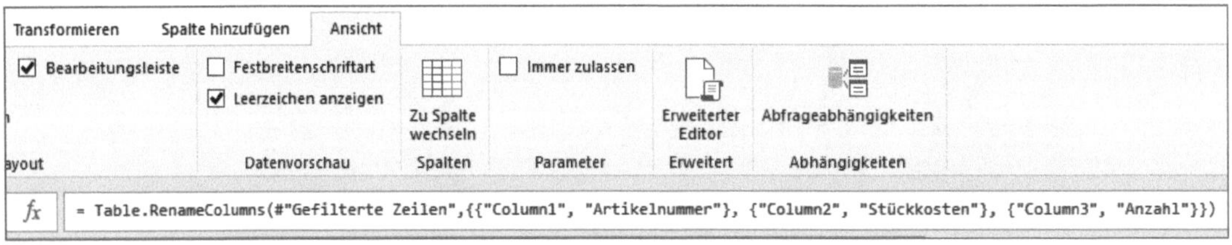

Bild 10.1 Die Bearbeitungsleiste zeigt den M-Code des aktiven Schritts an.

Mithilfe der Bearbeitungsleiste können die erstellten Transformationen überprüft und auch angepasst werden. Dazu ändern Sie einfach den Text und bestätigen mit der **ENTER**-Taste. Sie können auch die Schaltflächen auf der linken Seite der Bearbeitungsleiste zum Bestätigen bzw. Abbrechen nutzen. Beachten Sie, dass Formeln in der Bearbeitungsleiste immer mit einem „=“ beginnen.

Ein Blick auf die Formel in der Bearbeitungsleiste lohnt sich fast immer. Sie müssen den M-Code nicht immer komplett verstehen, um etwaige Fehler oder Verbesserungsmöglichkeiten zu erkennen.

10.2 Das Editor-Fenster

In der Liste *Angewendete Schritte* können Sie einzelne Schritte auswählen und den zugehörigen Code in der Bearbeitungsleiste betrachten. Sie können aber auch den gesamten M-Code einer Abfrage in voller Pracht begutachten und verändern. Öffnen Sie hierfür den Editor über die Schaltfläche **ERWEITERTER EDITOR**. Sie finden sie sowohl im Register **START** als auch unter **ANSICHT**.

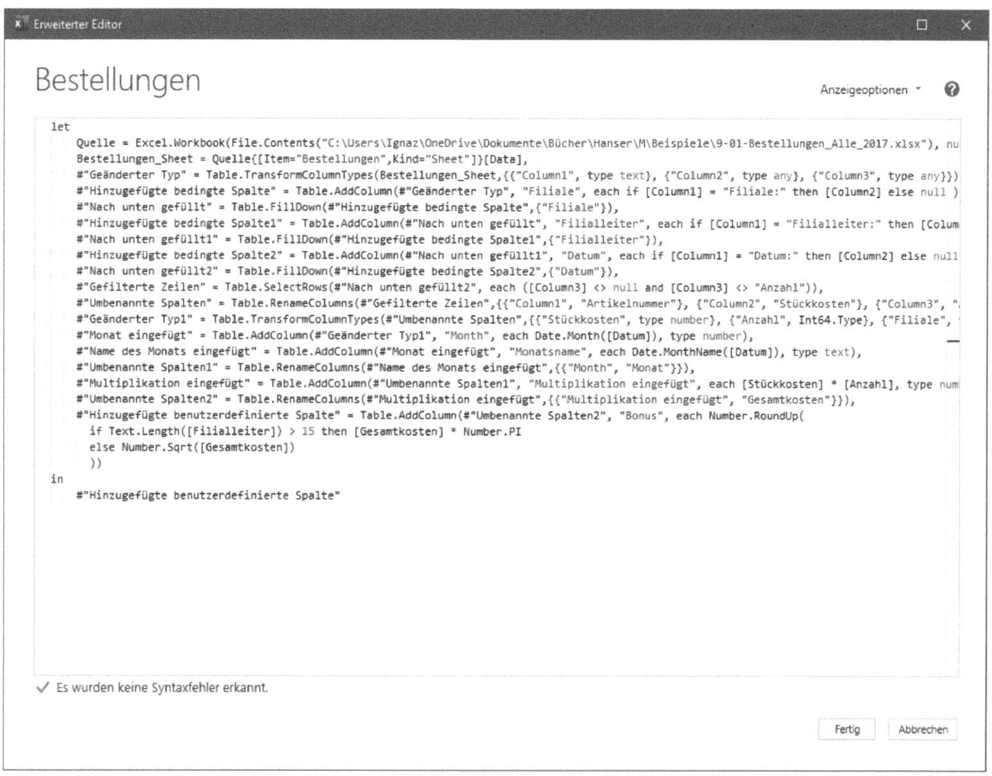

Bild 10.2 Der erweiterte Editor zeigt den gesamten Abfrage-Code.

Im Editor-Fenster können Sie den M-Code wie in einem Texteditor anpassen. Falls der Code Syntaxfehler enthält, erscheint eine entsprechende Meldung unterhalb des Textfelds. Sie haben dann die Möglichkeit, auf *Fehler anzeigen* zu klicken, woraufhin die fehlerhafte Stelle hervorgehoben wird.

Ähnlich wie in der Bearbeitungsleiste erhalten Sie auch hier Textvorschläge während der Eingabe. Außerdem werden bestimmte Wörter farblich hervorgehoben: M-Schlüsselwörter sind blau, Zahlen und Datentypen sind grün und Texte in Anführungszeichen sind orange. Sehr nützlich ist das Hervorheben von zusammengehörenden Klammern oder gleichen Wörtern. Wenn Sie zum Beispiel den Cursor auf eine öffnende Klammer setzen, wird die entsprechende schließende Klammer hervorgehoben. Wenn der Cursor in einem Spaltentitel steht, wird dieser Spaltentitel im ganzen Code hervorgehoben, sooft er vorkommt.

10.3 Erstellen einer leeren Abfrage

Bevor wir uns den Grundlagen der M-Sprache zuwenden, bekommen Sie die Gelegenheit, eine Abfrage nur anhand des Code-Textes zu erstellen. Anstatt beim Erstellen der Abfrage schon anzugeben, zu welcher Quelle die Verbindung hergestellt werden soll, erstellen Sie einfach eine leere Abfrage. Auf diese Weise können Sie zum Beispiel Abfrage-Code zwischen verschiedenen Dokumenten übertragen. Beispiel-Code aus einem Buch (wie diesem) oder aus dem Web kann so ebenfalls ohne große Umstände in eine neue Abfrage eingefügt werden.

EXCEL:

- Öffnen Sie eine neue Arbeitsmappe und klicken Sie im Register **Daten** auf **Daten abrufen – Aus anderen Quellen – Leere Abfrage.**

POWER BI:

- Klicken Sie auf **Daten abrufen** und wählen Sie in der Rubrik **Sonstige** den Eintrag **Leere Abfrage.**
- Klicken Sie auf **Verbinden**, um zum Abfrage-Editor zu gelangen.

Da keine Verbindung zu irgendeiner Datenquelle hergestellt wurde, zeigt der Abfrage-Editor logischerweise keine Tabelle als Vorschau. Wie immer gibt es aber schon den ersten Transformationsschritt namens *Quelle*. In der Bearbeitungsleiste sehen Sie aber, dass es keinen Code dazu gibt.

- Öffnen Sie den erweiterten Editor.

Im Editor-Fenster sehen Sie die Minimalform einer Abfrage: vier Codezeilen, bestehend aus den Ausdrücken `let` und `in` sowie dem einen vorhandenen Transformationsschritt *Quelle* (vgl. Bild 10.3).

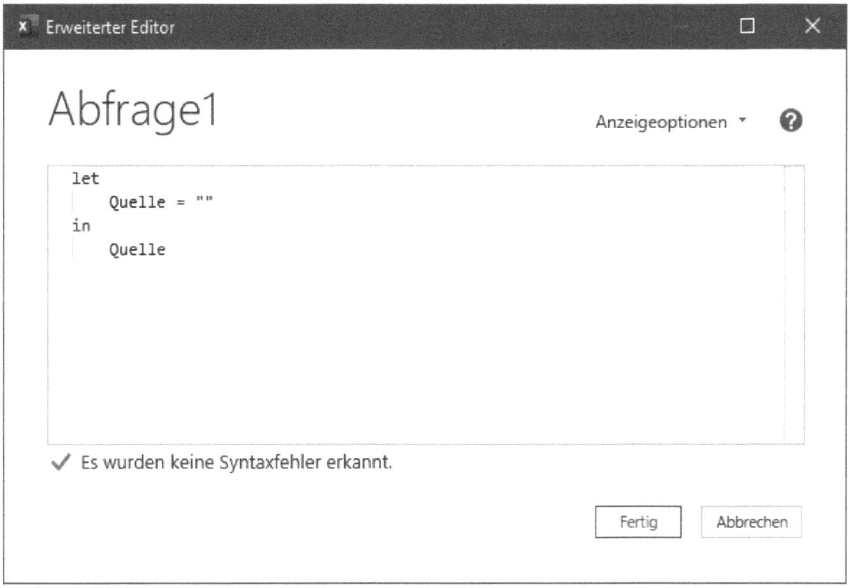

Bild 10.3 Der Code einer leeren Abfrage.

10.4 Die Grundstruktur des Abfrage-Codes

Das Grundprinzip von Power Query bzw. der Abfragesprache M basiert auf Ausdrücken und Rückgabewerten. Ein Ausdruck kann eine Berechnung sein, eine M-Funktion oder eine Kombination aus beidem. Rückgabewerte können einzelne Zahlen, Texte oder auch ganze Tabellen sein. Im Grunde ist eine Abfrage auch ein Ausdruck, der einen Wert zurückgibt. In den meisten Fällen ist der Rückgabewert eine Tabelle.

Da bei einer Abfrage oft mehrere Schritte nötig sind, um zum gewünschten Rückgabewert zu gelangen, gibt es die Anweisung `let ... in`. Dadurch wird ein einzelner Ausdruck aufgespaltet in Unterausdrücke bzw. -schritte. Betrachten Sie den Beispielcode in Listing 10.1.

Listing 10.1 Eine einfache let-Anweisung.

```
let
   Schritt1 = "Guten",
   Schritt2 = Schritt1 & " Tag",
   Schritt3 = Schritt2 & " Ignaz!"
in
   Schritt3
```

Zwischen `let` und `in` können Sie beliebig viele Zwischenschritte einfügen. Wichtig ist, dass jeder Schritt einen eindeutigen Namen hat, gefolgt von einem „=“ und dem Ausdruck, der ausgewertet werden soll. Wie Sie in *Schritt2* und *Schritt3* sehen, kann der Ausdruck wiederum den Namen eines anderen Schritts enthalten. Üblicherweise ist das ein vorangegangener Schritt, was aber nicht zwingend notwendig ist.

Alle Schritte mit Ausnahme des letzten werden mit einem Komma abgeschlossen. Nach dem letzten Schritt folgt die Anweisung `in`. Daraufhin wird der Rückgabewert der `let...in`-Anweisung festgelegt, was üblicherweise (aber nicht zwingend) der Name des letzten Schritts ist.

- Geben Sie den Code aus Listing 10.1 im Editor-Fenster ein. Wenn Sie nicht auch Ignaz heißen, geben Sie stattdessen Ihren eigenen Namen ein.

> Beachten Sie immer folgende Punkte beim Schreiben von M-Code:
>
> - Groß- und Kleinschreibung wird unterschieden. „schritt1" wäre ein anderer Schritt als „Schritt1".
> - Textwerte müssen immer in Anführungszeichen stehen.
> - Alle Transformationsschritte werden mit einem Komma abgeschlossen – nur nicht der letzte.

- Unterhalb des Eingabefelds wird angezeigt, ob Ihr Code noch Fehler enthält. Stellen Sie sicher, dass keine Syntaxfehler enthalten sind.
- Bestätigen Sie den neuen Code mit der Schaltfläche **Fertig**.

Als Rückgabewert Ihrer Abfrage sollten Sie einen kurzen Begrüßungstext wie in Bild 10.4 sehen.

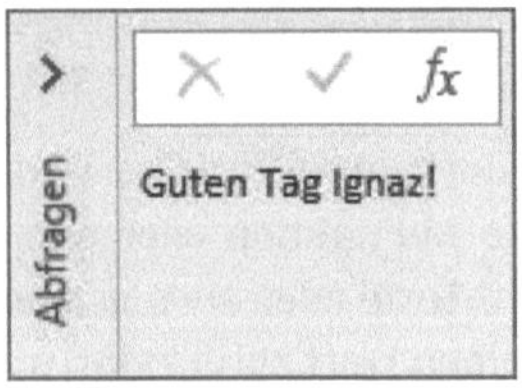

Bild 10.4
Das Abfrageergebnis muss nicht immer eine Tabelle sein.

10.5 Schritte und Schrittnamen verstehen

Die beste Möglichkeit für das Kennenlernen von M ist, eine Abfrage über die Benutzeroberfläche zu erstellen und dann den so erzeugten M-Code zu studieren. Im folgenden Beispiel sehen Sie auch, warum es immer nützlich ist, den M-Code im Auge zu behalten.

- Erstellen Sie eine Abfrage auf die Excel-Datei *10-01-Zahlungsziele.xlsx*.
- Wählen Sie *Tabelle1* aus und klicken Sie auf **Bearbeiten**, um zum Abfrage-Editor zu gelangen.

Werfen wir zunächst einen Blick auf die Schritte, die Power Query bereits automatisch erstellt hat.

1. *Quelle:* Die Verbindung zur Quelldatei wurde hergestellt.
2. *Navigation:* Das Arbeitsblatt *Tabelle1* wurde ausgewählt.
3. *Höher gestufte Header:* Die Spaltenüberschriften wurden als Überschriften erkannt.
4. *Geänderter Typ:* Die Datentypen wurden erkannt und eingestellt.

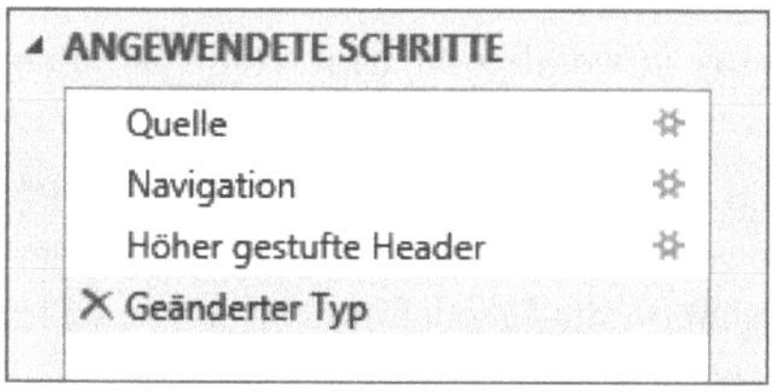

Bild 10.5
Vier Transformationsschritte sind bereits vorhanden.

- Nehmen wir an, für Ihre Auswertung benötigen Sie nur die Spalten *Kunde* und *Netto-Betrag*. Markieren Sie also diese beiden Spalten mit gedrückter **Strg**-Taste, machen Sie einen Rechtsklick auf einen der Spaltentitel und wählen Sie im Kontextmenü **Andere Spalten entfernen**.
- Sortieren Sie die Spalte *Netto-Betrag* absteigend, sodass die größten Beträge zuerst erscheinen.

Betrachten Sie nun den M-Code der eben erstellten Abfrage.

Listing 10.2 Der M-Code der Abfrage.

```
let
    Quelle = Excel.Workbook
        (File.Contents("C:\Beispiele\10-01-Zahlungsziele.xlsx"), null, true),
    Tabelle1_Sheet = Quelle{[Item="Tabelle1",Kind="Sheet"]}[Data],
    #"Höher gestufte Header" = Table.PromoteHeaders(Tabelle1_Sheet,
        [PromoteAllScalars=true]),
    #"Geänderter Typ" = Table.TransformColumnTypes
        (#"Höher gestufte Header",{{"Auftragsnummer", type text}, {"Kunde",
        type text}, {"Rechnungs-Datum", type date}, {"Zahlungs-Ziel", Int64.Type},
        {"Zahlung", type date}, {"Netto-Betrag", Int64.Type}, {"Mwst", type number},
        {"Gesamt-Betrag", type number}, {"Bemerkung A. Friedrich 18.04.2018", type
        text}}),
    #"Andere entfernte Spalten" = Table.SelectColumns(#"Geänderter Typ",
        {"Kunde", "Netto-Betrag"}),
    #"Sortierte Zeilen" = Table.Sort(#"Andere entfernte Spalten",
        {{"Netto-Betrag", Order.Descending}})
in
    #"Sortierte Zeilen"
```

Normalerweise nimmt jeder Transformationsschritt eine Zeile ein. Die Zeilenumbrüche wurden hier nur für das Buchlayout eingefügt. Der Code würde aber auch in dieser Form funktionieren.

Sie müssen den Abfrage-Code nicht komplett verstehen, Sie wissen ja bereits, was die einzelnen Schritte bewirken. Sie erkennen jedoch auch hier das Schema, das in Abschnitt 10.4 skizziert wurde: Zwischen `let` und `in` sind die einzelnen Transformationsschritte aufgelistet. Nach jedem Schrittnamen folgt eine Zuweisung mit dem Gleichheitszeichen. Eine Besonderheit fällt jedoch bei den Schrittbezeichnungen auf:

Wenn ein Transformationsschritt mit mehr als einem Wort benannt wurde, wird der Schrittname im M-Code in Anführungszeichen gestellt und mit dem Raute-Symbol markiert. Die ersten beiden Schritte werden daher ohne besondere Kennzeichnung geschrieben (`Quelle`), wohingegen die längeren Schrittnamen etwas aufwendiger markiert sind (`#"Höher gestufte Header"`).

Beachten Sie, dass jeder Schrittname auch in der Zuweisung des darauffolgenden Schritts vorkommt. Um den Code etwas übersichtlicher zu gestalten, kann es sinnvoll sein, Leerzeichen in den Bezeichnungen zu vermeiden. Sie können die Bezeichnungen jederzeit im M-Code ändern oder sie alternativ in der Liste **Angewendete Schritte** umbenennen.

- Ersetzen Sie alle Leerzeichen in den Schrittbezeichnungen durch einen Unterstrich („_“). Klicken Sie dazu in der Liste *Angewendete Schritte* mit der rechten Maustaste auf die Bezeichnung und wählen Sie **Umbenennen**. Auf diese Weise wird der gesamte Code nach dem jeweiligen Schrittnamen durchsucht und der Name bei jedem Vorkommen ersetzt.

10.6 Fehler im M-Code vermeiden

Nachdem nun die ganzen Rauten und Anführungszeichen weggefallen sind, ist der Code etwas angenehmer zu lesen. Betrachten Sie jetzt den automatisch eingefügten Schritt *Geänderter_Typ*. Mithilfe der M-Funktion *Table.TransformColumnTypes* werden dort die Datentypen aller Spalten angepasst. Im darauffolgenden Schritt werden jedoch alle Spalten bis auf zwei entfernt. Die Auflistung aller Spalten bei der Typänderung ist also völlig unnötig.

Aber nicht nur das: In der Beispieltabelle findet sich die Spalte namens *Bemerkung A. Friedrich 18.04.2018*. Hier hat scheinbar ein Kollege eine Kommentarspalte eingefügt und in gutem Willen noch im Spaltentitel seinen Namen und das Datum angegeben. Es handelt sich also offensichtlich um eine Spalte, bei der Sie nicht davon ausgehen können, dass sie bei einer künftigen Aktualisierung der Abfrage noch genauso vorhanden ist.

- Schließen Sie die Abfrage ab und öffnen Sie die Beispieldatei in Excel.
- Ändern Sie den Spaltentitel der letzten Spalte in „Bemerkung Neu“.
- Speichern Sie die Datei.

Wenn Sie Ihre Abfrage nun aktualisieren, werden Sie feststellen, dass sie nicht mehr funktioniert - und das, obwohl die fragliche Spalte für die Auswertung gar nicht relevant ist.

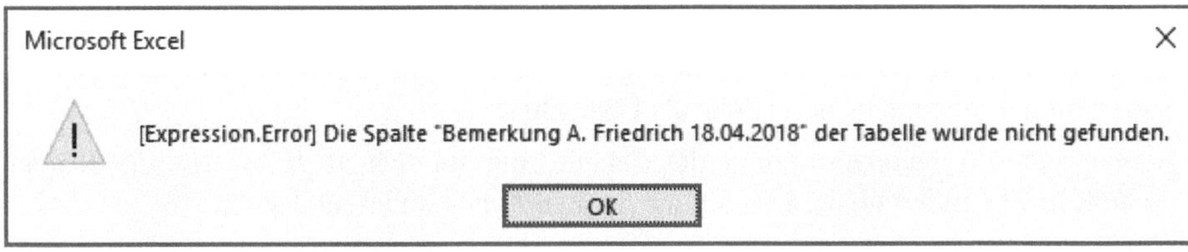

Bild 10.6 Der geänderte Spaltentitel erzeugt einen Fehler.

Dieses Beispiel zeigt, wie hilfreich es ist, den erstellten M-Code zu überprüfen, auch wenn die Abfrage über die Benutzeroberfläche des Abfrage-Editors erstellt wird. Um den Fehler zu vermeiden, achten Sie darauf, dass die problematische Spalte nicht im Code vorkommt.

- Entfernen Sie den Transformationsschritt *Geänderter_Typ* aus der Liste der angewendeten Schritte.
- Markieren Sie den letzten Schritt in der Liste und erstellen Sie einen neuen Transformationsschritt, indem Sie die Datentypen der verbleibenden Spalten anpassen.

Bei der Bestimmung der Datentypen ist es eine gute Angewohnheit, diesen Schritt so spät wie möglich durchzuführen - also wenn nötig, sobald Sie eine typspezifische Funktion anwenden oder ganz am Ende der Abfrage, wenn alle Spalten in ihrer finalen Form vorliegen.

Den automatisch eingefügten Schritt *Geänderter Typ* können Sie in vielen Fällen sofort löschen.

Es gibt sogar auch eine Einstellung dafür. Wenn Sie die automatische Typerkennung generell deaktivieren wollen, ändern Sie die Option unter **Datei – Optionen und Einstellungen – Abfrageoptionen – Daten laden.**

10.7 Schritte zusammenfassen

In den meisten Fällen enthalten Transformationsschritte eine Referenz zu einem anderen Transformationsschritt. Betrachten Sie zum Beispiel den Code-Ausschnitt in Listing 10.3. Sie stellen fest, dass der Schrittname *Höher_gestufte_Header* im darauffolgenden Schritt vorkommt.

Listing 10.3 Zwei Transformationsschritte aus dem Abfrage-Code.

```
Höher_gestufte_Header = Table.PromoteHeaders(Tabelle1_Sheet,
   [PromoteAllScalars=true]),
Andere entfernte Spalten = Table.SelectColumns(Höher_gestufte_Header,
   {"Kunde", "Netto-Betrag"}),
```

Vereinfacht kann der obenstehende Code folgendermaßen gelesen werden:

- *Höher_gestufte_Header:* Nehme den Rückgabewert des Transformationsschritts *Tabelle1_Sheet* und übernehme die erste Zeile als Überschriften.
- *Andere_entfernte_Spalten:* Nehme die Tabelle, die im Schritt *Höher_gestufte_Header* erzeugt wurde, und reduziere sie auf die Spalten *Kunde* und *Netto-Betrag*.

Sie erinnern sich, dass der Transformationsschritt *Andere_entfernte_Spalten* erstellt wurde, indem über das Kontextmenü im Abfrage-Editor alle Spalten außer *Kunde* und *Netto-Betrag* entfernt wurden. Im M-Code geschieht dies über die M-Funktion *Table.SelectColumns*. Als erstes Argument erhält diese Funktion den Namen des vorhergehenden Schritts *Höher_gestufte_Header*.

Wenn Sie den M-Code verkürzen wollen, können Sie die beiden Schritte aber auch zu einem einzigen Schritt zusammenfassen. Hierfür wird anstatt des Schrittnamens „Höher_gestufte_Header" einfach der Code-Teil eingetragen, der durch diesen repräsentiert wird.

Bei den vielen Kommas kann man leicht den Überblick verlieren, besonders, wenn wie hier (aus Layoutgründen) noch Zeilenumbrüche eingefügt wurden. Merken Sie sich folgende Faustregel: Der Code eines Transformationsschritts beginnt nach dem Gleichheitszeichen und endet vor dem abschließenden Komma. Kommas, die innerhalb von Klammern stehen, gehören jedoch noch zum Transformationsschritt.

Listing 10.4 Die zwei Schritte wurden zu einem zusammengefasst.

```
Andere_entfernte_Spalten = Table.SelectColumns(Table.PromoteHeaders(
  Tabelle1_Sheet, [PromoteAllScalars=true]), {"Kunde", "Netto-Betrag"}),
```

Durch das Zusammenfassen von Schritten können Sie Ihren Code verkürzen und dadurch übersichtlicher gestalten. Für die Programmausführung macht es keinen Unterschied, ob die Befehle in einem Schritt abgearbeitet oder auf mehrere Schritte aufgeteilt werden. Theoretisch könnten Sie sogar die ganze Abfrage in einem Schritt schreiben. Das würde allerdings die Lesbarkeit des Codes ziemlich erschweren.

Letztendlich ist es Geschmackssache, welche Stellen Sie lieber zusammenfassen und wo Sie lieber Schritt für Schritt vorgehen.

10.8 Kommentare

Jeder Programmierer kennt das Phänomen, dass man seinen eigenen Code betrachtet und nicht mehr weiß, was man da genau gemacht hat. Noch verwirrender ist der Versuch, Code von jemand anderem zu verstehen.

Kommentare sind daher ein unerlässliches Werkzeug in fast jeder Programmiersprache. Durch das Einfügen von kurzen Beschreibungen, Zwischenüberschriften und Erläuterungen machen Sie Ihren Code für sich selbst und für andere verständlich.

In M gibt es zwei Möglichkeiten, Kommentare einzufügen: Kommentare, die sich über mehrere Zeilen erstrecken, beginnen mit /* und enden mit */. Einzeilige Kommentare beginnen mit //. Listing 10.5 zeigt den Code aus dem letzten Beispiel mit eingefügten Kommentaren.

Listing 10.5 M-Code mit Kommentaren.

```
/* Die Abfrage lädt die Zahlungen aller Kunden aus der Datei "Zahlungsziele".
Die Liste ist nach Betrag sortiert.
(Dieser Text ist ein Kommentar über mehrere Zeilen, der für die Funktion der Abfrage
keine Bedeutung hat.) */

let
   //Verbindung zur Datenquelle (<-- Einzeiliger Kommentar)
   Quelle = Excel.Workbook
      (File.Contents("C:\Beispiele\10-01-Zahlungsziele.xlsx"), null, true),
   Tabelle1_Sheet = Quelle{[Item="Tabelle1",Kind="Sheet"]}[Data],
   Höher_gestufte_Header = Table.PromoteHeaders(Tabelle1_Sheet,
      [PromoteAllScalars=true]),
   //Auswahl der Spalten "Kunde" und "Netto-Betrag"
   Andere_entfernte_Spalten = Table.SelectColumns(Höher_gestufte_Header,
      {"Kunde", "Netto-Betrag"}),
   //Sortierung
   Sortierte_Zeilen = Table.Sort(Andere_entfernte_Spalten,
      {{"Netto-Betrag", Order.Descending}}), //Größter Betrag zuerst
   Geänderter_Typ = Table.TransformColumnTypes(Sortierte_Zeilen,{{"Kunde",
      type text}, {"Netto-Betrag", type number}})
in
   Geänderter_Typ
```

Die Kommentare im M-Code sind leider nur im erweiterten Editor vollständig sichtbar. Wenn Sie Code in der Bearbeitungsleiste bearbeiten, können Sie dort zwar auch Kommentare einfügen. Wenn Sie aber einen anderen Transformationsschritt auswählen und zurückkehren, werden die Kommentare am Anfang oder am Ende des Befehls nicht angezeigt. Kommentare, die innerhalb eines Befehls stehen, werden kurioserweise auch in der Bearbeitungsleiste gezeigt.

Listing 10.6 Nicht alle Kommentare erscheinen in der Bearbeitungsleiste.

```
Sortierte_Zeilen = Table.Sort(Andere_entfernte_Spalten, /*Dieser Kommentar wird in
der Bearbeitungsleiste sichtbar*/ {{"Netto-Betrag", Order.Descending}}), /*dieser
nicht*/
```

Wenn Sie Kommentare über oder vor Transformationsschritten einfügen, werden diese auch angezeigt, wenn Sie mit der Maus auf einen Schrittnamen unter *Angewendete Schritte* zeigen. Ein kleines i-Symbol zeigt an, wo sich ein Kommentar verbirgt.

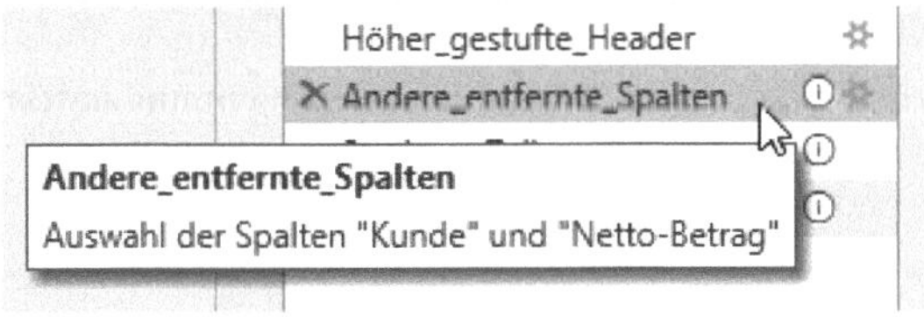

Bild 10.7 Ein Info-Feld zeigt Schrittname und Kommentar.

■

11 Werte und Datentypen

Bei Werten in Power Query unterscheidet man verschiedene Datentypen, wobei jeder Datentyp bestimmte Eigenheiten bei der Erzeugung oder Berechnung von Werten mit sich bringt. Einige Datentypen kennen Sie bereits vom Zuweisen eines Spaltentyps (vgl. Kapitel 3.7).

Dieses Kapitel gibt einen detaillierten Überblick über alle existierenden Datentypen, von einfachen Datentypen, die einzelne Werte enthalten, über übergeordnete Datentypen, die mehrere Einzelwerte zusammenfassen, bis hin zu speziellen Datentypen, zu denen auch die Funktionen zählen.

11.1 Einfache Datentypen

11.1.1 Null

Ein Null-Wert bezeichnet genau genommen die Abwesenheit eines Werts und sollte nicht mit der Zahl *0* verwechselt werden. Wenn Sie eine Tabelle mit leeren Zellen einlesen, haben diese beispielsweise den Wert Null. Null wird immer mit dem Schlüsselwort *null* gekennzeichnet. Sie können dieses Wort auch benutzen, wenn Sie leere Zellen suchen oder ersetzen wollen.

11.1.2 Logical (true/false)

Daten vom Datentyp *Logical* können genau zwei mögliche Werte annehmen: *true* oder *false*. Üblicherweise ist ein derartiger Wahrheitswert das Ergebnis einer Prüfung. Wenn Sie zum Beispiel zwei Werte mithilfe eines Vergleichsoperators (>, <, =) miteinander vergleichen, erhalten Sie als Rückgabewert entweder *true* oder *false*.

Geben Sie zum Testen folgende Prüfungen in die Bearbeitungsleiste ein und bestätigen Sie mit **Enter**:

- `= 5 > 4`
- `= 5 < 4`

- `= "A" = "B"`
- `= 3 * 4 = 15`
- `= 3 * 4 = 12`

Wenn die Gleichung stimmt, wird *true* ausgegeben, wenn nicht, ist der Rückgabewert *false*.

> Der häufigste Verwendungszweck dieses Datentyps ist dort, wo Sie ihn gar nicht zu Gesicht bekommen: Im *if*-Befehl verwenden Sie Bedingungen, die geprüft werden und entweder wahr oder falsch sind. Anstatt *true* oder *false* erhalten Sie hier jedoch das Ergebnis, das mit *then* oder *else* festgelegt wird.

Anstelle der einfachen Rechnungen mit Zahlen und Buchstaben in den obigen Beispielen können Sie natürlich auch Schrittnamen oder M-Funktionen für Ihre Vergleiche verwenden.

Operatoren

Wie in jeder Programmiersprache gibt es auch in M bestimmte Operatoren, um Elemente zu verändern, zu berechnen oder zu vergleichen. Es hängt vom jeweiligen Datentyp ab, welche Operatoren gültig sind. Für Logical-Werte gibt es drei Operatoren: *and*, *or* und *not*.

Geben Sie folgendes Beispiel in die Bearbeitungsleiste ein:

```
= (5 > 1) and (1 = 7)
```

In diesem Fall haben Sie zwei Prüfungen, die einen Logical-Wert zurückgeben: *true* und *false*. Durch den Operator *and* wird geprüft, ob *beide* Werte wahr sind. Das Ergebnis ist somit *false*.

Mit dem Vergleichsoperator *or* prüfen Sie dagegen, ob *mindestens einer* der beiden Logical-Werte wahr ist. Versuchen Sie folgenden Code:

```
= (5 > 1) or (1 = 7)
```

In diesem Fall ist das Ergebnis *true*, denn die linke Prüfung ergibt *true*.

Der letzte Logical-Operator ist *not*. Damit kehren Sie das Ergebnis um:

```
= not (1 = 7)
```

Die Gleichung 1=7 ist zwar falsch, aber durch das Schlüsselwort *not* wird der Wert ins Gegenteil umgewandelt. Der Rückgabewert ist somit *true*.

> Die Operatoren *and*, *or* und *not* funktionieren nur mit Logical-Werten. Die Klammern in diesen Beispielen bewirken, dass der Klammerinhalt zuerst ausgewertet wird und *TRUE* bzw. *FALSE* erzeugt, bevor die außenstehenden Operatoren angewendet werden.

11.1.3 Number (Zahl)

Anders, als man es angesichts der Spalten-Datentypen erwarten würde, gibt es in M nur einen Haupt-Datentyp für Zahlen. Egal, ob es sich um ganze Zahlen oder Dezimalzahlen handelt, sie haben immer den Typ *number*.

Folgende Punkte sind wichtig, wenn Sie Zahlen in M-Code schreiben:

- Im Code wird als Dezimaltrennzeichen immer der Punkt verwendet, unabhängig von der jeweiligen Regionaleinstellung. Statt `1,5` müssen Sie also `1.5` schreiben. Die Anzeige im Vorschaubereich des Abfrage-Editors wird jedoch an Ihre Regionaleinstellung angepasst.
- Längere Zahlen können mit dem Exponenten-E abgekürzt werden:

  `1e5` entspricht *100000*

  `34e5` entspricht *3400000*

  `1e-5` entspricht *0,00001*

  `34e-5` entspricht *0,00034*
- Die Präzision, in der Zahlenwerte gespeichert werden, entspricht dem Datentyp *Double* nach der IEEE-Norm. Dies bedeutet eine Genauigkeit auf ca. 15 Stellen.

> Es gibt auch Untertypen zu Number, deren Genauigkeit eingeschränkt ist (Int64, Currency, Single, ...).

- Auch wenn es nur selten gebraucht wird, gibt es Unendlich als Zahlenwert. Er wird bei bestimmten Rechenoperationen erzeugt, zum Beispiel bei der Rechnung `1/0`. Unendlich wird im M-Code geschrieben als `#infinity` und im Abfrage-Editor angezeigt als *infinity* bzw. ∞. Analog gibt es auch `-#infinity` als das negative Unendlich.
- Zahlenwerte können auch in Hexadezimal-Schreibweise eingegeben werden. Sie können z. B. statt `255` auch `0xff` schreiben.

Operatoren

Folgende Operatoren sind für Zahlenwerte gültig:

Tabelle 11.1 Operatoren für Zahlen.

Operator	Bedeutung
x + y	Summe
x - y	Differenz
x * y	Produkt
x / y	Quotient
-x	Negation
x > y	Größer (Vergleichsoperator)
x >= y	Größer oder gleich (Vergleichsoperator)

Operator	Bedeutung
x < y	Kleiner (Vergleichsoperator)
x <= y	Kleiner oder gleich (Vergleichsoperator)
x = y	Gleich (Vergleichsoperator)
x <> y	Ungleich (Vergleichsoperator)

11.1.4 Time (Zeit)

Im Abfrage-Editor werden Zeitwerte im selben Format angezeigt, wie Sie es von Digitaluhren kennen, d.h. mit Stunden, Minuten und Sekunden (z.B. *14:30:05*). Intern werden Werte dieses Datentyps jedoch als einfache Dezimalzahlen gespeichert und verarbeitet. Dies ist nützlich zu wissen, besonders wenn es um die Umwandlung von Datentypen geht.

Ein Time-Wert gibt eine Tageszeit zurück und ist definiert als die Anzahl von *Ticks* seit Mitternacht. Ein „Tick" entspricht 100 Nanosekunden. Sie können also auch mit sehr kleinen Zeitintervallen arbeiten. Wenn Sie einen Time-Wert in eine Dezimalzahl umwandeln, erhalten Sie eine Zahl zwischen 0 (=0 Uhr) und 1 (=Mitternacht).

Um Zeitwerte im M-Code zu schreiben, benutzen Sie am besten die Anweisung *#time*:

```
#time(Stunde, Minute, Sekunde)
```

Der Befehl `#time(14, 30, 5)` erzeugt also die Uhrzeit *14:30:05* im Time-Datentyp.

Operatoren

Die möglichen Operatoren bei Time-Werten werden im Abschnitt zu Duration erklärt.

11.1.5 Date (Datum)

Ähnlich wie der Time-Datentyp, werden auch Date-Werte im Abfrage-Editor anders angezeigt, als sie intern gespeichert werden. Im Vorschau-Bereich des Editors erscheinen Datumswerte so, wie es die jeweiligen Regionaleinstellungen vorgeben, also zum Beispiel *21. 04. 2018*. Intern wird eine ganze Zahl gespeichert, die die Anzahl an Tagen angibt, welche seit dem festgelegten Epochenbeginn vergangen sind. Die *1* entspricht dem *31. 12. 1899* und die höchstmögliche Zahl beträgt *2958465*, was dem *31. 12. 9999* entspricht.

> **!** Power Query unterstützt auch Datumswerte vor dem 31. 12. 1899. Der zugehörige Zahlenwert ist dann einfach negativ bzw. 0 (für den 30. 12. 1899).
>
> Derartige Werte können aber nur in Power BI angezeigt werden. In Excel werden sie außerhalb des Abfrage-Editors nicht unterstützt.

Datumswerte werden im M-Code über die Anweisung *#date* erzeugt, wobei anders als bei uns üblich zuerst das Jahr, dann der Monat und zuletzt der Tag angegeben werden:

```
#date(Jahr, Monat, Tag)
```

Die Anweisung `#date(2018, 4, 21)` erzeugt somit den 21. April 2018.

Operatoren

Die möglichen Operatoren bei Date-Werten werden im Abschnitt zu Duration erklärt.

11.1.6 Datetime (Datum/Uhrzeit)

Der Datentyp Datetime ist die Verbindung aus den Datentypen Date und Time. Im Abfrage-Editor wird er mit Tag, Monat, Jahr, Stunde, Minute und Sekunde in der jeweiligen Regionaleinstellung angezeigt, also zum Beispiel *01.04.2012 08:30:00*.

Die Zahl, die intern gespeichert wird, folgt der gleichen Logik wie bei Date und Time, wobei die Zahl vor dem Komma das Datum und die Dezimalstellen die Uhrzeit angeben.

Zeitpunkte dieses Datentyps werden mit der Anweisung *#datetime* nach folgendem Schema erzeugt:

```
#datetime(Jahr, Monat, Tag, Stunde, Minute, Sekunde)
```

Operatoren

Die möglichen Operatoren bei Datetime-Werten werden im Abschnitt zu Duration erklärt.

11.1.7 Datetimezone (Datum/Uhrzeit/Zeitzone)

Der Datentyp Datetimezone wird eher selten verwendet, weil er im Grunde nur eine andere Darstellungsweise des Datentyps Datetime ist. Zusätzlich zu Datum und Uhrzeit können Sie hierbei die jeweilige Zeitzone anzeigen lassen. Die Werte werden jedoch intern umgerechnet in Datetime-Werte und entsprechend auch ohne die Zeitzonen-Angabe ausgegeben.

Um einen solchen Wert zu erzeugen, benutzen Sie die *#datetimezone*-Anweisung nach folgendem Schema:

```
#datetimezone(Jahr, Monat, Tag, Stunde, Minute, Sekunde, Zeitverschiebung-Stunden,
Zeitverschiebung-Minuten)
```

Operatoren

Die möglichen Operatoren bei Datetimezone-Werten werden im Abschnitt zu Duration erklärt.

11.1.8 Duration (Dauer)

Um den Abstand zwischen zwei Zeitpunkten anzugeben, wird in Power Query der Datentyp Duration verwendet. Er ist ähnlich aufgebaut wie der Datentyp Datetime. Der wesentliche Unterschied ist, dass ein Duration-Wert auch negativ sein kann.

Duration-Werte werden mit der Anweisung *#duration* erzeugt:

```
#duration(Tage, Stunden, Minuten, Sekunden)
```

Es steht Ihnen dabei frei, ob Sie Ihren Zeitraum in Tagen, Stunden, Minuten oder Sekunden angeben. Bei Date- oder Time-Werten würde eine Angabe von mehr als 12 Monaten bzw. mehr als 24 Stunden einen Fehler erzeugen. Der Duration-Datentyp ist flexibler. Die folgenden Anweisungen erzeugen alle einen Zeitraum von zwei Tagen:

- `#duration(2, 0, 0, 0)`
- `#duration(0, 48, 0, 0)`
- `#duration(1, 24, 0, 0)`
- `#duration(0, 0, 2880, 0)`

Auch wenn bei der Konstruktionsanweisung als größtmögliche Zeiteinheit Tage verwendet werden, müssen Sie sich übrigens auch bei sehr großen Duration-Werten keine Sorgen machen. Der Maximalwert für den Datentyp Duration liegt bei über 29 000 Jahren. Bei kleinen Zeitintervallen reicht die Präzision wie bei Time und Datetime bis zu 100 Nanosekunden. Um Sekundenbruchteile anzugeben, benutzen Sie einfach den Punkt als Dezimaltrennzeichen. Folgende Anweisung erzeugt einen Zeitraum von einer halben Sekunde: `#duration(0, 0, 0, 0.5)`

Operatoren

Die Tatsache, dass die Datentypen Date, Time, Datetime, Datetimezone und Duration alle programmintern als Dezimalzahlen gespeichert werden, ermöglicht eine Vielzahl von Berechnungen mit Zeit- und Datumswerten, die sonst nicht ohne Weiteres möglich wären. So können Sie beispielsweise problemlos ein Datum mit einer Uhrzeit verknüpfen oder die Differenz aus zwei Datetime-Werten ermitteln.

Dabei ist jedoch zu beachten, dass Berechnungen mit Zeit- oder Datumswerten unter Umständen Werte mit unterschiedlichen Datentypen ergeben. In der folgenden Tabelle erhalten Sie einen Überblick über die möglichen Rechenoperationen und die sich ergebenden Datentypen.

Tabelle 11.2 Rechenoperationen mit Zeit- und Datumswerten.

Datentyp 1	Operator	Datentyp 2	Ergebnis	Beschreibung
Time	-	Time	Duration	Abstand zwischen zwei Tageszeiten
Date	-	Date	Duration	Abstand zwischen zwei Datumswerten
Datetime	-	Datetime	Duration	Abstand zwischen zwei Zeitpunkten
Time	+ / -	Duration	Time	Um Intervall versetzte Tageszeit
Date	+ / -	Duration	Date	Um Intervall versetztes Datum

Fortsetzung nächste Seite

Tabelle 11.2 Rechenoperationen mit Zeit- und Datumswerten. *(Fortsetzung)*

Datentyp 1	Operator	Datentyp 2	Ergebnis	Beschreibung
Datetime	+ / -	Duration	Datetime	Um Intervall versetzter Zeitpunkt
Date	&	Time	Datetime	Zusammengesetzter Datetime-Wert
Duration	+	Duration	Duration	Summe von Zeitintervallen
Duration	-	Duration	Duration	Differenz aus Zeitintervallen
Duration	*	Number	Duration	Vielfaches von Zeitintervallen
Duration	/	Number	Duration	Teil von Zeitintervallen

Der Datentyp Datetimezone verhält sich genauso wie der Datentyp Datetime und ist daher in der Tabelle nicht aufgeführt.

Neben den oben aufgeführten Rechenoperatoren gelten für Zeit- und Datumstypen dieselben Vergleichsoperatoren wie für Zahlen. Sie können jeweils aber immer nur Werte des gleichen Typs miteinander vergleichen. Die folgende Prüfung ist daher gültig:

```
#date(2000, 1, 1) < #date(2005, 1, 1)
```

Diese Prüfung ist dagegen nicht möglich und führt zu einem Fehler:

```
#date(2000, 1, 1) < #datetime(2005, 1, 1, 18, 30, 00)
```

11.1.9 Text

Ein Textwert ist eine Sequenz aus Unicode-Zeichen. Der Unicode-Standard umfasst so gut wie alle Buchstaben, Zahlen und Sonderzeichen, die Sie aus der Textverarbeitung kennen (inklusive Emojis). Um die Länge der Zeichenkette müssen Sie sich auch keine Sorgen machen, sie darf bis zu 268 Mio. Zeichen betragen.

Im Normalfall definieren Sie einen Textwert, indem Sie den entsprechenden Text in (doppelte) Anführungszeichen schreiben. Was aber, wenn Ihre Zeichenfolge Anführungszeichen enthalten soll? In diesem Fall scheiben Sie einfach ein Anführungszeichen vor das Anführungszeichen. Damit signalisieren Sie, dass der Textwert noch nicht zu Ende ist, sondern Anführungszeichen enthält.

```
= "Sein Name war ""Bob""."
```

Wenn Sie diesen Code in der Bearbeitungsleiste oder in der Formel für eine benutzerdefinierte Spalte eingeben, sehen Sie, dass der Name „Bob“ in Anführungszeichen erscheint.

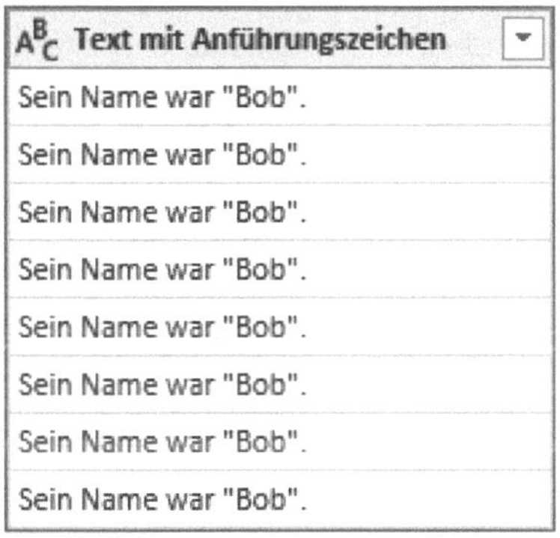

Text mit Anführungszeichen
Sein Name war "Bob".
Sein Name war "Bob".
Sein Name war "Bob".
Sein Name war "Bob".
Sein Name war "Bob".
Sein Name war "Bob".
Sein Name war "Bob".
Sein Name war "Bob".

Bild 11.1
Textwerte mit Anführungszeichen.

Die Escape-Sequenz in M

Es gibt noch eine Reihe weiterer Zeichen, die nicht ohne Weiteres im Programmcode dargestellt werden können. Diese müssen daher kodiert werden. Als Zeichencode wird die Unicode-Nummer (im Hex-Format) verwendet, die für jedes Zeichen festgelegt ist. Sie finden einige Beispiele in Tabelle 11.3. Für die am häufigsten verwendeten Zeichen gibt es alternativ auch Abkürzungen in M.

Um anzuzeigen, dass nun ein kodiertes Zeichen verwendet wird, schreiben Sie den Zeichencode innerhalb von runden Klammern und setzen das Raute-Zeichen davor. Das Zeichen für Tab wird beispielsweise folgendermaßen dargestellt: `#(tab)`

Das Unendlich-Zeichen erstellen Sie auf diese Weise:

```
#(221E)
```

Natürlich dürfen auch bei Sonderzeichen wie bei allen Texten nicht die Anführungszeichen vergessen werden.

Tabelle 11.3 Häufig verwendete Sonderzeichen

Unicode-Nummer	Abkürzung in M	Bedeutung
0009	tab	Tab
000A	lf	Zeilenumbruch: Line Feed (Zeilenvorschub)
000D	cr	Zeilenumbruch: Carriage Return (Wagenrücklauf)
00A0		Geschütztes Leerzeichen
202F		Enges geschütztes Leerzeichen
00B6		Absatz-Zeichen
221E		Unendlich-Symbol
00A3		Pfund-Symbol
20AC		Euro-Symbol

Um die Unicode-Nummern für andere Zeichen zu finden, können Sie das Windows-Tool "Zeichentabelle" benutzen. In der linken unteren Ecke sehen Sie den jeweiligen Code. Es gibt auch diverse Quellen im Web, z. B. *https://unicode-table.com*.

Sie benötigen nur die vierstellige Zahlen-/Buchstabenreihe des Codes, nicht das vorangestellte „U+".

Zeilenumbrüche

Leider gibt es keinen einheitlichen Standard dafür, welches Zeichen einen Zeilenumbruch markiert. Es gibt zwei relevante Zeichen: Wagenrücklauf (`"#(cr)"`) und Zeilenvorschub (`"#(lf)"`). Dies ist ein Relikt aus Zeiten, in denen der Schreibmaschinen- oder Druckkopf gesondert an den Anfang der Zeile geschickt werden musste.

Es hängt vom Betriebssystem und vom Textverarbeitungsprogramm ab, welches Zeichen verwendet bzw. erwartet wird. In der Windows-Umgebung ist es oft eine Kombination aus beiden: `"#(cr)#(lf)"`

Falls Sie übrigens aus irgendeinem Grund die Zeichenfolge `#(` als Teil eines Textwerts schreiben wollen, müssen Sie dies auch gesondert markieren. Ansonsten würde es so interpretiert, als wollten Sie ein Spezialzeichen einfügen. Damit `#(` als Text erscheint, müssen Sie folgende Zeichenfolge schreiben: `#(#)(`

Operatoren

Mit Zeichenketten kann nicht gerechnet werden, daher funktionieren die üblichen Operatoren (+, - usw.) bei Textwerten nicht. Sie können aber zwei Textwerte mithilfe des Zeichens & verketten. Der folgende Code verbindet zwei Textbausteine und erzeugt den Satz „Das Wetter ist schön.":

```
= "Das Wetter ist " & "schön."
```

Um zwei Texte miteinander zu vergleichen, benutzen Sie wie auch bei Zahlen die Operatoren = (gleich) oder <> (ungleich).

Die anderen Vergleichsoperatoren (>, <) können verwendet werden, um Texte und Zeichen in Bezug auf ihre Position im Alphabet zu vergleichen. Beachten Sie hierbei, dass alle Großbuchstaben vor den Kleinbuchstaben eingeordnet werden (d. h. `"Z" < "a"`). Umlaute und Sonderzeichen kommen aber hinter allen anderen Buchstaben (d. h. `"z" < "ü"`). Die Grundlage für den Vergleich bilden die Unicode-Nummern der einzelnen Buchstaben.

Um zu sehen, in welcher Reihenfolge die Zeichen angeordnet werden, geben Sie diesen Code in die Bearbeitungsleiste ein:

```
= List.Transform({1..9999}, each Character.FromNumber(_))
```

11.1.10 Binary (Binär)

Ein binärer Wert besteht aus einer Folge von Bytes. Typischerweise dient der Datentyp Binary dazu, eingelesene Dateien, zum Beispiel bei der Ordnerabfrage, zu speichern.

Wenn Sie sich mit der Struktur von Binärdaten auskennen, können Sie Binary-Werte natürlich auch selbst erzeugen:

```
= #binary({0x00, 0x01, 0x02, 0x03})
```

Operatoren

Für Binärdaten stehen die üblichen Vergleichs- und Rechenoperatoren sowie eine Reihe von Funktionen zur Verfügung.

11.2 Übergeordnete Datentypen

Im Gegensatz zu den bisher vorgestellten Datentypen, die immer nur einzelne Werte enthalten, gibt es auch Datentypen, die mehrere Einzelwerte in einem Wert zusammenfassen können. Werte vom Typ List, Record oder Table können beliebig viele Werte enthalten, die selbst einen beliebigen Datentyp haben und sogar wieder andere Werte in sich vereinen können.

11.2.1 List (Liste)

Eine Liste in Power Query ist eine beliebig lange Reihe von Werten. Die Werte können dabei jeden beliebigen Typ haben, sogar Listen von Listen sind möglich.

In M werden Listen immer in geschweiften Klammern angegeben. Die einzelnen Listenelemente werden durch Kommas getrennt. Sollte es sich dabei um Texte handeln, werden sie wie immer in Anführungszeichen geschrieben.

Im Folgenden sind einige Beispiele für Listen aufgeführt:

- Eine Liste aus Zahlen:

```
={2, 3, 5, 7, 11, 13, 17, 19}
```

- Eine Liste aus Texten:

```
={"Asterix", "Obelix", "Idefix"}
```

- Eine gemischte Liste:

```
={0, "Giraffe", -5, 8.1, "0815", "xyz", 42}
```

- Eine Liste, die drei Listen enthält:

```
={ {"Ketchup", "Senf"}, {"Salz", "Pfeffer"}, {"Essig", "Öl"} }
```

> Falls Sie Listen aus aufeinanderfolgenden Zahlen oder Buchstaben erstellen wollen, können Sie sich etwas Schreibarbeit sparen:
>
> Der Code `{1990..2050}` erzeugt eine Liste aller Zahlen von 1990 bis 2020. Mit `{"A".."Z"}` erzeugen Sie eine Liste aller Buchstaben von A bis Z.

	Liste
1	2
2	3
3	5
4	7
5	11
6	13
7	17
8	19

Bild 11.2
Eine Zahlenliste im Abfrage-Editor.

Im Abfrage-Editor erscheinen Listen ähnlich wie Tabellen, die nur eine Spalte haben. Es stehen jedoch nicht die üblichen Transformationswerkzeuge wie für Tabellen zur Verfügung. Stattdessen wird eine eigene Registerkarte *Listentools* angezeigt, auf der Sie einige nützliche Werkzeuge wie *Sortieren* oder *Duplikate entfernen* zur Verfügung haben. Zudem können Sie die Liste in eine Tabelle umwandeln.

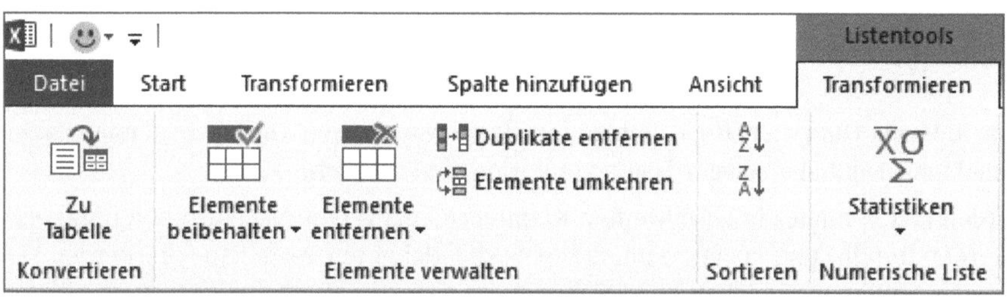

Bild 11.3 Die Listentools sind verfügbar, sobald eine Liste angezeigt wird.

Bei vielen M-Funktionen sind die Argumente, d. h. die zu verarbeitenden Informationen, als Listen vorgeschrieben. Es gibt auch eine Reihe von Funktionen, die Listen erzeugen oder umwandeln. Sie lernen sie ausführlicher in Kapitel 14.3 kennen.

Operatoren

Ähnlich wie bei Texten können Sie auch Listen mit dem &-Zeichen verbinden:

```
= {1, 2, 3} & {4, 5}
```

Dieser Code erzeugt die Liste `{1, 2, 3, 4, 5}`.

Ein weiterer nützlicher Operator ist die geschweifte Klammer. Sie wird nicht nur zum Darstellen von Listen verwendet, sondern auch zum Auswählen bestimmter Werte. In Listing 11.1 wird eine Liste mit allen Buchstaben des Alphabets erzeugt und dem Schrittnamen *Buchstabenliste* zugewiesen. Im darauffolgenden Schritt wird das 17. Element aus dieser Liste ausgewählt. Da in M das erste Element immer mit *0* gezählt wird, schreiben Sie jedoch nicht die *17*, sondern die *16* in geschweifte Klammern.

Listing 11.1 Auswahl eines nummerierten Elements aus einer Liste.

```
let
  Buchstabenliste = {"A".."Z"}
  Buchstabe17 = Buchstabenliste{16}
in
  Buchstabe17
```

Das Ergebnis der Codesequenz ist der 17. Buchstabe, das Q.

11.2.2 Record (Datensatz)

Wenn man sich eine Liste als Tabelle mit nur einer Spalte vorstellt, ist ein Datensatz bzw. Record das horizontale Gegenstück dazu, also eine Tabellenzeile, die aus mehreren Spalten besteht. Anders als eine Liste, die eine Reihe von Werten ist, enthält ein Datensatz zu jedem Wert noch einen Feldnamen, vergleichbar den Spaltentiteln.

In M werden Datensätze als kommagetrennte Paare aus Feldnamen und Werten innerhalb von eckigen Klammern geschrieben. Der folgende Datensatz könnte beispielsweise ein Eintrag aus einer Datenbank sein:

```
=[Vorname="Donald", Nachname="Duck", Wohnort="Entenhausen",
 Straße="Blumenweg", Hausnummer=13, Geburtsjahr=1934]
```

Anders, als man es vielleicht erwarten könnte, werden Datensätze im Abfrage-Editor nicht wie eine Tabellenzeile mit Überschriften angezeigt. Vermutlich, um den Unterschied zur Tabelle deutlich zu machen, erscheinen die einzelnen Felder nicht neben-, sondern untereinander.

Vorname	Donald
Nachname	Duck
Wohnort	Entenhausen
Straße	Blumenweg
Hausnummer	13
Geburtsjahr	1934

Bild 11.4
Ein Record im Abfrage-Editor.

Operatoren

Auch bei Datensätzen erfüllt der Verkettungsoperator & eine Funktion:

```
=[Vorname = "Mickey"] & [Nachname = "Mouse"]
```

Die beiden Datensätze werden durch das &-Zeichen zu einem einzigen Datensatz verbunden.

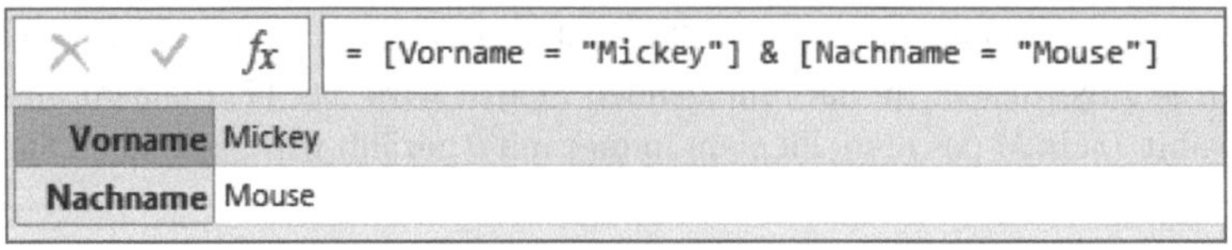

Bild 11.5 Zwei Datensätze werden zu einem.

Ebenso wie die geschweifte Klammer bei Listen, kann die eckige Klammer bei Datensätzen dazu verwendet werden, einen Wert auszuwählen. Da die Werte hier betitelt sind, wird in den Klammern der jeweilige Titel angegeben.

Listing 11.2 Auswahl eines Elements aus einem Datensatz.

```
let
  RecordNeu = [Vorname="Donald", Nachname="Duck", Wohnort="Entenhausen",
         Straße="Blumenweg", Hausnummer=13, Geburtsjahr=1934],
  AuswahlOrt = RecordNeu[Wohnort]
in
  AuswahlOrt
```

In Listing 11.2 wird zuerst ein Datensatz als Rückgabewert eines Transformationsschritts festgelegt. Daraufhin wird im nächsten Schritt der Wert mit dem Namen *Wohnort* ausgewählt. Der Rückgabewert ist somit „Entenhausen“.

11.2.3 Table (Tabelle)

Wenn Sie im Power Query-Editor arbeiten, haben Sie in den meisten Fällen eine Tabelle vor sich, denn das ist die effektivste und einfachste Art, Daten strukturiert zu speichern. Weniger intuitiv erscheint der Gedanke, Tabellen in Tabellen zu speichern. Doch auch das ist in Power Query möglich, denn eine Tabelle ist hier auch ein Wert. Viele M-Funktionen arbeiten mit Tabellen. Beispielsweise die Funktion *Table.RemoveColumns* zum Löschen von Spalten erhält eine Tabelle als Argument, verarbeitet diese und gibt eine neue Tabelle zurück.

Tabellen werden in der Vorschau des Abfrage-Editors mit dem Schlüsselwort *Table* in grüner bzw. gelber Schrift angezeigt (je nachdem, welches Programm Sie benutzen). Sie sehen es oft im ersten Transformationsschritt *Quelle*, wenn Sie eine Abfrage auf eine Excel-Datei machen.

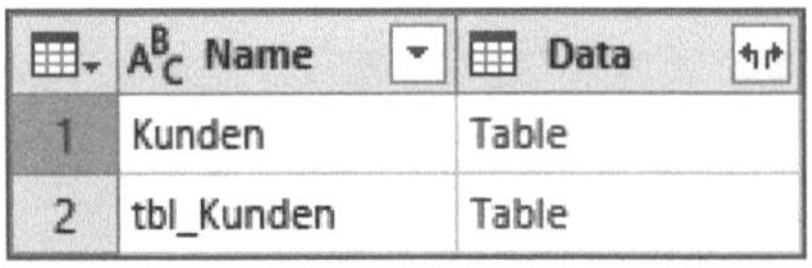

Bild 11.6
Table-Einträge innerhalb einer Tabelle.

Tabellen aus Datensätzen erstellen

Üblicherweise erhalten Sie eine Tabelle durch das Einlesen einer Datenquelle, wie z. B. einer Excel-Datei oder einer Datenbank. Nun, da Sie wissen, wie Datensätze und Listen in M erstellt werden, können Sie mithilfe der M-Funktion *Table.FromRecords* ausprobieren, wie man eine Tabelle konstruiert.

- Erstellen Sie eine leere Abfrage
- Geben Sie in der Bearbeitungsleiste für den ersten Schritt folgenden Code ein:

```
= {[Name="Homer Simpson", Alter=36],
  [Name="Marge Simpson", Alter=34],
  [Name="Bart Simpson", Alter=10],
  [Name="Lisa Simpson", Alter=8],
  [Name="Maggie Simpson", Alter=2]}
```

- Drücken Sie die **Enter**-Taste zum Bestätigen.

Es handelt sich hier um eine Liste, bestehend aus fünf Datensätzen. Die Datensätze sind jeweils in eckige Klammern gefasst und durch Kommas getrennt. Die ganze Liste ist von geschweiften Klammern umschlossen.

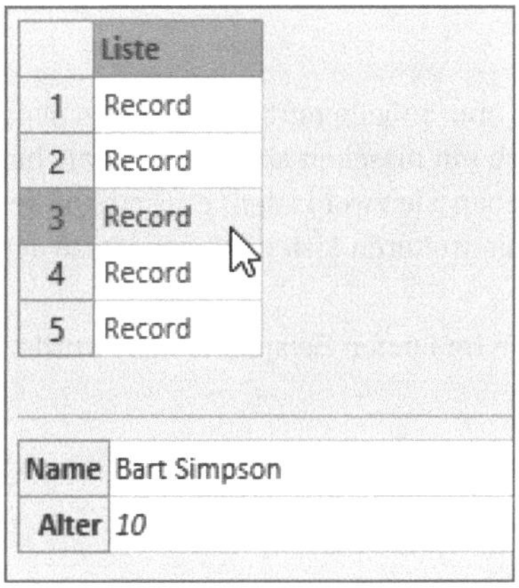

Bild 11.7
Die Anzeige der Liste aus Records in der Vorschau.

Nach dem Bestätigen wird Ihnen nur eine Liste angezeigt, in der fünf Mal das Schlüsselwort *Record* eingetragen ist. Wenn Sie mit der Maus neben (nicht auf!) einen der Einträge klicken, sehen Sie am unteren Fensterrand, was sich dahinter verbirgt (vgl. Bild 11.7).

- Klicken Sie auf das Symbol *fx* in der Bearbeitungsleiste. Dadurch wird ein neuer, leerer Transformationsschritt erstellt.
- Geben Sie für den neuen Schritt folgenden Code in der Bearbeitungsleiste ein:

```
= Table.FromRecords(Quelle)
```

- Bestätigen Sie mit der **Enter**-Taste.

Die Funktion *Table.FromRecords* erwartet als Argument eine Liste aus Datensätzen. Das ist genau das, was der erste Transformationsschritt **Quelle** zurückgibt. Anstatt der Datensatz-Liste wird also der Schrittname als Argument übergeben.

Alternativ hätten Sie auch die Datensatz-Liste aus dem ersten Schritt als Argument übergeben können. In diesem Fall bräuchten Sie nur einen Transformationsschritt. ■

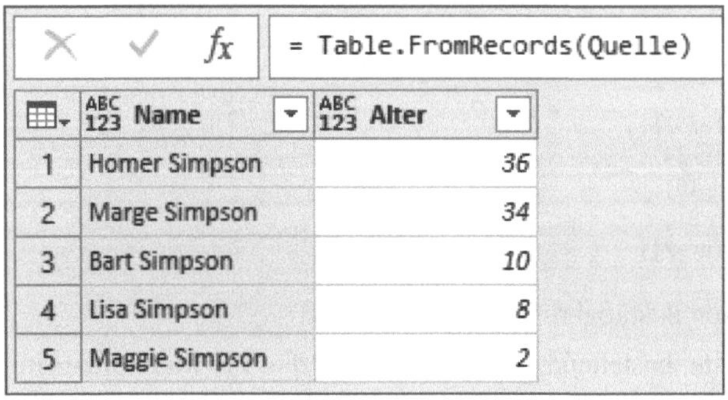

Bild 11.8 Die fertige, manuell erstellte Tabelle.

Tabellen direkt erstellen

Auch ohne die Funktion *Table.FromRecords* können Sie eine Tabelle mithilfe des #-Zeichens und dem Wort *table* erstellen. Die Syntax ist hier jedoch ein bisschen komplizierter als bei den anderen Datentypen: In runden Klammern übergeben Sie zwei Listen, die erste bestehend aus den Spaltentiteln und die zweite bestehend aus weiteren Listen, die die Werte der einzelnen Zeilen enthalten.

Der folgende Befehl erstellt die gleiche Tabelle, die auch im letzten Beispiel erstellt wurde:

```
= #table( {"Name", "Alter"},
     {
      {"Homer Simpson", 36},
      {"Marge Simpson", 34},
      {"Bart Simpson", 10},
      {"Lisa Simpson", 8},
      {"Maggie Simpson", 2}
     }
  )
```

Die Spalten einer so erstellten Tabelle haben den Typ *Any*, d. h., es ist kein bestimmter Datentyp zugewiesen. Um den Spalten gleich einen Typ zuzuweisen, schreiben Sie den Konstruktionsbefehl folgendermaßen:

```
= #table( type table [Name = text, Alter = number],
     {
      {"Homer Simpson", 36},
      {"Marge Simpson", 34},
      {"Bart Simpson", 10},
      {"Lisa Simpson", 8},
      {"Maggie Simpson", 2}
     }
  )
```

Operatoren

Mithilfe einer geschweiften Klammer wählen Sie eine Tabellenzeile aus. Die eckige Klammer wird verwendet, um eine Tabellenspalte auszuwählen. Die jeweilige Zeile bzw. Spalte wird entsprechend auch als Datensatz bzw. Liste ausgegeben.

- Die Tabelle im letzten Beispiel sollte im Transformationsschritt namens *Benutzerdefiniert1* angezeigt werden. Ändern Sie den Namen dieses Schritts auf *TabelleAlter*.
- Durch Eingabe dieses Codes in die Bearbeitungsleiste extrahieren Sie die dritte Zeile als Datensatz:

```
= TabelleAlter{2}
```

- Durch Eingabe dieses Codes in die Bearbeitungsleiste extrahieren Sie die Spalte *Alter* als Liste:

```
= TabelleAlter[Alter]
```

- Und auf diese Weise können Sie beides kombinieren und so gezielt einen Wert aus einer Tabelle abfragen (Spalte *Alter*, dritte Zeile):

```
= TabelleAlter[Alter]{2}
```

Des Weiteren kann der Operator & tatsächlich auch bei Tabellen verwendet werden, um zwei Tabellen zu vereinen. Das Ergebnis ist dasselbe, wie wenn sie mithilfe der Funktion *Table.Combine* bzw. dem Tool **ABFRAGEN ANFÜGEN** zusammengefasst werden. Sofern die Tabellen die gleiche Spaltenstruktur haben, werden sie untereinander angefügt.

11.3 Spezielle Datentypen

Die letzte Kategorie von Datentypen wollen wir hier als spezielle Datentypen bezeichnen, da sie sich nicht für Wertzuweisungen oder Berechnungen im herkömmlichen Sinn eignen, sondern sehr spezifische Aufgaben übernehmen.

11.3.1 Type (Datentyp)

Type ist in M nicht nur die Bezeichnung für „Datentyp", sondern auch selbst ein Datentyp. Die Werte dieses Datentyps sind - Sie haben es erraten - Datentypen. Genauer gesagt werden die Werte dieses Datentyps dazu verwendet, andere Werte zu klassifizieren.

Verschiedene M-Funktionen benötigen Type-Werte als Argumente beim Aufruf. Wenn zu einer Tabelle eine neue Spalte hinzugefügt wird, kann beispielsweise gleich angegeben werden, welchen Spaltentyp die Spalte haben soll. Hierfür wird in der Funktion *Table.AddColumn* der Datentyp als letztes Argument angegeben:

```
= Table.AddColumn(meineTabelle, "NeueSpalte", each "abc", type text)
```

Für die jeweiligen Datentypen wird der klein geschriebene englische Bezeichner (`number`, `text`, `logical` usw.) verwendet, der in den Unterüberschriften dieses Kapitels genannt wird.

Operatoren

Mit Type-Werten kann man nicht rechnen, aber man kann sie mit = vergleichen. Häufiger werden Sie aber nicht zwei Type-Werte vergleichen, sondern den Datentyp eines Werts feststellen wollen.

Nehmen wir an, Sie haben in einer Tabelle eine Spalte, die zum Teil Zahlen und zum Teil Textwerte enthält. Eine neue benutzerdefinierte Spalte soll die Zahlenwerte mit zwei multiplizieren, für die Textwerte soll *0* ausgegeben werden.

Die Formel für diese benutzerdefinierte Spalte wäre:

```
if [Spaltenname] is number then [Spaltenname] * 2 else 0
```

Mithilfe des Operators `is` prüfen Sie, ob ein Wert zu einem Datentyp passt. Diese Prüfung gibt *true* oder *false* zurück, je nachdem, ob der Wert mit dem jeweiligen Datentyp kompatibel ist.

Ein weiterer Operator, der im Zusammenhang mit Type-Werten von Bedeutung ist, ist `as`. Mit `as` machen Sie eine Annahme über den Datentyp eines Werts:

```
= "Test" as text
```

Dieser Ausdruck testet, ob der Wert „Test“ dem Datentyp Text entspricht. Da das der Fall ist, wird der Wert „Test“ zurückgegeben. Wäre „Test“ kein Text, würde der Ausdruck einen Fehler erzeugen. Der Operator `as` wird meistens bei Funktionen benutzt, um die Datentypen für die Argumente und Rückgabewerte einer Funktion zu prüfen.

Datentypen erstellen

Die existierenden Datentypen genügen eigentlich für die meisten Anwendungsfälle. Da Datentypen aber wie Werte behandelt werden, spricht nichts dagegen, einen eigenen Datentyp zu erstellen. Das kann sinnvoll sein, wenn Sie einen übergeordneten Datentyp so einschränken wollen, dass nur bestimmte Datentypen aufgenommen werden können.

Der folgende Befehl erzeugt den Datentyp einer Liste, die nur Textwerte aufnehmen kann:

```
= type {text}
```

Auf ähnliche Weise können Sie einen Record-Typ vordefinieren, ohne einen entsprechenden Datensatz zu erstellen:

```
= type [ Name = text, Alter = number ]
```

Ein möglicher Anwendungsfall von selbst erstellten Datentypen findet sich beim Erstellen von Tabellen. Indem die Spaltentypen vordefiniert werden, müssen sie nicht in einem separaten Schritt zugewiesen werden. Das Beispiel am Ende des vorherigen Kapitels („Tabellen direkt erstellen“) verdeutlicht dies.

> **!** Die Operatoren `is` und `as` funktionieren leider nicht mit selbsterstellten Datentypen. Außerdem werden Wertzuweisungen nicht auf Fehler überprüft, wie es bei den „normalen" (primitiven) Datentypen der Fall ist. Verwenden Sie selbstdefinierte Datentypen also immer mit Bedacht. ■

11.3.2 Function (Funktion)

Auch Funktionen werden in M als Werte verstanden. Eine Funktion ist eine Zuordnungsvorschrift, bei der eine bestimmte Anzahl von Werten an die Funktion übergeben wird und ein einzelner Wert zurückgegeben wird. Der Funktionsaufruf funktioniert nach folgendem Schema:

```
Funktionsname (Argument1, Argument2, Argument3)
```

Zusätzlich zu der großen Auswahl an vorgefertigten Funktionen können Sie auch selbst Funktionen erstellen. Diese Themen werden in den Kapiteln 14 und 15 ausgiebig behandelt und sind daher hier nur kurz erwähnt.

Operatoren

Für Funktionen sind nur die Vergleichsoperatoren = (gleich) und <> (ungleich) gültig. Dabei darf die Funktion als Wert nicht mit dem Rückgabewert der Funktion verwechselt werden. Mit den Rückgabewerten können Sie natürlich alle Rechen- und Vergleichsoperationen durchführen, die der jeweilige Datentyp erlaubt.

Der folgende Ausdruck ist beispielsweise eine Rechnung mit dem Rückgabewert der Funktion *Number.RoundUp*:

```
= Number.RoundUp(7.9) * 2
```

Die Funktion wird mit dem Argument *7,9* aufgerufen und gibt als Rückgabewert die Zahl *8* zurück. Diese wird mit *2* multipliziert, sodass sich *16* als Rückgabewert des gesamten Ausdrucks ergibt.

Möchten Sie anstelle des Rückgabewerts einen Bezug auf die Funktion selbst, dann lassen Sie die Klammer mit den Argumenten weg:

```
= Number.RoundUp is function
```

Dieser Ausdruck gibt *true* zurück.

Funktionsdokumentation

Wenn Sie in der Bearbeitungszeile des Abfrage-Editors nur den Funktionsnamen ohne Klammern hinter das Gleichheitszeichen schreiben, wird übrigens eine informative Hilfeseite zur jeweiligen Funktion angezeigt. Sie enthält nicht nur eine Beschreibung und Beispiele, sondern bietet bei vielen Funktionen auch die Möglichkeit, Argumente (Parameter) einzugeben, die dann in einer neuen Abfrage durch die Funktion verarbeitet werden.

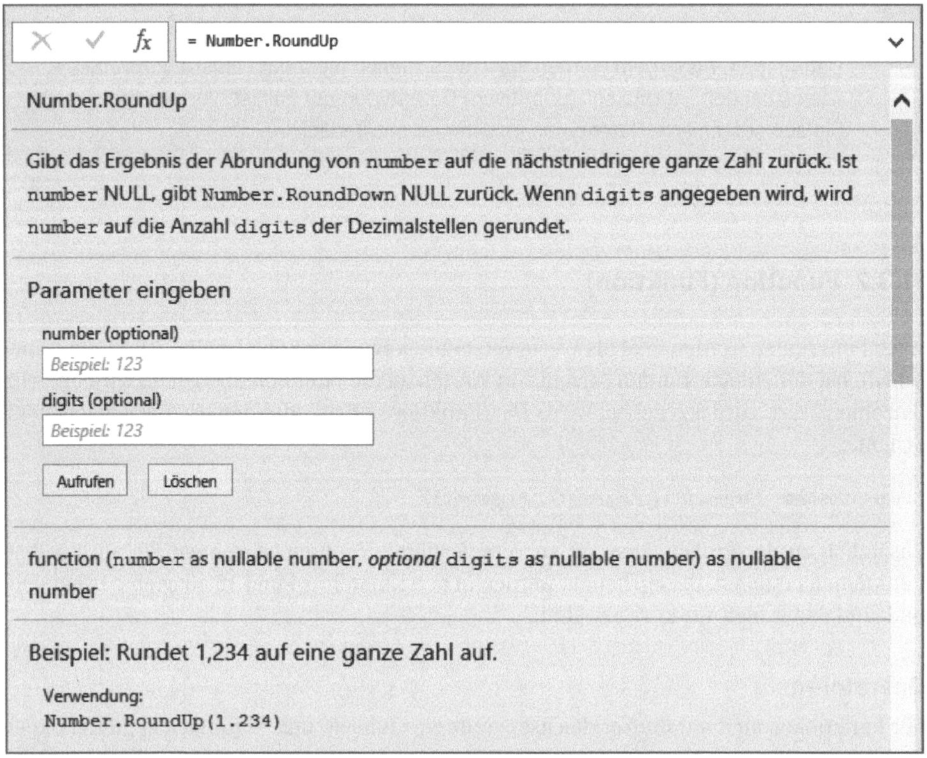

Bild 11.9 Die Funktion wird im Power Query-Editor als Informationsseite angezeigt.

12 Abfragen flexibel gestalten

Mit dem Verständnis der M-Grundlagen eröffnen sich neue Möglichkeiten, um Abfragen flexibler und sicherer zu gestalten. Die meisten Abfragen beruhen auf festen Annahmen: Die Datei bzw. Datenbank muss an einem vordefinierten Ort liegen. Ihr Inhalt muss exakt dasselbe Layout haben wie zu dem Zeitpunkt, als die Abfrage erstellt wurde. Die Abfrage arbeitet Schritt für Schritt, wobei sich jeder Schritt auf den vorherigen bezieht.

Obwohl diese Aussagen auf mindestens 90% aller Abfragen zutreffen, sind sie keineswegs zwingend notwendig. Mit geschickten Anpassungen des M-Codes können Sie starre Abfragen auf die jeweiligen Bedürfnisse anpassen.

12.1 Nicht-lineare Abfragen

Die meisten Programmiersprachen beinhalten das Konzept von Variablen: Ein Zeichen oder Wort kann als Platzhalter für einen Wert dienen und bei Bedarf als Referenz auf diesen Wert benutzt werden. Das, was in diesem Buch als Schrittnamen bezeichnet wird, sind im Prinzip Variablen: Ihnen wird ein Wert zugewiesen, damit sie später an Stelle dieses Werts verwendet werden können.

Werfen Sie ein Blick auf den Code in Listing 12.1:

Listing 12.1 Eine einfache Abfrage auf eine Excel-Datei.

```
let
    Quelle = Excel.Workbook(File.Contents(
            "C:\Beispiele\12-01-Pegel-Isar.xlsx"), null, true),
    Tabelle1_Sheet = Quelle{[Item="Tabelle1",Kind="Sheet"]}[Data],
    #"Höher gestufte Header" = Table.PromoteHeaders(Tabelle1_Sheet,
            [PromoteAllScalars=true]),
    #"Geänderter Typ" = Table.TransformColumnTypes(#"Höher gestufte Header",
            {{"Datum", type date}, {"Uhrzeit", type time},
            {"Wasserstand cm über NN", Int64.Type}})
in
    #"Geänderter Typ"
```

Die Abfrage besteht aus vier Schritten: `Quelle`, `Tabelle1_Sheet`, `Höher gestufte Header` und `Geänderter Typ`. Mit Ausnahme des ersten Schritts finden sich in allen Wertzuweisungen Verweise auf den vorhergehenden Schritt. Diese Reihenfolge erscheint zwar logisch, ist aber für das Ergebnis völlig irrelevant. Die Abfrage würde genauso funktionieren, wenn die Schritte in einer anderen Reihenfolge geschrieben wären.

Listing 12.2 Die Transformationsschritte werden vertauscht.

```
let
    #"Höher gestufte Header" = Table.PromoteHeaders(Tabelle1_Sheet,
            [PromoteAllScalars=true]),
    #"Geänderter Typ" = Table.TransformColumnTypes(#"Höher gestufte Header",
            {{"Datum", type date}, {"Uhrzeit", type time},
            {"Wasserstand cm über NN", Int64.Type}}),
    Tabelle1_Sheet = Quelle{[Item="Tabelle1",Kind="Sheet"]}[Data],
    Quelle = Excel.Workbook(File.Contents(
            "C:\Beispiele\12-01-Pegel-Isar.xlsx"), null, true)
in
    #"Geänderter Typ"
```

Der Befehl `Quelle`, der im ursprünglichen Code am Anfang stand, steht nun am Ende der Abfrage. Der erste Transformationsschritt `Höher gestufte Header` kann natürlich nicht ausgeführt werden, bevor die Verbindung zur Quelldatei hergestellt wurde. Dennoch liefert die Abfrage in Listing 12.2 dasselbe Ergebnis wie die Original-Abfrage aus Listing 12.1. Power Query ist also im Stande, die sinnvollste Reihenfolge der Abarbeitung selbst zu ermitteln.

Diese Erkenntnis kann von großem Nutzen sein, denn sie ermöglicht es, Abfragen zu schreiben, die nicht linear ablaufen, sondern Abzweigungen oder sogar Schleifen enthalten.

Betrachten wir folgendes Beispiel, das einen einfachen, aber häufigen Fall zeigt.

```
Export 004 vom 12.03.2018
Zeitraum: 01.02.2018 - 28.02.2018
Abteilung: P2
Anmerkungen: (keine)

Bestell-Nr     Artikel Anzahl  Datum
10023   b-62   3       02.02.2018
10023   u-33   5       02.02.2018
10023   f-94   87      02.02.2018
10024   s-55   21      04.02.2018
10024   d-86   3       04.02.2018
10024   u-57   51      04.02.2018
10024   u-25   6       04.02.2018
10024   d-24   3       04.02.2018
10024   d-36   16      04.02.2018
10025   s-55   5       05.02.2018
10026   f-52   24      10.02.2018
10026   f-93   4       10.02.2018
10027   b-23   8       17.02.2018
10027   d-12   3       17.02.2018
10027   u-25   2       17.02.2018
10027   f-54   15      17.02.2018
10027   d-72   6       17.02.2018
10027   s-91   12      17.02.2018
10027   f-94   3       17.02.2018
10027   d-33   4       17.02.2018
10027   u-25   5       17.02.2018
Bestellungen: 5
```

Bild 12.1
Die Struktur der Beispieldatei.

Die Beispieldatei *12-02-Export_Feb.txt* enthält eine Tabelle, deren Spalten durch Tab-Zeichen getrennt sind. Allerdings gibt es vor und nach der Tabelle Zeilen, die nicht zur Tabelle gehören. Das Problem ist, dass sich die Anzahl der Zeilen vor der Tabelle sowie die Anzahl der Zeilen in der Tabelle ändern können. Um die Tabelle vom Rest isolieren zu können, kann also keine fixe Zeilenzahl angenommen werden. Hinzu kommt, dass die Abteilungsnummer in den Kopfzeilen in die jeweiligen Tabellenzeilen übernommen werden sollte. Sie muss also irgendwie gespeichert werden, bevor die Kopfzeilen entfernt werden.

- Erstellen Sie eine Abfrage auf die Textdatei *12-02-Export_Feb.txt* und bearbeiten Sie sie im Power Query-Editor. Stellen Sie dabei sicher, dass als Trennzeichen *Tab* eingestellt ist.
- Löschen Sie den automatisch eingefügten Transformationsschritt *Geänderter Typ*, er ist hier überflüssig.
- Zunächst soll die Abteilungsnummer in der vierten Zeile extrahiert werden. Filtern Sie hierfür die erste Spalte nach Werten beginnend mit „Abteilung:".

> **!** Ein normaler Textfilter wäre hier problematisch. Wenn Sie die Filterfunktion benutzen und in das Textfeld das Wort „Abteilung" eingeben, sieht es zwar so aus, als würde nur nach diesem Begriff gefiltert.
>
> Ein Blick auf die Bearbeitungsleiste zeigt jedoch, dass der Befehl den kompletten Wert „Abteilung: P2" enthält, auch wenn Sie nur nach „Abteilung" gesucht haben.
>
> ```
> = Table.SelectRows(Quelle, each ([Column1] = "Abteilung: P2"))
> ```
>
> **Bild 12.2** Der Befehl in der Bearbeitungsleiste.
>
> Damit auch bei anderen Abteilungen der richtige Wert extrahiert wird, müssen Sie daher den Textfilter *Beginnt mit…* verwenden.

- Da wir nur die Abteilungsnummer, hier „P2" benötigen, muss der Rest des Werts entfernt werden. Klicken Sie dafür mit der rechten Maustaste auf die erste Spalte, wählen Sie **Werte ersetzen** und ersetzen Sie die Zeichenfolge „Abteilung: " (mit Doppelpunkt und Leerzeichen) durch nichts.
- Der momentan angezeigte Wert ist eine Tabelle. Es fehlt aber nur noch ein Schritt, um den gesuchten Textwert zu isolieren: Klicken Sie mit der rechten Maustaste auf den Zellwert *P2* und wählen Sie im Kontextmenü den Eintrag **Drilldown ausführen**.

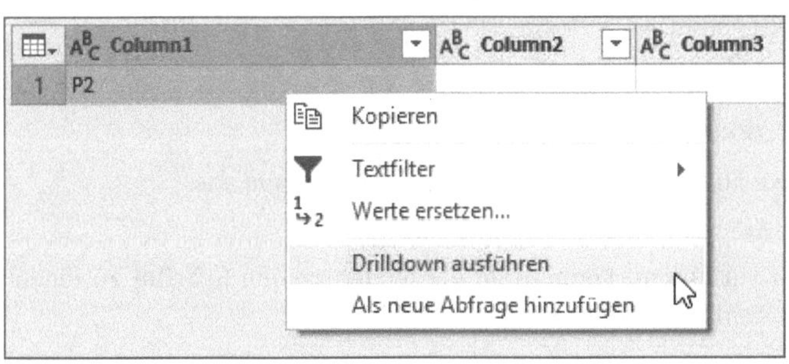

Bild 12.3 Ein Drilldown wählt einen einzelnen Wert aus einer Tabelle.

In der Bearbeitungsleiste sehen Sie, wie der zugehörige M-Befehl aussieht:

```
= #"Ersetzter Wert"{0}[Column1]
```

Aus der Tabelle, die der vorherige Schritt zurückgegeben hat, wurde der Wert in der ersten Zeile (d.h. der Eintrag *0* in der Liste) und der ersten Spalte (mit dem Namen *Column1*) ausgewählt. Der aktuelle Schritt gibt also den Textwert *P2* zurück.

- Benennen Sie den aktuellen Transformationsschritt um in *Abteilung*.
- Wie kommen Sie nun wieder an die Ausgangstabelle? Ganz einfach: Erstellen Sie einen neuen Transformationsschritt über das *fx*-Symbol in der Bearbeitungsleiste und geben Sie als Code für diesen Schritt Folgendes ein:

```
= Quelle
```

- Bestätigen Sie mit **Enter**. Da *Quelle* der Name des ersten Schritts war, erscheint nun der Rückgabewert dieses Schritts wieder.

Auf ähnliche Weise sollen nun die Zeilennummer für den Beginn und das Ende der Tabelle extrahiert werden. Der besseren Übersicht wegen, reduzieren wir die Tabelle auf eine Spalte. Sie wissen ja nun, wie Sie die Original-Tabelle bei Bedarf wieder zurückholen.

- Entfernen Sie alle Spalten außer der ersten über den Befehl **Andere Spalten entfernen**.
- Klicken Sie im Register **Spalte hinzufügen** auf **Indexspalte**.

	ABC Column1	1.2 Index
1	Export 004 vom 12.03.2018	0
2	Zeitraum: 01.02.2018 - 28.02.2018	1
3	Abteilung: P2	2
4	Anmerkungen: (keine)	3
5		4
6	Bestell-Nr	5
7	10023	6
8	10023	7
9	10023	8
10	10024	9
11	10024	10
12	10024	11

Bild 12.4 Die Indexspalte liefert Zeilennummern, beginnend mit 0.

- Um an den Beginn der gesuchten Tabelle zu kommen, filtern Sie die erste Spalte nach Werten, die mit dem Text „Bestell-Nr" beginnen.
- Führen Sie einen Drilldown auf die Zeilennummer in der Indexspalte aus.
- Benennen Sie den letzten Abfrageschritt um in *Anfang*.
- Um die Abfrage etwas zu verkürzen, können Sie die letzten beiden Schritte zu einem zusammenfassen. Öffnen Sie dazu den Erweiterten Editor.

- Der vorletzte Abfrageschritt sollte *Gefilterte Zeilen1* heißen. Markieren Sie den zugehörigen Ausdruck rechts vom Gleichheitszeichen bis vor das Komma am Zeilenende. Kopieren Sie den markierten Text in den Transformationsschritt *Anfang* und ersetzen Sie dort den Namen des alten Schritts `#"Gefilterte Zeilen1"`. Der Befehl sollte nun so aussehen:

```
Anfang = Table.SelectRows(#"Hinzugefügter Index", each
    Text.StartsWith([Column1], "Bestell-Nr")){0}[Index]
```

- Anschließend können Sie den Schritt *Gefilterte Zeilen1* löschen.

Für das Ende der Tabelle soll die gleiche Logik angewandt werden. Nun, da Sie alles, was dafür nötig ist, in einem Schritt haben, können Sie den Befehl direkt im Editor schreiben.

- Fügen Sie unter dem Schritt *Anfang* einen neuen Schritt *Ende* ein. Der Code dafür ist fast identisch, nur statt `"Bestell-Nr"` lautet der Filter-Text `Bestellungen`. Der Schritt Ende hat also diesen Code:

```
Ende = Table.SelectRows(#"Hinzugefügter Index", each
    Text.StartsWith([Column1], "Bestellungen")){0}[Index]
```

- Geben Sie ein Komma am Ende der Codezeile von *Anfang* ein.
- Ersetzen Sie den Schrittnamen in der letzten Zeile nach dem `in` durch `Ende`.
- Schließen Sie den Erweiterten Editor.
- Fügen Sie einen neuen Schritt ein und geben Sie als Code dafür `= Quelle` ein. Somit erscheint wieder die Ursprungstabelle.

Die Werte für Abteilung, Anfang und Ende können nun in weiteren Transformationen verwendet werden.

- Klicken Sie im Register **Start** auf **Zeilen beibehalten – Erste Zeilen beibehalten.**
- Geben Sie als Anzahl die Zahl *10* ein – sie ist nur ein Platzhalter und wird gleich ersetzt.
- In der Bearbeitungsleiste sehen Sie den Code, den Sie damit generiert haben:

```
= Table.FirstN(Benutzerdefiniert2, 10)
```

- Anstelle der Zahl 10 soll die vorhin ermittelte Zeilenanzahl stehen. Ersetzen Sie die *10* durch *Ende*.
- Der Schritt *Benutzerdefiniert2* verweist eigentlich nur auf den ersten Schritt *Quelle*. Er ist daher überflüssig. Ersetzen Sie *Benutzerdefiniert2* im letzten Befehl durch *Quelle*. Der Befehl sollte nun also so aussehen:

```
= Table.FirstN(Quelle, Ende)
```

- Bestätigen Sie mit **Enter** und löschen Sie den Schritt *Benutzerdefiniert2*.
- Klicken Sie im Register **Start** auf **Zeilen entfernen – Erste Zeilen entfernen**. Geben Sie eine beliebige Zahl ein, zum Beispiel *3*.
- Die eingegebene Zahl wird nun in der Bearbeitungsleiste ersetzt durch *Anfang*.
- Klicken Sie im **Start**-Register auf **Erste Zeile als Überschriften verwenden**. Die Tabelle ist nun isoliert.

- Zum Abschluss wird noch die Abteilungsnummer angefügt. Klicken Sie im Register **Spalte hinzufügen** auf **Benutzerdefinierte Spalte**.
- Als Formel für die neue Spalte geben Sie einfach den Namen des Transformationsschritts an, in dem der Wert gespeichert wurde. Geben Sie also sowohl als Formel als auch als Spaltentitel *Abteilung* ein.

	Bestell-Nr	Artikel	Anzahl	Datum	Abteilung
1	10023	b-62	3	02.02.2018	P2
2	10023	u-33	5	02.02.2018	P2
3	10023	f-94	87	02.02.2018	P2
4	10024	s-55	21	04.02.2018	P2
5	10024	d-86	3	04.02.2018	P2
6	10024	u-57	51	04.02.2018	P2
7	10024	u-25	6	04.02.2018	P2
8	10024	d-24	3	04.02.2018	P2
9	10024	d-36	16	04.02.2018	P2
10	10025	s-55	5	05.02.2018	P2
11	10026	f-52	24	10.02.2018	P2
12	10026	f-93	4	10.02.2018	P2
13	10027	b-23	8	17.02.2018	P2
14	10027	d-12	3	17.02.2018	P2
15	10027	u-25	2	17.02.2018	P2
16	10027	f-54	15	17.02.2018	P2
17	10027	d-72	6	17.02.2018	P2
18	10027	s-91	12	17.02.2018	P2
19	10027	f-94	3	17.02.2018	P2
20	10027	d-33	4	17.02.2018	P2
21	10027	u-25	5	17.02.2018	P2

Bild 12.5 Die Tabelle ist nun abgegrenzt.

Damit ist die Transformation abgeschlossen. Sie haben die Tabelle aus dem Dateiinhalt isoliert, ohne wichtige Informationen zu verlieren und ohne feste Zeilenangaben zu verwenden. Die Abfrage ist daher flexibel, was die Position und Höhe der Tabelle angeht. Sie können es ausprobieren, indem Sie im Transformationsschritt *Quelle* den Pfad für die Beispieldatei *12-03-Export_Mrz.txt* eingeben. Auch hier werden die richtigen Zeilen eingelesen.

12.2 Unterschiedliche Tabellenzeilen vergleichen

Es wurde bereits gezeigt, wie neue Spalten an Tabellen angefügt werden, in denen Berechnungen mit Werten aus anderen Spalten angestellt werden. Doch was, wenn sich die Berechnung auf andere Zeilen beziehen soll?

Zeiterfassung			
Personal-Nr.:		Mitarbeiter:	
273		Schneider, Friedhelm	
Datum	Uhrzeit	Aktion	Pausen
03.07.2017	05:52 Uhr	kommt	
03.07.2017	09:00 Uhr	geht	0 Min.
06.07.2017	05:57 Uhr	kommt	
06.07.2017	14:01 Uhr	geht	30 Min.
07.07.2017	05:58 Uhr	kommt	
07.07.2017	14:05 Uhr	geht	30 Min.
10.07.2017	14:02 Uhr	kommt	
10.07.2017	22:01 Uhr	geht	30 Min.
11.07.2017	13:59 Uhr	kommt	
11.07.2017	22:03 Uhr	geht	30 Min.

Bild 12.6
Ausschnitt aus einer Zeiterfassungsliste.

Bild 12.6 zeigt einen Ausschnitt aus einer Beispieldatei, die Schichtzeiten mehrerer Mitarbeiter enthält. Das Ziel ist, eine zusammenhängende Tabelle mit den Arbeitsstunden der Mitarbeiter anhand ihrer Personalnummer zu erzeugen. Dabei stellen sich zwei Herausforderungen:

1. Die Personalnummer der jeweiligen Mitarbeiter steht über den einzelnen Tabellen. Das Wort „Personal-Nr" steht aber in einer anderen Zeile, als die Nummer selbst. Die Nummer kann also nur anhand der vorhergehenden Zeile gefunden werden.
2. Die Zeiten für Schichtbeginn und Schichtende stehen in unterschiedlichen Zeilen. Um die Stundenzahl zu berechnen, muss also die Differenz aus untereinanderliegenden Werten ermittelt werden.

Dieser Blick über den Tellerrand hinaus, also von einer Zeile zur nächsten, zählt leider nicht zu den Stärken von Power Query. In den meisten Fällen beziehen sich Berechnungen auf Werte innerhalb einer Zeile, doch Sonderfälle wie der in diesem Beispiel kommen immer wieder vor. Es sollen deshalb gleich zwei Strategien vorgestellt werden, um dieses Problem zu lösen.

12.2.1 Zeilensprung über den Index

Sie haben im letzten Beispiel gesehen, dass man mit Hilfe des Drilldowns und der Indexspalte einzelne Werte aus einem anderen Transformationsschritt auslesen kann. Auf ähnliche Weise kann man auch eine ganze Spalte befüllen. Kurz gesagt sieht die Spaltenformel so aus:

```
letzterSchritt[gesuchteSpalte]{[Index]+1}
```

Sofern Sie eine Indexspalte in Ihrer Tabelle haben, zeigt Ihnen diese Formel den Wert aus einer beliebigen Spalte in der folgenden Zeile. Wenn Sie das Pluszeichen durch ein Minus austauschen, erhalten Sie den Wert der darüberliegenden Zeile. Natürlich müssen Sie den Schrittnamen und den Spaltennamen an Ihre Situation anpassen.

Das folgende Beispiel zeigt, wie das in der Praxis funktioniert.

- Erstellen Sie eine neue Abfrage auf die Excel-Datei *12-04-Zeiterfassung.xlsx*.
- Fügen Sie eine Indexspalte hinzu, indem Sie im Register **Spalte hinzufügen** auf **Indexspalte** klicken. Achten Sie darauf, dass der Index mit 0 beginnt.
- Ändern Sie den Namen des gerade erstellten Transformationsschritts in *neuIndex*. Wenn der Schrittname kein Leerzeichen enthält, lässt er sich leichter in Formeln verwenden (man spart sich das `#"..."`).
- Fügen Sie als Nächstes eine **Benutzerdefinierte Spalte** hinzu. Geben Sie als Spaltentitel *Personal-Nr.* ein und als Spaltenformel folgenden Code:

```
if [Column1] = "Personal-Nr.:" then
   neuIndex[Column1]{[Index]+1}
else
   null
```

	ABC 123 Column1	ABC Column2	ABC Column3	ABC Column4	1.2 Index	ABC 123 Personal-Nr.
1	Zeiterfassung	null	null	null	0	null
2	null	null	null	null	1	null
3	Personal-Nr.:	null	Mitarbeiter:	null	2	273
4	273	null	Schneider, Friedhelm	null	3	null
5	null	null	null	null	4	null
6	Datum	Uhrzeit	Aktion	Pausen	5	null
7	03.07.2017	05:52 Uhr	kommt	null	6	null
8	03.07.2017	09:00 Uhr	geht	0 Min.	7	null
9	06.07.2017	05:57 Uhr	kommt	null	8	null
10	06.07.2017	14:01 Uhr	geht	30 Min.	9	null

Bild 12.7 Die Personalnummer wird über den Index eingefügt.

Der Transformationsschritt *neuIndex* wird hier verwendet, um einen Wert aus der entsprechenden Tabelle zu extrahieren. In den eckigen Klammern wird die gesuchte Spalte angegeben, in den geschweiften Klammern die Zeilennummer. Anstelle der Zeilennummer wird hier `[Index]+1` angegeben. Da `[Index]` keinen Schrittnamen vorangestellt hat, bezieht es sich auf die Spalte im aktuellen Schritt und da wir uns innerhalb der Formel für eine benutzerdefinierte Spalte befinden, bezieht es sich auf den Wert der jeweiligen Zeile. Die Zeilennummer wird um eins erhöht, um die darunterliegende Zeile auszulesen.

- Wenden Sie die Funktion **Ausfüllen – Nach unten** auf die neu hinzugefügte Spalte an.
- Die Kopf- und Leerzeilen können nun entfernt werden. Filtern Sie die zweite Spalte so, dass alle *Null*-Werte entfernt werden.
- Um auch die Zwischenüberschriften zu entfernen, filtern Sie auch den Eintrag *Uhrzeit* aus der zweiten Spalte heraus.
- Ändern Sie die Spaltenüberschriften der ersten vier Spalten in *Datum, Uhrzeit, Aktion, Pausen*.

> **!** Die Funktion **Erste Zeile als Überschriften verwenden** darf hier nicht benutzt werden. Sie würden dadurch die Spaltentitel der neuen Spalten *Index* und *Personal-Nr.* verlieren.

- Entfernen Sie den Text „ Min.“ (mit Leerzeichen und Punkt) aus der Spalte *Pausen* mithilfe von **Werte ersetzen**.
- Ändern Sie die Datentypen der Spalten: *Datum* zu *Datum*, *Uhrzeit* zu *Zeit*, *Pausen* zu *ganze Zahl* und *Personal-Nr.* zu *Text*.

	Datum	Uhrzeit	Aktion	Pausen	Index	Personal-Nr.
1	03.07.2017	05:52:00	kommt	null	6	273
2	03.07.2017	09:00:00	geht	0	7	273
3	06.07.2017	05:57:00	kommt	null	8	273
4	06.07.2017	14:01:00	geht	30	9	273
5	07.07.2017	05:58:00	kommt	null	10	273
6	07.07.2017	14:05:00	geht	30	11	273
7	10.07.2017	14:02:00	kommt	null	12	273
8	10.07.2017	22:01:00	geht	30	13	273
9	11.07.2017	13:59:00	kommt	null	14	273
10	11.07.2017	22:03:00	geht	30	15	273

Bild 12.8 Die Tabelle ist nun abgegrenzt.

Nun, da die Tabelle ordentliche Überschriften und keine Leerräume mehr hat, kann die letzte Herausforderung in Angriff genommen werden: Anstelle der Uhrzeiten für Kommen und Gehen, soll die Anzahl der Stunden für jede Arbeitseinheit errechnet werden. Es muss also die Differenz aus den Zeiten *Kommt* und *Geht* abzüglich der Pausen-Minuten errechnet werden.

- Nachdem durch die Filteraktionen mehrere Zeilen entfernt wurden, ist die Indexspalte nicht mehr fortlaufend und dadurch unbrauchbar. Entfernen Sie sie und erstellen Sie eine neue Indexspalte.
- Ändern Sie den Namen des letzten Transformationsschritts zu *neuIndex2*.

- Fügen Sie eine neue **Benutzerdefinierte Spalte** hinzu. Geben Sie als Namen der neuen Spalte *Dauer mit Pause* ein. Die Spaltenformel lautet folgendermaßen:

```
if [Aktion] = "geht" then
   [Uhrzeit] - neuIndex2[Uhrzeit]{[Index]-1}
else
   null
```

- Ändern Sie den Spaltentyp in *Dauer*.
- Filtern Sie alle *Null*-Werte heraus.
- Entfernen Sie die Spalten *Uhrzeit, Aktion* und *Index*.
- Fügen Sie eine neue **Benutzerdefinierte Spalte** hinzu. Geben Sie den Namen *Dauer ohne Pause* und folgende Spaltenformel ein:

```
[Dauer mit Pause] - #duration(0, 0, [Pausen], 0)
```

Das Ergebnis kann sich sehen lassen: Anstelle der Uhrzeiten wird nun die Dauer jeder Schicht im Format Duration angezeigt.

	Datum	1²3 Pausen	ABC Personal-Nr.	Dauer mit Pause	Dauer ohne Pause
1	03.07.2017	0	273	0.03:08:00	0.03:08:00
2	06.07.2017	30	273	0.08:04:00	0.07:34:00
3	07.07.2017	30	273	0.08:07:00	0.07:37:00
4	10.07.2017	30	273	0.07:59:00	0.07:29:00
5	11.07.2017	30	273	0.08:04:00	0.07:34:00
6	12.07.2017	30	273	0.07:56:00	0.07:26:00
7	13.07.2017	30	273	0.08:11:00	0.07:41:00
8	14.07.2017	30	273	0.07:59:00	0.07:29:00
9	17.07.2017	30	273	0.07:23:00	0.06:53:00
10	18.07.2017	30	273	0.08:04:00	0.07:34:00
11	19.07.2017	30	273	0.08:01:00	0.07:31:00
12	24.07.2017	30	273	0.08:00:00	0.07:30:00

Bild 12.9 Die finale Tabelle.

Wenn Sie die Stunden lieber als Zahl anzeigen möchten, ändern Sie den Datentyp auf Dezimalzahl und multiplizieren Sie die Dauer mit 24. ■

12.2.2 Schnellerer Zeilensprung mit Index und Join

Zugegeben, die oben gezeigte Technik gehört nicht zu den naheliegendsten Lösungen. Je nach Anwendungsfall gibt es oft auch elegantere Strategien (in der letzten Übung hätte man die Zeiten beispielsweise auch über **Gruppieren** in dieselbe Zeile holen können). Erfahrungsgemäß gibt es aber leider doch von Zeit zu Zeit Fälle, in denen Sie den gesuchten Wert nur über die Zeilennummer erhalten.

Es gibt aber einen großen Nachteil beim Verweis auf andere Transformationsschritte innerhalb einer Spaltenformel: Es ist sehr rechenintensiv und verlangsamt Ihre Abfrage. Im obigen Beispiel war es vermutlich noch nicht spürbar, aber bei Datenquellen mit mehreren Tausend Zeilen würden Sie eine starke Verzögerung merken.

Die folgende Übung zeigt daher eine zweite Variante des letzten Beispiels. Die Transformation wirkt zwar etwas umständlicher, ist aber in der Berechnung deutlich effizienter und damit schneller.

- Erstellen Sie eine neue Abfrage auf die Excel-Datei *12-04-Zeiterfassung.xlsx*.
- Falls Power Query automatisch die beiden Transformationsschritte *Höher gestufte Header* und *Geänderter Typ* eingefügt hat, löschen Sie diese Schritte.
- Fügen Sie eine Indexspalte hinzu, indem Sie im Register **Spalte hinzufügen** auf **Indexspalte** klicken. Achten Sie darauf, dass der Index mit 0 beginnt.
- Ändern Sie den Namen des gerade erstellten Transformationsschritts in *neuIndex*.
- Fügen Sie eine neue **Benutzerdefinierte Spalte** hinzu. Geben Sie den Namen *IndexB* und folgende Spaltenformel ein:

```
[Index] + 1
```

Sie haben nun zwei Indexspalten, wobei die eine zur anderen um eine Zeile verschoben ist. Der Trick besteht nun darin, diese beiden Spalten als Schlüsselspalten bei einer Tabellenvereinigung zu verwenden.

- Ändern Sie den Namen des letzten Transformationsschritts in *neuIndexB*.
- Den folgenden Transformationsschritt müssen wir komplett schreiben. Klicken Sie auf das *fx*-Symbol in der Bearbeitungsleiste und geben Sie folgenden Code ein:

```
= Table.AddJoinColumn(neuIndexB, "IndexB", neuIndex, "Index", "Verschoben")
```

- Bestätigen Sie mit **Enter**. Sie sollten nun eine neue Spalte namens Verschoben haben, in der sich die entsprechenden Table-Elemente befinden.
- Klicken Sie auf das Symbol mit den zwei Pfeilen neben der Spaltenüberschrift *Verschoben*.
- Kreuzen Sie in der Spaltenliste nur die ersten drei Spalten an. Aktivieren Sie auch die Option *Ursprünglichen Spaltennamen als Präfix verwenden*. So kann man die Originalspalten gut von den verschobenen Spalten unterscheiden.
- Die Spalten Index und IndexB können Sie nun löschen.
- Nutzen Sie die Aktion **Bedingte Spalte** vom Register **Spalte hinzufügen**, um die Personalnummer in einer neuen Spalte auszugeben. Wenn in der ersten Spalte der Text „Personal-Nr.:" steht, wird der Inhalt der entsprechenden verschobenen Spalte ausgegeben.
- Klicken Sie mit der rechten Maustaste auf die neue Spalte und wählen Sie **Ausfüllen – Nach unten.**
- Führen Sie die Aktion **Ausfüllen – Nach oben** bei der Spalte mit den Pausen aus.
- Filtern Sie in der dritten Spalte nach dem Wort „kommt".
- Ab hier sollte es einfach sein: Die Kommen-Zeiten befinden sich in *Column2*, die entsprechenden Gehen-Zeiten befinden sich in der Spalte *Verschoben.Column2*. Sie müssen nur noch die Datentypen umwandeln und können dann die Differenz in einer neuen Spalte

berechnen. Zum Abschluss können Sie noch die Spaltennamen anpassen und überflüssige Spalten entfernen.

Sie haben nun in zwei Varianten gesehen, wie man mit Hilfe der Index-Spalte auf andere Zeilen derselben Tabelle verweist. Sie stellen fest, dass das Resultat das gleiche ist, egal ob Sie in der Spaltenformel auf einen anderen Transformationsschritt verweisen oder ob Sie einen *Join* zwischen zwei Transformationsschritten durchführen. Der Unterschied liegt in der Berechnung, die im Hintergrund stattfindet. Bei der ersten Variante wird der „fremde" Transformationsschritt für jede Zelle der neuen Spalte ausgewertet. Bei der zweiten Variante geschieht das nur einmal. Deshalb ist die zweite Variante deutlich schneller und ist bei großen Datenmengen definitiv vorzuziehen.

12.3 Abfragen mit Parametern

Abfragen mit Power Query sind, nachdem sie einmal erstellt wurden, kinderleicht zu bedienen: Im Prinzip muss man nur wissen, wie sie aktualisiert werden. Diese Einfachheit kann aber auch ein Nachteil sein, wenn man den Ablauf der Abfrage „von außen" beeinflussen möchte, d. h. ohne den Abfrage-Code zu ändern.

Stellen Sie sich vor, Sie haben eine grandiose Abfrage auf eine Datei erstellt und möchten sie mit all Ihren Kollegen teilen. Nun möchten diese Kollegen aber unterschiedliche Quelldateien verwenden. Es gibt nun drei Möglichkeiten, um ihnen zu helfen: Sie zeigen jedem Kollegen, wie der entsprechende Transformationsschritt im Abfrage-Editor angepasst wird. Oder Sie bitten sie, die Quelldateien genauso zu benennen und an genau den Ordnerpfad zu kopieren, wie es in der Abfrage angegeben ist. Oder – und das ist vermutlich der Weg, mit dem Sie am wenigsten Verwirrung stiften – Sie fügen einen Platzhalter in den Abfragecode ein, dessen Wert relativ einfach angepasst werden kann.

12.3.1 Power-Query-Parameter

- Erstellen Sie als Erstes eine normale Abfrage auf die Datei *12-05-Pegel-Donau.xlsx.*
- Falls die Datentypen nicht richtig erkannt werden, stellen Sie sie entsprechend ein.

Der Abfragecode sollte nun in etwa so aussehen:

Listing 12.3 Der Abfragecode ohne Parameter.

```
let
    Quelle = Excel.Workbook(
        File.Contents("C:\Beispiele\13-05-Pegel-Donau.xlsx"), null, true),
    Tabelle1_Sheet = Quelle{[Item="Tabelle1",Kind="Sheet"]}[Data],
    #"Höher gestufte Header" = Table.PromoteHeaders(Tabelle1_Sheet,
        [PromoteAllScalars=true]),
    #"Geänderter Typ" = Table.TransformColumnTypes(
        #"Höher gestufte Header",{{"Datum", type date},
        {"Uhrzeit", type time}, {"Wasserstand cm über NN", Int64.Type}})
in
    #"Geänderter Typ"
```

Im ersten Transformationsschritt *Quelle* ist der Pfad der Datei enthalten, auf die Sie die Abfrage gemacht haben. Das ist der Teil, der angepasst werden muss, damit verschiedene Dateien an beliebigen Orten eingelesen werden können.

- Im **Start**-Register gibt es das Menü **Parameter verwalten**. Wählen Sie den Menüeintrag **Neuer Parameter.**
- Es erscheint ein Dialogfenster, in dem Sie die Eigenschaften Ihres Parameters eingeben können. Stellen Sie Folgendes ein:
  - *Name:* Dateipfad
  - *Beschreibung:* Pfad und Dateiname der Quelldatei
  - *Erforderlich bzw. Pflichtfeld:* Aktivieren (bewirkt, dass Nutzer eine Warnung erhalten, wenn das entsprechende Feld leer ist)
  - *Typ:* Text
  - *Vorgeschlagene Werte:* beliebiger Wert
  - *Aktueller Wert:* Geben Sie hier Ihren Dateipfad und Dateinamen ein.

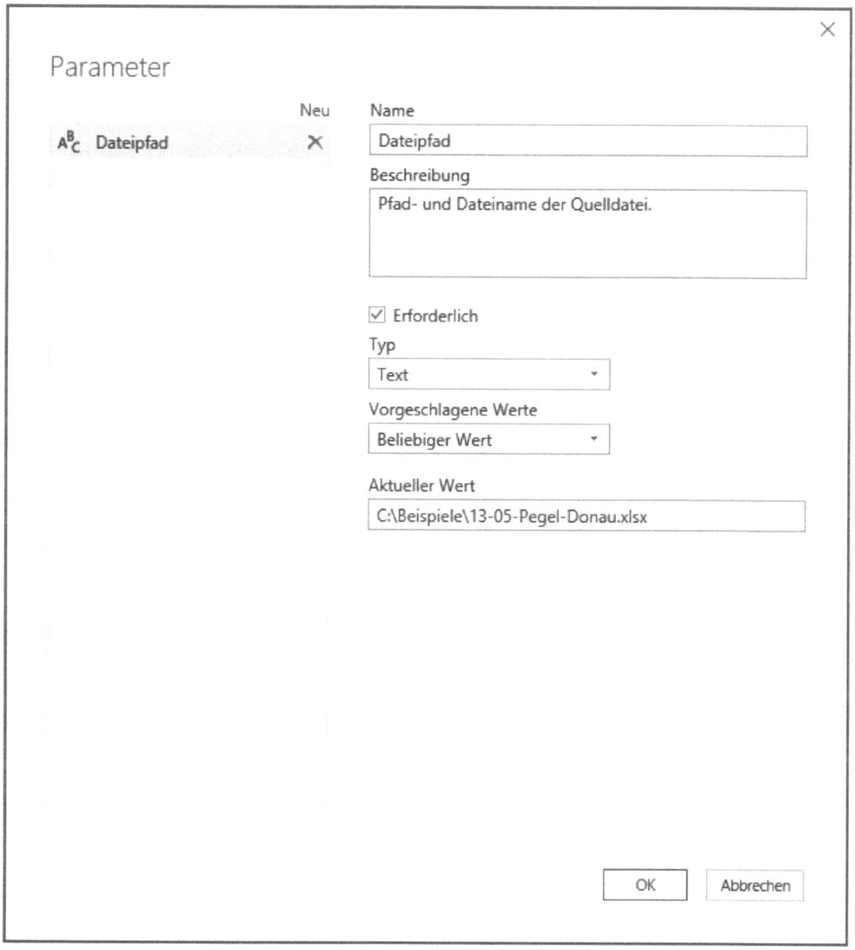

Bild 12.10 Das Dialogfenster zur Erstellung des Parameters.

- Bestätigen Sie mit **OK**.

Daraufhin wird der Parameter in der Liste der Abfragen angezeigt, wo er auch angepasst werden kann.

- Wählen Sie in der Abfragenliste wieder die ursprüngliche Abfrage und öffnen Sie den Erweiterten Editor.
- Ersetzen Sie im ersten Abfrageschritt den Dateipfad durch den Parameternamen. Der neue Abfragecode ist in Listing 12.4 zu sehen:

Listing 12.4 Der Abfragecode mit Parameter.

```
let
    Quelle = Excel.Workbook(
        File.Contents(Dateipfad), null, true),
    Tabelle1_Sheet = Quelle{[Item="Tabelle1",Kind="Sheet"]}[Data],
    #"Höher gestufte Header" = Table.PromoteHeaders(Tabelle1_Sheet,
        [PromoteAllScalars=true]),
    #"Geänderter Typ" = Table.TransformColumnTypes(
        #"Höher gestufte Header",{{"Datum", type date},
        {"Uhrzeit", type time}, {"Wasserstand cm über NN", Int64.Type}})
in
    #"Geänderter Typ"
```

- Geben Sie der Abfrage den Namen *AbfrageWasserstand* und schließen Sie sie ab.

Der Pfad der Quelldatei ist nun nicht fest im Abfragecode verankert, sondern nur als Parameterwert hinterlegt. Er kann ganz einfach geändert werden, ohne dass man sich mit Power Query auskennen muss.

EXCEL:

- Öffnen Sie das Menü für Abfragen und Verbindungen durch die entsprechende Schaltfläche im Register **DATEN**.
- Durch Doppelklick auf den Eintrag für den Parameter *Dateipfad* gelangen Sie in den Abfrage-Editor. Hier können Sie den Parameterwert direkt ändern.

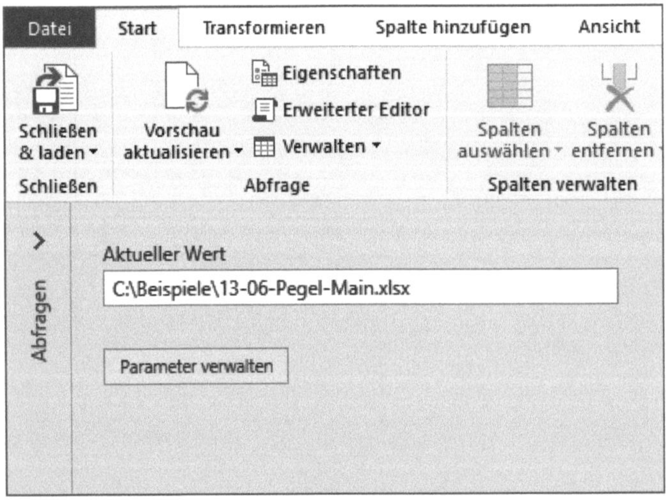

Bild 12.11 Ändern des Parameterwerts in Excel.

- Geben Sie nun den Dateipfad für die Beispieldatei *12-06-Pegel-Main.xlsx* ein.
- Bestätigen Sie mit **SCHLIESSEN & LADEN**.
- Aktualisieren Sie die Abfrage. Es wird nun eine neue Datei eingelesen.

POWER BI:

In Power BI ist die Anpassung noch einfacher als in Excel. Sie müssen nicht einmal den Abfrage Editor öffnen, um den Wert eines Parameters zu ändern.

- Klicken Sie im Hauptfenster (nicht im Abfrage-Editor) im Register **START** auf die Schaltfläche **ABFRAGEN BEARBEITEN** und wählen Sie den Menüeintrag **PARAMETER BEARBEITEN**.

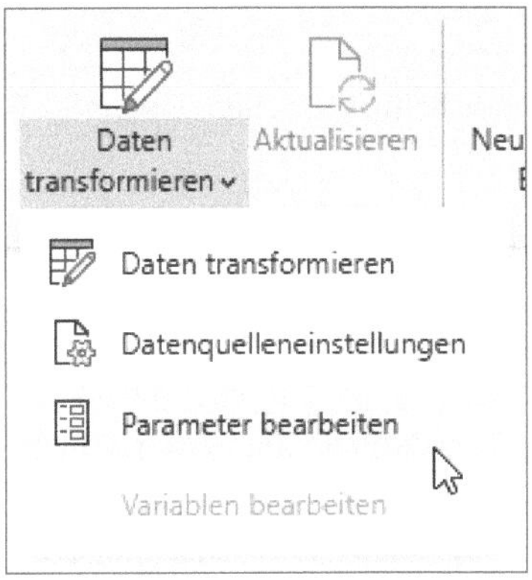

Bild 12.12
In Power BI Desktop haben Sie im Hauptfenster Zugriff auf Parameter.

- Geben Sie den Dateipfad für die Beispieldatei *12-06-Pegel-Main.xlsx* ein.
- Aktualisieren Sie die Abfrage. Es wird nun eine neue Datei eingelesen.

12.3.2 Parameter aus anderen Quellen

Alternativ zum Erstellen eines Parameters können Sie auch Werte aus anderen Quellen einlesen, um damit Ihre Abfrage zu steuern. Eine einfache Excel-Tabelle kann beispielsweise dafür verwendet werden, den Dateipfad einer Quelldatei oder die Filteroptionen einer Tabelle einzustellen. Diese Technik ist für Excel-Nutzer besonders vorteilhaft, denn Sie können Ihre selbstdefinierten Parameter in der gleichen Datei speichern wie die dazugehörige Abfrage. Für Nutzer von Power BI ist dies zwar nicht möglich, die zugrunde liegende Technik funktioniert aber trotzdem.

Die Beispieldatei *12-07-Parameterabfrage.xlsx* enthält eine einfache Tabelle, in der Parameter und die zugehörigen Werte eingetragen sind (vgl. Bild 12.13). Diese Tabelle kann benutzt werden, um eine Abfrage auf eine Datei zu verändern.

	A	B	C
1			
2		Abfrage-Parameter	Wert
3		Dateipfad	C:\Beispiele\12-08-Einwohnerzahlen_1970.xlsx
4		Filter: Stadt	Köln
5			

Bild 12.13 Die Parameter liegen in einer Excel-Tabelle.

- Öffnen Sie die Datei *12-07-Parameterabfrage.xlsx*
- Tragen Sie in der rechten Spalte den Pfad ein, an dem Ihre Beispieldateien liegen.

EXCEL:

- Markieren Sie eine Zelle in dieser Tabelle und erstellen Sie eine neue Abfrage auf die Tabelle. Klicken Sie hierfür im Register *Daten* auf **DATEN ABRUFEN – AUS ANDEREN QUELLEN – AUS TABELLE/BEREICH**.
- Löschen Sie den automatisch eingefügten Transformationsschritt *Geänderter Typ*.
- Klicken Sie mit der rechten Maustaste auf den ersten Wert in der rechten Spalte und wählen Sie den Befehl **DRILLDOWN AUSFÜHREN**.
- Öffnen Sie den Erweiterten Editor.
- Fassen Sie die beiden Transformationsschritte zu einem Schritt zusammen. Listing 12.5 zeigt die so entstehende Anweisung.

Listing 12.5 Der Befehl zum Auslesen eines Werts aus der Tabelle.

```
Quelle = Excel.CurrentWorkbook(){[Name="tbl_Parameter"]}[Content]{0}[Wert]
```

- Nun wissen Sie, welcher Befehl nötig ist, um einen Wert aus der Parametertabelle zu extrahieren. Sie werden diesen Befehl später brauchen. Die Abfrage selbst ist nicht mehr notwendig. Beenden Sie den Abfrage-Editor, ohne zu speichern.
- Erstellen Sie nun eine Abfrage auf die Datei *12-12-Einwohnerzahlen_2010.xlsx* und bearbeiten Sie sie im Abfrage-Editor.
- Filtern Sie die Spalte *Stadt* nach einem einzelnen Wert. Welche Stadt Sie wählen, ist egal, weil sie später durch den Parameter ersetzt wird.
- Öffnen Sie den Erweiterten Editor. Hier werden nun die Teile des Codes, die flexibel sein sollen (Dateipfad und Stadt) an den entsprechenden Stellen eingesetzt.

  Der erste Transformationsschritt sieht zunächst so aus (wobei natürlich der Pfad auf Ihrem System unterschiedlich sein wird):

```
Quelle = Excel.Workbook(File.Contents(
    "C:\Beispiele\13-12-Einwohnerzahlen_2010.xlsx"), null, true),
```

- Anstelle des eingetragenen Dateipfads in Anführungszeichen fügen Sie den Befehl ein, der den Dateipfad aus der Parametertabelle liest (siehe oben). Der neue Befehl sieht somit folgendermaßen aus:

```
Quelle = Excel.Workbook(File.Contents(
 Excel.CurrentWorkbook(){[Name="tbl_Parameter"]}[Content]{0}[Wert]
 ), null, true),
```

- Setzen Sie ebenso für die herausgefilterte Stadt den entsprechenden Code-Baustein ein. Dabei müssen Sie nur beachten, dass nun die zweite Zeile aus der Tabelle ausgelesen wird. Die Zahl in Klammern muss somit nicht *0*, sondern *1* sein.

Der Abfragecode sollte am Ende so aussehen wie in Listing 12.6.

Listing 12.6 Der Abfragecode mit den eingesetzten Parameterabfragen.

```
let
    Quelle = Excel.Workbook(File.Contents(
        Excel.CurrentWorkbook(){[Name="tbl_Parameter"]}[Content]{0}[Wert]
        ), null, true),
    Tabelle1_Sheet = Quelle{[Item="Tabelle1",Kind="Sheet"]}[Data],
    #"Höher gestufte Header" = Table.PromoteHeaders(Tabelle1_Sheet,
        [PromoteAllScalars=true]),
    #"Geänderter Typ" = Table.TransformColumnTypes
        (#"Höher gestufte Header",{{"Stadt", type text},
        {"Einwohnerzahlen", Int64.Type}}),
    #"Gefilterte Zeilen" = Table.SelectRows(#"Geänderter Typ", each ([Stadt] =
        Excel.CurrentWorkbook(){[Name="tbl_Parameter"]}[Content]{1}[Wert]
        ))
in
    #"Gefilterte Zeilen"
```

- Schließen Sie die Abfrage nun ab. Wählen Sie dabei am besten **SCHLIESSEN & LADEN IN ...** und legen Sie fest, dass die Abfragetabelle direkt unter der Parametertabelle angezeigt wird. So haben Sie alles im Blick.

Parameter:

Abfrage-Parameter	Wert
Dateipfad	C:\Beispiele\13-12-Einwohnerzahlen_2010.xlsx
Filter: Stadt	Bielefeld

Ausgabe:

Stadt	Einwohnerzahlen
Bielefeld	323270

Bild 12.14 Flexible Datei- und Filterwahl in einem Excel-Blatt.

- Testen Sie Ihre Abfrageparameter, indem Sie verschiedene Städte als Parameter eingeben und die Abfrage aktualisieren. Sofern die gesuchte Stadt in der Liste ist, sollte die entsprechende Einwohnerzahl erscheinen.
- Geben Sie unterschiedliche Dateipfade an, um die Einwohnerzahlen aus verschiedenen Jahren zu erhalten. Wählen Sie eine dieser Dateinamen (zusammen mit dem jeweiligen Pfad):
    - 13-08-Einwohnerzahlen_1970.xlsx
    - 13-09-Einwohnerzahlen_1980.xlsx

- 13-10-Einwohnerzahlen_1990.xlsx
- 13-11-Einwohnerzahlen_2000.xlsx
- 13-12-Einwohnerzahlen_2010.xlsx

Mit ein wenig Excel-Bastelei können Sie Ihre Parametertabelle noch benutzerfreundlicher machen. Sie können zum Beispiel mithilfe der **DATENÜBERPRÜFUNG** auf dem Register **DATEN** ein Dropdown einfügen, mit dem man die Stadt auswählen kann. Werfen Sie hierfür einen Blick auf die Datei *13-13-Parameterabfrage_Lösung.xlsx*. ■

POWER BI:

In Power BI können Sie ebenfalls Abfragen erstellen, deren Parameter in einer Excel-Tabelle liegen. Im Unterschied zum obigen Beispiel wäre die Parametereingabe dann jedoch in einer anderen Datei als die Abfrage, was eher selten zweckmäßig ist.

Nichtsdestotrotz ist es natürlich möglich. Das Vorgehen ist das gleiche wie oben beschrieben, mit dem Unterschied, dass die Funktion *Excel.CurrentWorkbook* in Power BI kein Ergebnis liefert. Stattdessen müssen Sie die Excel-Datei über die Funktion *Excel.Workbook* einlesen. Der Code-Baustein, der den ersten Parameter aus der Tabelle zurückgibt, lautet folgendermaßen:

```
Excel.Workbook(File.Contents
    ("C:\Beispiele\13-07-Parameterabfrage.xlsx"), null, true)
    {[Item="tbl_Parameter",Kind="Table"]}[Data]{0}[Wert]
```

Dabei müssen Sie natürlich die Pfadangabe in der zweiten Zeile durch den richtigen Pfad auf Ihrem System ersetzen.

Der komplette Code für Power BI wird in Listing 12.7 gezeigt.

Listing 12.7 Der Abfragecode mit Parametern aus einer externen Excel-Datei.

```
let
    Quelle = Excel.Workbook(File.Contents(
        Excel.Workbook(File.Contents
        ("C:\Beispiele\13-07-Parameterabfrage.xlsx"), null, true)
        {[Item="tbl_Parameter",Kind="Table"]}[Data]{0}[Wert]
        ), null, true),
    Tabelle1_Sheet = Quelle{[Item="Tabelle1",Kind="Sheet"]}[Data],
    #"Höher gestufte Header" = Table.PromoteHeaders(Tabelle1_Sheet,
        [PromoteAllScalars=true]),
    #"Geänderter Typ" = Table.TransformColumnTypes
        (#"Höher gestufte Header",{{"Stadt", type text},
        {"Einwohnerzahlen", Int64.Type}}),
    #"Gefilterte Zeilen" = Table.SelectRows(#"Geänderter Typ", each ([Stadt] =
        Excel.Workbook(File.Contents
        ("C:\Beispiele\13-07-Parameterabfrage.xlsx"), null, true)
        {[Item="tbl_Parameter",Kind="Table"]}[Data]{1}[Wert]
        ))
in
    #"Gefilterte Zeilen"
```

13 Fehlerbehandlung

„Der Fehler begleitet den Menschen", das wusste schon Platon. Die Kunst beim Erstellen einer Abfrage ist, möglichst viele Fehlerquellen vorherzusehen und zu verhindern, dass die ganze Abfrage dadurch zusammenbricht oder, was noch schlimmer ist, falsche Ergebnisse liefert. Natürlich können nicht alle Probleme direkt behoben werden. Es liegt aber in Ihrem Ermessen, wie sie behandelt werden.

13.1 Fehler vorbeugen

Bei öfter benutzten Abfragen besteht immer das Risiko, dass eine Datenquelle plötzlich von der ursprünglichen Struktur abweicht. Es reicht oft schon, dass einzelne Werte in einer Tabelle anders sind als erwartet – ein leeres Feld, ein Komma anstelle eines Punkts, ein Wort, wo eine Zahl sein sollte – und alles läuft aus dem Ruder.

Solche Fehler treten oft zum ungünstigsten Zeitpunkt auf, selbst bei Abfragen, die jahrelang gute Dienste geleistet haben. Deshalb ist es hilfreich, schon beim Erstellen der Abfrage die folgenden typischen Fehlerquellen im Hinterkopf zu behalten.

Ungültige Typzuweisungen bei der Festlegung eines Spaltentyps

In Zahlenspalten verstecken sich oft einzelne Werte, die nicht als Zahl erkannt werden. Das hat manchmal ganz einfache Gründe:

- Leerzeichen zwischen den einzelnen Ziffern,
- Falsche Dezimaltrennzeichen (Punkt statt Komma oder umgekehrt),
- Klammern,
- Zahlenkombinationen (z. B. „13 - 14", „13/14"),
- ausgeschriebene Werte („Keine" statt 0),
- sonstige Wortzusätze („ca.").

Wenn Sie verhindern wollen, dass solche Werte bei der Umwandlung zu Fehlern führen, bereinigen Sie die Spalte vorher durch gezieltes Ersetzen von störenden Zeichen. Auf diese Weise können Sie verhindern, dass die zugrunde liegenden Informationen verloren gehen.

Geänderte Spaltennamen

Tabellenspalten werden in Power Query über den Spaltentitel adressiert. Um zu vermeiden, dass ein geänderter Spaltentitel zu einem Fehler führt, verwenden Sie alternativ die Spaltennummer.

Beispiel: Der folgende Befehl sortiert eine Spalte mit dem Namen *Umsatz 2018*:

```
= Table.Sort(Quelle, {{"Umsatz 2018", Order.Ascending}})
```

Da abzusehen ist, dass sich der Spaltentitel *Umsatz 2018* ändern wird, aber Sie wissen, dass es immer die fünfte Spalte ist, geben Sie stattdessen das Element {4} aus der Liste der Spaltentitel an:

```
= Table.Sort(Quelle, {{Table.ColumnNames(Quelle){4},
    Order.Ascending}})
```

Generell sollten Sie bei jeder Abfrage abwägen, worauf mehr Verlass ist: Die Titel der Spalten oder die Position der Spalten. Wenn Sie denken, dass die Spaltenreihenfolge gleich bleibt, aber die Titel sich verändern können, nutzen Sie die Funktion **Überschriften als erste Zeile verwenden**. Sie befindet sich auf dem Register **Start** hinter oder unter der Schaltfläche **Erste Zeile als Überschriften verwenden**. Sobald Sie die Überschriften entfernt haben, besitzen die Spalten wieder die Standardüberschriften *Column1*, *Column2* usw. Diese Titel können Sie anschließend ändern. Vergessen Sie nicht, die erste Zeile zu entfernen.

Unerwartete Dateien in der Ordnerabfrage

Wenn Sie mit mehreren Dateien in einem Ordner arbeiten, kann es vorkommen, dass Dateien in diesen Ordner gelangen, die Ihre Abfrage behindern. Falls es sich beispielsweise um eine Abfrage auf einen Ordner mit Excel-Dateien handelt, kann ein Fehler entstehen, wenn eine dieser Dateien gerade geöffnet ist. Excel erstellt bei geöffneten Dateien eine versteckte temporäre Datei (u.a. für die Wiederherstellung). Diese kann durch die Ordnerabfrage i.d.R. nicht richtig verarbeitet werden.

Stellen Sie durch Filtern des Ordnerinhalts sicher, dass die Abfrage nur mit den Dateien arbeitet, für die sie erstellt wurde. Vergleichen Sie hierzu das Beispiel in Kapitel 8.3.

■ 13.2 Error-Werte entfernen

Der folgende Befehl erzeugt eine einfache Beispieltabelle:

```
= Table.FromList({10..50}&{"x","y","z"}, Splitter.SplitByNothing())
```

Es handelt sich um eine einfache Tabelle, bestehend aus einer Spalte. Mit den enthaltenen Zahlen soll im nächsten Schritt gerechnet werden. Die letzten drei Werte sind allerdings keine Zahlen, es kommt also zwangsweise zu Fehlern.

- Fügen Sie eine neue benutzerdefinierte Spalte hinzu, in der die Werte aus der ersten Spalte halbiert werden.

35	44	22
36	45	22,5
37	46	23
38	47	23,5
39	48	24
40	49	24,5
41	50	25
42	x	Error
43	y	Error
44	z	Error

Bild 13.1
Die Werte, die nicht berechnet werden können, erzeugen Fehlerwerte.

Es gibt nun drei Möglichkeiten, mit diesen Fehlern umzugehen:

1. Sie ignorieren sie. Wenn Sie die Abfrage abschließen, werden Fehlerwerte wie *null*-Werte angezeigt. Sie riskieren damit aber, in einem späteren Transformationsschritt einen größeren Fehler zu erzeugen. Wenn Sie beispielsweise einen Filter auf die Spalte anwenden, gibt die gesamte Abfrage einen Fehlerwert zurück.
2. Sie ersetzen die Fehler durch gültige Werte. Klicken Sie hierzu mit der rechten Maustaste auf den Spaltentitel und wählen Sie **Fehler ersetzen.** Nun können Sie einen Wert eingeben, der die weitere Transformation nicht gefährdet, zum Beispiel *0*.

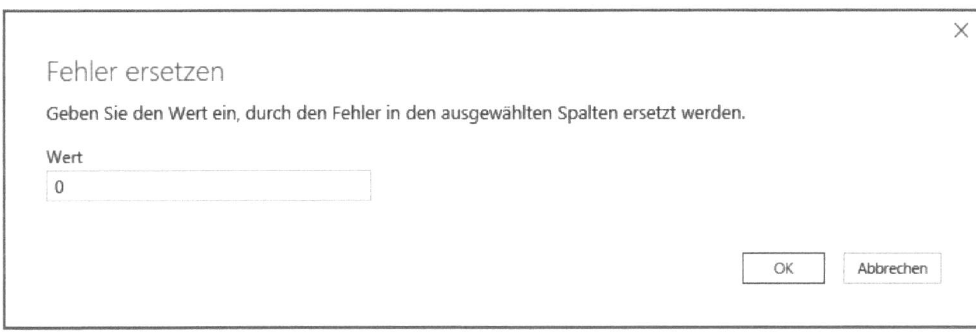

Bild 13.2 Fehlerwerte können durch andere Werte ersetzt werden.

3. Sie entfernen die Zeilen, die Fehler enthalten. Es gibt dafür ein Menü in der linken oberen Ecke der Tabelle. Dort finden Sie den Eintrag **Fehler entfernen.** Dieser Befehl lässt alle Zeilen, die Fehler enthalten, verschwinden.

   Wenn Sie nur eine bestimmte Spalte überprüfen wollen, markieren Sie diese, öffnen Sie das Menü **Zeilen entfernen** im **Start**-Register und wählen Sie dort den Eintrag **Fehler entfernen.**

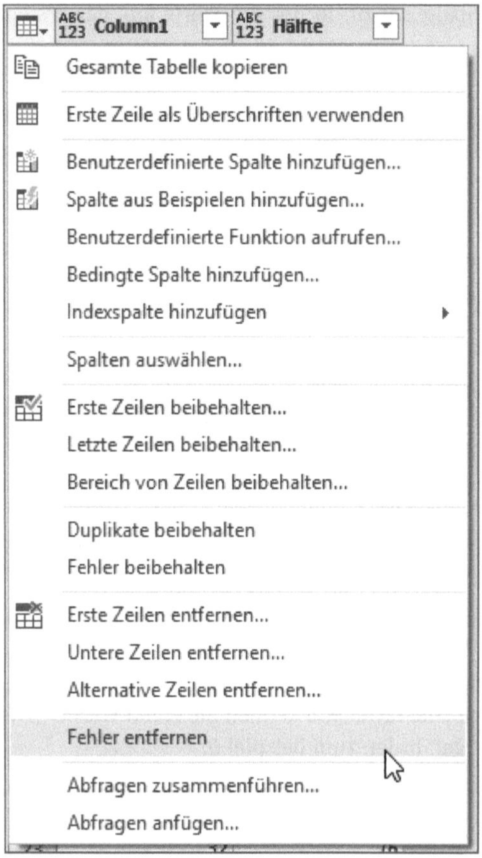

Bild 13.3
Alle Zeilen mit Fehlern werden gelöscht.

Die drei beschriebenen Methoden sind mit Vorsicht zu verwenden: Es gibt zahlreiche Ursachen dafür, dass ein Fehlerwert ausgegeben wird. Wenn Sie die entsprechenden Stellen einfach entfernen oder durch andere Werte ersetzen, riskieren Sie, dass Ihr Abfrageergebnis verfälscht wird. In bestimmten Situationen kann es daher sinnvoller sein, den Benutzer auf Fehler hinzuweisen, sodass die Quelldaten überprüft und ggf. korrigiert werden können. Wie das geht, erfahren Sie im Abschnitt 13.4.

■ 13.3 Fehler abfangen mit try

Viele Fehler lassen sich noch im Transformationsschritt ihrer Entstehung beseitigen. Bei Ausdrücken, die möglicherweise einen Fehlerwert erzeugen, setzen Sie einfach die Anweisung *try* davor. Im Anschluss bestimmen Sie mit der Anweisung *otherwise* einen alternativen Wert oder Ausdruck, der zurückgegeben wird, falls der erste Ausdruck einen Fehler erzeugt.

Der folgende Code zeigt die Spaltenformel einer benutzerdefinierten Spalte, die die Werte der Spalte *Column 1* halbiert.

```
= try [Column1] / 2 otherwise 0
```

Die Spaltenformel versucht, jeden Wert durch 2 zu teilen. Sollte diese Rechnung einen Fehlerwert erzeugen, wird *0* zurückgegeben.

13.4 Fehlermeldungen erzeugen

Man kann natürlich nicht jeden möglichen Fehler vorhersehen. Es gibt ohnehin unzählige Fehler, die sich weder verhindern noch beheben lassen. Nichtsdestotrotz kann es in solchen Fällen hilfreich sein, den Nutzer zumindest darüber zu informieren, dass es ein Problem gibt.

Für den Fall, dass sich Fehler nicht von selbst bemerkbar machen (was die meisten netterweise tun), oder wenn Sie wollen, dass Ihre Abfrage auch im Problemfall einen guten Eindruck macht, können Sie eigene Fehlermeldungen erzeugen.

Verwenden Sie dafür den Befehl *error*, um einen Fehlerwert zu erstellen. Jeder Fehler besitzt einen Error-Datensatz, in dem Informationen zum Fehler bzw. zur Ursache gespeichert werden können. Sie müssen aber nicht alle Felder dieses Datensatzes füllen. Es reicht auch ein kurzer Text:

```
= error "Das hat nicht geklappt."
```

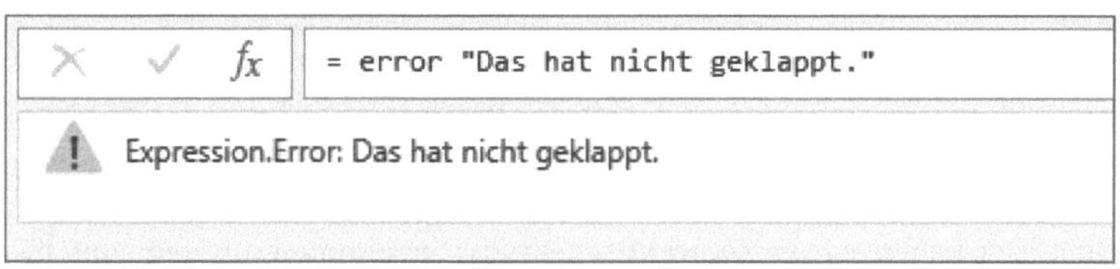

Bild 13.4 Die Ausgabe der Fehlermeldung im Power Query-Editor.

Wenn Sie eine ausführlichere Fehlermeldung erzeugen wollen, können Sie die drei Felder des Error-Datensatzes füllen: Reason, Message und Detail.

```
= error [Reason = "Fehler bei der Abfrage",
         Message = "Die Tabelle kann nicht sortiert werden.",
         Detail = "Vermutlich sind die Spalten umbenannt worden."]
```

Die so entstehenden Fehlermeldungen sind in Bild 13.5, Bild 13.6 und Bild 13.7 zu sehen.

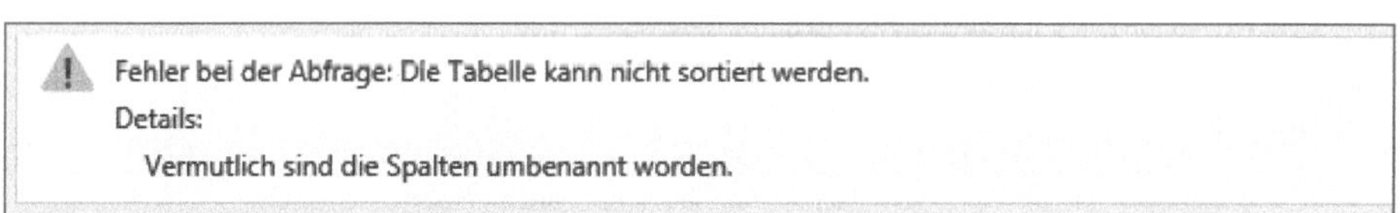

Bild 13.5 Die ausführliche Fehlermeldung im Abfrage-Editor.

Bild 13.6 Die Fehlermeldung beim Aktualisieren der Abfrage in Excel.

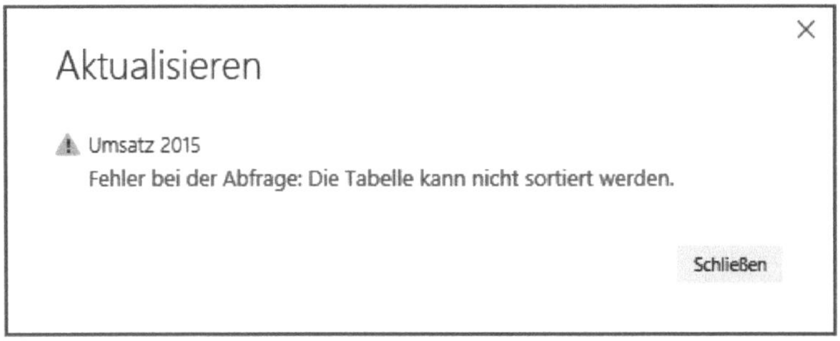

Bild 13.7 So sieht die Fehlermeldung in Power BI Desktop aus.

Fehlermeldungen in Verbindung mit *if*

Die *error*-Anweisung bietet sich an, wenn Sie mit *if* eine Bedingung prüfen wollen, die die Voraussetzung für eine bestimmte Transformation ist. Der folgende Befehl sortiert beispielsweise eine Spalte oder gibt eine Fehlermeldung zurück, falls diese nicht gefunden wurde:

```
= if List.Contains(Table.ColumnNames(AlteTabelle), "Umsatz")
  then Table.Sort(AlteTabelle, {{"Umsatz 2017", Order.Ascending}})
  else error "Die Spalte 'Umsatz' wurde nicht gefunden."
```

Nachfolgende Transformationsschritte, die sich auf diesen Schritt beziehen, geben dieselbe Fehlermeldung zurück. Der Fehler wird also praktischerweise zusammen mit dem zugehörigen Fehlerdatensatz bis zum Ende der Abfrage „durchgereicht".

Fehlermeldungen in Verbindung mit *try*

Das Durchreichen von Fehlermeldungen funktioniert allerdings nur, wenn der Fehler nicht in einem nachfolgenden Schritt mit *try* und *otherwise* abgefangen wird. Deshalb kann *try*… *otherwise* in Verbindung mit selbsterzeugten Fehlermeldungen manchmal zu unerwarteten Ergebnissen führen. In Listing 13.1 wird dieses Prinzip anhand einer einfachen Abfrage auf eine Excel-Tabelle demonstriert.

Listing 13.1 Eine unnütze Fehlerprüfungsmethode.

```
let
    Quelle =
        try Excel.Workbook(File.Contents("C:\IrgendeineDatei.xlsx"), null, true)
        otherwise error "Die Quelldatei wurde nicht gefunden.",
```

```
    Navigation_Table =
        try Quelle{[Item="tblAuswertung",Kind="Table"]}[Data]
        otherwise error "Die Tabelle wurde nicht gefunden.",
    Typänderung =
        try Table.TransformColumnTypes(Navigation_Table,{{"Name", type text},
                {"Umsatz", type number}})
        otherwise error "Die Spaltennamen sind anders als erwartet."
in
    Typänderung
```

In diesem Beispiel wurde versucht, jeden Transformationsschritt mit einer Fehlerprüfung samt passender Fehlermeldung auszustatten. Was auf den ersten Blick hilfreich erscheint, ist in Wahrheit aber irreführend: Nehmen wir an, der erste Schritt erzeugt einen Fehler, weil die Datei nicht gefunden wird. Der Fehler wird an den nächsten Schritt weitergereicht, doch dort wird er mit `try` abgefangen. Der zweite Schritt erzeugt daher eine eigene Fehlermeldung, die aber nichts mehr mit der eigentlichen Fehlerursache zu tun hat. Diese wird wieder im dritten Schritt abgefangen, sodass schließlich die dritte Fehlermeldung zurückgegeben wird - egal, wo der Fehler aufgetreten ist.

Falls Sie wirklich mehrere spezifische Fehlermeldungen benötigen, müssen Sie die Schritte einzeln prüfen. Der Befehl *try* kann hierfür auch ohne *otherwise* verwendet werden. Die Rückgabe ist dann ein Datensatz bestehend aus zwei Feldern: *HasError* und, je nachdem, ob ein Fehler vorliegt, *Value* oder *Error*.

So können Sie prüfen, ob ein Ausdruck einen Fehler enthält:

```
= (try irgendeinAusdruck)[HasError]
```

Der Rückgabewert ist entweder *true* oder *false*. Auf diese Weise können Sie mögliche Fehlerursachen gezielt prüfen und den ersten Fehler melden.

Listing 13.2 Fehlermeldungen zu den passenden Ursachen.

```
let
    Quelle = Excel.Workbook(File.Contents("C:\IrgendeineDatei.xlsx"), null, true),
    Navigation_Table = Quelle{[Item="tblAuswertung",Kind="Table"]}[Data],
    Typänderung = Table.TransformColumnTypes(Navigation_Table,{{"Name", type text},
                {"Umsatz", type number}}),
    Fehlerprüfung = if (try Quelle)[HasError] then
                    error "Die Quelldatei wurde nicht gefunden."
                else if (try Navigation_Table)[HasError] then
                    error "Die Tabelle wurde nicht gefunden."
                else if (try Typänderung)[HasError] then
                    error "Die Spaltennamen sind anders als erwartet."
                else Typänderung
in
    Fehlerprüfung
```

Wenn die Schritte in der richtigen Reihenfolge geprüft werden, müssen spätere Schritte gar nicht erst geprüft werden, sobald ein Fehler gefunden wurde. Somit erhalten Sie bei einem Fehler genau die Fehlermeldung, die für den verursachenden Schritt definiert wurde.

Eine dermaßen detaillierte Fehlerprüfung wie in obigen Beispiel ist in der Praxis vermutlich zu viel des Guten. Es muss nicht für die Fehlermeldungen mehr Code als für die eigentliche Abfrage verwendet werden.

Es ist jedoch eine gute Angewohnheit, wichtige Meilensteine und zumindest den letzten Schritt mit einer Fehlermeldung abzusichern. Als Text bieten sich allgemeingültige Sätze an, wie „Die Quelldaten haben eine andere Struktur als erwartet.“. Besonders, wenn Sie Abfragen für Kunden oder Kollegen schreiben, wirkt eine solche Fehlermeldung professioneller und stiftet weniger Verwirrung als die zum Teil kryptischen Meldungen, die Power Query produziert. ■

14 M-Funktionen

Funktionen sind bei der M-Programmierung das Salz in der Suppe, denn ohne sie geht fast nichts. Power Query enthält eine umfangreiche und ständig wachsende Sammlung von Funktionen für eine Unmenge an Einsatzgebieten, von der Ausgabe eines Wochentags bis hin zur Wahrscheinlichkeitsrechnung.

Über die Werkzeuge des Abfrage-Editors oder auch bei dem einen oder anderen Beispiel in diesem Buch haben Sie schon diverse M-Funktionen eingesetzt, jedoch oft ohne alle Aspekte der jeweiligen Funktion zu kennen. Dieses Kapitel soll Ihnen einen Überblick über die Vielzahl der Funktionen geben. Es wurde eine Auswahl von etwa 400 Funktionen getroffen, die mit einem Syntax-Schema, einer kurzen Beschreibung und einigen Beispielen erläutert werden.

Da sicher nicht alle der vorgestellten Bereiche für Sie relevant sein werden, handelt es sich hier nicht um ein Kapitel, das komplett gelesen werden muss. Doch selbst wenn Sie einzelne Bereiche überblättern, hilft es Ihnen, zu wissen, welche Möglichkeiten noch in Power Query versteckt liegen, und Sie können bei Bedarf immer wieder darauf zurückkommen und einzelne Funktionen nachschlagen.

14.1 Das Syntax-Schema

Die Syntax einer Funktion ist die Art und Weise, wie der Funktionsaufruf aufgebaut sein muss. In Beschreibungen oder auf Hilfeseiten wird in der Regel ein bestimmtes Schema verwendet, um alle nötigen Informationen zu vermitteln. Am Beispiel der Funktion *Text.Contains* sieht das so aus:

```
Text.Contains(string as nullable text, substring as text, optional comparer as
nullable function) as nullable logical
```

Dieses Syntax-Schema ist folgendermaßen zu lesen:

- `Text.Contains` ist der Name der Funktion, der immer am Anfang steht.
- Es folgt die Liste der Parameter in Klammern. Hieran erkennen Sie, welche Argumente übergeben werden können und welchen Datentyp die Werte haben müssen. Das Schlüsselwort `optional` bedeutet, dass ein Argument nicht zwingend übergeben werden muss. `string`, `substring` und `comparer` sind die Namen der Parameter und geben Aufschluss über ihre Bedeutung. Durch `nullable` wird signalisiert, dass der jeweilige Wert auch Null sein darf. Schließlich wird der erwartete Datentyp (`text` bzw. `function`) angegeben. Sollte ein unpassender Wert übergeben werden, gibt die Funktion einen Fehler zurück.
- Die Angabe nach der Klammer zeigt den Datentyp, den der Rückgabewert dieser Funktion hat. In diesem Fall ist es ein Wert vom Typ Logical oder *null.*

Die Syntaxangabe ist nur schematisch und kann so nicht im M-Code eingesetzt werden. Ein entsprechender M-Befehl würde stattdessen so aussehen:

```
= Text.Contains("Das ist ein Test", "i")
```

Falls Sie sich fragen, was der Unterschied zwischen „Parameter" und „Argument" ist: Parameter sind die Eingabevariablen einer Funktion und Argumente sind die Werte, die beim Aufruf übergeben werden.

Der Unterschied ist ziemlich subtil, daher werden die Begriffe auch oft synonym verwendet.

14.2 Abruf der Funktionsliste

Die M-Funktionsbibliothek enthält über 500 Funktionen und die Zahl wächst, da immer wieder Updates mit neuen Funktionen erscheinen. Dieses Buch kann daher nicht alle Funktionen vorstellen. Außerdem haben Sie es vermutlich nicht immer zur Hand, wenn Sie z. B. nur die Schreibweise eines Funktionsnamens überprüfen wollen. Es gibt aber natürlich noch andere Möglichkeiten, um Funktionen nachzuschlagen.

Die Online-Hilfe

Zu jeder M-Funktion gibt es eine Hilfeseite von Microsoft im Web. Dort finden Sie eine kurze Beschreibung und meist auch einige Beispiele.

Die komplette Bibliothek ist in Kategorien aufgeteilt. Um zur Übersichtsseite zu gelangen, suchen Sie mit einer Suchmaschine nach *Power Query M function reference.* Sie können auch folgende URL in Ihrem Browser eingeben:

https://learn.microsoft.com/de-de/powerquery-m/power-query-m-function-reference

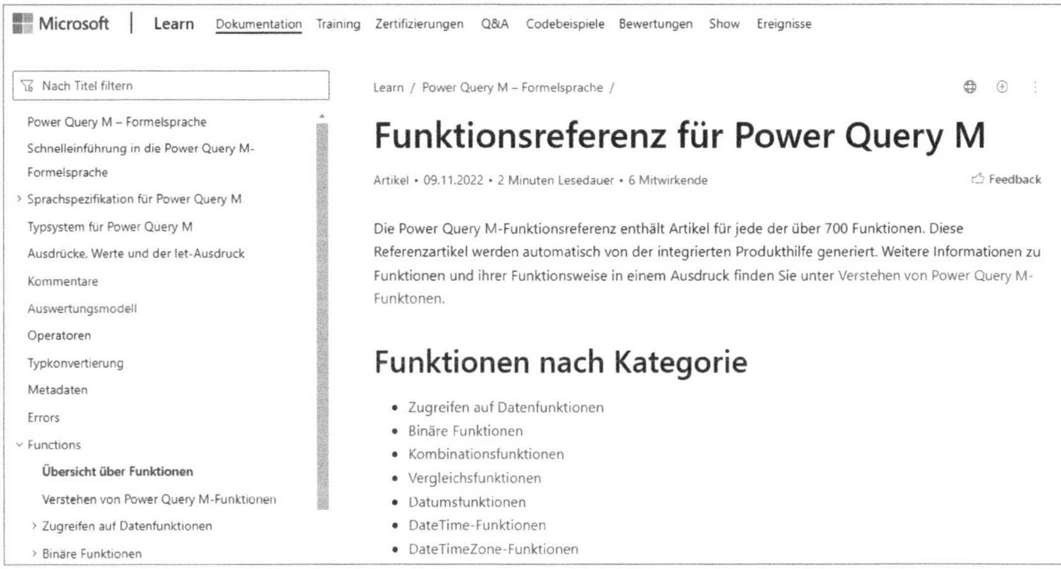

Bild 14.1 Auf der Übersichtsseite können Sie die gewünschte Kategorie wählen.

Die Hilfeseiten für die jeweiligen Funktionen sind meistens in drei Abschnitte unterteilt: die Beschreibung mit Syntax, die Argumentenliste und ein oder mehrere kurze Beispiele. Zusätzlich werden ggf. noch Warnungen und Parameter-Optionen angegeben.

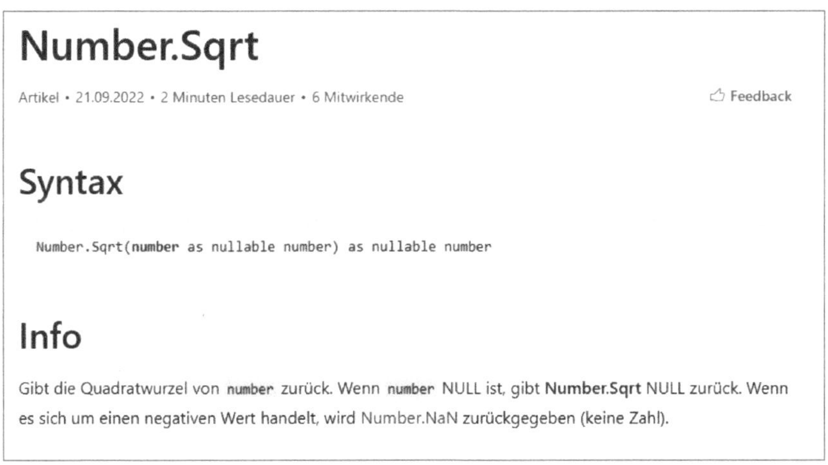

Bild 14.2 Die Hilfeseite zur Funktion *Number.Sqrt.*

Aufruf der Funktionsbibliothek mit #shared

Mithilfe eines kurzen Befehls können direkt im Power Query-Editor die Namen und Beschreibungen von M-Funktionen abgerufen werden.

- Starten Sie eine neue leere Abfrage und geben Sie in die Bearbeitungsleiste Folgendes ein:

```
= #shared
```

- Bestätigen Sie mit **ENTER**.

Das Ergebnis dieses Befehls ist eine Auflistung aller Funktionen, die in dieser Abfrage verfügbar sind. Zusätzlich sind die Abfragen der aktuellen Datei sowie verschiedene vordefinierte Konstanten enthalten.

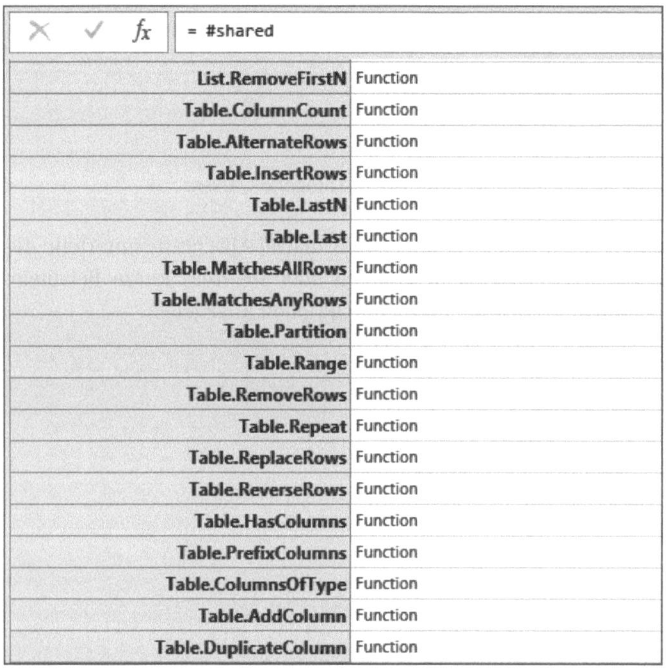

Bild 14.3 Die Ausgabe des Befehls *#shared* enthält alle Funktionen.

Der Rückgabewert ist ein sehr langer Datensatz. Um mehr Flexibilität beim Suchen und Filtern von Funktionsnamen zu haben, wandeln Sie ihn in eine Tabelle um.

- Klicken Sie im Register **KONVERTIEREN** auf die Schaltfläche **IN TABELLE**.

Sie können die Spalte *Name* nun bequem über die Filterfunktion durchsuchen. Sie müssen nur in etwa wissen, welche englischen Wörter der Funktionsname enthält. Oder Sie filtern nach einer Funktionskategorie: Da alle Textfunktionen mit dem Wort „Text“ gefolgt von einem Punkt beginnen, können Sie auch danach filtern, um die Kategorie zu erhalten.

- Wenden Sie den Filter an, um nur die Funktionsnamen zu sehen, die mit „Text.“ beginnen.

	Name	Value
7	Text.From	Function
8	Text.Length	Function
9	Text.Range	Function
10	Text.Middle	Function
11	Text.Start	Function
12	Text.End	Function
13	Text.StartsWith	Function
14	Text.EndsWith	Function
15	Text.Contains	Function
16	Text.Clean	Function
17	Text.PositionOf	Function

Bild 14.4
Die Textfunktionen in Tabellenform.

Neben den Funktionsnamen enthält die Tabelle die verschiedenen Funktionen. Wenn Sie nur Informationen zu einer Funktion erhalten wollen, klicken Sie nicht auf, sondern rechts neben das Wort *Function*. Daraufhin erscheint die Beschreibung zur Funktion zusammen mit einem Beispiel unterhalb der Tabelle.

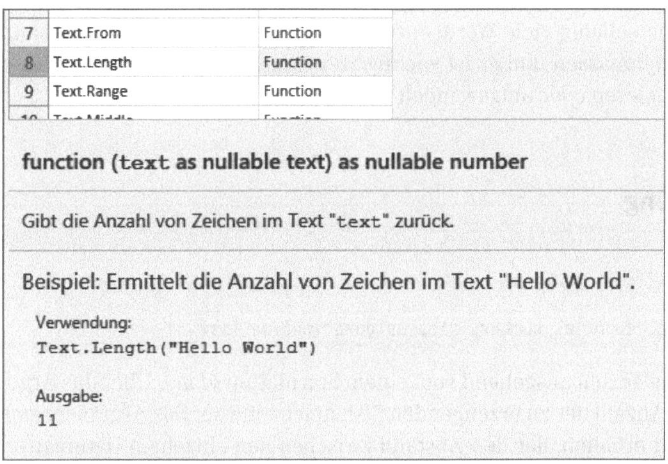

Bild 14.5 Durch Markieren eines Felds wird die Beschreibung angezeigt.

Alternativ können Sie die Funktion auch gleich ausprobieren. Durch Klick auf das Wort *Function* wird die Beschreibung angezeigt und es öffnet sich ein Dialogfenster, in dem Sie die Argumente der Funktion eingeben können. Das Ergebnis wird in einem neuen Transformationsschritt ausgegeben, wenn Sie auf **OK** klicken.

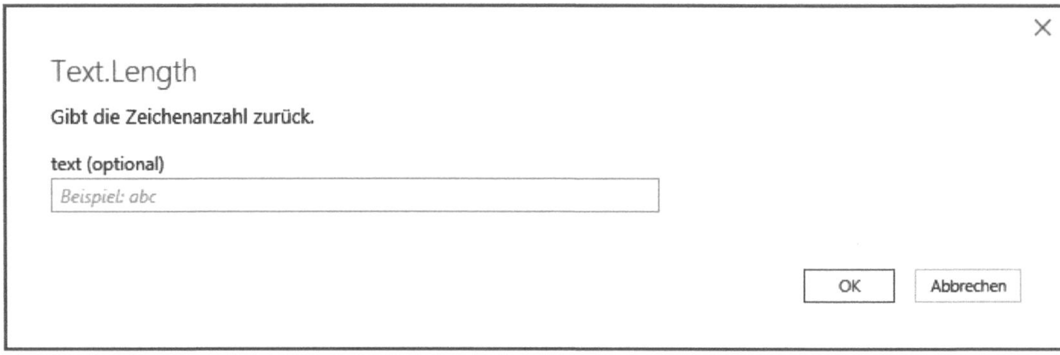

Bild 14.6 Die Dialogbox zum Aufruf der Funktion *Text.Length*.

14.3 Listenfunktionen

Listen werden häufig für Parameter und Rückgabewerte von Funktionen verwendet, weil sie den Vorteil haben, dass sie beliebig viele Werte enthalten können. Eine einzige Liste kann daher viele Informationen umfassen und es ist wichtig zu wissen, wie diese Informationen effektiv geschrieben, ausgelesen oder umgewandelt werden.

14.3.1 Listenerstellung

List.Dates

```
List.Dates(start as date, count as number, step as duration) as list
```

Erstellt eine Liste mit Date-Werten ausgehend vom einem Startdatum *(date).* Über das Argument *count* geben Sie die Anzahl der zu erzeugenden Listenelemente an. Das Argument *step* muss einen Duration-Wert erhalten, der den Abstand zwischen den einzelnen Datumswerten bestimmt.

BEISPIEL:

So erstellen Sie eine Liste aus fünf Datumswerten vom 01.01.2018 - 05.01.2018. Der Abstand zwischen den Elementen ist jeweils ein Tag.

```
List.Dates(#date(2018, 1, 1), 5, #duration(1, 0, 0, 0))
```

List.Times

```
List.Times(start as time, count as number, step as duration) as list
```

Wie List.Dates, nur mit Zeit- statt Datumswerten.

List.DateTimes

```
List.DateTimes(start as datetime, count as number, step as duration) as list
```

Wie List.Dates, nur mit DateTime- statt Datumswerten.

List.DateTimeZones

```
List.DateTimeZones(start as datetimezone, count as number, increment as duration) as
list
```

Wie List.Dates, nur mit DateTimeZone- statt Datumswerten.

List.Durations

```
List.Durations(start as duration, count as number, step as duration) as list
```

Erstellt eine Liste mit Duration-Werten. *Start* gibt den ersten Wert an, *step* den Abstand zwischen den Werten und *count* die Anzahl der erzeugten Elemente.

BEISPIEL:

```
List.Durations(#duration(0, 1, 0, 0), 4, #duration(0, 0, 30, 0))
/* Ergebnis: {#duration(0, 1, 0, 0),
              #duration(0, 1, 30, 0),
              #duration(0, 2, 0, 0),
              #duration(0, 2, 30, 0)} */
```

List.Generate

```
List.Generate(initial as function, condition as function, next as function, optional
selector as nullable function) as list
```

Diese Funktion erstellt eine Liste mit Hilfe von bis zu vier Funktionen, die Sie selbst bestimmen oder erstellen können.

! Wie Sie eigene Funktionen erstellen, wird in Kapitel 15 erklärt.

■

- *Initial* ist die Ausgangsfunktion, sie erzeugt den ersten Wert der Liste. Wenn der Startwert bekannt ist, schreiben Sie einfach eine Funktion, die einen Wert erzeugt, z. B. folgendermaßen für den Wert 3:

  ```
  () => 3
  ```

- Die Bedingungsfunktion *condition* prüft jeden Wert, der von der Funktion *next* zurückgegeben wird. Nur Werte, bei denen sie *true* zurückgibt, gelangen in die Liste. Sobald die Bedingungsfunktion *false* zurückgibt, werden keine weiteren Werte mehr erzeugt.

Meistens reicht hier eine einfache Vergleichsfunktion mit *each*, um festzulegen, wo die Liste endet, z.B.:

```
each _ <= 100 //d.h. keine höheren Werte als 100
```

- *Next* erzeugt potenzielle Werte für die Liste. Ausgangswert ist zunächst der Wert, der von *initial* erzeugt wird, anschließend ist jedes Ergebnis der Funktion *next* der nächste Ausgangswert.
- Die Funktion *selector* kann zusätzlich angewendet werden, um die Rückgabewerte von *next* weiter zu transformieren. Dies geschieht jeweils nachdem sie per *condition* geprüft wurden. Oft wird hiermit ein bestimmtes Element aus einem Record ausgewählt, daher der Name.

BEISPIEL 1:

Erstellen Sie eine Liste mit einer Zahlenreihe in Zweier-Schritten, die bei 10 beginnt und bei 20 endet:

```
List.Generate(()=>10, each _ <= 20, each _ + 2)
//Ergebnis: {10, 12, 14, 16, 18, 20}
```

BEISPIEL 2 (PROGRAMMSCHLEIFE):

List.Generate kann immer verwendet werden, wenn eine beliebige Funktion bzw. Anweisung mehrere Male ausgeführt werden soll. Hierzu verwenden Sie als Startwert einfach einen Record, der ein Feld als Zähler enthält. Über die *next*-Funktion wird der Zähler erhöht, bis der Schwellenwert aus der *condition*-Funktion erreicht ist. Die *selector*-Funktion bestimmt schließlich, welcher Teil des Records ausgegeben werden soll.

Auf diese Weise können Aufgaben erledigt werden, für die sonst rekursive Funktionen (bzw. Schleifen in anderen Programmiersprachen) benutzt würden (vgl. Kap. 15.5). In Listing 14.1 wird diese Technik demonstriert, indem ein Wert zehn Mal halbiert und ins Quadrat gesetzt wird.

Listing 14.1 List.Generate anstelle einer rekursiven Funktion.

```
let
    Liste = List.Generate(
        ()=> [Zähler = 1, Zahlenwert = 5],
        each [Zähler] <= 10,
        each [Zähler=[Zähler]+1, Zahlenwert = Number.Power([Zahlenwert] / 2,2)],
        each [Zahlenwert]
        ),
    Ergebnis = List.Last(Liste)
in
    Ergebnis
```

List.Numbers

```
List.Numbers(start as number, count as number, optional increment as nullable number)
as { Number }
```

Hiermit erzeugen Sie einfache Zahlenreihen. Die Anzahl der Listenelemente wird mit *count* bestimmt, der Abstand zwischen den Zahlen mit *increment*. Wird kein *increment* angegeben, so ist es *1*.

BEISPIELE:

```
List.Numbers(1, 10) //Ergebnis: {1, 2, 3, 4, 5, 6, 7, 8, 9, 10}
```

```
List.Numbers(1, 5, 2) //Ergebnis: {1, 3, 5, 7, 9}
```

List.Random

```
List.Random(count as number, optional seed as nullable number) as { Number }
```

Gibt eine Liste mit Zufallszahlen zwischen 0 und 1 zurück.

Neben der Anzahl *count* können Sie einen beliebigen Startwert *(seed)* für den Zufallsgenerator angeben. Damit können Sie Ihre Zufallsliste fixieren, d. h., die Werte werden bei jeder Aktualisierung der Abfrage die gleichen sein. Wenn Sie keinen Startwert angeben, erhalten Sie bei jedem Aufruf eine unterschiedliche Liste.

BEISPIEL:

```
List.Random(2) //Ergebnis (z.B.): {0.291362, 0.623298}
```

Verwenden Sie diese Funktion in Verbindung mit List.Transform und Number.Round, um ganzzahlige Zufallszahlen zu erhalten:

```
List.Transform(List.Random(2), each Number.Round(_ * 10))
```

14.3.2 Informationen über Listenelemente

List.AllTrue

```
List.AllTrue(list as list) as logical
```

Gibt *true* zurück, wenn alle Ausdrücke oder Werte in der Liste wahr sind.

BEISPIELE:

```
List.AllTrue({1+1=2, true, 5 > 0}) //Ergebnis: true
```

```
List.AllTrue({1+1=5, true, 5 > 0}) //Ergebnis: false
```

List.AnyTrue

```
List.AnyTrue(list as list) as logical
```

Gibt *true* zurück, wenn mindestens ein Ausdruck oder Wert in der Liste wahr ist.

BEISPIELE:

```
List.AnyTrue({1+1=5, true, 5 > 0}) //Ergebnis: true
```

```
List.AnyTrue({1+1=5, false, -5 > 0}) //Ergebnis: false
```

List.Contains

```
List.Contains(list as list, value as any, optional equationCriteria as any) as
logical
```

Der Wert *value* wird in der Liste *list* gesucht. Falls er in der Liste enthalten ist, wird *true* zurückgegeben.

Optional können Sie ein Gleichheitskriterium angeben, um zu definieren, welche (unterschiedlichen) Werte als gleich behandelt werden (siehe Comparer-Funktionen).

BEISPIELE:

```
List.Contains({1, 2, 3, 4, 5}, 4) //Ergebnis: true
```

```
List.Contains({1, 2, 3, 4, 5}, 6) //Ergebnis: false
```

```
List.Contains({"a", "b", "c"}, "A") //Ergebnis: false
```

```
List.Contains({"a","b","c"}, "A", Comparer.OrdinalIgnoreCase) //Ergebnis: true
```

```
List.Contains({[Art="Hund", Klasse="Säugetier"],
  [Art="Stubenfliege", Klasse="Insekt"]},
  [Art="Pferd", Klasse="Säugetier"],
  each [Klasse])
//es wird nur die Klasse geprüft, daher Ergebnis: true
```

Diese Funktion wird häufig in Kombination mit der Funktion *Table.ColumnNames* verwendet. So können Sie prüfen, ob eine bestimmte Spalte in einer Tabelle enthalten ist.

List.ContainsAll

```
List.ContainsAll(list as list, values as list, optional equationCriteria as any) as
logical
```

Gibt *true* zurück, wenn eine Liste *(list)* alle Werte aus einer anderen Liste *(values)* enthält.

Optional können Sie ein Gleichheitskriterium angeben, um zu definieren, welche (unterschiedlichen) Werte als gleich behandelt werden (siehe Comparer-Funktionen).

BEISPIELE:

```
List.ContainsAll({1, 2, 3, 4, 5}, {4, 5}) //Ergebnis: true
```

```
List.ContainsAll({1, 2, 3, 4, 5}, {5, 6}) //Ergebnis: false
```

```
List.ContainsAll({"a", "b", "c"}, {"A", "B"}) //Ergebnis: false
```

```
List.ContainsAll({"a","b","c"}, {"A", "B"}, Comparer.OrdinalIgnoreCase)
//Ergebnis: true
```

```
List.ContainsAll({[Art="Hund", Klasse="Säugetier"],
  [Art="Stubenfliege", Klasse="Insekt"]},
  {[Art="Pferd", Klasse="Säugetier"], [Art="Zebra", Klasse="Säugetier"]},
  each [Klasse])
//es wird nur die Klasse geprüft, daher Ergebnis: true
```

List.ContainsAny

```
List.ContainsAny(list as list, values as list, optional equationCriteria as any) as
logical
```

Gibt *true* zurück, wenn in der Liste *list* mindestens einer der Werte aus der Liste *values* enthalten ist.

Optional können Sie ein Gleichheitskriterium angeben, um zu definieren, welche (unterschiedlichen) Werte als gleich behandelt werden (siehe Comparer-Funktionen).

BEISPIELE:

```
List.ContainsAny({1, 2, 3, 4, 5}, {5, 6}) //Ergebnis: true
```

```
List.ContainsAny({1, 2, 3, 4, 5}, {6, 7}) //Ergebnis: false
```

List.Count

```
List.Count(list as list) as number
```

Gibt die Anzahl der Elemente in der Liste zurück.

BEISPIEL:

```
List.Count({"A", "B", "C"}) //Ergebnis: 3
```

List.IsEmpty

```
List.IsEmpty(list as list) as logical
```

Gibt *true* zurück, falls die Liste leer ist.

BEISPIELE:

```
List.IsEmpty({}) //Ergebnis: true
```

```
List.IsEmpty({1, 2, 3}) //Ergebnis: false
```

List.NonNullCount

```
List.NonNullCount(list as list) as number
```

Zählt die Anzahl aller Elemente in der Liste, die nicht *null* sind.

BEISPIEL:

```
List.NonNullCount({1, 2, 3, null, 5}) //Ergebnis: 4
```

List.PositionOf

```
List.PositionOf(list as list, value as any, optional occurrence as nullable number,
optional equationCriteria as any) as any
```

Mit dieser Funktion ermitteln Sie die Position eines Elements in der Liste. Für den Fall, dass der Wert mehrmals in der Liste enthalten ist, können Sie über den optionalen Parameter *occurrence* folgende Einstellung vornehmen:

- *Occurrence.First:* Die Position des ersten Auftretens wird zurückgegeben.
- *Occurrence.Last:* Die Position des letzten Auftretens wird zurückgegeben.
- *Occurrence.All:* Alle Positionen des gesuchten Werts werden als Liste zurückgegeben.

Falls der gesuchte Wert nicht in der Liste ist, wird *-1* zurückgegeben.

> **!** Wie immer in M beginnt die Zählung der Elemente mit 0.

Optional können Sie ein Gleichheitskriterium angeben, um zu definieren, welche (unterschiedlichen) Werte als gleich behandelt werden (siehe Comparer-Funktionen).

BEISPIELE:

```
List.PositionOf({1, 2, 3}, 3) //Ergebnis: 2
```

```
List.PositionOf({1, 2, 3}, 5) //Ergebnis: -1
```

```
List.PositionOf({"a", "b", "a", "c"}, "a", Occurrence.Last)
//Ergebnis: 2
```

List.PositionOfAny

```
List.PositionOfAny(list as list, values as list, optional occurrence as nullable
number, optional equationCriteria as any) as any
```

Diese Funktion sucht mehrere Werte aus der Liste *values* in der Liste *list*. Standardmäßig wird die Position des ersten gefundenen Werts zurückgegeben, außer Sie verwenden den Parameter *occurrence* (siehe Funktion *List.PositionOf*).

Zusätzlich können Sie ein Gleichheitskriterium angeben, um zu definieren, welche (unterschiedlichen) Werte als gleich behandelt werden (siehe Comparer-Funktionen).

BEISPIEL:

```
List.PositionOfAny({1, 2, 3}, {2, 3}) //Ergebnis: 1
```

14.3.3 Berechnungen

List.Average

```
List.Average(list as list) as any
```

Gibt den Durchschnitt bzw. den Mittelwert aller Werte in der Liste zurück. Es können nicht nur Zahlenwerte, sondern auch Datums- und Zeitwerte verwendet werden.

BEISPIELE:

```
List.Average({2, 3, 3, 10}) //Ergebnis: 4.5
```

```
List.Average({#time(14,0,0), #time(15,0,0)}) //Ergebnis: 14:30:00
```

List.Covariance

```
List.Covariance(list1 as list, list2 as list) as number
```

Gibt die Kovarianz (eine statistische Kennzahl) zweier Zahlenlisten zurück. Beide Listen müssen die gleiche Anzahl an Zahlen enthalten.

BEISPIEL:

```
List.Covariance({1, 2, 3},{1, 2, 3})
//Ergebnis: 0.66666666666666607
```

List.Mode

```
List.Mode(list as list, optional equationCriteria as any) as any
```

Gibt den am häufigsten vorkommenden Wert in einer Liste zurück. Falls es mehrere Listenelemente gibt, die gleich oft vorkommen, wird das letzte dieser Elemente ausgegeben.

Optional können Sie ein Gleichheitskriterium angeben, um zu definieren, welche (unterschiedlichen) Werte als gleich behandelt werden (siehe Comparer-Funktionen).

BEISPIELE:

```
List.Mode({"A", "B", "C", "C", 1, 2, 3}) //Ergebnis: "C"
```

```
List.Mode({"A", "B", "C", "C", 1, 2, 3, 2})//Ergebnis: 2
```

List.Modes

```
List.Modes(list as list, optional equationCriteria as any) as list
```

Gibt eine Liste mit den Werten zurück, die in der Liste am häufigsten vorkommen.

Optional können Sie ein Gleichheitskriterium angeben, um zu definieren, welche (unterschiedlichen) Werte als gleich behandelt werden (siehe Comparer-Funktionen).

BEISPIEL:

```
List.Modes({"A", "B", "C", "C", 1, 2, 3, 2}) //Ergebnis: {"C", 2}
```

List.Product

```
List.Product(list as list) as number
```

Multipliziert alle Zahlen in der Liste und gibt das Produkt zurück.

BEISPIEL:

```
List.Product({1, 2, 3, 4, 5}) //Ergebnis: 120
```

List.StandardDeviation

```
List.StandardDeviation(list as list) as any
```

Hiermit ermitteln Sie die Standardabweichung (eine statistische Kennzahl) für eine Zahlenliste.

BEISPIEL:

```
List.StandardDeviation({1,2,3,4,5}) //Ergebnis: 1.5811388300841898
```

List.Sum

```
List.Sum(list as list) as any
```

Alle Elemente in der Liste werden addiert und die Summe wird zurückgegeben.

BEISPIEL:

```
List.Sum({10, 20, 50}) //Ergebnis: 80
```

14.3.4 Ordnung und Reihenfolge

List.Max

```
List.Max(list as list, optional default as any, optional comparisonCriteria as any,
optional includeNulls as nullable logical) as any
```

Der größte Wert aus einer Liste wird zurückgegeben. Ist die Liste leer, wird der Standardwert *default* zurückgegeben.

Optional können Sie ein Vergleichskriterium angeben (siehe Comparer-Funktionen). Zudem können Sie über den letzten Parameter festlegen, was passiert, wenn die Liste nur *null* enthält. Geben Sie *true* an, ist der Rückgabewert *null*, ansonsten wird der Standardwert zurückgegeben (falls angegeben).

BEISPIELE:

```
List.Max({0, 8, 15}, 1) //Ergebnis: 15
```

```
List.Max({}, 1) //Ergebnis: 1
```

```
List.Max({null},1) //Ergebnis: 1
```

```
List.Max({null},1, null, true) //Ergebnis: null
```

List.MaxN

```
List.MaxN(list as list, countOrCondition as any, optional comparisonCriteria as any,
optional includeNulls as nullable logical) as list
```

Diese Funktion sortiert die Werte einer Liste nach ihrer Größe und gibt eine Liste mit dem/den größten zurück. Die Anzahl der zurückgegebenen Listenelemente legen Sie über *countOrCondition* fest. Sie können hier eine feste Anzahl oder eine Funktion mit einem Schwellenwert angeben.

Die weiteren Parameter sind die gleichen wie bei List.Max.

BEISPIELE:

```
List.MaxN({0, 8, 15}, 2)  //Ergebnis: {15, 8}
```

```
List.MaxN({-3, -2, -1, 0, 1, 2, 3}, each _ > 0) //Ergebnis: {3,2,1}
```

List.Median

```
List.Median(list as list, optional comparisonCriteria as any) as any
```

Diese Funktion sortiert die Elemente einer Liste nach ihrer Größe und gibt den Wert zurück, der in der Mitte liegt. Bei einer geraden Anzahl von Elementen wird das kleinere der beiden Median-Elemente ausgewählt.

BEISPIEL:

```
List.Median({5, 2, 0, 6, 11})  //Ergebnis: 5
```

List.Min

```
List.Min(list as list, optional default as any, optional comparisonCriteria as any,
optional includeNulls as nullable logical) as any
```

Der kleinste Wert aus einer Liste wird zurückgegeben. Ist die Liste leer, wird der Standardwert *default* zurückgegeben.

Optional können Sie ein Vergleichskriterium angeben (siehe Comparer-Funktionen). Zudem können Sie über den letzten Parameter festlegen, was passiert, wenn die Liste nur *null* enthält. Geben Sie *true* an, ist der Rückgabewert *null*, ansonsten wird der Standardwert zurückgegeben (falls angegeben).

BEISPIELE:

```
List.Min({0, 8, 15}, 1)  //Ergebnis: 0
```

```
List.Min({}, 1)  //Ergebnis: 1
```

```
List.Min({null},1)  //Ergebnis: 1
```

```
List.Min({null},1, null, true)  //Ergebnis: null
```

List.MinN

```
List.MinN(list as list, countOrCondition as any,  optional comparisonCriteria as any,
optional includeNulls as nullable logical) as list
```

Diese Funktion sortiert die Werte einer Liste nach ihrer Größe und gibt eine Liste mit dem/den kleinsten zurück. Die Anzahl der zurückgegebenen Listenelemente legen Sie über *countOrCondition* fest. Sie können hier eine feste Anzahl oder eine Funktion mit einem Schwellenwert angeben.

Die weiteren Parameter sind die gleichen wie bei List.Min.

BEISPIELE:

```
List.MinN({0, 8, 15}, 2) //Ergebnis: {0, 8}
```

```
List.MinN({-3, -2, -1, 0, 1, 2, 3}, each _< 0)
//Ergebnis: {-3, -2, -1}
```

List.Sort

```
List.Sort(list as list, optional comparisonCriteria as any) as list
```

Die Funktion List.Sort ist sehr nützlich, um die Elemente einer Liste zu sortieren. Wenn Sie nur die Liste ohne zweites Argument angeben, wird sie aufsteigend der Größe nach sortiert.

Für speziellere Sortiermethoden verwenden Sie den Parameter *comparisonCriteria*. Dabei haben Sie folgende Möglichkeiten:

- Mit den Konstanten *Order.Ascending* bzw. *Order.Descending* legen Sie fest, dass aufsteigend bzw. absteigend sortiert wird.
- Sie können auch eine Funktion als Argument bestimmen, die eine Berechnung mit den einzelnen Werten anstellt. Die Sortierreihenfolge wird dann durch die Ergebnisse der Berechnung bestimmt.
- Wenn Sie nur eine Funktion mit einem Argument angeben, werden die Elemente nach den jeweiligen Ergebnissen der Berechnungen aufsteigend sortiert. Wenn Sie die Reihenfolge andersherum wollen, setzen Sie die Funktion zusammen mit dem Schlüssel *Order.Descending* in eine Liste.
- Für komplexere Sortiervorgänge können Sie eine Funktion mit zwei Parametern bestimmen, die je zwei Werte aus der Liste vergleicht. Ihr Rückgabewert muss -1, 0 oder 1 sein, je nachdem, ob der erste Wert größer (1), kleiner (-1) oder gleich dem zweiten Wert ist.

BEISPIELE:

```
List.Sort({2, 3, 1, 4}) //Ergebnis: {1, 2, 3, 4}
```

```
List.Sort({2, 3, 1, 4}, Order.Ascending) //Ergebnis: {1, 2, 3, 4}
```

```
List.Sort({2, 3, 1, 4}, Order.Descending) //Ergebnis: {4, 3, 2, 1}
```

In den folgenden zwei Beispielen wird über eine Vergleichsfunktion festgelegt, dass nicht die Werte, sondern ihre Kehrwerte (1/x) verglichen werden:

```
List.Sort({1, 2}, each 1/_) //Ergebnis: {2, 1}
```

```
List.Sort({1, 2}, {each 1/_, Order.Descending}) //Ergebnis: {1, 2}
```

Auf diese Weise können Sie bestimmte Werte in der Sortierung hervorheben:

```
List.Sort({1, 2, 3, 4, 5, 6}, each if _ <= 3 then _ + 100 else _)
//Ergebnis: {4, 5, 6, 1, 2, 3}
```

BEISPIEL MIT BENUTZERDEFINIERTER REIHENFOLGE:

In Kombination mit List.PositionOf und einer Comparer-Funktion können Sie sogar beliebige eigene Reihenfolgen festlegen.

Listing 14.2 Eine Liste wird nach einer festgelegten Reihenfolge sortiert.

```
let
    Reihenfolge = {"Merkur", "Venus", "Erde", "Mars", "Jupiter",
        "Saturn", "Uranus", "Neptun"},
     Testliste = {"Neptun", "Erde", "Saturn", "Merkur"},
    Sortierung = List.Sort(Testliste,
        (x,y) => Comparer.Ordinal(
            List.PositionOf(Reihenfolge, x),
            List.PositionOf(Reihenfolge, y)))
in
    Sortierung
    //Ergebnis: {"Merkur", "Erde", "Saturn", "Neptun"}
```

Die Liste *Reihenfolge* enthält alle Planeten in der richtigen Reihenfolge, die *Testliste* enthält eine ungeordnete Auswahl, die sortiert werden soll. Hierfür wird eine benutzerdefinierte Sortierfunktion festgelegt: Zunächst wird für jeden Vergleichswert (*x* und *y*) geprüft, welche Position er in der Liste *Reihenfolge* einnimmt. Die Funktion Comparer.Ordinal vergleicht immer zwei Werte und gibt zurück, für welchen Wert die Positionsangabe größer ist. Aus diesem Vergleich ermittelt List.Sort die richtige Reihenfolge der Elemente aus der Liste *Testliste*.

14.3.5 Auswahl

List.Alternate

```
List.Alternate(list as list, count as number, optional repeatInterval as nullable
number, optional offset as nullable number) as list
```

Diese Funktion gibt eine Auswahl aus Elementen einer Ausgangsliste zurück, indem eine bestimmte Anzahl an Elementen übersprungen wird. Somit können Sie zum Beispiel jeden zweiten Wert entfernen.

- *count:* Anzahl der Elemente, die bei einem „Sprung" ausgelassen werden.
- *repeatInterval:* Anzahl der Werte, die zwischen den übersprungenen Werten beibehalten werden. Wenn das Argument nicht angegeben wird, werden nur die ersten Elemente übersprungen, ansonsten erfolgen mehrere „Sprünge".
- *offset:* Legt fest, mit welchem Wert begonnen wird. Wird *offset* nicht angegeben, werden das erste bzw. die ersten Elemente übersprungen. Mit *offset* können Sie eine Verschiebung des Starts angeben, sodass z. B. erst das zweite oder dritte Element übersprungen wird.

BEISPIELE:

```
List.Alternate({1..10}, 1) //Ergebnis: {2, 3, 4, 5, 6, 7, 8, 9, 10}
```

```
List.Alternate({1..10}, 2) //Ergebnis: {3, 4, 5, 6, 7, 8, 9, 10}
```

```
List.Alternate({1..10}, 1, 1) //Ergebnis: {2, 4, 6, 8, 10}
```

```
List.Alternate({1..10}, 1, 2) //Ergebnis: {2, 3, 5, 6, 8, 9}
```

```
List.Alternate({1..10}, 2, 1) //Ergebnis: {3, 6, 9}
```

```
List.Alternate({1..10}, 1, 1, 1) //Ergebnis: {1, 3, 5, 7, 9}
```

List.Buffer

```
List.Buffer(list as list) as list
```

Puffert eine Liste im Arbeitsspeicher, sodass sie die Anzahl und Reihenfolge der Elemente stabil bleibt. In den meisten Fällen ist dies ohnehin der Fall, aber in folgenden Fällen kann diese Funktion von Vorteil sein:

1. Falls es vorkommt, dass sich die Quelldaten ändern, bevor ihre Abfrage (oder Abfragen, die sich darauf beziehen) abgeschlossen ist, speichern Sie mit List.Buffer den aktuellen Stand.
2. Wenn Ihre Liste aus einer größeren Datenbank bezogen wird, ist es unter Umständen effektiver, die Liste einmal im Arbeitsspeicher zu speichern. Je nachdem, welche Transformationen Sie durchführen, könnte es sein, dass die Daten öfter abgerufen werden müssen und dies länger dauert, als auf das Abbild im Arbeitsspeicher zuzugreifen.
3. In Kapitel 7 wurde erklärt, wie Power Query versucht, die Effizienz der Abfrage durch Query Folding zu erhöhen. Sollte das in Ihrem Fall nicht zweckmäßig sein, können Sie es mit dieser Funktion verhindern. Transformationen, die nach List.Buffer ausgeführt werden, werden nicht mehr in Query Folding mit einbezogen.

List.Distinct

```
List.Distinct(list as list, optional equationCriteria as any) as list
```

Entfernt alle Duplikate aus der Liste *list* und gibt eine Liste mit den einmaligen Werten zurück.

Optional können Sie ein Gleichheitskriterium angeben, um zu definieren, welche (unterschiedlichen) Werte als gleich behandelt werden (siehe Comparer-Funktionen).

BEISPIELE:

```
List.Distinct({1, 1, 2, "a", "a"}) //Ergebnis: {1, 2, "a"}
```

```
List.Distinct({1, 1, 2, "a", "A"}, Comparer.OrdinalIgnoreCase)
//Ergebnis: {1, 2, "a"}
```

List.FindText

```
List.FindText(list as list, text as text) as list
```

Es werden alle Werte aus einer Liste ausgewählt, die einen bestimmten Text enthalten.

BEISPIEL:

```
List.FindText({"Hund", "Katze", "Maus"}, "a")
//Ergebnis: {"Katze", "Maus"}
```

List.First

```
List.First(list as list, optional defaultValue as any) as any
```

Gibt den ersten Wert der Liste zurück. Ist die Liste leer, wird der angegebene Standardwert zurückgegeben.

BEISPIELE:

```
List.First({5, 6, 7}) //Ergebnis: 5
```

```
List.First({}, 1) //Ergebnis: 1
```

List.FirstN

```
List.FirstN(list as list, countOrCondition as any) as any
```

Gibt eine bestimmte Anzahl der ersten Elemente einer Liste zurück. Die Anzahl kann entweder als feste Zahl oder als Bedingungsfunktion festgelegt werden.

Falls Sie eine Funktion als Bedingung definieren, werden Werte nach dem ersten Wert, der die Bedingung nicht erfüllt, nicht mehr geprüft.

BEISPIELE:

```
List.FirstN({3, 9, 1, -1, 5, 2}, 2) //Ergebnis: {3, 9}
```

```
List.FirstN({3, 9, 1, -1, 5, 2}, each _ > 0) //Ergebnis: {3, 9, 1}
```

List.InsertRange

```
List.InsertRange(list as list, offset as number, values as list) as list
```

Diese Funktion wird verwendet, um Werte in eine Liste einzufügen. Über den Parameter *offset* wird bestimmt, an welcher Position sie eingefügt werden (beginnend bei 0).

BEISPIEL:

```
List.InsertRange({1, 2, 5}, 2, {3, 4}) //Ergebnis: {1, 2, 3, 4, 5}
```

List.IsDistinct

```
List.IsDistinct(list as list, optional equationCriteria as any) as logical
```

Die Funktion gibt *true* zurück, sofern die Liste *list* nur eindeutige Werte enthält. Falls Duplikate enthalten sind, wird *false* zurückgegeben.

Optional können Sie ein Gleichheitskriterium angeben, um zu definieren, welche (unterschiedlichen) Werte als gleich behandelt werden (siehe Comparer-Funktionen).

BEISPIELE:

```
List.IsDistinct({1, 2, 3}) //Ergebnis: true
```

```
List.IsDistinct({1, 2, 3, 1}) //Ergebnis: false
```

List.Last

```
List.Last(list as list, optional defaultValue as any) as any
```

Gibt den letzten Wert der Liste zurück. Ist die Liste leer, wird optional der angegebene Standardwert zurückgegeben.

BEISPIELE:

```
List.Last({1, 2, 3}) //Ergebnis: 3
```

```
List.Last({}, -1) //Ergebnis: -1
```

List.LastN

```
List.LastN(list as list, optional countOrCondition as any) as any
```

Gibt die letzten Werte einer Liste zurück. Die Anzahl kann entweder als feste Zahl oder als Bedingungsfunktion festgelegt werden.

Falls Sie eine Funktion als Bedingung definieren, werden Werte vor dem hintersten Wert, der die Bedingung nicht erfüllt, nicht mehr geprüft.

BEISPIELE:

```
List.LastN({2, 4, 6, 8}, 2) //Ergebnis: {6, 8}
```

```
List.LastN({"A", "B", "C", "D"}, each _ <> "C") //Ergebnis: {"D"}
```

List.MatchesAll

```
List.MatchesAll(list as list, condition as function) as logical
```

Gibt *true* zurück, wenn die Bedingungsfunktion von allen Werten in der Liste erfüllt wird.

BEISPIELE:

```
List.MatchesAll({11, 12, 13}, each _ > 10)  //Ergebnis: true
```

```
List.MatchesAll({1, 2, 3}, each _ > 10)  //Ergebnis: false
```

List.MatchesAny

```
List.MatchesAny(list as list, condition as functionas function) as logical
```

Gibt *true* zurück, wenn die Bedingungsfunktion von mindestens einem Wert in der Liste erfüllt wird.

BEISPIELE:

```
List.MatchesAny({-5, 5, 50}, each _ > 10)  //Ergebnis: true
```

```
List.MatchesAny({-5, 5, 50}, each _ > 100)  //Ergebnis: false
```

List.Positions

```
List.Positions(list as list) as list
```

Diese Funktion ermittelt die Positionen der Werte in einer Liste und gibt sie als Liste zurück. Die Positionsnummern sind unabhängig von der Eingabeliste immer *0, 1, 2* usw., deshalb ist diese Funktion hauptsächlich in Verbindung mit anderen Funktionen sinnvoll (z.B. List. Transform).

BEISPIEL:

```
List.Positions({"A", "B", null, "C"}) //Ergebnis: {0, 1, 2, 3, 4}
```

List.Range

```
List.Range(list as list, offset as number, optional count as number) as list
```

Hiermit werden nur die Elemente ab einer bestimmten Position *(offset)* aus einer Liste gezogen. Zusätzlich können Sie angeben, wie viele Elemente maximal zurückgegeben werden sollen.

BEISPIELE:

```
List.Range({1..10}, 7) //Ergebnis: {8, 9, 10}
```

```
List.Range({1..10}, 7, 2) //Ergebnis: {8, 9}
```

List.Select

```
List.Select(list as list, condition as function) as list
```

Wählt alle Werte einer Liste aus, die die Bedingung erfüllen.

BEISPIEL:

```
List.Select({3, 9, 1, -1, 5, -2}, each _ > 0)
//Ergebnis: {3, 9, 1, 5}
```

List.Single

```
List.Single(list as list) as any
```

Falls die Liste *list* nur ein Element enthält, wird dieses zurückgegeben. Sind mehrere oder gar keine Werte enthalten, wird ein Fehler ausgegeben.

BEISPIELE:

```
List.Single({5})  //Ergebnis: 5
```

```
List.Single({1, 2, 3})  //Ergebnis: Expression.Error
```

```
List.Single({})  //Ergebnis: Expression.Error
```

List.SingleOrDefault

```
List.SingleOrDefault(list as list, optional default as any) as any
```

Falls die Liste *list* nur ein Element enthält, wird dieses zurückgegeben. Sind mehrere Werte enthalten, wird entweder ein Fehler ausgegeben oder, falls angegeben, der Wert des Parameters *default*.

BEISPIELE:

```
List.SingleOrDefault({5}, 0)  //Ergebnis: 5
```

```
List.SingleOrDefault({}, 0)  //Ergebnis: 0
```

```
List.SingleOrDefault({})  //Ergebnis: null
```

```
List.SingleOrDefault({1, 2, 3}, 0)  //Ergebnis: Expression.Error
```

List.Skip

```
List.Skip(list as list, optional countOrCondition as any) as list
```

Entfernt eine bestimmte Anzahl von Elementen vom Anfang einer Liste. Die Anzahl wird über den zweiten Parameter angegeben. Es kann entweder eine feste Zahl oder eine Bedingungsfunktion sein. Wird kein zweites Argument angegeben, wird das erste Element entfernt.

Falls Sie eine Funktion als Bedingung definieren, werden Werte nach dem ersten Wert, der die Bedingung nicht erfüllt, nicht mehr geprüft.

BEISPIELE:

```
List.Skip({1, 2, 3, 4, 5}, 2) //Ergebnis: {3, 4, 5}
```

```
List.Skip({5, 4, 2, 6, 1}, each _ > 3)  //Ergebnis: {2, 6, 1}
```

14.3.6 Transformationen

List.Accumulate

```
List.Accumulate(list as list, seed as any, accumulator as function) as any
```

Die Werte in der Liste werden mittels einer Parameterfunktion *(accumulator)* zusammengefasst. Die Accumulator-Funktion wird zuerst auf den Startwert *(seed)* angewandt, dann nacheinander auf jeden Wert in der Liste.

Eine Accumulator-Funktion schreiben Sie z. B. folgendermaßen:

```
(Gesamt, Input) => Gesamt / Input
```

In diesem Fall würde der erste Wert durch den zweiten Wert geteilt. Das Ergebnis würde wiederum durch den nächsten Wert geteilt usw.

BEISPIELE:

```
List.Accumulate({10, 5, 2}, 0, (Gesamt, Input) => Gesamt + Input)
//Ergebnis: 10 + 5 + 2 = 17
List.Accumulate({10, 5, 2}, 200, (Gesamt, Input) => Gesamt / Input)
//Rechenschritte: 200 / 10 = 20
//                 20 / 5 = 4
//                  4 / 2 = 2
//Ergebnis: 2
```

List.Combine

```
List.Combine(list as list) as list
```

An diese Funktion können Sie eine Liste übergeben, die wiederum Listen enthält. Die Werte der inneren Listen werden dann zu einer einzelnen Liste zusammengeführt. Die Funktion bearbeitet jedoch nur eine Listenebene. Sollten die inneren Listen wiederum Listen enthalten, bleiben diese bestehen.

BEISPIELE:

```
List.Combine({{"A","B"}, {"C","D"}}) //Ergebnis: {"A","B","C","D"}
```

```
List.Combine({ {"A","B"}, {"C", {"x","y"}} })
//Ergebnis: {"A","B","C",{"x","y"}}
```

List.RemoveFirstN

```
List.RemoveFirstN(list as list, optional countOrCondition as any) as list
```

Gibt eine Liste zurück, in der eine bestimmte Anzahl von Elementen am Listenanfang übersprungen wird. Die Anzahl wird über den zweiten Parameter angegeben. Es kann entweder eine feste Zahl oder eine Bedingungsfunktion sein. Wird kein zweites Argument angegeben, wird das erste Element ausgelassen.

Falls Sie eine Funktion als Bedingung definieren, werden Werte nach dem ersten Wert, der die Bedingung nicht erfüllt, nicht mehr geprüft.

BEISPIELE:

```
List.RemoveFirstN({1, 2, 3, 4, 5}, 3) //Ergebnis: {4, 5}
```

```
List.RemoveFirstN({5, 4, 2, 6, 1}, each _ > 3)  //Ergebnis: {2,6,1}
```

List.RemoveLastN

```
List.RemoveRange(list as list, offset as number, optional count as nullable number)
as list
```

Gibt eine Liste zurück, in der ausgehend vom Listenende eine bestimmte Anzahl von Elementen entfernt wurde. Die Anzahl wird über den zweiten Parameter angegeben. Es kann entweder eine feste Zahl oder eine Bedingungsfunktion sein. Wird kein zweites Argument angegeben, wird das letzte Element entfernt.

Falls Sie eine Funktion als Bedingung definieren, werden Werte nach dem hintersten Wert, der die Bedingung nicht erfüllt, nicht mehr geprüft.

BEISPIELE:

```
List.RemoveLastN({1, 2, 3, 4, 5}, 3) //Ergebnis: {1, 2}
```

```
List.RemoveLastN({5, 4, 2, 6, 7}, each _ > 3)  //Ergebnis: {5,4,2}
```

List.RemoveItems

```
List.RemoveItems(list1 as list, list2 as list) as list
```

Entfernt alle Werte aus *list1*, die auch in *list2* vorkommen.

BEISPIEL:

```
List.RemoveItems({1, 2, 3, 3}, {1, 3}) //Ergebnis: {2}
```

List.RemoveMatchingItems

```
List.RemoveMatchingItems(list as list, values as list, optional equationCriteria as
any) as list
```

Entfernt alle Werte aus *list*, die auch in der Liste *values* vorkommen.

Optional können Sie ein Gleichheitskriterium angeben, um zu definieren, welche (unterschiedlichen) Werte als gleich behandelt werden (siehe Comparer-Funktionen).

BEISPIEL:

```
List.RemoveMatchingItems({1, 2, 3, 3}, {1, 3}) //Ergebnis: {2}
```

List.RemoveNulls

```
List.RemoveNulls(list as list) as list
```

Entfernt alle *null*-Werte aus der angegebenen Liste.

BEISPIEL:

```
List.RemoveNulls({1, 2, null, "a", null}) //Ergebnis: {1, 2, "a"}
```

List.RemoveRange

```
List.RemoveRange(list as list, offset as number, optional count as nullable number)
as list
```

Entfernt die angegebene Anzahl *(count)* von Werten ab der angegebenen Position (*offset*, beginnend bei 0). Wird *count* nicht angegeben, werden alle Werte ausgehend von der angegebenen Position entfernt.

BEISPIEL:

```
List.RemoveRange({"q", "r", "s", "t", "u", "v"}, 3, 2)
//Ergebnis: {"q", "r", "s", "v"}
```

List.Repeat

```
List.Repeat(list as list, count as number) as list
```

Mit dieser Funktion können Sie die Werte in einer Liste mehrmals wiederholen lassen.

BEISPIEL:

```
List.Repeat({1, 2}, 3) //Ergebnis: {1, 2, 1, 2, 1, 2}
```

List.ReplaceMatchingItems

```
List.ReplaceMatchingItems(list as list, replacements as any, optional
equationCriteria as any) as list
```

Hiermit können bestimmte Werte in einer Liste durch andere Werte ersetzt werden. Die Ersetzungsregeln werden in einer Liste bestehend aus Listen mit je zwei Werten (alter Wert, neuer Wert) angegeben.

Optional können Sie ein Gleichheitskriterium angeben, um zu definieren, welche (unterschiedlichen) Werte als gleich behandelt werden (siehe Comparer-Funktionen).

BEISPIEL:

```
List.ReplaceMatchingItems({1, 2, 3, 4, 5}, {{3, -3}, {4, -4}})
 //Ergebnis: {1, 2, -3, -4, 5}
```

List.ReplaceRange

```
List.ReplaceRange(list as list, index as number, count as number, replaceWith as
list) as list
```

Ersetzt die angegebene Anzahl *(count)* von Werten ab einer bestimmten Position *(index)* durch die Ersatzwerte *(replaceWith)*.

Die Anzahl der Werte in der Liste *replaceWith* muss nicht gleich sein wie die Anzahl der ersetzten Werte *count*.

BEISPIELE:

```
List.ReplaceRange({1, 2, 3, 4, 5}, 2, 3, {"x", "y"})
//Ergebnis: {1, 2, "x", "y"}

List.ReplaceRange({1, 2, 3, 4, 5}, 2, 1, {"x", "y"})
//Ergebnis: {1, 2, "x", "y", 4, 5}
```

List.ReplaceValue

```
List.ReplaceValue(list as list, oldValue as any, newValue as any, replacer as
function) as list
```

Ein Wert *(oldValue)* wird in einer Liste gesucht und jedes Vorkommen wird durch einen neuen Wert *(newValue)* ersetzt. Für den Ersetzungsvorgang muss eine Funktion angegeben werden. Sie können eine eigene Funktion definieren oder die vorgefertigten Replacer-Funktionen verwenden:

- Wenn Replacer.ReplaceValue angegeben wird, werden Werte jeden Typs verglichen und ggf. komplett ersetzt.
- Bei Textwerten können Sie alternativ Replacer.ReplaceText angeben. Das bewirkt, dass auch Teile eines Textwerts ersetzt werden.

BEISPIELE:

```
List.ReplaceValue({1, 2, 3}, 3, -3, Replacer.ReplaceValue)
//Ergebnis: {1, 2, -3}
```

```
List.ReplaceValue({"Hell", "Hellblau", "Rot"}, "Hell", "Dunkel", Replacer.
ReplaceValue)
//Ergebnis: {"Dunkel", "Hellblau", "Rot"}
```

```
List.ReplaceValue({"Hell", "Hellblau", "Rot"}, "Hell", "Dunkel", Replacer.
ReplaceText)
//Ergebnis: {"Dunkel", "Dunkelblau", "Rot"}
```

List.Reverse

```
List.Reverse(list as list) as list
```

Kehrt die Reihenfolge der Werte in der Liste um.

BEISPIEL:

```
List.Reverse({"a", "b", "c"}) //Ergebnis: {"c", "b", "a"}
```

List.Split

```
List.Split(list as list, pageSize as number) as list
```

Die Liste *list* wird in mehrere Listen aufgeteilt. Mit dem Parameter pageSize wird angegeben, wie viele Elemente die Teillisten enthalten sollen.

BEISPIEL:

```
List.Split({1,2,3,4,5,6,7,8,9,10}, 3)
//Ergebnis: {{1, 2, 3}, {4, 5, 6}, {7, 8, 9}, {10}}
```

List.Transform

```
List.Transform(list as list, transform as function) as list
```

Diese Funktion erlaubt es Ihnen, Werte in Listen mit Hilfe einer Transformationsfunktion zu ändern. Die Funktion *transform* wird auf jeden Wert in der Liste angewendet.

Dadurch ist List.Transform eine sehr mächtige All-Round-Funktion. Für die Transformationsfunktion stehen Ihnen alle internen Funktionen sowie jede ordentliche selbst erstellte Funktion zur Verfügung. In den meisten Fällen reicht eine Funktion mit *each,* wobei der Unterstrich als Parameter die einzelnen Listenelemente repräsentiert.

BEISPIELE:

So multiplizieren Sie jedes Listenelement mit 10:

```
List.Transform({1, 2, 3}, each _ * 10)  //Ergebnis: {10, 20, 30}
```

Oder Sie bauen eine Bedingung ein und multiplizieren nur die geraden Werte mit 10:

```
List.Transform({1, 2, 3},
  each if Number.IsEven(_) then _* 10 else _) //Ergebnis: {1, 20, 3}
```

Sie können natürlich auch Rechenfunktionen nutzen, wie zum Beispiel Number.Sqrt, um Wurzeln zu berechnen:

```
List.Transform({9, 16, 25}, each Number.Sqrt(_))
//Ergebnis: {3, 4, 5}
```

List.TransformMany

```
List.TransformMany(list as list, collectionTransform as function, resultTransform as
function) as list
```

Diese Funktion basiert auf demselben Prinzip wie List.Transform mit dem Zusatz, dass nicht nur bestehende Elemente einer Liste umgewandelt werden, sondern auch Elemente hinzugefügt oder entfernt werden können.

Hierfür müssen zwei Funktionen definiert werden:

- *collectionTransform:* Diese Funktion wird auf alle Elemente der Ausgangsliste angewendet und kann dazu benutzt werden, neue Elemente zu erzeugen. Sie hat folgende Form:

  ```
  (x as any) => {…}
  ```

  Der Rückgabewert der Funktion ist eine Liste, das heißt, Sie können mehrere Werte aus jedem einzelnen Ausgangswert erstellen. Ebenso können Sie auch eine leere Liste erzeugen lassen, zum Beispiel bei Werten, die eine bestimmte Bedingung erfüllen.
- *resultTransform:* Im zweiten Parameter definieren Sie die Funktion, die die Ergebnisliste erzeugt. Sie wird auch auf jedes Element aus der Originalliste angewendet, aber kann zusätzlich das Ergebnis der Funktion *collectionTransform* auswerten. Sie nimmt also zwei Parameter auf und ist nach folgendem Schema aufgebaut:

```
(x as any, y as any) => …
```

x steht für die einzelnen Elemente aus der Ausgangsliste und *y* sind die entsprechenden Ergebnisse aus der ersten Transformation.

collectionTransform wird für jedes Listenelement einmal aufgerufen, kann aber mehr oder weniger Werte daraus erzeugen. *resultTransform* wird für jedes Ergebnis aus *collectionTransform* aufgerufen und erzeugt jedes Mal einen Wert, der in der Rückgabeliste landet.

BEISPIELE:

```
List.TransformMany({1, 2, 3},
   (x as any) => {x*10, x*100}, //erzeugt zwei Werte je Eingabewert
   (x, y) => y)                 //gibt das Ergebnis der 1.Fkt. aus
//Ergebnis: {10, 100, 20, 200, 30, 300}
```

```
List.TransformMany({1,2,3},
   (x as any) => {x*10, x*100}, //erzeugt zwei Werte je Eingabewert
   (x, y) => if x <> 2 then y else 0)  //Bedingung für Ausgabe
//Ergebnis: {10, 100, 0, 0, 30, 300}
```

```
List.TransformMany({1,2,3},
   (x as any) => if x <> 2 then {x*10, x*100} else {},  //Bedingung
   (x, y) => y)                 //gibt das Ergebnis der 1.Fkt. aus
//Ergebnis: {10, 100, 30, 300}
```

List.Zip

```
List.Zip(lists as list) as list
```

Diese Funktion erwartet als Argument eine Liste von Listen. Sie gruppiert die Elemente aus den inneren Listen nach ihren jeweiligen Positionen und gibt sie als neue Liste aus Listen zurück. Sollten die Listen in der Ausgangsliste unterschiedliche Größe/Länge haben, werden ggf. null-Werte eingesetzt.

BEISPIELE:

```
List.Zip({{"A", 1}, {"B", 2}}) //Ergebnis: {{"A", "B"}, {1, 2}}
```

```
List.Zip({{"A", 1}, {"B", 2}, {"C", 3}})
//Ergebnis: {{"A", "B", "C"}, {1, 2, 3}}
```

```
List.Zip({{"A", 1}, {"B", 2}, {"X"}})
//Ergebnis: {{"A", "B", "X"}, {1, 2, null}}
```

Der Zweck dieser Funktion mag sich vielleicht nicht auf Anhieb erschließen, aber sie ist sehr nützlich in Verbindung mit anderen Funktionen, die Listen aus Listen benötigen. Für die Funktion Table.RenameColumns müssen die alten Spaltentitel zusammen mit den neuen Spaltentiteln paarweise in einer Liste aus Listen angegeben werden:

```
Table.RenameColumns(Tabelle,
      { {"Alter Titel 1", "Neuer Titel 1"},
        {"Alter Titel 2", "Neuer Titel 2"} })
```

In Verbindung mit List.Zip und Table.ColumnNames können Sie die neuen Spaltennamen angeben, ohne die alten kennen zu müssen. Die Funktion List.Zip übernimmt die Zuordnung in Zweier-Paare:

```
Table.RenameColumns(Tabelle,
      List.Zip({Table.ColumnNames(Tabelle),
              {"Neuer Titel 1", "Neuer Titel 2"} } ) )
```

14.3.7 Vergleiche mehrerer Listen

List.Difference

```
List.Difference(list1 as list, list2 as list, optional equationCriteria as any) as
list
```

Gibt den Unterschied zwischen zwei Listen zurück, genauer gesagt alle Elemente aus der Liste *list1*, die nicht in der Liste *list2* enthalten sind.

Optional können Sie ein Gleichheitskriterium angeben, um zu definieren, welche (unterschiedlichen) Werte als gleich behandelt werden (siehe Comparer-Funktionen).

BEISPIELE:

```
List.Difference({1, 2, 3, 4, 5}, {4, 5, 3}) //Ergebnis: {1, 2}
```

```
List.Difference({1, 2}, {1, 2, 3}) //Ergebnis: {}
```

List.Intersect

```
List.Intersect(list as list, optional equationCriteria as any) as list
```

Gibt die Schnittmenge von zwei oder mehr Listen zurück. Die zu vergleichenden Listen werden innerhalb einer übergeordneten Liste übergeben.

Optional können Sie ein Gleichheitskriterium angeben, um zu definieren, welche (unterschiedlichen) Werte als gleich behandelt werden (siehe Comparer-Funktionen).

BEISPIELE:

```
List.Intersect({{1, 2, 3, 4, 5}, {2, 4, 6}})
//Ergebnis: {2, 4}
```

```
List.Intersect({{1, 2, 3, 4, 5}, {2, 4, 6}, {3, 4, 5, 6, 7}})
//Ergebnis: {4}
```

List.Union

```
List.Union(list as list, optional equationCriteria as any) as list
```

Wenn Sie dieser Funktion eine Liste aus Listen übergeben, werden die enthaltenen Listen zu einer Liste vereint. Das Ergebnis ist eine Liste mit allen Elementen aus sämtlichen Eingabelisten. Im Gegensatz zu List.Combine werden Elemente, die in mehreren Unterlisten vorkommen, in der Ergebnisliste nicht wiederholt.

Optional können Sie ein Gleichheitskriterium angeben, um zu definieren, welche (unterschiedlichen) Werte als gleich behandelt werden (siehe Comparer-Funktionen).

BEISPIELE:

```
List.Union({ {1..5}, {3..6}, {5..9} })
//Ergebnis: {1, 2, 3, 4, 5, 6, 7, 8, 9}
```

```
List.Union({ {"a", "b"}, {"a", "b", "c"} })
//Ergebnis: {"a", "b", "c"}
```

```
List.Union({ {"a", "a"}, {"a", "b", "c"} })
//Ergebnis: {"a", "a", "b", "c"}
```

14.4 Datensatzfunktionen

Datensätze (Records) werden häufig als Argumente oder Rückgabewerte bei anderen Funktionen verwendet. Wenn Sie mit einzelnen Zeilen einer Tabelle arbeiten, werden diese fast immer als Datensätze verarbeitet. Die Möglichkeiten zur Erstellung, Auswertung und Veränderung von Datensätzen gehören also zum Grundlagenwissen jedes M-Spezialisten.

14.4.1 Erstellung und Umwandlung

Record.FromList

```
Record.FromList(list as list, fields as any) as record
```

Mit dieser Funktion erstellen Sie einen Datensatz aus zwei Listen: In der ersten Liste werden die Werte angegeben, in der zweiten Liste die zugehörigen Feldnamen. Beide Listen müssen gleich viele Elemente enthalten.

Alternativ können Sie als zweites Argument einen Datensatztyp angeben.

BEISPIELE:

```
Record.FromList({123, "Müller"}, {"PersonalNr", "Name"})
//Ergebnis: [PersonalNr = 123, Name = "Müller"]
```

```
Record.FromList({123, "Müller"},
type [PersonalNr = number, Name = text])
//Ergebnis: [PersonalNr = 123, Name = "Müller"]
```

Record.FromTable

```
Record.FromTable(list as table) as record
```

Hiermit erstellen Sie einen Datensatz aus einer Tabelle. Die Tabelle muss zwei Spalten mit den Namen *Name* und *Value* enthalten. Aus den Werten der Spalte *Name* werden die Feldnamen erzeugt, aus den Werten der Spalten *Value* die Werte.

BEISPIEL:

In Listing 14.3 wird zunächst eine Beispieltabelle erstellt. Diese wird im nächsten Schritt dann in einen Datensatz umgewandelt.

Listing 14.3 Erstellen eines Datensatzes aus einer Tabelle.

```
let
    input = #table({"Name","Value"}, {{"BestellNr", 1473},{"KundenNr", 236},
        {"Artikel", "Katzenklo"},{"Preis", 29.9}}),
    Ausgabe = Record.FromTable(input)
in
    Ausgabe
//Ergebnis: [BestellNr = 1473, KundenNr = 236, Artikel = "Katzenklo", Preis = 29.9]
```

	ABC 123 Name	ABC 123 Value
1	Bestellnummer	1473
2	Kundennummer	236
3	Artikel	Katzenklo
4	Preis	29,9

Bild 14.7
Die Quelltabelle bestehend aus zwei Spalten.

Bestellnummer	1473
Kundennummer	236
Artikel	Katzenklo
Preis	29,9

Bild 14.8
Der erzeugte Datensatz.

Record.ToList

```
Record.ToList(record as record) as list
```

Wandelt einen Datensatz in eine Liste um. Die Liste enthält nur die Werte, nicht die Feldnamen des Datensatzes.

BEISPIEL:

```
Record.ToList([A = 1, B = 2, C = 3]) //Ergebnis: {1, 2, 3}
```

Record.ToTable

```
Record.ToTable(record as record) as table
```

Wandelt einen Datensatz in eine Tabelle um. Die erzeugte Tabelle besteht aus zwei Spalten, *Name* und *Value*, in denen die Feldnamen und Werte des Datensatzes erscheinen.

BEISPIEL:

```
Record.ToTable([PersonalNr = 123, Name = "Müller", Alter = 47])
```

	Name	Value
1	PersonalNr	123
2	Name	Müller
3	Alter	47

Bild 14.9
Die erzeugte Tabelle

14.4.2 Informationen über Datensätze

Record.FieldCount

```
Record.FieldCount(record as record) as number
```

Gibt die Anzahl der Felder im Datensatz zurück.

BEISPIEL:

```
Record.FieldCount([PersonalNr = 123, Name = "Müller"])
//Ergebnis: 2
```

Record.HasFields

```
Record.HasFields(record as record, fields as any) as logical
```

Mit dieser Funktion kann geprüft werden, ob ein Datensatz ein bestimmtes Feld bzw. bestimmte Felder enthält. Um ein einzelnes Feld zu prüfen, geben Sie den Feldnamen als Textwert an, für mehrere Felder eine Liste aus Texten.

BEISPIELE:

```
Record.HasFields([PersonalNr = 123, Name = "Müller"],"PersonalNr")
//Ergebnis: true

Record.HasFields([PersonalNr = 123, Name = "Müller"],
{"PersonalNr", "TelefonNr"})
//Ergebnis: false
```

14.4.3 Auswahl

Record.Field

```
Record.Field(record as record, field as text) as any
```

Gibt den Wert des angegebenen Felds in einem Datensatz zurück.

Das gleiche Ergebnis erzielen Sie, wenn Sie den Feldnamen in eckigen Klammern hinter den Datensatz schreiben.

Die Funktion Record.Field hat darüber hinaus den Vorteil, dass der gesuchte Feldname dynamisch erstellt werden kann, zum Beispiel durch eine andere Funktion.

BEISPIEL:

```
Record.Field([PersonalNr = 123, Name = "Müller"], "PersonalNr")
//Ergebnis: 123
```

Record.FieldOrDefault

```
Record.FieldOrDefault(record as record, field as text, optional defaultValue as any)
as any
```

Wie bei Record.Field wird der Wert des angegebenen Datensatzfelds zurückgegeben. Zusätzlich kann noch ein Standardwert angegeben werden, der zurückgegeben wird, falls der Datensatz das gesuchte Feld nicht beinhaltet.

BEISPIELE:

```
Record.FieldOrDefault([PersonalNr = 123, Name = "Müller"], "PersonalNr", 0)
//Ergebnis: 123

Record.FieldOrDefault([PersonalNr = 123, Name = "Müller"], "TelefonNr", 0)
//Ergebnis: 0
```

Record.FieldNames

```
Record.FieldNames(record as record) as list
```

Die Namen aller Felder eines Datensatzes werden in einer Liste zurückgegeben.

BEISPIEL:

```
Record.FieldNames([PersonalNr = 123, Name = "Müller"])
//Ergebnis: {"PersonalNr", "Name"}
```

Record.FieldValues

```
Record.FieldValues(record as record) as list
```

Die Werte aller Felder eines Datensatzes werden in einer Liste zurückgegeben.

BEISPIEL:

```
Record.FieldValues([PersonalNr = 123, Name = "Müller"])
//Ergebnis: {123, "Müller"}
```

Record.SelectFields

```
Record.SelectFields(record as record, fields as any, optional missingField as nullable
number) as record
```

Mit dieser Funktion können Sie den Datensatz auf ein oder mehrere Felder reduzieren. Im Parameter *fields* können Sie entweder einen Feldnamen als Textwert oder mehrere Feldnamen als Liste angeben. Der zurückgegebene Datensatz enthält nur die angegebenen Felder.

Über den optionalen Parameter *missingField* können Sie beeinflussen, was passiert, sollte eines der angegebenen Felder nicht im Datensatz enthalten sein. Folgende Optionen stehen zur Verfügung:

- *MissingField.Error* bzw. *0*: Ein Fehler wird ausgegeben (Standardwert, falls nichts angegeben wird).
- *MissingField.Ignore* bzw. *1*: Der Datensatz wird trotzdem ausgegeben.
- *MissingField.UseNull* bzw. *2*: Angegebene Felder, die im Original-Datensatz nicht vorhanden waren, werden mit dem Wert *null* eingefügt.

BEISPIELE:

```
Record.SelectFields([PersonalNr = 123, Name = "Müller"], "Name")
//Ergebnis: [Name = "Müller"]
```

```
Record.SelectFields([PersonalNr = 123, Name = "Müller"],
{"Name", "TelefonNr"}, MissingField.UseNull)
//Ergebnis: [Name = "Müller", TelefonNr = null]
```

```
Record.SelectFields([PersonalNr = 123, Name = "Müller"],
{"Name", "TelefonNr"}, MissingField.Ignore)
//Ergebnis: [Name = "Müller"]
```

14.4.4 Transformationen

Record.AddField

```
Record.AddField (record as record, fieldName as text, value as any, optional delayed
as nullable logical) as record
```

Fügt einem Datensatz ein Feld hinzu. Feldname und Wert müssen angegeben werden.

Für den Parameter *value* können Sie auch eine Funktion angeben, die den Wert erzeugt. Hierfür gibt es noch einen optionalen dritten Parameter. In bestimmten Fällen, etwa wenn die Funktion keine Parameter hat, kann Power Query nicht entscheiden, ob die Funktion oder der Rückgabewert der Funktion in den Datensatz eingetragen werden soll. Um dies eindeutig festzulegen, müssen Sie ggf. den Parameter *delayed* auf *true* setzen, um sicherzustellen, dass die Funktion ausgewertet wird.

BEISPIEL:

```
Record.AddField([PersonalNr = 123, Name = "Müller"], "TelefonNr", "023-456789")
/* Ergebnis: [PersonalNr = 123, Name = "Müller",
TelefonNr = "023-456789"] */
```

Record.Combine

```
Record.Combine(list as list) as record
```

Diese Funktion wird verwendet, um mehrere Datensätze zu einem zusammenzufassen. Die einzelnen Datensätze müssen in einer Liste übergeben werden. Falls ein Feldname in mehreren Datensätzen vorkommt, wird der entsprechende Feldwert überschrieben.

BEISPIEL:

```
Record.Combine({[PersonalNr = 123, Name = "Müller"],
[TelefonNr =  "023-456789"]})
/* Ergebnis: [PersonalNr = 123, Name = "Müller",
TelefonNr = "023-456789"] */
```

Record.RemoveFields

```
Record.RemoveFields(record as record, fields as any, optional missingField as nullable
number) as record
```

Entfernt die angegebenen Felder aus einem Datensatz. Im Parameter *fields* können Sie entweder einen Feldnamen als Textwert oder mehrere Feldnamen als Liste angeben.

Über den optionalen Parameter *missingField* können Sie beeinflussen, was passiert, wenn eines der angegebenen Felder nicht im Datensatz enthalten sein sollte. Folgende Optionen stehen zur Verfügung:

- *MissingField.Error* bzw. *0*: Ein Fehler wird ausgegeben (Standard, falls nichts angegeben wird).
- *MissingField.Ignore* bzw. *1*: Der Datensatz wird trotzdem ausgegeben.

BEISPIELE:

```
Record.RemoveFields([PersonalNr = 123, Name = "Müller"], "Name")
//Ergebnis: [PersonalNr = 123]
```

```
Record.RemoveFields([PersonalNr = 123, Name = "Müller"], "Alter", MissingField.
Ignore)
//Ergebnis: [PersonalNr = 123, Name = "Müller"]
```

Record.RenameFields

```
Record.RenameFields(record as record, renames as list, optional missingField as
nullable number) as record
```

Hiermit können Feldnamen in einem Datensatz geändert werden. Die alten und neuen Feldnamen müssen paarweise als Liste (wenn nur ein Feldname geändert wird) oder als Liste aus Listen übergeben werden.

Über den optionalen Parameter *missingField* können Sie beeinflussen, was passiert, wenn eines der angegebenen Felder nicht im Datensatz enthalten sein sollte. Folgende Optionen stehen zur Verfügung:

- *MissingField.Error* bzw. *0*: Ein Fehler wird ausgegeben (Standard, falls nichts angegeben wird).
- *MissingField.Ignore* bzw. *1*: Der Datensatz wird trotzdem ausgegeben.
- *MissingField.UseNull* bzw. *2*: Angegebene Felder, die im Original-Datensatz nicht vorhanden waren, werden mit dem Wert *null* eingefügt.

BEISPIELE:

```
Record.RenameFields([PersonalNr = 123, Name = "Müller"],
{"Name", "Nachname"})
//Ergebnis: [PersonalNr = 123, Nachname = "Müller"]
```

```
Record.RenameFields([PersonalNr = 123, Name = "Müller"],
{{"PersonalNr", "PersNr"},{"Name", "Nachname"}})
//Ergebnis: [PersNr = 123, Nachname = "Müller"]
```

```
Record.RenameFields([PersonalNr = 123, Name = "Müller"],
{{"Telefon", "TelNr"},{"Name", "Nachname"}}, MissingField.Ignore)
//Ergebnis: [PersonalNr = 123, Nachname = "Müller"]
```

Record.ReorderFields

```
Record.ReorderFields(record as record, fieldOrder as list, optional missingField as
nullable number) as record
```

Ändert die Reihenfolge der Felder eines Datensatzes. Die neue Reihenfolge der Feldnamen wird als Liste übergeben. Die Position von Feldern, die nicht in der Liste aufgeführt sind, bleibt unverändert.

Über den optionalen Parameter *missingField* können Sie beeinflussen, was passiert, wenn eines der angegebenen Felder nicht im Datensatz enthalten sein sollte. Folgende Optionen stehen zur Verfügung:

- *MissingField.Error* bzw. *0*: Ein Fehler wird ausgegeben (Standard, falls nichts angegeben wird).
- *MissingField.Ignore* bzw. *1*: Der Datensatz wird trotzdem ausgegeben.
- *MissingField.UseNull* bzw. *2*: Angegebene Felder, die im Original-Datensatz nicht vorhanden waren, werden mit dem Wert *null* eingefügt.

BEISPIEL:

```
Record.ReorderFields([PersonalNr = 123, Name = "Müller"],
{"Name", "PersonalNr"})
//Ergebnis: [Name = "Müller", PersonalNr = 123]
```

Record.TransformFields

```
Record.TransformFields(record as record, transformOperations as list, optional
missingField as nullable number) as record
```

Diese äußerst vielseitige Funktion erlaubt es Ihnen, fast beliebige Transformationen mit den Feldern eines Datensatzes anzustellen.

Wenn nur ein Feld geändert werden soll, wird an den Parameter *transformOperations* eine Liste aus zwei Werten übergeben: Der erste Wert ist der Name des zu ändernden Felds und der zweite Wert ist eine Funktion, die auf den entsprechenden Wert angewendet wird. Falls mehrere Felder angepasst werden sollen, wird eine Liste aus mehreren derartigen Listen an den Parameter übergeben.

Über den optionalen Parameter *missingField* können Sie beeinflussen, was passiert, wenn eines der Felder aus *transformOperations* nicht im Datensatz enthalten sein sollte. Folgende Optionen stehen zur Verfügung:

- *MissingField.Error* bzw. *0*: Ein Fehler wird ausgegeben (Standard, falls nichts angegeben wird).
- *MissingField.Ignore* bzw. *1*: Der Datensatz wird trotzdem ausgegeben.
- *MissingField.UseNull* bzw. *2*: Angegebene Felder, die im Original-Datensatz nicht vorhanden waren, werden mit dem Wert *null* eingefügt.

BEISPIELE:

```
Record.TransformFields([PersonalNr = 123, Name = "Müller"],
{"PersonalNr", each _ + 1})
//Ergebnis: [PersonalNr = 124, Name = "Müller"]

Record.TransformFields([PersonalNr = 123, Name = "Müller"],
{{"PersonalNr", each _ + 1}, {"Name", Text.Upper}})
//Ergebnis: [PersonalNr = 124, Name = "MÜLLER"]
```

Diese Funktion kann verwendet werden, um eine einzelne Zeile einer Tabelle zu verändern. Schreiben Sie hinter den Tabellennamen die Zeilennummer in geschweifte Klammern und übergeben Sie diesen Zeilendatensatz an Record.TransformFields.

14.5 Tabellenfunktionen

Die Tabelle ist das Objekt, mit dem in Power Query am häufigsten gearbeitet wird. Die meisten Abfragen starten mit einer Tabelle und geben auch wieder eine Tabelle zurück. Dementsprechend bilden die Funktionen zur Verarbeitung von Tabellen auch mit Abstand die größte Kategorie. Viele Tabellenfunktionen sind schnell zugänglich über die Werkzeuge der Benutzeroberfläche des Abfrage-Editors. Es gibt jedoch zahlreiche Funktionen und Parameter, die nur über Anpassung des M-Codes genutzt werden können.

Für die meisten Beispiele in dieser Kategorie sind Tabellen als Argumente nötig. Damit nicht für jedes Beispiel als Erstes eine Tabelle erstellt werden muss, werden schon an dieser Stelle die Tabellen vorgestellt, die gemeint sind, wenn von *Tabelle1, Tabelle2* usw. die Rede ist.

PersonalNr	Name
101	Müller
102	Meier
103	Huber

Bild 14.10
Die Beispieltabelle *Tabelle1.*

Alle hier verwendeten Beispieltabellen finden Sie in der Datei *15-01-Beispieltabellen.xlsx.* Um die Beispiele selbst auszuprobieren, erstellen Sie zuerst Abfragen auf die entsprechenden Tabellen und achten Sie darauf, dass die Abfragen so benannt sind wie die Tabellen. Die Beispielcodes können dann in einer separaten Abfrage ausgeführt werden.

Spalte1	Spalte2
A	x
B	y
C	z

Bild 14.11
Die Beispieltabelle *TextTabelle.*

14.5.1 Informationen über Tabellen

Table.ColumnCount

```
Table.ColumnCount(table as table) as number
```

Gibt die Anzahl der Spalten in der Tabelle zurück.

BEISPIEL:

```
Table.ColumnCount(Tabelle1) //Ergebnis: 2
```

Table.RowCount

```
Table.RowCount(table as table) as number
```

Gibt die Anzahl der Zeilen in der Tabelle zurück.

BEISPIELE:

```
Table.RowCount(Tabelle1) //Ergebnis: 3
```

Table.IsEmpty

```
Table.IsEmpty(table as table) as logical
```

Gibt an, ob die Tabelle Zeilen enthält. Wenn die Tabelle mindestens eine Zeile enthält, wird *false* zurückgegeben (selbst, wenn die Zeile nur null enthält).

BEISPIELE:

```
Table.IsEmpty(Table.FromRecords({})) //Ergebnis: true
```

```
Table.IsEmpty(Tabelle1) //Ergebnis: false
```

Table.Profile

```
Table.Profile(table as table) as table
```

Mit dieser Funktion wird ein Profil der Spalten einer Tabelle erstellt. Es wird eine aus acht Spalten bestehende Tabelle zurückgegeben, die folgende Informationen über den Inhalt der Ausgangstabelle enthalten:

- *Column:* Alle Spaltennamen der Tabelle.
- *Min:* Der kleinste Wert jeder Spalte.
- *Max:* Der größte Wert jeder Spalte.
- *Average:* Der Durchschnittswert zu jeder Spalte.
- *Standard Deviation:* Die Standardabweichung zu jeder Spalte.
- *Count:* Die Anzahl der Elemente in jeder Spalte.
- *Null Count:* Die Anzahl der leeren Felder in jeder Spalte.
- *Distinct Count:* Die Anzahl der unterschiedlichen Felder in jeder Spalte.

Es hängt vom Spaltentyp und -inhalt ab, welche dieser Informationen ausgegeben werden können.

BEISPIEL:

```
Table.Profile(Tabelle2)
```

	Column	Min	Max	Average	StandardDeviation	Count	NullCount	DistinctCount
1	Dienstbeginn	01.12.1995	01.08.2016	02.01.2009	null	20	0	20
2	Land	A	D	null	null	20	0	2
3	Name	Bertolini	Weinfurter	null	null	20	0	20
4	Ort	Achern	Simmenstadt	null	null	20	0	12
5	PLZ	8224	90454	50455,65	29726,02199	20	0	19
6	PersonalNr	101	120	110,5	5,916079783	20	0	20
7	Straße	Bahnhofstr. 28	Weingartstr. 36	null	null	20	0	20
8	Vorname	Andreas	maria	null	null	20	0	20

Bild 14.12 Die erzeugte Profiltabelle.

Table.Schema

```
Table.Schema(table as table) as table
```

Diese Funktion gibt Informationen zu einer Tabelle in einer Schema-Tabelle aus. Anders als die Funktion Table.Profile erstellt die Funktion Table.Schema keine Analyse des Inhalts der Tabelle, sondern gibt Aufschlüsse zu den einzelnen Spalten.

Die zurückgegebene Tabelle enthält folgende Spalten mit Informationen zur Ausgangstabelle:

- *Name:* Die Namen der einzelnen Spalten.
- *Position:* Die Positionen der Spalten (beginnend mit 0).
- *TypeName:* Der Name des Spaltentyps (z. B. *Text.Type*).
- *Kind:* Die Art des Spaltentyps (z. B. *text*).
- *IsNullable:* Gibt an, ob die Spalte *null*-Werte enthalten kann.
- *NumericPrecisionBase:* Die Zahlenbasis (z. B. Basis 2, Basis 10) der nächsten beiden Felder (*NumericPrecision* und *NumericScale*).
- *NumericPrecision:* Die Genauigkeit einer numerischen Spalte zu der Basis, die in *NumericPrecisionBase* angegeben ist. Dies ist die maximale Anzahl von Stellen (einschließlich Dezimalstellen), die durch einen Wert dieses Typs dargestellt werden kann.
- *NumericScale:* Die Dezimalstellen der numerischen Spalte zu der Basis, die in *NumericPrecisionBase* angegeben ist. Dies ist die Anzahl von Dezimalstellen eines Werts dieses Typs. Der Wert *0* gibt eine Spalte ohne Dezimalstellen an. Der Wert *null* gibt an, dass die Anzahl der Dezimalstellen nicht bekannt ist (weil es sich um einen Gleitkommatyp handelt oder weil sie nicht definiert ist).
- *DateTimePrecision:* Die maximale Anzahl von Dezimalstellen, die im Sekundenanteil eines Datums- oder Uhrzeitwerts unterstützt wird.
- *MaxLength:* Die maximale Anzahl von Zeichen, die in einer Spalte vom Typ *text* zulässig ist, bzw. die maximale Anzahl von Bytes, die in einer Spalte vom Typ *binary* zulässig ist.
- *IsVariableLength:* Gibt an, ob die Spalte eine variable Länge (bis zu *MaxLength*) oder eine feste Größe hat.

- *NativeTypeName:* Der Name des Spaltentyps im Typsystem der Quelle (z. B. *nvarchar* für SQL Server).
- *NativeDefaultExpression:* Der Standardausdruck für einen Wert dieser Spalte in der systemeigenen Ausdruckssprache der Quelle (z. B. *42* oder *newid()* für SQL Server).
- *Description:* Die Beschreibung der Spalte.

> Es hängt von der Datenquelle ab, welche dieser Informationen abgerufen werden können. In vielen Fällen sind einige Spalten der Schema-Tabelle leer (d. h. mit *null*-Werten gefüllt).

BEISPIEL:

```
Table.Schema(Tabelle2)
```

Table.ApproximateRowCount

```
Table.ApproximateRowCount(table as table) as number
```

Hiermit erhalten Sie eine ungefähre Schätzung über die Anzahl von Zeilen einer Tabelle. Diese Funktion wird nicht von allen Datenquellen unterstützt, aber von vielen großen Datenbanken wie z. B. dem SQL Server.

In den meisten sind sie mit der Funktion Table.RowCount besser bedient, denn sie wird von allen Datenquellen unterstützt und gibt Ihnen die exakte Zeilenzahl. Wenn Sie aber mit sehr großen Datenmengen arbeiten, ist die Schätzung deutlich schneller, sofern die Datenquelle einen entsprechenden Algorithmus nutzt. Wenn Query Folding unterstützt wird, können Sie mit dem Parameter *table* auch bestimmte Transformationen übermitteln, die mit einem geschätzten Ergebnis dann ebenfalls schneller ausgeführt werden.

BEISPIEL:

```
Table.ApproximateRowCount(Table.Distinct(Tabelle99))
//Schätzt die eindeutigen Datensätze, sofern die Datenquelle dies unterstützt
```

14.5.2 Umwandlungen

Table.ToColumns

```
Table.ToColumns(table as table) as list
```

Diese Funktion wandelt eine Tabelle in eine geschachtelte Liste um, die für jede Spalte eine Liste mit den entsprechenden Werten enthält.

BEISPIEL:

```
Table.ToColumns(Tabelle1)
// Ergebnis: { {101, 102, 103}, {"Müller", "Meier", "Huber"} }
```

Table.ToRows

```
Table.ToRows(table as table) as list
```

Diese Funktion wandelt eine Tabelle in eine geschachtelte Liste um, die für jede Zeile eine Liste mit den entsprechenden Werten enthält.

BEISPIEL:

```
Table.ToRows(Tabelle1)
// Ergebnis: { {101, "Müller"}, {102, "Meier"}, {103, "Huber"} }
```

Table.ToList

```
Table.ToList(table as table, optional combiner as nullable function) as list
```

Die Tabelle wird in eine Liste umgewandelt, wobei Sie die Umwandlung über eine Combiner-Funktion steuern können.

Die Combiner-Funktion erhält jede Tabellenzeile als Liste und hat die Aufgabe, pro Zeile einen einzelnen Wert zurückzugeben. Der Rückgabewert von Table.ToList ist eine Liste, die für jede Tabellenzeile einen Wert enthält.

Es stehen Ihnen diverse Combiner-Funktionen in der gleichnamigen Rubrik zur Verfügung. Sie erfordern allerdings alle Textwerte, d. h. falls Ihre Tabelle andere Werte enthält, müssen Sie diese Werte zunächst umwandeln.

BEISPIELE:

```
Table.ToList(TextTabelle, Combiner.CombineTextByDelimiter(";"))
//Ergebnis: {"A;x", "B;y", "C;z"}
```

Falls Ihre Tabelle Daten enthält, die nicht vom Typ *text* sind, funktioniert die obenstehende Combiner-Funktion nicht. Mithilfe der Funktionen List.Transform und Text.From können Sie die einzelnen Werte aber umwandeln, bevor sie an die Combiner-Funktion übergeben werden:

```
Table.ToList(Tabelle1, each Combiner.CombineTextByDelimiter(";")
(List.Transform(_, Text.From)))
//Ergebnis: {"101;Müller", "102;Meier", "103;Huber"}
```

Table.ToRecords

```
Table.ToRecords(table as table) as list
```

Konvertiert eine Tabelle in eine Liste mit Datensätzen. Jeder Datensatz entspricht dabei einer Tabellenzeile, die Spaltennamen werden zu Feldnamen.

BEISPIEL:

```
Table.ToRecords(Tabelle1)
/*Ergebnis: { [PersonalNr = 101, Name = "Müller"],
             [PersonalNr = 102, Name = "Meier"],
             [PersonalNr = 103, Name = "Huber"] }
*/
```

14.5.3 Spalten

Table.Column

```
Table.Column(table as table, column as text) as list
```

Gibt die Werte der angegebenen Spalte als Liste zurück.

BEISPIEL:

```
Table.Column(Tabelle1), "PersonalNr")  //Ergebnis: {101, 102, 103}
```

Anstelle dieser Funktion können Sie auch den gewünschten Spaltennamen in eckigen Klammern hinter den Tabellennamen schreiben (Beispiel: `Tabelle1[PersonalNr]`). Das Ergebnis ist das gleiche.

Der Vorteil der Funktion Table.Column ist, dass die Spalte nicht als fixer Text angegeben werden muss, sondern auch der Rückgabewert eines Ausdrucks, z. B. einer anderen Formel sein kann.

Table.ColumnNames

```
Table.ColumnNames(table as table) as {text}
```

Die Namen aller Spalten werden als Liste ausgegeben.

BEISPIEL:

```
Table.ColumnNames(Tabelle1)  //Ergebnis: {"PersonalNr", "Name"}
```

Table.DemoteHeaders

```
Table.DemoteHeaders(table as table) as table
```

Die Spaltenüberschriften werden zur ersten Zeile der Tabelle herabgestuft. Somit erhalten die Spalten wieder die Standardtitel *Column1*, *Column2* usw.

BEISPIEL:

```
Table.DemoteHeaders(Tabelle1)
```

	ABC 123 Column1	ABC 123 Column2
1	PersonalNr	Name
2	101	Müller
3	102	Meier
4	103	Huber

Bild 14.13
Die Überschriften wandern in die erste Zeile.

Table.DuplicateColumn

```
Table.DuplicateColumn(table as table, columnName as text, newColumnName as text,
optional columnType as nullable type) as table
```

Hiermit wird eine Spalte in einer Tabelle verdoppelt, sodass eine neue Spalte hinzugefügt wird, die die gleichen Werte enthält. Der Name der Spalte wird im Parameter *newColumnName* angegeben. Standardmäßig erhält die neue Spalte den gleichen Spaltentyp wie die alte Spalte, außer Sie geben einen Spaltentyp über den optionalen vierten Parameter an.

BEISPIEL:

```
Table.DuplicateColumn(Tabelle1, "Name", "Name-Kopie")
```

Table.HasColumns

```
Table.HasColumns(table as table, columns as any) as logical
```

Gibt an, ob die Tabelle die angegebenen Spalten enthält. Für den Parameter *column* können Sie entweder einen einzelnen Spaltentitel als Textwert übergeben oder mehrere Titel in einer Liste zusammenfassen.

BEISPIELE:

```
Table.HasColumns(Tabelle1, "Name") //Ergebnis: true
```

```
Table.HasColumns(Tabelle1, {"Name", "PersonalNr"})
//Ergebnis: true
```

```
Table.HasColumns(Tabelle1, {"Name", "Schuhgröße"})
//Ergebnis: false
```

Table.PrefixColumns

```
Table.PrefixColumns(table as table, prefix as text) as table
```

Diese Funktion ändert die Spaltenüberschriften einer Tabelle, indem jedem Spaltentitel das angegebene Präfix und ein Punkt vorgestellt wird.

> Derartige Präfixe können nützlich sein, wenn Sie mit mehreren Tabellen gleichzeitig arbeiten und die zusammengehörenden Spalten markieren möchten.

BEISPIEL:

```
Table.PrefixColumns(Tabelle1, "Tbl")
//Spaltentitel vorher: "PersonalNr", "Name"
//Spaltentitel nachher: "Tbl.PersonalNr", "Tbl.Name"
```

Table.PromoteHeaders

```
Table.PromoteHeaders(table as table, optional options as nullable record) as table
```

Hiermit werden die Werte der ersten Zeile zu Spaltenüberschriften gemacht. Wenn Sie nur die Tabelle angeben, wird vorausgesetzt, dass die erste Zeile nur Text- oder Zahlenwerte enthält. Andere Werttypen können nicht zu Überschriften gemacht werden.

Wenn alle Werte, egal welchen Typs, zu Überschriften werden sollen, muss an den zweiten Parameter ein Datensatz mit dem Feld *PromoteAllScalars = true* übergeben werden. Des Weiteren können Sie im Options-Datensatz noch das Feld *Culture* angeben, um einen Regionstyp für die Umwandlung von Werten festzulegen (z. B. Culture = „en-US" für amerikanische Zahlen und Datumsanzeige).

BEISPIEL:

```
Table.PromoteHeaders(TextTabelle)
```

Table.RemoveColumns

```
Table.RemoveColumns(table as table, columns as any, optional missingField as nullable
number) as table
```

Entfernt die angegebenen Spalten aus einer Tabelle. Sie können entweder einen einzelnen Spaltennamen als Text oder mehrere Spaltennamen als Textliste angeben.

Über den optionalen Parameter *missingField* können Sie beeinflussen, was passiert, wenn eine der angegebenen Spalten nicht existieren sollte. Folgende Optionen stehen zur Verfügung:

- *MissingField.Error* bzw. *0*: Ein Fehler wird ausgegeben (Standard, falls nichts angegeben wird).
- *MissingField.Ignore* bzw. *1*: Die Tabelle wird trotzdem ausgegeben.

BEISPIELE:

```
Table.RemoveColumns(Tabelle2, "Dienstbeginn")
```

```
Table.RemoveColumns(Tabelle2, {"Dienstbeginn", "Schuhgröße"}, MissingField.Ignore)
/* Die Spalte "Schuhgröße" existiert nicht, doch es wird kein Fehler ausgelöst. Nur
die Spalte "Dienstbeginn" wird entfernt. */
```

Table.SelectColumns

```
Table.SelectColumns(table as table, columns as any, optional missingField as any) as
table
```

Diese Funktion wird ebenso wie die Funktion Table.RemoveColumns dazu benutzt, Spalten aus einer Tabelle zu entfernen. Der Unterschied ist, dass bei Table.SelectColumns die Spalten angegeben werden, die in der Tabelle bleiben sollen. Sie können entweder einen einzelnen Spaltennamen als Text oder mehrere Spaltennamen als Textliste angeben.

Über den optionalen Parameter *missingField* können Sie beeinflussen, was passiert, wenn eine der angegebenen Spalten nicht existieren sollte. Folgende Optionen stehen zur Verfügung:

- *MissingField.Error* bzw. *0*: Ein Fehler wird ausgegeben (Standard, falls nichts angegeben wird).
- *MissingField.Ignore* bzw. *1*: Nicht existierende Spalten werden ignoriert.
- *MissingField.UseNull* bzw. *2*: Die nicht vorhandenen angegebenen Spalten werden als leere Spalten eingefügt.

BEISPIELE:

```
Table.SelectColumns(Tabelle2, "Dienstbeginn")
//Alle Spalten bis auf "Dienstbeginn" werden entfernt.
```

```
Table.SelectColumns(Tabelle2, {"PersonalNr", "Name"})
//Alle Spalten bis auf "PersonalNr" und "Name" werden entfernt.
```

Table.RenameColumns

```
Table.RenameColumns(table as table, renames as list, optional missingField as
nullable number) as table
```

Hiermit können die Spaltentitel einer Tabelle geändert werden. Die alten und neuen Titel müssen paarweise als Liste (wenn nur eine Spalte geändert wird) oder als Liste aus Listen übergeben werden.

Über den optionalen Parameter *missingField* können Sie beeinflussen, was passiert, wenn eine der angegebenen Spalten nicht existieren sollte. Folgende Optionen stehen zur Verfügung:

- *MissingField.Error* bzw. *0*: Ein Fehler wird ausgegeben (Standard, falls nichts angegeben wird).
- *MissingField.Ignore* bzw. *1*: Nicht existierende Spalten werden ignoriert.
- *MissingField.UseNull* bzw. *2*: Die nicht vorhandenen angegebenen Spalten werden als leere Spalten eingefügt.

BEISPIELE:

```
Table.RenameColumns(Tabelle1, {"PersonalNr", "PersNr"})
```

```
Table.RenameColumns(Tabelle1,
{{"PersonalNr", "PersNr"}, {"Name", "Nachname"}})
```

Table.ReorderColumns

```
Table.ReorderColumns(table as table, columnOrder as list, optional missingField as
nullable number) as table
```

Ändert die Reihenfolge der Spalten einer Tabelle. Die Spaltennamen werden in der neuen Reihenfolge als Liste übergeben. Die Position von Spalten, die nicht in der Liste aufgeführt sind, bleibt unverändert.

Über den optionalen Parameter *missingField* können Sie beeinflussen, was passiert, wenn eine der angegebenen Spalten nicht existieren sollte. Folgende Optionen stehen zur Verfügung:

- *MissingField.Error* bzw. *0*: Ein Fehler wird ausgegeben (Standard, falls nichts angegeben wird).
- *MissingField.Ignore* bzw. *1*: Nicht existierende Spalten werden ignoriert.
- *MissingField.UseNull* bzw. *2*: Falls Spalten angegeben werden, die in der Tabelle nicht vorhanden sind, werden sie als leere Spalten eingefügt.

BEISPIELE:

```
Table.ReorderColumns(Tabelle1, {"Name", "PersonalNr"})
```

Anstatt alle Spaltennamen auszuschreiben, können Sie die Ordnungslogik mithilfe von Listenfunktionen definieren.

Die folgende Formel verschiebt die Spalte *PLZ* an den Anfang, ohne dass Sie die Namen und Positionen der anderen Spalten kennen müssen:

```
Table.ReorderColumns(Tabelle2, {"PLZ"} & List.RemoveItems(Table.
ColumnNames(Tabelle2), {"PLZ"}))
```

Table.TransformColumnNames

```
Table.TransformColumnNames(table as table, nameGenerator as function, optional
options as nullable record) as table
```

Mit dieser Funktion können die Spaltennamen einer Tabelle mittels einer Funktion geändert werden. Hierfür können Sie zum Beispiel eine Textfunktion verwenden oder eine eigene Funktion definieren.

Zusätzlich können Sie einen Options-Datensatz angeben, der folgende Felder enthalten kann:

- *MaxLength:* Hiermit geben Sie die maximale Länge eines Spaltennamens an. Sollte die Funktion *nameGenerator* einen längeren Namen erzeugen, wird er entsprechend abgeschnitten.
- *Comparer:* Die erzeugten Spaltennamen werden miteinander verglichen, um sicherzustellen, dass nicht zwei Spalten gleich benannt sind. Für diesen Vergleich können Sie eine Funktion angeben, beispielsweise um festzulegen, ob Groß- und Kleinschreibung unterschieden werden soll (siehe Comparer-Funktionen). Falls Spaltennamen als gleich identifiziert werden, werden eindeutige Nummern angehängt.

BEISPIELE:

```
Table.TransformColumnNames(Tabelle1, Text.Upper)
//Die Spaltentitel werden in Großbuchstaben geschrieben.
```

```
Table.TransformColumnNames(Tabelle1, Text.Upper, [MaxLength = 3])
//Die Spaltentitel werden auf 3 Großbuchstaben gekürzt.
```

Table.Pivot

```
Table.Pivot(table as table, pivotValues as list, attributeColumn as text, valueColumn
as text, optional aggregationFunction as nullable function) as table
```

Mit dieser Funktion wird eine Tabelle pivotiert, ähnlich wie Sie es vielleicht von der Pivot-Tabelle in Excel oder der PIVOT-Anweisung in SQL kennen.

Bei Angabe eines Spaltenpaars, das Attribut-Wert-Paare darstellt, werden die Daten in der Attributspalte in Spaltenüberschriften umgewandelt. Falls keine eindeutige Zuordnung der Werte möglich ist, können Sie eine Funktion angeben, um entweder einen Wert auszuwählen oder mehrere Werte zu verrechnen.

BEISPIELE:

Die Tabelle *Tabelle3* enthält eine Preisliste von verschiedenen Getränken in verschiedenen Packungseinheiten (Flasche, Kiste).

Getränk	Einheit	Preis
Cola	Flasche	0,99
Cola	Kiste	11,88
Limo	Flasche	0,98
Limo	Kiste	11,79
Wasser	Flasche	0,49
Wasser	Kiste	5,59
Bier	Flasche	0,85
Bier	Kiste	16,99

Bild 14.14 Der Inhalt der Beispieltabelle.

Die Spalte *Einheit* ist in diesem Fall die Attributspalte und *Preis* die dazugehörige Wertspalte. Durch das Pivotieren werden die Attributwerte *Flasche* und *Kiste* zu Spaltenüberschriften:

```
Table.Pivot(Tabelle3, {"Flasche", "Kiste"}, "Einheit", "Preis")
```

	ABC Getränk	1.2 Flasche	1.2 Kiste
1	Bier	0,85	16,99
2	Cola	0,99	11,88
3	Limo	0,98	11,79
4	Wasser	0,49	5,59

Bild 14.15 Die Tabelle nach dem Pivotieren.

Da in diesem Fall die Zuordnung von Attribut und Wert eindeutig ist, muss keine *aggregationFunction* angegeben werden.

Anders sieht es bei der Beispieltabelle *Tabelle4* aus. Hier handelt es sich nicht um eine Preisliste, sondern eine Bestellliste, sodass jedes Produkt mehrfach vorkommen kann. Deshalb muss eine Funktion angegeben werden, die angibt, wie mit mehreren Werten umgegangen werden soll. Hier bieten sich die Listenfunktionen an. Mit List.Sum wird beispielsweise die Summe gebildet.

```
Table.Pivot(Tabelle4, {"Flasche", "Kiste"}, "Einheit", "Preis", List.Sum)
```

	Getränk	Flasche	Kiste
1	Bier	3,4	135,92
2	Cola	4,95	11,88
3	Limo	0,98	35,37
4	Wasser	1,47	5,59

Bild 14.16 Anstatt der Einzelpreise werden nun Summen angezeigt.

Table.Unpivot

```
Table.Unpivot(table as table, pivotColumns as list, attributeColumn as text,
valueColumn as text) as table
```

Diese Funktion ist das Gegenstück zu Table.Pivot. Eine Spaltengruppe wird in Attribut-Wert-Paare umgewandelt. Die Spaltentitel erscheinen zeilenweise in der Attribut-Spalte, die zugehörigen Werte in der Wert-Spalte. Über die Parameter *attributeColumn* und *valueColumn* können Sie festlegen, wie die neuen Spalten heißen sollen.

BEISPIEL:

Nehmen wir an, die Tabelle, die im vorletzten Beispiel erzeugt wurde, heißt *PivotTabelle*. Mit folgendem Befehl wird sie entpivotiert, sodass wieder die ursprüngliche Tabelle entsteht (nur in anderer Reihenfolge):

```
Table.Unpivot(PivotTabelle, {"Flasche","Kiste"}, "Einheit","Preis")
```

	Getränk	Einheit	Preis
1	Bier	Flasche	0,85
2	Bier	Kiste	16,99
3	Cola	Flasche	0,99
4	Cola	Kiste	11,88
5	Limo	Flasche	0,98
6	Limo	Kiste	11,79
7	Wasser	Flasche	0,49
8	Wasser	Kiste	5,59

Bild 14.17 Die Spaltennamen wandern wieder in die Zeilen.

Table.UnpivotOtherColumns

```
Table.UnpivotOtherColumns(table as table, pivotColumns as list, attributeColumn as
text, valueColumn as text) as table
```

Diese Funktion bewirkt das gleiche Ergebnis wie Table.UnpivotColumns, mit dem Unterschied, dass nicht die Attributspalten, sondern alle anderen Spalten angegeben werden müssen. Anders gesagt: Sie geben die Spalten an, die durch die Entpivotierung nicht verändert werden sollen.

BEISPIEL:

```
Table.UnpivotOtherColumns(PivotTabelle, {"Getränk"}, "Einheit","Preis")
//Gleiches Ergebnis wie im letzten Beispiel
```

14.5.4 Zeilen

Viele Funktionen in dieser Rubrik haben Pendants bei den Listenfunktionen, die ähnlich benannt sind und ähnliche Parameter erwarten.

In diesem Kontext können Sie sich zum besseren Verständnis die Zeilen einer Tabelle wie die Werte einer Liste vorstellen. ■

Table.AlternateRows

```
Table.AlternateRows(table as table, offset as number, skip as number, take as number)
as table
```

Diese Funktion reduziert die Zeilen in einer Tabelle, indem beginnend bei einer bestimmten Zeile abwechselnd Zeilen ausgelassen und übernommen werden. Im Parameter *offset* wird festgelegt, wie viele Zeilen am Anfang stehen gelassen werden. *Skip* ist die Anzahl der Zeilen, die jeweils übersprungen werden, und *take* ist die Anzahl der Zeilen, die zwischen den Überspringungen beibehalten werden.

BEISPIELE:

```
Table.AlternateRows(Tabelle2, 1, 1, 1)
/* Ergebnis: Die erste Zeile bleibt bestehen, danach wird immer eine Zeile
übersprungen und eine Zeile beibehalten */
```

```
Table.AlternateRows(Tabelle2, 1, 2, 3)
/* Ergebnis: Die erste Zeile bleibt bestehen, danach werden immer zwei Zeilen
übersprungen und drei Zeilen beibehalten */
```

Table.Contains

```
Table.Contains(table as table, row as record, optional equationCriteria as any) as
logical
```

Hiermit prüfen Sie, ob eine Zeile in einer Tabelle enthalten ist. Die Zeile muss als Datensatz angegeben werden, d. h. mit Angabe der entsprechenden Spalten- bzw. Feldnamen.

Es können auch nur Teile von Zeilen geprüft werden, also ohne Angabe aller Spalten der Tabelle. Falls eine passende Zeile in der Tabelle enthalten ist, wird *true* zurückgegeben, ansonsten *false*.

Über den optionalen Parameter *equationCriteria* können Sie definieren, welche (unterschiedlichen) Zeilen als gleich behandelt werden. Indem Sie einen Spaltennamen oder eine Liste von Spaltennamen übergeben, bestimmen Sie, dass nur die Werte dieser Spalten verglichen werden. Alternativ können Sie auch eine Comparer-Funktion angeben, wenn z. B. Groß- und Kleinschreibung nicht beachtet werden soll.

BEISPIELE:

```
Table.Contains(Tabelle1, [PersonalNr = 102, Name = "Meier"])
//Ergebnis: true

Table.Contains(Tabelle1, [PersonalNr = 102])
//Ergebnis: true

Table.Contains(Tabelle1, [PersonalNr = 102, Name = "Osterhase"])
//Ergebnis: false

Table.Contains(Tabelle1, [PersonalNr = 102, Name = "Osterhase"],
"PersonalNr")
//Ergebnis: true (es wird nur die Spalte "PersonalNr" geprüft)
```

Table.ContainsAll

```
Table.ContainsAll(table as table, rows as list, optional equationCriteria as any) as
logical
```

Hiermit prüfen Sie, ob bestimmte Zeilen in einer Tabelle enthalten sind. Die Zeilen müssen in einer Liste aus Datensätzen angegeben werden, d. h. mit Angabe der entsprechenden Spalten- bzw. Feldnamen.

Es können auch nur Teile von Zeilen geprüft werden, also ohne Angabe aller Spalten der Tabelle. Falls für alle angegebenen Datensätze eine passende Zeile in der Tabelle enthalten ist, wird *true* zurückgegeben, ansonsten *false*.

Über den optionalen Parameter *equationCriteria* können Sie definieren, welche (unterschiedlichen) Zeilen als gleich behandelt werden. Indem Sie einen Spaltennamen oder eine Liste von Spaltennamen übergeben, bestimmen Sie, dass nur die Werte dieser Spalten verglichen werden. Alternativ können Sie auch eine Comparer-Funktion angeben, wenn z. B. Groß- und Kleinschreibung nicht beachtet werden soll.

BEISPIELE:

```
Table.ContainsAll(Tabelle1,
{[PersonalNr = 102], [PersonalNr = 101]})
//Ergebnis: true
```

```
Table.ContainsAll(Tabelle1,
{[PersonalNr = 102], [PersonalNr = 999]})
//Ergebnis: false
```

Table.ContainsAny

```
Table.ContainsAny(table as table, rows as list, optional equationCriteria as any) as
logical
```

Hiermit prüfen Sie, ob mindestens eine Zeile aus einer Liste in einer Tabelle enthalten ist. Die Zeilen müssen als Liste aus Datensätzen angegeben werden, d.h. mit Angabe der entsprechenden Spalten- bzw. Feldnamen.

Es können auch nur Teile von Zeilen geprüft werden, also ohne Angabe aller Spalten der Tabelle. Falls für mindestens einen der angegebenen Datensätze eine passende Zeile in der Tabelle enthalten ist, wird *true* zurückgegeben, ansonsten *false*.

Über den optionalen Parameter *equationCriteria* können Sie definieren, welche (unterschiedlichen) Zeilen als gleich behandelt werden. Indem Sie einen Spaltennamen oder eine Liste von Spaltennamen übergeben, bestimmen Sie, dass nur die Werte dieser Spalten verglichen werden. Alternativ können Sie auch eine Comparer-Funktion angeben, wenn z.B. Groß- und Kleinschreibung nicht beachtet werden soll.

BEISPIELE:

```
Table.ContainsAny(Tabelle1,
{[PersonalNr = 102], [PersonalNr = 101]})
//Ergebnis: true
```

```
Table.ContainsAny(Tabelle1,
{[PersonalNr = 102], [PersonalNr = 999]})
//Ergebnis: true
```

```
Table.ContainsAny(Tabelle1,
{[PersonalNr = 000], [PersonalNr = 999]})
//Ergebnis: false
```

Table.Distinct

```
Table.Distinct(table as table, optional equationCriteria as any) as table
```

Entfernt doppelte Zeilen aus einer Tabelle, sodass in der zurückgegebenen Tabelle nur noch verschiedene Zeilen enthalten sind.

Über den optionalen Parameter *equationCriteria* können Sie jedoch festlegen, dass auch unterschiedliche Zeilen als gleich behandelt und ggf. entfernt werden. Indem Sie einen Spaltennamen oder eine Liste von Spaltennamen übergeben, bestimmen Sie, dass nur die Werte dieser Spalten verglichen werden. Alternativ können Sie auch eine Comparer-Funktion angeben, wenn z.B. Groß- und Kleinschreibung nicht beachtet werden soll.

BEISPIELE:

```
Table.Distinct(Tabelle4)  //Duplikate werden entfernt
```

```
Table.Distinct(Tabelle4, "Einheit")
//Duplikate in der Spalte "Einheit" werden entfernt
```

Table.IsDistinct

```
Table.IsDistinct(table as table, optional equationCriteria as any) as logical
```

Gibt an, ob die Tabelle nur eindeutige Zeilen (also keine Duplikate) enthält.

Über den optionalen Parameter *equationCriteria* können Sie definieren, welche (unterschiedlichen) Zeilen als gleich behandelt werden. Indem Sie einen Spaltennamen oder eine Liste von Spaltennamen übergeben, bestimmen Sie, dass nur die Werte dieser Spalten geprüft werden. Alternativ können Sie auch eine Comparer-Funktion angeben, wenn z.B. Groß- und Kleinschreibung nicht beachtet werden soll.

BEISPIELE:

```
Table.IsDistinct(Tabelle3)  //Ergebnis: true
```

```
Table.IsDistinct(Tabelle3, "Getränk")
//Ergebnis: false (Es gibt Wiederholungen in der Spalte "Getränk")
```

Table.FindText

```
Table.FindText(table as table, text as text) as table
```

Der angegebene Text wird in der Tabelle gesucht und es wird eine Tabelle zurückgegeben, die nur aus den Zeilen besteht, in denen der Text gefunden wurde.

BEISPIEL:

```
Table.FindText(Tabelle4, "Cola")  //Filtert die Tabelle nach "Cola"
```

Table.First

```
Table.First(table as table, optional default as any) as any
```

Gibt die erste Zeile einer Tabelle als Datensatz zurück. Zusätzlich können Sie einen Standardwert angeben, der zurückgegeben wird, wenn die Tabelle leer ist.

BEISPIEL:

```
Table.First(Tabelle1)
//Ergebnis: [PersonalNr = 101, Name = "Müller"]
```

Table.FirstN

```
Table.FirstN(table as table, optional countOrCondition as any) as table
```

Die erste(n) Zeile(n) der Tabelle werden zurückgegeben. Die Anzahl der ausgegebenen Zeilen wird über den Parameter *countOrCondition* festgelegt. Sie können entweder eine Zahl angeben oder eine Bedingungsfunktion formulieren.

Falls Sie eine Funktion als Bedingung definieren, werden nur die Zeilen übernommen, die vor der ersten Zeile liegen, die die Bedingung nicht erfüllt. Nachfolgende Zeilen werden nicht mehr geprüft.

BEISPIELE:

```
Table.FirstN(Tabelle2, 3)  //gibt die ersten drei Zeilen zurück
```

```
Table.FirstN(Tabelle2, each [PersonalNr] < 110)
/* gibt alle Zeilen mit Personalnummern unter 110 zurück, sofern die Tabelle sortiert
ist. */
```

Table.Last

```
Table.Last(table as table, optional default as) as any
```

Gibt die letzte Zeile einer Tabelle als Datensatz zurück. Zusätzlich können Sie einen Standardwert angeben, der zurückgegeben wird, wenn die Tabelle leer ist.

BEISPIEL:

```
Table.Last(Tabelle1)
//Ergebnis: [PersonalNr = 103, Name = "Huber"]
```

Table.LastN

```
Table.LastN(table as table, countOrCondition as any) as table
```

Die letzte(n) Zeile(n) der Tabelle werden zurückgegeben. Die Anzahl der ausgegebenen Zeilen wird über den Parameter *countOrCondition* festgelegt. Sie können entweder eine Zahl angeben oder eine Bedingungsfunktion formulieren.

Falls Sie eine Funktion als Bedingung definieren, werden nur die Zeilen übernommen, die unter der letzten Zeile liegen, die die Bedingung nicht erfüllt. Darüberliegende Zeilen werden nicht mehr geprüft.

BEISPIELE:

```
Table.LastN(Tabelle2, 3) //gibt die letzten drei Zeilen zurück
```

```
Table.LastN(Tabelle2, each [PersonalNr] > 110)
/* gibt alle Zeilen mit Personalnummern über 110 zurück, sofern die Tabelle sortiert
ist. */
```

Table.RemoveFirstN

```
Table.RemoveFirstN(table as table, optional countOrCondition as any) as table
```

Gibt eine Tabelle zurück, in der die ersten Zeilen entfernt wurden. Die Anzahl der entfernten Zeilen wird über den Parameter *countOrCondition* festgelegt. Sie können entweder eine Zahl angeben oder eine Bedingungsfunktion formulieren.

Falls Sie eine Funktion als Bedingung definieren, werden nur die Zeilen entfernt, die vor der ersten Zeile liegen, die die Bedingung nicht erfüllt. Nachfolgende Zeilen werden nicht mehr geprüft.

BEISPIELE:

```
Table.RemoveFirstN(Tabelle2, 3) //entfernt die ersten drei Zeilen
```

```
Table.RemoveFirstN(Tabelle2, each [PersonalNr] < 110)
/* entfernt alle Zeilen mit Personalnummern unter 110, sofern die Tabelle sortiert
ist. */
```

Table.RemoveLastN

```
Table.RemoveLastN(table as table, optional countOrCondition as any) as table
```

Gibt eine Tabelle zurück, in der die letzten Zeilen entfernt wurden. Die Anzahl der entfernten Zeilen wird über den Parameter *countOrCondition* festgelegt. Sie können entweder eine Zahl angeben oder eine Bedingungsfunktion formulieren.

Falls Sie eine Funktion als Bedingung definieren, werden nur die Zeilen entfernt, die unter der letzten Zeile liegen, die die Bedingung nicht erfüllt. Darüberliegende Zeilen werden nicht mehr geprüft.

BEISPIELE:

```
Table.RemoveLastN(Tabelle2, 3) //entfernt die letzten drei Zeilen
```

```
Table.RemoveLastN(Tabelle2, each [PersonalNr] > 110)
/* entfernt alle Zeilen mit Personalnummern über 110, sofern die Tabelle sortiert
ist. */
```

Table.FirstValue

```
Table.FirstValue(table as table, optional default as any) as any
```

Gibt den Wert in der ersten Spalte und der ersten Zeile der Tabelle zurück. Zusätzlich können Sie einen Standardwert angeben, der zurückgegeben wird, wenn die Tabelle leer ist.

BEISPIEL:

```
Table.FirstValue(Tabelle1)  //Ergebnis: 101
```

Table.InsertRows

```
Table.InsertRows(table as table, offset as number, rows as list) as table
```

Mit dieser Funktion können Sie Zeilen zu einer Tabelle hinzufügen. Über den Parameter *offset* wird die Einfüge-Position angegeben (beginnend mit 0). Die einzufügenden Zeilen werden als Datensätze in einer Liste übergeben, wobei die Feldnamen der Datensätze den Spaltennamen der Tabelle entsprechen müssen.

BEISPIELE:

```
Table.InsertRows(Tabelle1, 3,
{[PersonalNr = 103, Name = "Schmidt"]})
```

```
Table.InsertRows(Tabelle1, 3,
{[PersonalNr = 103, Name = "Schmidt"],
 [PersonalNr = 104, Name = "Bauer"]})
```

Table.MatchesAllRows

```
Table.MatchesAllRows(table as table, condition as function) as logical
```

Mit dieser Funktion prüfen Sie alle Zeilen auf eine Bedingung. Die Bedingung wird als Funktion angegeben. Nur wenn die Bedingungsfunktion für alle Zeilen *true* zurückgibt, ist das Gesamtergebnis *true*.

BEISPIEL:

```
Table.MatchesAllRows(Tabelle3, each [Preis] < 20)
//Ergebnis: true
```

Table.MatchesAnyRows

```
Table.MatchesAnyRows(table as table, condition as function) as logical
```

Mit dieser Funktion prüfen Sie alle Zeilen auf eine Bedingung. Die Bedingung wird als Funktion angegeben. Wenn die Bedingungsfunktion für mindestens eine Zeile *true* zurückgibt, ist das Gesamtergebnis *true*.

BEISPIEL:

```
Table.MatchesAnyRows(Tabelle3, each [Getränk] = "Cola")
//Ergebnis: true
```

Table.Partition

```
Table.Partition (table as table, column as text, groups as number, hash as function)
as list
```

Diese Funktion ermöglicht es Ihnen, eine Tabelle in mehrere Tabellen aufzuteilen (partitionieren). Voraussetzung ist, dass es eine Spalte mit einer Gruppennummer gibt (z.B. Rechnungsnummer, Kundennummer, Filialnummer etc.). Der Name dieser Spalte muss über den Parameter *column* angegeben werden. Die Anzahl der zu erzeugenden Tabellen wird im Parameter *groups* angegeben.

Die Tabelle wird so aufgeteilt, dass für jede Gruppennummer eine eigene Tabelle erzeugt wird. Die erzeugten Tabellen werden in einer Liste zurückgegeben.

Die Funktion *hash* wird auf den Wert der Zeile mit der Gruppennummer angewandt, um einen sogenannten Hashwert für die Zeile abzurufen. Damit die Aufteilung der Gruppen funktioniert, muss für jede Zeile ein eindeutiger Hash-Wert zugeordnet werden. Hash-Werte sind fortlaufende ganze Zahlen. Falls Ihre Gruppennummern bereits eine fortlaufende Reihe ganzer Zahlen bilden, können sie als Hash-Werte verwendet werden. Die Hash-Funktion ist somit ganz einfach:

```
each _
```

Falls Ihre Gruppennummern nicht als Hash-Werte verwendet werden können, weil sie z.B. Buchstaben enthalten, brauchen Sie eine Funktion, die die Gruppennummer (bzw. Gruppenbezeichnung) in eine Zahl umwandelt.

BEISPIEL 1:

In der Bestellübersicht *Tabelle5* sind verschiedene bestellte Artikel aufgelistet. Zu jedem Artikel gibt es eine Rechnungsnummer, insgesamt 20 verschiedene. Mit folgendem Befehl wird die Tabelle in 20 Einzeltabellen aufgespaltet, eine je Rechnung.

```
Table.Partition(Tabelle5, "ReNr", 20, each _)
```

Falls Sie nicht wissen, wie viele verschiedene Gruppen existieren, gestalten Sie die Formel flexibel und lassen die Anzahl ermitteln:

```
Table.Partition(Tabelle5, "ReNr", List.Count(List.
Distinct(Tabelle5[ReNr])),
each _)
```

■

BEISPIEL 2:

Die Getränke-Preisliste *Tabelle3* enthält eine Spalte „Einheit" mit den Werten „Flasche" und „Kiste". Mit diesem Befehl wird die Tabelle in zwei Tabellen aufgeteilt - eine Preisliste für Flaschen und eine für Kisten:

```
Table.Partition(Tabelle3, "Einheit", 2,
each if _ = "Flasche" then 0 else
if _ = "Kiste" then 1 else -1)
```

Table.FromPartitions

```
Table.FromPartitions(partitionColumn as text, partitions as list, optional
partitionColumnType as nullable type) as table
```

Erzeugt eine Tabelle, die das Ergebnis der Kombination eines Satzes partitionierter Tabellen *(partitions)* ist. Die Partitionen müssen in einer Liste aus Listen übergeben werden. Die inneren Listen enthalten je einen eindeutigen Hash-Wert sowie eine Tabelle.

In der erzeugten Tabelle wird eine Spalte eingefügt, die zu jeder Tabelle die zugehörigen Hash-Werte anzeigt. Der Name dieser Spalte wird über den Parameter *partitionColumn* festgelegt. Zusätzlich können Sie einen Spaltentyp über den optionalen Parameter *partitionColumnType* angeben.

Table.PositionOf

```
Table.PositionOf(table as table, row as record, optional occurrence as nullable
number, optional equationCriteria as any) as any
```

Über den Parameter *row* können Sie einen Datensatz angeben, der eine Zeile beschreibt. Diese Zeile wird in der Tabelle *table* gesucht und die Position des ersten Vorkommens wird zurückgegeben. Alternativ können Sie über den Parameter *occurrence* auch nach anderen Vorkommen suchen. Folgende Optionen gibt es:

- *Occurrence.First:* Die Position des ersten Auftretens wird zurückgegeben.
- *Occurrence.Last:* Die Position des letzten Auftretens wird zurückgegeben.
- *Occurrence.All:* Alle Positionen der gesuchten Zeile werden als Liste zurückgegeben.

Zusätzlich können Sie ein Gleichheitskriterium angeben, um zu definieren, welche Spalten geprüft werden oder welche (unterschiedlichen) Zeilen als gleich behandelt werden. Sie können hierfür eine eigene Funktion schreiben oder eine der Comparer-Funktionen angeben.

Falls die Zeile nicht gefunden wird, wird *-1* zurückgegeben.

BEISPIELE:

```
Table.PositionOf(Tabelle1, [PersonalNr = 102, Name = "Meier"])
//Ergebnis: 1 (entspricht zweiter Zeile)
```

```
Table.PositionOf(Tabelle3, [Getränk = "Limo"],
Occurrence.All, "Getränk")
//Ergebnis: {2, 3}
```

Table.PositionOfAny

```
Table.PositionOfAny(table as table, rows as list, optional occurrence as nullable
number, optional equationCriteria as any) as any
```

Die Funktion ist ähnlich wie Table.PositionOf, mit dem Unterschied, dass nach mehreren Zeilen gesucht werden kann. Die gesuchten Zeilen werden als Datensätze in einer Liste angegeben. Es wird die Position des ersten Vorkommens zurückgegeben. Alternativ können Sie über den Parameter *occurrence* auch nach anderen Vorkommen suchen. Folgende Optionen gibt es:

- *Occurrence.First:* Die Position des ersten Auftretens wird zurückgegeben.
- *Occurrence.Last:* Die Position des letzten Auftretens wird zurückgegeben.
- *Occurrence.All:* Alle Positionen der gesuchten Zeilen werden als Liste zurückgegeben.

Zusätzlich können Sie ein Gleichheitskriterium angeben, um zu definieren, welche Spalten geprüft werden oder welche (unterschiedlichen) Zeilen als gleich behandelt werden. Sie können hierfür eine eigene Funktion schreiben oder eine der Comparer-Funktionen angeben.

BEISPIELE:

```
Table.PositionOfAny(Tabelle1, {[PersonalNr = 102, Name = "Meier"], [PersonalNr = 101,
Name = "Müller"]})
//Ergebnis: 0 (entspricht erster Zeile)
```

```
Table.PositionOfAny(Tabelle3, {[Getränk = "Limo"], [Getränk = "Bier"]},
Occurrence.All, "Getränk")
//Ergebnis: {2, 3, 6, 7}
```

Table.Range

```
Table.Range(table as table, offset as number, optional count as nullable number) as
table
```

Diese Funktion dient dazu, einen bestimmten Bereich an Zeilen aus einer Tabelle zu erhalten. Mit *offset* geben Sie die Start-Zeile an und der optionale Parameter *count* bestimmt die Anzahl der ausgegebenen Zeilen. Standardmäßig werden alle Zeilen nach dem Offset zurückgegeben.

BEISPIELE:

```
Table.Range(Tabelle2, 5) //Ergibt alle Zeilen ab der sechsten Zeile
```

```
Table.Range(Tabelle2, 5, 3) //Ergibt die Zeilen 6, 7 und 8
```

Table.RemoveMatchingRows

```
Table.RemoveMatchingRows(table as table, rows as list, optional equationCriteria as
any) as table
```

Entfernt alle Vorkommen der angegebenen Zeilen aus der Tabelle. Die zu entfernenden Zeilen werden als Datensätze in einer Liste übergeben.

Über den optionalen Parameter *equationCriteria* können Sie definieren, welche (unterschiedlichen) Zeilen als gleich behandelt werden. Indem Sie einen Spaltennamen oder eine Liste von Spaltennamen übergeben, bestimmen Sie, dass nur die Werte dieser Spalten geprüft werden. Alternativ können Sie auch eine Comparer-Funktion angeben, wenn z. B. Groß- und Kleinschreibung nicht beachtet werden soll.

BEISPIELE:

```
Table.RemoveMatchingRows(Tabelle1, {[PersonalNr = 101, Name = "Müller"]})
```

```
Table.RemoveMatchingRows(Tabelle3, {[Getränk = "Wasser"],
[Getränk = "Limo"]}, "Getränk")
```

Table.RemoveRows

```
Table.RemoveRows(table as table, offset as number, optional count as nullable number)
as table
```

Hiermit entfernen Sie eine bestimmte Anzahl *(count)* an Zeilen ab einer bestimmten Zeilennummer *(offset)*. Wenn die Anzahl nicht angegeben wird, wird nur eine Zeile entfernt.

BEISPIELE:

```
Table.RemoveRows(Tabelle1, 1)  //Die zweite Zeile wird entfernt
```

```
Table.RemoveRows(Tabelle1, 1, 2)  //Die Zeilen 2-3 werden entfernt
```

Table.RemoveRowsWithErrors

```
Table.RemoveRowsWithErrors(table as table, optional columns as nullable list) as
table
```

Die Funktion prüft jede Zeile der Tabelle und entfernt die Zeilen, die mindestens einen Fehlerwert enthalten. Als optionales Argument können Sie eine Liste von Spaltennamen angeben. In dem Fall wird nur in diesen Spalten nach Fehlern gesucht.

BEISPIEL:

```
Table.RemoveRowsWithErrors(Tabelle1)
```

Table.SelectRowsWithErrors

```
Table.SelectRowsWithErrors(table as table, optional columns as nullable list) as
table
```

Es wird eine Tabelle zurückgegeben, die nur die Zeilen aus der Eingabetabelle enthält, die in mindestens einer der Zellen einen Fehler enthalten. Als optionales Argument können Sie eine Liste von Spaltennamen angeben. In dem Fall wird nur in diesen Spalten nach Fehlern gesucht.

BEISPIEL:

```
Table.SelectRowsWithErrors(Tabelle1)
```

Table.Repeat

```
Table.Repeat(table as table, count as number) as table
```

Alle Zeilen einer Tabelle werden so oft wiederholt, wie es im Parameter *count* angegeben ist.

BEISPIEL:

```
Table.Repeat(Tabelle1, 3)
```

Table.ReplaceMatchingRows

```
Table.ReplaceMatchingRows(table as table, replacements as list, optional
equationCriteria as any) as table
```

Hiermit können bestimmte Zeilen in einer Tabelle ersetzt werden. Die zu ersetzenden Zeilen und die neuen Zeilen werden paarweise als Datensätze in einer Liste aus Listen angegeben.

Über den optionalen Parameter *equationCriteria* können Sie definieren, welche (unterschiedlichen) Zeilen als gleich behandelt und somit ersetzt werden. Indem Sie einen Spaltennamen oder eine Liste von Spaltennamen übergeben, bestimmen Sie, dass nur die Werte dieser Spalten geprüft werden. Alternativ können Sie auch eine Comparer-Funktion angeben, wenn z. B. Groß- und Kleinschreibung nicht beachtet werden soll.

BEISPIEL:

```
Table.ReplaceMatchingRows(Tabelle1,
{ {[PersonalNr = 102, Name = "Meier"],
   [PersonalNr = 102, Name = "Supermeier"]},
  {[PersonalNr = 103, Name = "Huber"],
   [PersonalNr = 103, Name = "Superhuber"]} })
```

Table.ReplaceRows

```
Table.ReplaceRows(table as table, offset as number, count as number, rows as list) as
table
```

Eine bestimmte Anzahl an Zeilen ab einer bestimmten Zeilennummer werden durch andere Zeilen ersetzt. Die neuen Zeilen müssen als Datensätze in einer Liste an den Parameter *rows* übergeben werden.

BEISPIEL:

```
Table.ReplaceRows(Tabelle1, 0, 2,
{[PersonalNr = 104, Name = "Schneider"]})
//Zwei Zeilen werden durch eine ersetzt
```

Table.ReverseRows

```
Table.ReverseRows(table as table) as table
```

Die Reihenfolge der Zeilen wird umgekehrt.

BEISPIEL:

```
Table.ReverseRows(Tabelle1)
```

Table.SelectRows

```
Table.SelectRows(table as table, condition as function) as table
```

Wählt die Zeilen aus, die eine bestimmte Bedingung erfüllen. Die Bedingung wird als Funktion festgelegt.

BEISPIEL:

```
Table.SelectRows(Tabelle3, each [Preis] < 5)
```

Table.SingleRow

```
Table.SingleRow(table as table) as record
```

Diese Funktion setzt voraus, dass die Tabelle nur aus einer Zeile besteht. Wenn das der Fall ist, wird die Zeile als Datensatz zurückgegeben, ansonsten entsteht ein Fehler.

BEISPIEL:

```
Table.SingleRow(Table.FromRecords({[CustomerID = 1, Name = "Bob"]}))
//Ergebnis: [CustomerID = 1, Name = "Bob"]
```

Table.Skip

```
Table.Skip(table as table, optional countOrCondition as any) as table
```

Gibt eine Tabelle zurück, in der die ersten Zeilen entfernt wurden. Die Anzahl der entfernten Zeilen wird über den Parameter *countOrCondition* festgelegt. Sie können entweder eine Zahl angeben oder eine Bedingungsfunktion formulieren.

Falls Sie eine Funktion als Bedingung definieren, werden nur die Zeilen entfernt, die vor der ersten Zeile liegen, die die Bedingung nicht erfüllt. Nachfolgende Zeilen werden nicht mehr geprüft.

BEISPIELE:

```
Table.Skip(Tabelle2, 3)  //entfernt die ersten drei Zeilen
```

```
Table.Skip(Tabelle2, each [PersonalNr] < 110)
/* entfernt alle Zeilen mit Personalnummern unter 110, sofern die Tabelle sortiert
ist. */
```

14.5.5 Ordnung und Sortierung

Table.Max

```
Table.Max(table as table, comparisonCriteria as any, optional default as any) as any
```

Wenn Sie über den Parameter *comparisonCriteria* einen Spaltennamen angeben, gibt diese Funktion die Zeile zurück, die in der entsprechenden Spalte den größten Wert hat. Für weitere Sortieroptionen siehe Comparer-Funktionen.

Zusätzlich können Sie einen Standardwert bestimmen, der ausgegeben wird, falls die Tabelle leer ist.

BEISPIEL:

```
Table.Max(Tabelle3, "Preis")
//Die Zeile mit dem höchsten Preis wird als Datensatz zurückgegeben.
```

Table.MaxN

```
Table.MaxN(table as table, comparisonCriteria as any, countOrCondition as any) as
table
```

Diese Funktion sortiert eine Tabelle nach einer Spalte, deren Namen Sie über den Parameter *comparisonCriteria* angeben. Es werden die Zeilen mit den größten Werten in dieser Spalte zurückgegeben. Die Anzahl wird über den Parameter *countOrCondition* bestimmt. Sie können entweder eine Zahl angeben oder eine Bedingungsfunktion formulieren.

> **!** Falls Sie eine Funktion als Bedingung definieren, geschieht Folgendes: Zuerst werden die Zeilen der Tabelle gemäß *comparisonCriteria* sortiert. Anschließend wird Zeile für Zeile geprüft, ob die Bedingung erfüllt ist. Sobald eine Zeile die Bedingung nicht mehr erfüllt, wird nicht weiter geprüft. Je nach Sortierung kann es also vorkommen, dass auch Zeilen, die die Bedingung erfüllen, nicht in der Ergebnistabelle erscheinen. ■

BEISPIELE:

```
Table.MaxN(Tabelle3, "Preis", each [Preis] > 10)
//Die teuersten Einträge mit einem Preis > 10 werden zurückgegeben.
```

```
Table.MaxN(Tabelle3, "Preis", each [Preis] <> 11.88)
//Nur der teuerste Eintrag wird zurückgegeben.
```

Table.Min

```
Table.Min(table as table, comparisonCriteria as any, optional default as any) as
table
```

Wenn Sie über den Parameter *comparisonCriteria* einen Spaltennamen angeben, gibt diese Funktion die Zeile zurück, die in der entsprechenden Spalte den kleinsten Wert hat. Für weitere Sortieroptionen siehe Comparer-Funktionen.

Zusätzlich können Sie einen Standardwert bestimmen, der ausgegeben wird, falls die Tabelle leer ist.

BEISPIEL:

```
Table.Min(Tabelle3, "Preis")
//Die Zeile mit dem kleinsten Preis wird als Datensatz ausgegeben.
```

Table.MinN

```
Table.MinN(table as table, comparisonCriteria as any, countOrCondition as any) as
table
```

Diese Funktion sortiert eine Tabelle nach einer Spalte, deren Namen Sie über den Parameter *comparisonCriteria* angeben. Es werden die Zeilen mit den kleinsten Werten in dieser Spalte zurückgegeben. Die Anzahl wird über den Parameter *countOrCondition* bestimmt. Sie können entweder eine Zahl angeben oder eine Bedingungsfunktion formulieren.

> **!** Falls Sie eine Funktion als Bedingung definieren, geschieht Folgendes: Zuerst werden die Zeilen der Tabelle gemäß *comparisonCriteria* sortiert. Anschließend wird Zeile für Zeile geprüft, ob die Bedingung erfüllt ist. Sobald eine Zeile die Bedingung nicht mehr erfüllt, wird nicht weiter geprüft. Je nach Sortierung kann es also vorkommen, dass auch Zeilen, die die Bedingung erfüllen, nicht in der Ergebnistabelle erscheinen. ■

BEISPIELE:

```
Table.MinN(Tabelle3, "Preis", each [Preis] < 1)
//Die billigsten Einträge mit einem Preis < 1 werden zurückgegeben.

Table.MinN(Tabelle3, "Preis", each [Preis] <> 0.49)
//Es wird eine leere Tabelle zurückgegeben.
```

Table.Sort

```
Table.Sort(table as table, optional comparisonCriteria as any) as table
```

Sortiert die Tabelle unter Verwendung von Spaltennamen und Vergleichskriterien. Für den Parameter *comparisonCriteria* gibt es folgende Möglichkeiten:

- Einen einzelnen Spaltennamen. Nach dieser Spalte wird aufsteigend sortiert.
- Eine Liste mit Spaltennamen. Nach diesen Spalten wird in der entsprechenden Reihenfolge aufsteigend sortiert.
- Eine Liste mit einem Spaltennamen und einer Sortierkonstante. Es gibt die Konstanten *Order.Ascending* für aufsteigende und *Order.Descending* für absteigende Sortierung.
- Eine Liste bestehend aus mehreren Listen, wobei die inneren Listen immer je einen Spaltennamen und eine Sortierkonstante enthalten.
- Sie können auch Sortierfunktionen mit *each* einfügen. Die Funktion wird auf jede Zeile angewandt, bevor die Zeilen nach den Rückgabewerten der Funktion sortiert werden.
- Noch komplexere Sortiervorgänge lassen sich definieren, indem eine Funktion mit zwei Parametern übergeben wird. Die beiden Parameter erhalten jeweils zwei Zeilen, die verglichen werden. Der Rückgabewert der Vergleichsfunktion muss -1, 0 oder 1 sein, je nachdem, ob die erste Zeile als größer (1), kleiner (-1) oder gleich der zweiten Zeile interpretiert wird.

BEISPIELE:

```
Table.Sort(Tabelle2, "Name")
//Die Tabelle wird nach Name sortiert (aufsteigend)

Table.Sort(Tabelle2, {"Name", Order.Descending})
//Die Tabelle wird nach Name sortiert (absteigend)

Table.Sort(Tabelle2, {"Ort", "Name"})
//Die Tabelle wird nach Ort und Name sortiert (aufsteigend)

Table.Sort(Tabelle2,
{ {"Ort", Order.Descending}, {"Name", Order.Descending} })
//Die Tabelle wird nach Ort und Name sortiert (absteigend)
```

BEISPIEL MIT VERGLEICHSFUNKTION

Der Sortiermechanismus in Power Query unterscheidet Groß- und Kleinschreibung so, dass zunächst alle Großbuchstaben und dann erst alle Kleinbuchstaben angeordnet werden. Ein kleines *a* kommt also nicht direkt nach dem großen *A*, sondern erst nach dem großen *Z*.

Abhilfe schafft die Funktion Text.Upper. Mit dem folgenden Befehl wird die Tabelle *Tabelle2* nach der Spalte *Vorname* sortiert, nachdem die Vornamen in Großbuchstaben umgewandelt wurden. Die Funktion beeinflusst nur die Sortierung, nicht die tatsächlichen Werte in der finalen Tabelle:

```
Table.Sort(Tabelle2, each Text.Upper([Vorname]))
```

Um mehrere Sortierspalten zu benutzen, können auch mehrere Vergleichsfunktionen verwendet werden:

```
Table.Sort(Tabelle2, {each Text.Upper([Vorname]),
each Text.Upper([Name])})
```

BEISPIEL MIT VERGLEICHSFUNKTION UND BENUTZERDEFINIERTER LISTE:

Das folgende Beispiel zeigt, wie eine Tabellenspalte nach einer benutzerdefinierten Liste sortiert wird. Die Liste mit der gewünschten Sortierreihenfolge wird in der Variable *Reihenfolge* gespeichert. Anschließend wird eine Sortierfunktion definiert, die für zwei Werte überprüft, welche Position sie in der Liste einnehmen, und diese Positionen miteinander vergleicht. Je nachdem, ob der erste Wert größer, kleiner oder gleich dem zweiten Wert ist, gibt diese Funktion 1, -1 oder 0 zurück. Diese Funktion kann dann einfach als zweites Argument an die Funktion Table.Sort übergeben werden, um die Tabelle entsprechend zu sortieren.

Listing 14.4 Sortierung von Planeten per Funktion.

```
let
    Reihenfolge = {"Merkur", "Venus", "Erde", "Mars", "Jupiter",
        "Saturn", "Uranus", "Neptun"},
    SortFkt = (x,y) => Comparer.Ordinal(
            List.PositionOf(Reihenfolge, x[Planet]),
            List.PositionOf(Reihenfolge, y[Planet])),
    Sortierung = Table.Sort(Tabelle7, SortFkt)
in
    Sortierung
```

14.5.6 Erstellung

Es gibt mehrere Funktionen für die Erstellung von Tabellen. Es hängt von der jeweiligen Situation und auch von persönlichen Vorlieben ab, welche man wählt. Bevor die entsprechenden Funktionen erklärt werden, wollen wir eine einfache Beispieltabelle vorstellen.

Mit geringfügigen Abweichungen und mit Ausnahme der letzten Funktion, erzeugen alle Beispiele in diesem Unterkapitel die folgende Tabelle:

Tabelle 14.1 Beispieltabelle für Funktionen zur Tabellenerzeugung.

Nummer	Frucht	Farbe
1	Apfel	rot
2	Banane	gelb
3	Birne	grün

(Die Spaltentitel werden nicht in allen Beispielen festgelegt.)

Table.FromColumns

```
Table.FromColumns(lists as list, optional columns as any) as table
```

Mit dieser Funktion erstellen Sie eine Tabelle, indem Sie eine Liste aus Listen übergeben. Jede der inneren Listen muss die Werte einer **Spalte** enthalten. Zusätzlich können Sie im zweiten Parameter eine Liste mit Spaltennamen oder einen Tabellentyp angeben.

Enthalten einige Spalten mehr Werte als andere, werden die fehlenden Werte mit dem Standardwert *null* ausgefüllt.

BEISPIELE:

```
Table.FromColumns( {
{1, 2, 3},                         //erste Spalte
{"Apfel", "Banane", "Birne"},      //zweite Spalte
{"rot", "gelb", "grün"} })         //dritte Spalte
```

```
Table.FromColumns( {
{1, 2, 3},                         //erste Spalte
{"Apfel", "Banane", "Birne"},      //zweite Spalte
{"rot", "gelb", "grün"} },         //dritte Spalte
{"Nummer", "Frucht", "Farbe"} )    //Spaltennamen
```

```
Table.FromColumns( {
{1, 2, 3},                         //erste Spalte
{"Apfel", "Banane", "Birne"},      //zweite Spalte
{"rot", "gelb", "grün"} },         //dritte Spalte
type table[Nummer = Number.Type, Frucht = Text.Type,
Farbe = Text.Type] )               //Tabellentyp
```

Table.FromRows

```
Table.FromRows(rows as list, optional columns as any) as table
```

Mit dieser Funktion erstellen Sie eine Tabelle, indem Sie eine Liste aus Listen übergeben. Jede der inneren Listen muss die Werte einer **Zeile** enthalten. Zusätzlich können Sie im zweiten Parameter eine Liste mit Spaltennamen oder einen Tabellentyp angeben.

Alle Zeilen müssen die gleiche Anzahl an Werten enthalten.

BEISPIELE:

```
Table.FromRows({
{1, "Apfel", "rot"},            //erste Zeile
{2, "Banane", "gelb"},          //zweite Zeile
{3, "Birne", "grün"} })         //dritte Zeile
```

```
Table.FromRows({
{1, "Apfel", "rot"},            //erste Zeile
{2, "Banane", "gelb"},          //zweite Zeile
{3, "Birne", "grün"} },         //dritte Zeile
{"Nummer", "Frucht", "Farbe"} ) //Spaltennamen
```

```
Table.FromRows({
{1, "Apfel", "rot"},            //erste Zeile
{2, "Banane", "gelb"},          //zweite Zeile
{3, "Birne", "grün"} },         //dritte Zeile
type table[Nummer = Number.Type, Frucht = Text.Type,
Farbe = Text.Type] )            //Tabellentyp
```

Table.FromList

```
Table.FromList(list as list, optional splitter as nullable function, optional columns
as any, optional default as any, optional extraValues as any) as table
```

Mit dieser Funktion wird aus einer (nicht geschachtelten) Liste eine Tabelle erstellt. Im einfachsten Fall besteht die Liste aus Textwerten, in denen Kommas als Trennzeichen enthalten sind. Die erzeugte Tabelle erhält dann eine Zeile für jeden dieser Textwerte, die anhand der Kommas in Spalten aufgeteilt werden.

Falls andere Trennzeichen oder -methoden angewandt werden sollen, muss dies als Funktion über den Parameter *splitter* festgelegt werden (siehe Splitter-Funktionen). An den Parameter *columns* können Sie entweder die Anzahl der Spalten, eine Liste mit Spaltennamen oder einen Tabellentyp festlegen.

BEISPIELE:

```
Table.FromList({"1,Apfel,rot", "2,Banane,gelb", "3,Birne,grün"})
//Die Zeilen werden anhand der Kommas in Spalten aufgeteilt.
```

```
Table.FromList({"1;Apfel;rot", "2;Banane;gelb", "3;Birne;grün"},
Splitter.SplitTextByDelimiter(";"))
//Alternative Spaltenaufteilung mit Semikolon.
```

```
Table.FromList({"1,Apfel,rot", "2,Banane,gelb", "3,Birne,grün"}, null, {"Nummer",
"Frucht", "Farbe"})
//Angabe der Spaltentitel
```

```
Table.FromList({"1,Apfel,rot", "2,Banane,gelb", "3,Birne,grün"},
null, type table[Nummer = Number.Type, Frucht = Text.Type,
Farbe = Text.Type] )
//Angabe des Tabellentyps (incl. Spaltentitel und -typen)
```

Table.FromRecords

```
Table.FromRecords(records as list, optional columns as any) as table
```

Hiermit wird eine Tabelle aus einer Liste von Datensätzen erstellt. Die Feldnamen der Datensätze werden die Spaltennamen der Tabelle.

Über den Parameter *columns* können Sie eine Liste von Spaltennamen oder einen Tabellentyp angeben.

BEISPIELE:

```
Table.FromRecords({
[Nummer = 1, Frucht = "Apfel", Farbe = "rot"],
[Nummer = 2, Frucht = "Banane", Farbe = "gelb"],
[Nummer = 3, Frucht = "Birne", Farbe = "grün"]})
```

```
Table.FromRecords({
[Nummer = 1, Frucht = "Apfel", Farbe = "rot"],
[Nummer = 2, Frucht = "Banane", Farbe = "gelb"],
[Nummer = 3, Frucht = "Birne", Farbe = "grün"]},
type table[Nummer = Number.Type, Frucht = Text.Type,
Farbe = Text.Type])    //mit Angabe des Tabellentyps
```

Table.FromValue

```
Table.FromValue(value as any, options as nullable record) as table
```

Diese Funktion erstellt eine Tabelle aus einem Wert oder einer Liste von Werten. Es gibt folgende Möglichkeiten für den Parameter *value*:

- Ein einzelner Wert (außer Datensatz): Die Tabelle enthält nur diesen Wert.
- Ein Datensatz: Die Tabelle enthält zwei Spalten, *Name* und *Value*. Die Spalte *Name* enthält alle Feldnamen des Datensatzes, die Spalte *Value* alle Werte.
- Eine Liste von Werten: Die Tabelle enthält eine Spalte, in der die Listenelemente zeilenweise enthalten sind.

Zusätzlich können Sie als zweiten Parameter einen Datensatz angeben, der mit dem Feld *DefaultColumnName* den Spaltennamen festlegt. Dies funktioniert nicht, falls *value* ein Datensatz ist.

BEISPIELE:

```
Table.FromValue(1)              //Die Tabelle enthält nur den Wert 1
```

```
Table.FromValue({1, 2, 3})      //Die Tabelle enthält eine Spalte
```

```
Table.FromValue({1, 2, 3}, [DefaultColumnName = "Zahlen"])
//Die Tabelle enthält eine Spalte mit dem Namen "Zahlen"
```

```
Table.FromValue([Apfel = "rot", Banane = "gelb", Birne = "grün"])
```

	Name	Value
1	Apfel	rot
2	Banane	gelb
3	Birne	grün

Bild 14.18
Die Feldnamen und Werte des Datensatzes in der Tabelle

14.5.7 Transformationen

Table.AddColumn

```
Table.AddColumn(table as table, newColumnName as text, columnGenerator as function,
optional columnType as nullable type) as table
```

Fügt eine Spalte mit dem angegebenen Namen hinzu. Die Werte werden durch die angegebene Auswahlfunktion erzeugt.

Spaltenname und -typ werden über die Parameter *newColumnName* und *columnType* festgelegt.

BEISPIEL:

```
Table.AddColumn(Tabelle5, "Geamtpreis", each [Menge] * [Stückpreis])
```

Table.AddIndexColumn

```
Table.AddIndexColumn(table as table, newColumnName as text, optional initialValue as
nullable number, optional increment as nullable number) as table
```

Fügt der Tabelle eine Indexspalte hinzu. Die Indexspalte enthält für jede Zeile die Zeilennummer, ihr Name wird mit *newColumnName* festgelegt.

Über die optionalen Parameter *initialValue* und *increment* können der Ausgangsindex für die erste Zeile sowie die gewünschte Schrittweite festgelegt werden.

BEISPIELE:

```
Table.AddIndexColumn(Tabelle5, "Index")    //Der Index beginnt bei 0
```

```
Table.AddIndexColumn(Tabelle5, "Index", 1) //Der Index beginnt bei 1
```

Table.AddRankColumn

```
Table.AddRankColumn(table as table, newColumnName as text, comparisonCriteria as any,
optional options as nullable record) as table
```

Diese Funktion fügt eine Spalte hinzu, die Ihnen Informationen über eine Rangfolge gibt. Mit *newColumnName* geben Sie den gewünschten Namen der neuen Spalte an.

Über den dritten Parameter legen Sie das Vergleichskriterium fest, also welche Spalte(n) für die Rangermittlung herangezogen werden. Für die möglichen Werte siehe die Funktion Table.Sort.

Schließlich gibt es noch einen Parameter *options*, über den Sie bestimmen können, wie bei gleichrangigen Einträgen verfahren werden soll. Wenn Sie keine Optionen angeben, kann es vorkommen, dass mehrere Zeilen den gleichen Rang bekommen. Der nächste Rang ist in diesem Fall dann nicht die nächsthöhere Zahl sondern entspricht wieder der Zeilennummer des entsprechenden Eintrags.

Um diese Option anzupassen, übergeben Sie einen Datensatz mit dem Feld *RankKind*, das eines der folgenden Werte zugewiesen bekommt:

- *RankKind.Competition* bzw. *0* (Standard): Elemente, die als gleichwertig verglichen werden, erhalten die gleiche Rangfolgenummer. Vor der nächsten Nummer wird eine Lücke gelassen.
- *RankKind.Dense* bzw. *1*: Elemente, die als gleichwertig verglichen werden, erhalten die gleiche Rangfolgenummer. Das nächste Element wird ohne Lücke fortlaufend nummeriert.
- *RankKind.Ordinal* bzw. *2*: Allen Elementen wird eine eindeutige Rangfolgenummer zugewiesen, auch wenn sie als gleichwertig verglichen werden.

BEISPIEL:

```
Table.AddRankColumn(Tabelle5, "RangMenge", "Menge")
//Es wird aufsteigend nach Menge sortiert, die geringste Menge erhält Rang 1.
//Einträge mit der gleichen Menge erhalten den gleichen Rang.
//Die nächsthöhere Rangzahl ist die Zeilennummer des entsprechenden Eintrags.
```

```
Table.AddRankColumn(Tabelle5, "RangMenge", "Menge", [RankKind = RankKind.Ordinal])
//Es wird aufsteigend nach Menge sortiert, die geringste Menge erhält Rang 1.
//Jeder Eintrag erhält eine eigene Rangnummer, auch bei gleichen Bestellmengen.
```

```
Table.AddRankColumn(Tabelle5, "RangMengePreis", {"Menge", "Stückpreis"})
//Es wird aufsteigend nach Menge sortiert. Bei gleichen Mengen wird
//aufsteigend nach Stückpreis sortiert.
```

```
Table.AddRankColumn(Tabelle5, "RangMengePreis", {{"Menge", Order.Descending},
{„Stückpreis", Order.Descending}})
//Rang 1 ist der Eintrag mit der größten Bestellmenge und dem größten Stückpreis.
//Es wird absteigend nach Menge und Stückpreis sortiert.
```

Table.AggregateTableColumn

```
Table.AggregateTableColumn(table as table, column as text, aggregations as list) as
table
```

Diese Funktion setzt voraus, dass die Tabelle *table* eine Spalte *column* enthält, welche wiederum Tabellen enthält (beispielsweise nach dem Gruppieren oder einer Join-Aktion). Die eingebetteten Tabellen werden mithilfe von Funktionen ausgewertet, die in einer Liste angegeben werden. Diese Liste muss für jeden Aggregationsvorgang eine Liste mit folgenden Angaben enthalten:

1. Den Namen einer Spalte in den eingebetteten Tabellen.
2. Eine Aggregationsfunktion, die mehrere Werte zu einem zusammenfasst. Hier bieten sich die Listenfunktionen an (z. B. List.Sum, List.Average, List.Max).
3. Der Name, den die neue Spalte haben soll.

Das Ergebnis ist eine Tabelle mit genauso vielen Zeilen wie die Ausgangstabelle. Anstatt der Spalte mit Tabellen enthält sie jedoch die Aggregationsspalten, die in der Liste *aggregations* festgelegt wurden.

BEISPIEL:

Im folgenden Beispiel wird zunächst eine Tabelle erzeugt, die in der ersten Spalte wiederum eine Tabelle enthält. Diese eingebettete, aus Zahlen bestehende Tabelle wird ausgewertet, indem Spalten erzeugt werden, die die Summe, das Minimum, das Maximum und die Anzahl der Werte von bestimmten Spalten anzeigen.

Listing 14.5 Auswerten einer Tabelle mit Untertabelle.

```
let
    TabGeschachtelt = Table.FromRecords({[tabellen = Table.FromRecords
        ({[a=1, b=2, c=3], [a=2, b=4, c=6]}), x = 2]},
        type table [tabellen = table [a=number, b=number, c=number], x = number]),
    Auswertung = Table.AggregateTableColumn(TabGeschachtelt, "tabellen",
        {{"a", List.Sum, "Summe von a"}, {"b", List.Min, "Kleinster von b"},
        {"b", List.Max, "Größter von b"}, {"a", List.Count, "Anzahl von a"}})
in
    Auswertung
```

Table.CombineColumns

```
Table.CombineColumns(table as table, sourceColumns as list, combiner as function,
column as text) as table
```

Die Spalten, die über die Liste *sourceColumns* angegeben sind, werden durch eine Kombinationsfunktion *(combiner)* zusammengefasst (siehe Combiner-Funktionen). Über den Parameter *column* wird der Name der so entstehenden Spalte bestimmt.

BEISPIEL:

```
Table.CombineColumns(Tabelle3, {"Getränk", "Einheit"}, Combiner.
CombineTextByDelimiter(", "), "Artikel")
//Ergebnis: Die Spalten "Getränk" und "Einheit" werden zu einer Spalte "Artikel"
zusammengefasst. Die ursprünglichen Werte sind durch Komma getrennt.
```

Table.ExpandListColumn

```
Table.ExpandListColumn(table as table, column as text) as table
```

Diese Funktion setzt voraus, dass die Spalte *column* Listen enthält. Für jeden Wert in der Liste wird eine Zeile eingefügt, wobei die Werte aus den anderen Spalten wiederholt werden.

BEISPIEL:

```
Table.ExpandListColumn(Table.FromRecords({[Name= {"Bob", "Tim", "Paul"}, Discount =
0.15]}), "Name")
//Ergebnis: Die Listen in der Spalte "Name" werden expandiert.
```

Table.ExpandRecordColumn

```
Table.ExpandRecordColumn(table as table, column as text, fieldNames as list, optional
newColumnNames as nullable list) as table
```

Diese Funktion setzt voraus, dass die Spalte *column* Datensätze enthält. Wenn Sie über den Parameter *fieldNames* Feldnamen aus den Datensätzen angeben, wird für jedes dieser Felder eine neue Spalte mit den entsprechenden Werten erzeugt.

Optional kann durch Angabe von *newColumnNames* die Verwendung eindeutiger Spaltennamen in der neuen Tabelle sichergestellt werden.

BEISPIEL:

```
Table.ExpandRecordColumn(Table.FromRecords({[a = [aa = 1, bb = 2, cc = 3], b = 2]}),
"a", {"aa", "bb", "cc"})
```

Table.ExpandTableColumn

```
Table.ExpandTableColumn(table as table, column as text, columnNames as list, optional
newColumnNames as nullable list) as table
```

Sofern die Spalte *column* Tabellen enthält, werden diese zu mehreren Spalten und ggf. Zeilen erweitert. Über den Parameter *columnNames* geben Sie eine Liste mit den Spalten der eingebetteten Tabellen an, die erweitert werden sollen.

Um Konflikte zwischen vorhandenen und neuen Spalten zu vermeiden, können Sie neue Spaltennamen als Liste über den Parameter *newColumnNames* angeben.

Diese Funktion wird angewendet, wenn Sie die Schaltfläche mit zwei Pfeilen anklicken, um eingebettete Tabellen z. B. beim Zusammenführen zu erweitern.

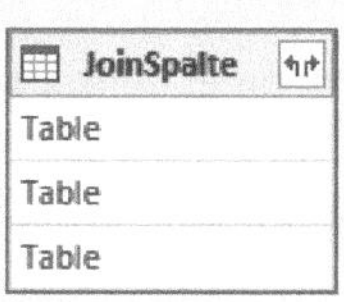

Bild 14.19
Die Pfeil-Schaltfläche expandiert die Tabellen.

Table.FillDown

```
Table.FillDown(table as table, columns as list) as table
```

Diese Funktion entspricht dem Befehl **Ausfüllen – Nach unten** im Kontextmenü einer Spalte. Für alle Zellen mit *null*-Werten werden die Werte der darüberliegenden, nicht leeren Zelle eingetragen.

Table.FillUp

```
Table.FillUp(table as table, columns as list) as table
```

Diese Funktion entspricht dem Befehl **Ausfüllen – Nach oben** im Kontextmenü einer Spalte. Für alle Zellen mit *null*-Werten werden die Werte der darunterliegenden, nicht leeren Zelle eingetragen.

Table.Group

```
Table.Group(table as table, key as any, aggregatedColumns as list, optional groupKind
as nullable number, optional comparer as nullable function) as table
```

Gruppiert die Zeilen einer Tabelle anhand der Werte in der bzw. den angegebenen Spalte(n) *(key)*. Zeilen mit gleichen Werten in dieser bzw. diesen Spalte(n) werden zusammengefasst. Die Art der Gruppierung wird über den Parameter *aggregatedColumns* festgelegt. Es muss eine Liste übergeben werden, die für jede Gruppierung eine Liste mit folgenden Angaben enthält:

1. Den Namen, den die neue Spalte erhalten soll.
2. Eine Funktion, die den entsprechenden Teil der Tabelle zu einem Wert verarbeitet (die beispielsweise die einzelnen Zeilen zählt oder eine Spalte aufsummiert).
3. Den Datentyp des Rückgabewerts.

Falls Spalten vorhanden sein sollten, die nicht in der Liste *key* angegeben sind, werden diese entfernt. Die Ausgangstabelle wird so gruppiert, dass in der zurückgegebenen Tabelle nur eindeutige Zeilen vorhanden sind.

> Anstatt die Funktionsparameter händisch einzugeben, ist es oft einfacher, die Funktion über einen Dialog zu erstellen. Klicken Sie hierzu im Register **Transformieren** auf **Gruppieren nach**. ■

Eine zusätzliche Möglichkeit, die Gruppierung zu steuern, bietet der optionale Parameter *groupKind*. Er kann zwei Werte annehmen:

- *GroupKind.Global:* Dies ist die Standardeinstellung, die auch angewendet wird, wenn kein *groupKind*-Argument angegeben wird. Für jeden Wert in der Schlüsselspalte (bzw. für jede Wertegruppe bei mehreren Schlüsselspalten) wird eine Gruppe erstellt, die in der Ergebnistabelle als eine Zeile ausgegeben wird.
- *GroupKind.Local:* Eine Gruppe wird aus gleichen Werten in aufeinanderfolgenden Zeilen gebildet. Auf diese Weise können mehrere Gruppen mit gleichen Schlüsselwerten entstehen.

Zusätzlich können Sie eine Vergleichsfunktion angeben, um zu definieren, welche (unterschiedlichen) Schlüsselwerte als gleich behandelt werden. Sie können hierfür eine eigene Funktion schreiben oder eine der Comparer-Funktionen angeben.

BEISPIELE:

```
Table.Group(Tabelle4, {"Getränk"},
{{"Anzahl", each Table.RowCount(_), type number}})
//Gruppierung über eine Spalte mit Anzeige der Anzahl
```

```
Table.Group(Tabelle4, {"Getränk", "Preis"},
{{"Anzahl", each Table.RowCount(_), type number},
{"Umsatz", each List.Sum([Preis]), type number}})
//Gruppierung über zwei Spalten mit Anzeige von Anzahl und Summe
```

Table.ReplaceErrorValues

```
Table.ReplaceErrorValues(table as table, errorReplacement as list) as table
```

Ersetzt die Fehlerwerte in den angegebenen Spalten durch den entsprechenden angegebenen Wert.

Die Ersetzungen werden über eine Liste definiert. Sie enthält Unterlisten, in denen paarweise Spaltennamen und Ersatzwerte eingetragen sind. Pro Spalte darf es nur einen Ersatzwert geben.

BEISPIEL:

```
Table.ReplaceErrorValues(Tabelle1,
{{"PersonalNr", 0000}, {"Name", "unbekannt"}})
```

Table.ReplaceValue

```
Table.ReplaceValue(table as table, oldValue as any, newValue as any, replacer as
function, columnsToSearch as {Text}) as table
```

Ersetzt einen Wert *(oldValue)* in den angegebenen Spalten durch einen anderen *(newValue)*. Die zu durchsuchenden Spalten werden als Liste über den Parameter *columnsToSearch* angegeben.

Für die Ersetzungsfunktion muss eine Replacer-Funktion angegeben werden. Verwenden Sie die Funktion Replacer.ReplaceText, um Textabschnitte zu ersetzen, oder die Funktion Replacer.ReplaceValue, um komplette Werte zu ersetzen.

BEISPIELE:

```
Table.ReplaceValue(Tabelle3, "Limo", "Limonade", Replacer.ReplaceValue, {"Getränk"})
//sucht nur ganze Wörter
```

```
Table.ReplaceValue(Tabelle3, "ss", "t",
Replacer.ReplaceText, {"Getränk"})
//ersetzt auch Wortteile
```

Table.Split

```
Table.Split(table as table, pageSize as number) as list
```

Eine Tabelle *(table)* in mehrere Tabellen aufgeteilt, wobei die Zeilenzahl der einzelnen Tabellen mit dem Parameter *pageSize* festgelegt wird. Das Ergebnis ist eine Liste bestehend aus Tabellen.

BEISPIEL:

```
Table.Split(Tabelle2, 5)
//Ergibt eine Liste mit vier Tabellen bestehend aus je 5 Zeilen der Original-Tabelle.
```

Table.SplitAt

```
Table.SplitAt(table as table, count as number) as list
```

Mit dieser Funktion wird eine Tabelle *(table)* in zwei Tabellen aufgeteilt. Mit dem Parameter *count* wird festgelegt, nach wie vielen Zeilen der Schnitt gemacht werden soll. Das Ergebnis ist eine Liste bestehend aus zwei Tabellen.

BEISPIEL:

```
Table.SplitAt(Tabelle2, 5)
//Ergibt eine Liste mit zwei Tabellen: Eine Tabelle mit den ersten 5 Zeilen
//der Originaltabelle und eine Tabelle mit dem Rest.
```

Table.SplitColumn

```
Table.SplitColumn(table as table, sourceColumn as text, splitter as function,
optional columnNamesOrNumber as any, optional default as any, optional extraValues as
any) as record
```

Die Spalte *sourceColumn* wird mithilfe einer Splitterfunktion in mehrere Spalten aufgeteilt.

Beim Parameter *columnNamesOrNumber* haben Sie zwei Optionen: Sie können eine Liste von Spaltentiteln übergeben oder Sie übergeben die Anzahl der zu erzeugenden Spalten als Zahl. Falls Sie nur die Anzahl angeben, erhalten die neuen Spalten den Titel der Quellspalte gefolgt von einem Suffix.

Der Parameter *extraValues* bestimmt, was passiert, wenn die Splitterfunktion mehr Werte zurückgibt, als Spalten definiert wurden. Folgende Optionen gibt es:

- *ExtraValues.List* bzw. *0*: Die letzte der neuen Spalten enthält eine Liste mit den überschüssigen Werten.
- *ExtraValues.Error* bzw. *1*: Ein Fehler wird ausgegeben.
- *ExtraValues.Ignore* bzw. *2*: Überschüssige Werte gehen verloren (Standard, falls nichts angegeben wurde).

BEISPIEL:

```
Table.SplitColumn(Tabelle1, "Name", Splitter.SplitTextByLengths({3,3}), 2)
//Ergebnis: Die Spalte "Name" wird aufgeteilt in zwei Spalten mit je drei Buchstaben.
```

Table.TransformRows

```
Table.TransformRows(table as table, transform as function) as list
```

Transformiert die Zeilen der Tabelle unter Verwendung der angegebenen Transformationsfunktion. Die Transformationsfunktion *transform* erhält jede Zeile als Datensatz. Die Rückgabewerte der Funktion werden als Liste ausgegeben.

Wenn Ihre Transfomationsfunktion Datensätze ausgibt, können Sie diese mithilfe der Funktion Table.FromRecords wieder in eine Tabelle umwandeln.

BEISPIELE:

```
Table.TransformRows(Tabelle1, each _[PersonalNr] * 10)
//Ergebnis: {1010, 1020, 1030}
```

Das folgende Beispiel zeigt, wie innerhalb der Funktion Table.TransformRows Werte aus verschiedenen Spalten verrechnet (Menge * Stückpreis) und zu einem neuen Feld (Umsatz) zusammengefasst werden. Die entstehende Liste aus Datensätzen wird anschließend durch die Funktion Table.FromRecords in eine neue Tabelle umgewandelt:

```
Table.FromRecords(Table.TransformRows(Tabelle5,
each [ProduktID = [ProduktID], Umsatz = [Menge] * [Stückpreis]]))
```

	ProduktID	Umsatz
1	16501	35,76
2	31801	73,6
3	15802	46,65
4	27402	5,92
5	26001	48,4
6	24301	15
7	28001	6,54
8	35001	51,2
9	35301	19,8
10	30702	58,96

Bild 14.20
Es entsteht eine Tabelle mit neuer Spaltenstruktur.

Table.TransformColumns

```
Table.TransformColumns(table as table, transformOperations as list, optional
defaultTransformation as nullable function, optional missingField as nullable number)
as table
```

Mit dieser Funktion werden mehrere Transformationen auf die Spalten einer Tabelle angewendet.

Eine Transformation wird als Liste aus zwei Werten angegeben, wobei der erste Wert ein Spaltenname und der zweite Wert eine Funktion ist, die auf diese Spalte angewendet wird. Wenn Sie mehrere Transformationen vornehmen wollen, fassen Sie diese zu einer Liste aus Listen zusammen.

Die Spalten, die nicht über die Liste *transformOperations* verändert wurden, können optional mit einer *defaultTransformation* angepasst werden. Hierbei müssen Sie keinen Spaltennamen angeben.

Über den optionalen Parameter *missingField* können Sie beeinflussen, was passiert, wenn eine der angegebenen Spalten nicht existieren sollte. Folgende Optionen stehen zur Verfügung:

- *MissingField.Error* bzw. *0*: Ein Fehler wird ausgegeben (Standard, falls nichts angegeben wird).
- *MissingField.Ignore* bzw. *1*: Nicht existierende Spalten werden ignoriert.
- *MissingField.UseNull* bzw. *2*: Die nicht vorhandenen angegebenen Spalten werden als leere Spalten eingefügt.

BEISPIELE:

```
Table.TransformColumns(Tabelle1, {"Name", Text.Upper})
//Die Spalte "Name" wird in Großbuchstaben umgewandelt.
```

```
Table.TransformColumns(Tabelle5,
{{"Menge", each _ * 10}, {"Stückpreis", each _ / 10}})
//Berechnungen in zwei Spalten
```

Table.TransformColumnTypes

```
Table.TransformColumnTypes(table as table, typeTransformations as list, optional
culture as nullable text) as table
```

Dies ist die Funktion, die angewandt wird, wenn Sie Spaltentypen einer Tabelle ändern. Die Typänderungen werden als Liste übergeben, die wiederum Listen im Format *{Spaltenname, Typ}* enthält.

Des Weiteren kann über den letzten Parameter eine Regionsangabe gemacht werden, z. B. „en-US“ oder „de-DE“. Dies beeinflusst das Format und die Anzeige von Datumswerten und Zahlen. Wird keine Region angegeben, wird die Einstellung des jeweiligen Systems verwendet.

BEISPIEL:

```
Table.TransformColumnTypes(Tabelle1,
{{"PersonalNr", Int64.Type}, {"Name", type text}})
//Spaltentypen: "Ganze Zahl" und "Text"
```

Table.Transpose

```
Table.Transpose(table as table, optional columns as any) as table
```

Wandelt Spalten in Zeilen und Zeilen in Spalten um. Optional können Sie eine Liste mit Überschriften für die neuen Spalten oder einen Tabellentyp über das zweite Argument festlegen.

BEISPIELE:

```
Table.Transpose(Tabelle1)
```

```
Table.Transpose(Tabelle1, {"A", "B", "C"}) //mit Spaltennamen
```

14.5.8 Arbeiten mit mehreren Tabellen

Table.Combine

```
Table.Combine(tables as list) as table
```

Mit dieser Funktion werden mehrere Tabellen zu einer Tabelle zusammengefasst. Es wird vorausgesetzt, dass die Tabellen in der Liste dieselbe Spaltenstruktur besitzen. Sie werden dann untereinander angefügt.

Falls bestimmte Spalten nicht in allen angegebenen Tabellen enthalten sind, werden sie in der Ergebnistabelle trotzdem eingefügt. Diese Spalten sind dann zum Teil leer.

BEISPIEL:

```
Table.Combine({Tabelle3, Tabelle4})
```

Table.AddJoinColumn

```
Table.AddJoinColumn(table1 as table, key1 as any, table2 as function, key2 as any,
newColumnName as text) as table
```

Fügt der Tabelle *table1* eine neue Spalte hinzu, in der für jede Zeile die zugehörige(n) Zeile(n) aus der Tabelle *table2* enthalten sind. Damit die Zusammengehörigkeit ermittelt werden kann, müssen zwei Schlüsselspalten *key1* (aus *table1*) und *key2* (aus *table2*) angegeben werden. Die Zellen, die übereinstimmende Werte in den Schlüsselspalten haben, werden zusammengeführt.

Der Name der neuen Spalte wird über *newColumnName* definiert.

Das Verhalten dieser Funktion gleicht Table.Join mit der Join-Art *LeftOuter,* allerdings werden hier die Join-Ergebnisse in einer einzelnen Spalte zusammengefasst. Die Table-Werte in dieser Spalte können anschließend noch expandiert werden (siehe Table.ExpandTableColumn). Diese Funktion bietet sich also an, wenn Sie nicht alle Spalten der zweiten Tabelle expandieren möchten.

Um eine andere Join-Art zu nutzen, verwenden Sie die Funktion *Table.NestedJoin*.

BEISPIEL:

```
Table.AddJoinColumn(Tabelle5, "KundenID", Tabelle6, "Kundennummer", "JoinSpalte")
```

	ReNr	Datum	KundenID	ProduktID	Menge	Stückpreis	JoinSpalte
2	170544	03.01.2017	1276	31801	5	14,72	Table
3	170544	03.01.2017	1276	15802	3	15,55	Table
4	170544	03.01.2017	1276	27402	1	5,92	Table
5	170544	03.01.2017	1276	26001	5	9,68	Table
6	170545	06.01.2017	1307	24301	1	15	Table
7	170545	06.01.2017	1307	28001	2	3,27	Table
8	170545	06.01.2017	1307	35001	5	10,24	Table
9	170545	06.01.2017	1307	35301	3	6,6	Table

Bild 14.21 Die Werte der zusammengeführten Tabelle können bei Bedarf expandiert werden.

Table.Join

```
Table.Join(table1 as table, key1 as any, table2 as table, key2 as any, optional
joinKind as nullable number, optional joinAlgorithm as nullable number, optional
keyEqualityComparers as nullable list) as table
```

Verknüpft die Zeilen aus den Tabellen *table1* und *table2* auf der Grundlage der angegebenen Schlüssel. Damit die Zusammengehörigkeit ermittelt werden kann, müssen zwei Schlüsselspalten *key1* (aus *table1*) und *key2* (aus *table2*) angegeben werden.

Standardmäßig wird ein innerer Join ausgeführt, mit der Angabe von *joinKind* kann jedoch auch eine andere Join-Art festgelegt werden. Verfügbare Optionen:

- *JoinKind.Inner*
- *JoinKind.LeftOuter*
- *JoinKind.RightOuter*
- *JoinKind.FullOuter*
- *JoinKind.LeftAnti*
- *JoinKind.RightAnti*

Die Bedeutung der verschiedenen Join-Arten wird in Kapitel 8.2 erklärt.

BEISPIEL:

```
Table.Join(Tabelle5, "KundenID", Tabelle6, "Kundennummer", JoinKind.Inner)
```

	ReNr	Datum	KundenID	ProduktID	Menge	Stückpreis	Kundennummer	Nachname	Vorname
1	170543	01.01.2017	1336	16501	4	8,94	1336	Michalski	M.
2	170544	03.01.2017	1276	31801	5	14,72	1276	Hartl	H.
3	170544	03.01.2017	1276	15802	3	15,55	1276	Hartl	H
4	170544	03.01.2017	1276	27402	1	5,92	1276	Hartl	H.
5	170544	03.01.2017	1276	26001	5	9,68	1276	Hartl	H.
6	170545	06.01.2017	1307	24301	1	15	1307	Klement	J.
7	170545	06.01.2017	1307	28001	2	3,27	1307	Klement	J.
8	170545	06.01.2017	1307	35001	5	10,24	1307	Klement	J.
9	170545	06.01.2017	1307	35301	3	6,6	1307	Klement	J.

Bild 14.22 Alle Spalten aus beiden Tabellen sind enthalten.

Table.NestedJoin

```
Table.NestedJoin(table1 as table, key1 as any, table2 as any, key2 as any,
newColumnName as text, optional joinKind as nullable number, optional
keyEqualityComparers as nullable list) as table
```

Diese Funktion stellt gewissermaßen eine Mischung aus den Funktionen Table.Join und Table.AddJoinColumn dar. Die Tabellen *table1* und *table2* werden auf Grundlage der Schlüsselspalten *key1* (aus *table1*) und *key2* (aus *table2*) zusammengeführt. Die Join-Art kann genau festgelegt werden wie bei Table.Join. Anstatt alle Spalten aus beiden Tabellen anzuzeigen, wird jedoch nur eine Spalte zu *table1* hinzugefügt, deren Titel über den Parameter *newColumnName* festgelegt wird. Die neue Spalte enthält Tabellen mit den zugehörigen Zeilen aus *table2*.

BEISPIEL:

```
Table.NestedJoin(Tabelle5, "KundenID", Tabelle6, "Kundennummer", "JoinSpalte",
JoinKind.Inner)
//Ergebnis: vgl. Bild 14.21
```

Table.AddKey

```
Table.AddKey(table as table, columns as list, isPrimary as logical) as table
```

Mit dieser Funktion werden Spalten aus Tabellen als Schlüsselspalten definiert. Zudem kann festgelegt werden, ob es sich dabei um Primärschlüssel handelt.

Die Voraussetzung für eine Schlüsselspalte ist, dass sie nur eindeutige Werte enthält.

Das Definieren einer Schlüsselspalte bewirkt keine sichtbare Änderung im Abfrage-Editor. Es bewirkt aber eine effizientere Bearbeitung eines späteren Joins. Besonders beim Aggregieren von Werten (siehe Table.AggregateTableColumn) läuft die Abfrage deutlich schneller, wenn die Schlüsselspalten vor dem Join mit Table.AddKey definiert wurden.

BEISPIEL:

```
Table.AddKey(Tabelle6, {"Kundennummer"}, true)
```

Table.ReplaceKeys

```
Table.ReplaceKeys(table as table, keys as list) as table
```

Ändert die Informationen über die Schlüsselspalte(n) einer Tabelle. Der Parameter *keys* erfordert eine Liste aus Datensätzen, in denen die Schlüsselspalten festgelegt werden. Die Datensätze enthalten jeweils zwei Felder: *Columns* für einen Spaltennamen und *Primary* für die Angabe *(true/false)*, ob es sich dabei um Primärschlüssel handelt.

BEISPIEL:

```
Table.ReplaceKeys(Tabelle6,
{[Columns = "Nachname", Primary = true]})
```

Table.Keys

```
Table.Keys(table as table) as list
```

Gibt die Schlüsselspalte(n) einer Tabelle zurück.

BEISPIEL:

```
Table.Keys(Tabelle6)
```

14.5.9 Ähnlichkeiten erkennen (Fuzzy-Funktionen)

Die sogenannten Fuzzy-Funktionen sind nützlich, wenn Sie Texte vergleichen wollen, die ähnlich sind. Typischerweise ist das der Fall bei manuell eingetragenen Werten, bei denen entweder verschiedene Varianten (z.B. verschiedene Schreibweisen) oder Rechtschreibfehler vorkommen.

> **!** Bei der Fuzzy-Erkennung können Sie immer eine Toleranz einstellen. Je höher die Toleranz, umso mehr Treffer werden gefunden. Gleichzeitig erhöht sich damit auch die Wahrscheinlichkeit von Fehlern, weil unterschiedliche Werte als ähnlich erkannt werden. ■

Table.AddFuzzyClusterColumn

```
Table.AddFuzzyClusterColumn(table as table, columnName as text, newColumnName as
text, optional options as nullable record) as table
```

Findet ähnliche und gleiche Werte in einer Spalte und gruppiert diese. Für jede Gruppe wird ein repräsentativer Wert in einer neuen Spalte ausgegeben.

Wenn Sie beispielsweise eine Spalte mit Textwerten haben, die vereinzelt Rechtschreibfehler enthalten, dann geben Sie im ersten Parameter die Tabelle und im zweiten Parameter den Namen der Spalte an, deren Werte in unterschiedlichen Schreibweisen vorkommen. Die Funktion erzeugt eine neue Spalte, in der im Idealfall alle Werte richtig geschrieben erscheinen.

Dieser Prozess funktioniert am besten, wenn Sie viele richtige Vergleichswerte und nur wenige, geringfügige Abweichungen in der Spalte haben. Es handelt sich nicht um eine Rechtschreibprüfung, sondern um einen Vergleich: Wenn in der Spalte nur einmal der Wert „Pakplatz" vorkommt, wird er nicht als falsch erkannt, doch wenn fünfmal „Parkplatz" und einmal „Pakplatz" vorkommt, dann erkennt Power Query die Ähnlichkeit.

Für den Parameter *options* können Sie einen Datensatz mit den folgenden Optionen übergeben:

- *Culture:* Unter bestimmten Umständen berücksichtigt der Vergleichsalgorithmus „kulturspezifische Regeln", wobei die Dokumentation nicht genauer spezifiziert, welche Auswirkungen eine Änderung hat. Standardmäßig wird hier die englische Norm verwendet. Sie können das mit der Angabe „de-DE" auf deutsch ändern.
- *IgnoreCase:* Standardmäßig wird beim Abgleich von Textwerten nicht unterschieden, was groß und was klein geschrieben ist. Falls Groß-/Kleinschreibung geändert werden soll, geben Sie für dieses Feld *false* an.
- *IgnoreSpace:* Leerzeichen werden standardmäßig ignoriert, sodass beispielsweise „Power Query" und „PowerQuery" gleichgesetzt werden. Falls Leerzeichen berücksichtigt werden sollen, geben Sie hier *false* an.
- *Threshold:* Dies ist eine Zahl zwischen 0,00 und 1,00, die den Ähnlichkeitswert angibt, bei dem zwei Werte gruppiert werden. Je strenger der Abgleich sein soll, umso höher muss dieser Wert sein. Beispiel: „Trauben" und „Trauen" (fehlendes „b") werden nur dann gruppiert, wenn diese Option auf weniger als 0,90 festgelegt ist. Der Standardwert ist 0,80.
- *SimilarityColumnName:* Wenn Sie einen Spaltennamen für diese Option angeben, wird eine weitere Spalte hinzugefügt, die die errechnete Ähnlichkeit zwischen einem Eingabewert und dem repräsentativen Wert für diese Eingabe anzeigt. Dies ist der Wert zwischen 0 und 1, der auch bei der Option *Threshold* relevant ist. Die Zusatzspalte hilft also beim Feinjustieren des Grenzwerts.
- *TransformationTable:* Wenn die automatische Zuordnung Ihren Ansprüchen nicht genügt, können Sie über diese Funktion genau definieren, welche Eingabewerte zu welchem Ausgabewert zugeordnet werden sollen. Die Werte müssen dabei nicht einmal ähnlich sein. Sie benötigen dafür eine zusätzliche Tabelle (in einer Abfrage oder einem eigenen Transformationsschritt), auf die in diesem Parameter verwiesen wird. Die Tabelle muss zwei Spalten enthalten: *From* und *To*. Beispiel: Ihre Transformation-Tabelle enthält in der

Spalte *From* den Wert „violett“ und in der Spalte *To* den Wert „lila“, dann wird beim Erstellen der „FuzzyClusterColumn“ für jeden Eintrag „violett“ der Wert „lila“ ausgegeben. Dies funktioniert auch innerhalb eines längeren Texts, d. h., der Text „Die Blume ist violett“ wird zu „Die Blume ist lila“.

BEISPIEL:

```
Table.AddFuzzyClusterColumn(Tabelle8, "Abteilung", "AbteilungSauber")
//Ergebnis: Die Original-Spalte enthielt falsch geschriebene Wörter (z.B. "Epfang").
//In der neuen Spalte "AbteilungSauber" sind die falschen Wörter
//durch die richtigen ersetzt ("Empfang")
```

Table.FuzzyGroup

```
Table.FuzzyGroup(table as table, key as any, aggregatedColumns as list, optional
options as nullable record) as table
```

Gruppiert die Zeilen der *Ausgangstabelle (table)* nach einer oder mehreren Schlüsselspalten, die im Parameter *key* angegeben werden. Das Prinzip ist ähnlich wie beim Gruppieren mit der Funktion *Table.Group*, allerdings werden bei *FuzzyGroup* auch Einträge zusammengefasst, die ähnliche Werte in den Schlüsselspalten haben.

Das Argument `aggregatedColumns` legt fest, wie die übrigen Spalten aggregiert werden. Vergleiche hierzu *Table.Group* (Abschnitt 14.5.7). Die Optionen im letzten Parameter sind die gleichen wie bei *Table.AddFuzzyClusterColumn*.

BEISPIEL:

```
Table.FuzzyGroup(Tabelle8, "Abteilung", {"Letzte Prüfung",
each List.Max([Prüfdatum])})
//Ergebnis: Die Einträge werden nach Abteilung gruppiert,
//obwohl einzelne Abteilungsnamen falsch geschrieben sind.
```

Table.FuzzyJoin

```
Table.FuzzyJoin(table1 as table, key1 as any, table2 as table, key2 as any, optional
joinKind as nullable number, optional joinOptions as nullable record) as table
```

Wie *Table.Join* (vgl. Abschnitt 14.5.8) mit dem Unterschied, dass keine exakte Übereinstimmung in den Schlüsselspalten notwendig ist, um Einträge einander zuzuordnen. Für *joinOptions* siehe die Funktion *Table.AddFuzzyClusterColumn*.

Table.FuzzyNestedJoin

```
Table.FuzzyNestedJoin(table1 as table, key1 as any, table2 as table, key2 as any,
newColumnName as text, optional joinKind as nullable number, optional joinOptions as
nullable record) as table
```

Wie *Table.Join* (vgl. Abschnitt 14.5.8) mit dem Unterschied, dass keine exakte Übereinstimmung in den Schlüsselspalten notwendig ist, um Einträge einander zuzuordnen. Für *joinOptions* siehe die Funktion *Table.AddFuzzyClusterColumn*.

14.5.10 Sonstige

Table.Buffer

```
Table.Buffer(table as table) as table
```

Mit dieser Funktion wird eine Tabelle in den Arbeitsspeicher geladen, was bewirkt, dass während der Auswertung keine externen Änderungen mehr möglich sind.

Eine Pufferung im Arbeitsspeicher kann die Effizienz der Abfrage erhöhen, wenn die selbe Tabelle mehrmals durch verschiedene Transformationen abgerufen werden muss. Bei großen Tabellen und bei aufwendigen Ladevorgängen können Sie somit die Geschwindigkeit der Abfrage erhöhen.

Des Weiteren wird dadurch Query Folding blockiert. Query Folding (vgl. Abschnitt 7.2) dient eigentlich auch dazu, die Effizienz der Abfrage zu erhöhen. Sollte das aber aus irgendeinem Grund nicht zweckmäßig sein, bauen Sie einfach einen Zwischenschritt ein und holen die betroffene Tabelle per Table.Buffer in den Arbeitsspeicher. Ab diesem Punkt findet dann kein Query Folding mehr statt.

BEISPIEL:

```
Table.Buffer(Tabelle1)
```

14.6 Textfunktionen

14.6.1 Erstellung und Konvertierung

Text.From

```
Text.From(value as any, optional culture as nullable text) as nullable text
```

Mit dieser Funktion wandeln Sie einen Wert in einen Textwert um. Die Voraussetzung ist, dass der Wert *value* einen einzelnen Wert enthält. Tabellen, Listen oder Datensätze können also nicht umgewandelt werden.

Standardmäßig wird die Regionseinstellung des jeweiligen Systems verwendet, um Zeit-Datums- oder Zahlenwerte zu formatieren. Mit dem optionalen Parameter *culture* legen Sie fest, welche regionstypische Darstellung verwendet werden soll.

BEISPIELE:

```
Text.From(3)  //Ergebnis: "3"

Text.From(#date(2017,4,21), "de-DE")  //Ergebnis: 21.04.2017

Text.From(#date(2017,4,21), "en-US")  //Ergebnis: 4/21/2017
```

```
Text.From(#date(2017,4,21))
//Das Ergebnis hängt von der jeweiligen Systemeinstellung ab.
```

Text.Format

```
Text.Format(formatString as text, arguments as any, optional culture as nullable
text) as text
```

Diese Funktion erlaubt es, Texte flexibel mithilfe von Platzhaltern zu erstellen. Im Text *formatString* werden Platzhalter eingefügt und im Parameter *arguments* werden die zugehörigen Werte angegeben. Hierbei gibt es zwei Möglichkeiten:

1. Die Argumentwerte werden als Liste angegeben. In diesem Fall werden die Platzhalter im Text mit dem Rautezeichen und der entsprechenden Listenposition in geschweiften Klammern markiert.
2. Die Argumentwerte werden als Datensatz angegeben. Die Platzhalter werden im Text mit dem Rautezeichen und dem entsprechenden Feldnamen in eckigen Klammern markiert.

Für Formatierungen wird standardmäßig die Regionseinstellung des jeweiligen Systems verwendet. Mit dem optionalen Parameter *culture* legen Sie fest, welche regionstypische Darstellung verwendet werden soll.

BEISPIEL MIT ARGUMENTEN-LISTE:

```
Text.Format("Es wurden #{0} Stück produziert, wovon #{1} nachbearbeitet und #{2}
entsorgt werden mussten.", {23, 7, 3})
/* Ergebnis: "Es wurden 23 Stück produziert, wovon 7 nachbearbeitet und 3 entsorgt
werden mussten." /*
```

BEISPIEL MIT ARGUMENTEN-DATENSATZ:

```
Text.Format("Der Artikel #[ArtikelNr] wiegt #[Gewicht] Gramm.",
[ArtikelNr = "C71", Gewicht = 420])
```

Der übergebene Datensatz kann auch eine Tabellenzeile sein. ■

Text.FromBinary

```
Text.FromBinary(binary as nullable binary, optional encoding as nullable number) as
nullable text
```

Decodiert Daten aus einem Binärformat in Text.

Optional kann das Encoding-Format über eine der folgenden Konstanten angegeben werden:

- *TextEncoding.Utf8 = 65001*
- *TextEncoding.Utf16 = 1200*

- *TextEncoding.Ascii = 20127*
- *TextEncoding.Unicode = 1200*
- *TextEncoding.BigEndianUnicode = 1201*
- *TextEncoding.Windows = 1252*

BEISPIEL:

```
Text.FromBinary(#binary({0x48,0x61,0x6c,0x6c,0x6f}))
//Ergebnis: "Hallo"
```

Text.ToBinary

```
Text.ToBinary(text as nullable text, optional encoding as nullable number, optional
includeByteOrderMark as nullable logical) as nullable binary
```

Kodiert Text in ein Binärformat.

Optional kann das Encoding-Format angegeben werden (siehe Funktion Text.FromBinary).

BEISPIEL:

```
Text.ToBinary("Hallo")
```

Text.NewGuid

```
Text.NewGuid() as text
```

Der Rückgabewert dieser Funktion ist eine neue, zufällige GUID. Mit GUID (Globally Unique Identifier) bezeichnet man Nummern im 128-Bit-Format, die praktisch einzigartig sind. Sie werden unter anderem verwendet, um Datenbankeinträge zu nummerieren.

Die Wahrscheinlichkeit, dass diese Funktion zweimal die gleiche Nummer erzeugt, ist verschwindend gering. Sie können davon ausgehen, dass die erzeugte Nummer einzigartig ist, ohne die anderen Nummern zu kennen.

Es ist tatsächlich sicher, diese zufällig erzeugte Nummer als einzigartig zu betrachten. Wenn jeder Mensch auf der Erde 600 Millionen GUIDs erzeugen würde, gäbe es nur eine 50-prozentige Chance, dass zwei dieser GUIDs gleich sind.

Text.ToList

```
Text.ToList(text as text) as list
```

Erzeugt eine Liste aus den einzelnen Zeichen eines Textes.

BEISPIEL:

```
Text.ToList("Hallo") //Ergebnis: {"H", "a", "l", "l", "o"}
```

Character.ToNumber

```
Character.ToNumber(character as nullable text) as nullable number
```

Gibt für ein einzelnes Zeichen die entsprechende Zahl zurück. Es handelt sich dabei um die Unicode-Nummer im Dezimalformat.

BEISPIEL:

```
Character.ToNumber("x")  //Ergebnis: 120
```

Character.FromNumber

```
Character.FromNumber(number as nullable number) as nullable text
```

Konvertiert eine Zahl in das entsprechende Zeichen, basierend auf dem Unicode-System.

BEISPIEL:

```
Character.FromNumber(120)  //Ergebnis: "x"
```

Json.FromValue

```
Json.FromValue(value as any, optional encoding as nullable number) as binary
```

Generiert eine JSON-Darstellung eines Werts. Die Textkodierung ist standardmäßig UTF-8. Alternative Kodierungen können Sie über den zweiten Parameter angeben (siehe Funktion Text.FromBinary).

Die für *value* übergebenen Werte werden wie folgt dargestellt:

- NULL-, Text- und logische Werte werden als die entsprechenden JSON-Typen dargestellt.
- Zahlen werden als Zahlen in JSON dargestellt. Nur #infinity, -#infinity und #nan werden in NULL konvertiert.
- Listen werden als JSON-Arrays dargestellt.
- Datensätze werden als JSON-Objekte dargestellt.
- Tabellen werden als ein Array von Objekten dargestellt.
- Datums- und Uhrzeitangaben, datetime-, datetimezones-Werte und Dauerangaben werden als ISO-8601-Text dargestellt.
- Binärwerte werden als base-64-kodierter Text dargestellt.
- Typen und Funktionen generieren einen Fehler.

BEISPIEL:

Die erzeugten Werte sind im Binary-Format. Um sie darzustellen, werden sie hier direkt in Text umgewandelt:

```
Text.FromBinary(Json.FromValue(
[A = {1, true, "3"}, B = #date(2012, 3, 25)]))
//Ergebnis (in JSON): {"A":[1,true,"3"],"B":"2012-03-25"}
```

14.6.2 Informationen über Texte

Text.Contains

```
Text.Contains(string as nullable text, substring as text, optional comparer as
nullable function) as nullable logical
```

Gibt zurück, ob der Text *string* die Teilzeichenfolge *substring* enthält.

Über eine Vergleichsfunktion *(comparer)* kann festgelegt werden, welche Werte als gleich bzw. ungleich erkannt werden (siehe Comparer-Funktionen).

BEISPIELE:

```
Text.Contains("Guten Tag", "Tag") //Ergebnis: true
```

```
Text.Contains("Guten Tag", "tag") //Ergebnis: false
```

```
Text.Contains("Guten Tag", "tag", Comparer.OrdinalIgnoreCase)
//Ergebnis: true
```

Text.EndsWith

```
Text.EndsWith(string as nullable text, substring as text, optional comparer as
nullable function) as nullable logical
```

Gibt an, ob der angegebene Text *(text)* mit dem angegebenen Wert *(substring)* endet.

Über eine Vergleichsfunktion *(comparer)* kann festgelegt werden, welche Werte als gleich bzw. ungleich erkannt werden (siehe Comparer-Funktionen).

BEISPIELE:

```
Text.EndsWith("Guten Tag", "Tag") //Ergebnis: true
```

```
Text.EndsWith("Guten Tag", "Morgen") //Ergebnis: false
```

Text.Length

```
Text.Length(text as nullable text) as nullable number
```

Gibt die Anzahl der Zeichen im angegebenen Text zurück.

BEISPIEL:

```
Text.Length("Hallo") //Ergebnis: 5
```

Text.PositionOf

```
Text.PositionOf(string as nullable text, substring as text, optional occurrence as
nullable number, optional comparer as nullable function) as nullable number
```

Der Textwert *substring* wird im angegebenen Text *string* gesucht. Falls er gefunden wird, wird die Position des ersten Buchstabens zurückgegeben. Ansonsten wird *-1* zurückgegeben.

Normalerweise wird das erste Auftreten des gesuchten Textes angegeben. Für den Fall, dass der Wert mehrmals in der Liste enthalten ist, können Sie über den optionalen Parameter *occurrence* folgende Einstellung vornehmen:

- *Occurrence.First:* Die Position des ersten Auftretens wird zurückgegeben.
- *Occurrence.Last:* Die Position des letzten Auftretens wird zurückgegeben.
- *Occurrence.All:* Alle Positionen des gesuchten Werts werden als Liste zurückgegeben.

Über eine Vergleichsfunktion *(comparer)* kann festgelegt werden, welche Werte als gleich bzw. ungleich erkannt werden (siehe Comparer-Funktionen).

BEISPIELE:

```
Text.PositionOf("Guten Tag", "Tag")  //Ergebnis: 6
```

```
Text.PositionOf("Guten Abend", "e", Occurrence.Last)  //Ergebnis: 8
```

```
Text.PositionOf("Guten Abend", "e", Occurrence.All)
//Ergebnis: {3, 8}
```

Text.PositionOfAny

```
Text.PositionOfAny(string as text, list as list, optional occurrence as nullable
number) as number
```

Gibt die Position des ersten Vorkommens eines beliebigen Zeichens aus der Zeichenliste *list* zurück, das im Textwert *string* gefunden wird. Ist keines der Listenelemente im Text enthalten, wird *-1* zurückgegeben.

Normalerweise wird das erste Auftreten irgendeines Listenelements angegeben. Alternativ können Sie über den optionalen Parameter *occurrence* folgende Einstellung vornehmen:

- *Occurrence.First:* Die Position des ersten Auftretens wird zurückgegeben.
- *Occurrence.Last:* Die Position des letzten Auftretens wird zurückgegeben.
- *Occurrence.All:* Alle Positionen der gesuchten Werte werden als Liste zurückgegeben.

BEISPIELE:

```
Text.PositionOfAny("Guten Abend", {"e", "n"})  //Ergebnis: 3
```

```
Text.PositionOfAny("Guten Abend", {"e", "n"}, Occurrence.All)
//Ergebnis: {3, 4, 8, 9}
```

Text.StartsWith

```
Text.StartsWith(string as nullable text, substring as text, optional comparer as
nullable function) as nullable logical
```

Gibt *true* zurück, wenn der Textwert *sting* mit dem Textwert *substring* beginnt.

Über eine Vergleichsfunktion *(comparer)* kann festgelegt werden, welche Werte als gleich bzw. ungleich erkannt werden (siehe Comparer-Funktionen).

BEISPIELE:

```
Text.StartsWith("Guten Tag", "Guten")  //Ergebnis: true
```

```
Text.StartsWith("Guten Tag", "Tag")  //Ergebnis: false
```

14.6.3 Auszüge von Textteilen

Text.At

```
Text.At(value as nullable text, index as number) as nullable text
```

Gibt das Zeichen an der angegebenen Position zurück (beginnend bei 0).

BEISPIEL:

```
Text.At("Guten Tag", 4)  //Ergebnis: "n"
```

Text.End

```
Text.End(string as nullable text, numChars as number) as nullable text
```

Gibt das Ende eines Textwerts *(string)* zurück. Die Länge des ausgegebenen Textes wird über das zweite Argument *(numChars)* definiert.

BEISPIEL:

```
Text.End("Guten Tag", 3)  //Ergebnis: "Tag"
```

Text.Middle

```
Text.Middle(text as nullable text, start as number, optional count as nullable
number) as nullable text
```

Gibt einen Textteil ab einer bestimmten Position zurück. *Start* gibt den Beginn des Textausschnitts an und über *count* können Sie die Anzahl der ausgegebenen Zeichen festlegen. Wird keine Anzahl angegeben, wird der Text bis zum Ende ausgeschnitten.

BEISPIELE:

```
Text.Middle("Guten Tag", 6)  //Ergebnis: "Tag"
```

```
Text.Middle("Guten Tag", 6, 1)  //Ergebnis: "T"
```

Text.Range

```
Text.Range(text as nullable text, offset as number, optional count as nullable
number) as nullable text
```

Gibt einen Textteil ab einer bestimmten Position zurück. *Offset* gibt den Beginn des Textausschnitts an und über *count* können Sie die Anzahl der ausgegebenen Zeichen festlegen. Wird keine Anzahl angegeben, wird der Text bis zum Ende ausgeschnitten.

Im Unterschied zu Text.Middle wird bei Text.Range ein Fehler ausgegeben, falls eine größere als die verfügbare Zeichenanzahl angegeben wurde.

BEISPIELE:

```
Text.Range ("Guten Tag", 6)  //Ergebnis: "Tag"
```

```
Text.Range ("Guten Tag", 6, 1)  //Ergebnis: "T"
```

Text.Select

```
Text.Select(text as nullable text, selectChars as any) as nullable text
```

Filtert einen Text nach bestimmten Zeichen, d.h. alle Zeichen, die nicht im Parameter *selectChars* angegeben sind, werden entfernt. Für *selectChars* können Sie entweder ein einzelnes Zeichen oder eine Liste von Zeichen angeben.

BEISPIELE:

```
Text.Select("Banane", "a") //Ergebnis: "aa"
```

```
Text.Select("Ananas", {"a", "n"})  //Ergebnis: "nana"
```

Diese Funktion wird häufig verwendet, um Zahlen aus Texten zu isolieren.

Um eine vollständige Liste aus den Zahlen-Zeichen von 0 bis 9 zu erstellen, nutzen Sie den Trick mit den zwei Punkten: `{"0".."9"}`. Die Anführungszeichen sind in diesem Fall nötig, weil `Text.Select` einen Text erwartet.

So können Sie beispielsweise einen Zahlenwert aus einem Text auswählen (inklusive Komma):

```
Text.Select("Gesamtsumme: 82.731,47€", {"0".."9", ","})
//Ergebnis: 82731,47
```

Text.Start

```
Text.Start(string as nullable text, count as number) as nullable text
```

Die ersten Zeichen eines Textes werden ausgegeben. Die Anzahl wird über den Parameter *count* bestimmt.

BEISPIEL:

```
Text.Start("Guten Tag", 3)  //Ergebnis: "Gut"
```

14.6.4 Modifikationen

Text.Insert

```
Text.Insert(text as nullable text, offset as number, newText as text) as nullable
text
```

Fügt einen Textwert *(newText)* an einer angegebenen Position *(offset)* in einen anderen Textwert *(text)* ein.

BEISPIEL:

```
Text.Insert("ABD", 2, "C")  //Ergebnis: "ABCD"
```

Text.Remove

```
Text.Remove(text as nullable text, removeChars as any) as nullable text
```

Entfernt alle Vorkommen eines oder mehrerer Zeichen aus einem Text. Für den Parameter removeChars können Sie ein einzelnes Zeichen oder eine Liste von Zeichen übergeben.

BEISPIELE:

```
Text.Remove("a-b-c", "-")  //Ergebnis: "abc"

Text.Remove("a-bxc-d", {"-", "x"})  //Ergebnis: "abcd"
```

Text.RemoveRange

```
Text.RemoveRange(text as nullable text, offset as number, optional count as number)
as nullable text
```

Entfernt die angegebene Anzahl (*count*) von Zeichen ab einer bestimmten Position *(offset)* aus einem Text *(text)*.

BEISPIELE:

```
Text.RemoveRange("ABCDE", 2) //Ergebnis: "ABDE"
```

```
Text.RemoveRange("ABCDE", 2, 2) //Ergebnis: "ABE"
```

Text.Replace

```
Text.Replace(text as nullable text, old as text, new as text) as nullable text
```

Ersetzt alle Vorkommen der angegebenen Zeichenfolge im Text.

BEISPIEL:

```
Text.Replace("Wenn hinter Fliegen Fliegen fliegen, fliegen Fliegen Fliegen nach.",
"Fliegen", "Bienen")
//Ergebnis: "Wenn hinter Bienen Bienen fliegen, fliegen Bienen Bienen nach."
```

Text.ReplaceRange

```
Text.ReplaceRange(text as nullable text, offset as number, length as number, newText
as text) as nullable text
```

Entfernt an einer angegebenen Position *(offset)* eine bestimmte Anzahl *(length)* von Zeichen und fügt einen neuen Wert *(newText)* ein.

BEISPIEL:

```
Text.ReplaceRange("ABGF", 2, 1, "CDE") //Ergebnis: "ABCDEF"
```

14.6.5 Transformationen

Text.AfterDelimiter

```
Text.AfterDelimiter(text as nullable text, delimiter as text, optional index as any)
as any
```

Gibt den Teil eines Textes nach einem Trennzeichen *(delimiter)* zurück.

Falls das Trennzeichen öfter enthalten ist, können Sie über den Parameter *index* angeben, dass nur ein bestimmtes Vorkommen berücksichtigt werden soll. Sie können hier eine Zahl angeben oder eine Liste mit einer Zahl und einer Konstante. Folgende Konstanten sind möglich:

- *RelativePosition.FromEnd:* Die Zahl des Vorkommens wird vom Textende gezählt.
- *RelativePosition.FromStart:* Die Zahl des Vorkommens wird vom Textbeginn gezählt (Standard).

BEISPIELE:

```
Text.AfterDelimiter("11-22-33-44", "-") //Ergebnis: "22-33-44"
```

```
Text.AfterDelimiter("11-22-33-44", "-", 2) //Ergebnis: "44"
```

```
Text.AfterDelimiter("11-22-33-44", "-",
{2, RelativePosition.FromEnd})
//Ergebnis: "22-33-44"
```

Text.BeforeDelimiter

```
Text.BeforeDelimiter(text as nullable text, delimiter as text, optional index as any)
as any
```

Gibt den Teil eines Textes vor einem Trennzeichen *(delimiter)* zurück.

Falls das Trennzeichen öfter enthalten ist, können Sie über den Parameter *index* angeben, dass nur ein bestimmtes Vorkommen berücksichtigt werden soll. Sie können hier eine Zahl angeben oder eine Liste mit einer Zahl und einer Konstante. Folgende Konstanten sind möglich:

- *RelativePosition.FromEnd:* Die Zahl des Vorkommens wird vom Textende gezählt.
- *RelativePosition.FromStart:* Die Zahl des Vorkommens wird vom Textbeginn gezählt (Standard).

BEISPIELE:

```
Text.BeforeDelimiter("11-22-33-44", "-") //Ergebnis: "11"
```

```
Text.BeforeDelimiter("11-22-33-44", "-", 2) //Ergebnis: "11-22-33"
```

```
Text.BeforeDelimiter("11-22-33-44", "-",
{2, RelativePosition.FromEnd})
//Ergebnis: "11"
```

Text.BetweenDelimiters

```
Text.BetweenDelimiters(text as nullable text, startDelimiter as text, endDelimiter as
text, optional startIndex as any, optional endIndex as any) as any
```

Gibt den Teil des Textes *text* zwischen den angegebenen Trennzeichen *startDelimiter* und *endDelimiter* zurück.

Falls die Trennzeichen öfter enthalten sind, können Sie über die Parameter *startIndex* und *endIndex* angeben, dass nur ein bestimmtes Vorkommen berücksichtigt werden soll. Sie können hier eine Zahl angeben oder eine Liste mit einer Zahl und einer Konstante. Folgende Konstanten sind möglich:

- *RelativePosition.FromEnd:* Die Zahl des Vorkommens wird nach links aufsteigend gezählt.
- *RelativePosition.FromStart:* Die Zahl des Vorkommens wird nach rechts aufsteigend gezählt (Standard).

Beachten Sie, dass die Position bei *endIndex* immer relativ zu *startIndex* angegeben werden muss.

BEISPIELE:

```
Text.BetweenDelimiters("111 (222) 333 (444)", "(", ")")
//Ergebnis: "222"
```

```
Text.BetweenDelimiters("111 (222) 333 (444)", "(", ")", 1, 0)
//Ergebnis: "444"
```

```
Text.BetweenDelimiters("111 (222) 333 (444)", "(", ")",
{1, RelativePosition.FromEnd}, {1, RelativePosition.FromStart})
//Ergebnis: "222) 333 (444"
```

Text.Clean

```
Text.Clean(string as nullable text) as nullable text
```

Alle nicht druckbaren Zeichen werden aus dem Textwert entfernt.

BEISPIEL:

```
Text.Clean("ABC#(lf)D") //Ergebnis: "ABCD" (ohne Zeilenvorschub)
```

Text.Combine

```
Text.Combine(text as list, optional separator as nullable text) as text
```

Verkettet eine Liste mit Textwerten zu einem einzelnen Textwert.

Optional kann ein Trennzeichen angegeben werden.

BEISPIELE:

```
Text.Combine({"Ana", "nas"}) //Ergebnis: "Ananas"
```

```
Text.Combine({"Tragl", "Lars"}, ", ") //Ergebnis: "Tragl, Lars"
```

Text.Lower

```
Text.Lower(string as nullable text) as nullable text
```

Alle Buchstaben werden in Kleinschreibung konvertiert.

BEISPIEL:

```
Text.Lower("aBcD") //Ergebnis: "abcd"
```

Text.Upper

```
Text.Upper(string as nullable text) as nullable text
```

Alle Buchstaben werden in Großschreibung konvertiert.

BEISPIEL:

```
Text.Upper("aBcD") //Ergebnis: "ABCD"
```

Text.PadEnd

```
Text.PadEnd(text as nullable text, count as number, optional character as nullable
text) as nullable text
```

Hiermit wird sichergestellt, dass ein Textwert eine bestimmte Mindestlänge hat. Falls der Text kürzer ist als die angegebene Anzahl *(count)* an Zeichen, werden die fehlenden Zeichen am Ende angefügt.

Das optionale Argument *character* bestimmt, mit welchem Zeichen der Text aufgefüllt wird. Ist kein Zeichen angegeben, wird das Leerzeichen verwendet.

BEISPIELE:

```
Text.PadEnd("Name", 10) //Ergebnis: "Name      "

Text.PadEnd("Name", 10, ".") //Ergebnis: "Name......"
```

Text.PadStart

```
Text.PadStart(text as nullable text, count as number, optional character as nullable
text) as nullable text
```

Hiermit wird sichergestellt, dass ein Textwert eine bestimmte Mindestlänge hat. Falls der Text kürzer ist als die angegebene Anzahl *(count)* an Zeichen, werden die fehlenden Zeichen am Ende angefügt.

Das optionale Argument *character* bestimmt, mit welchem Zeichen der Text aufgefüllt wird. Ist kein Zeichen angegeben, wird das Leerzeichen verwendet.

BEISPIELE:

```
Text.PadStart("Name", 10) //Ergebnis: "      Name"

Text.PadStart("0815", 10, "0") //Ergebnis: 0000000815"
```

Text.Proper

```
Text.Proper(string as nullable text) as nullable text
```

Der erste Buchstabe jedes Worts wird großgeschrieben. Alle anderen Buchstaben werden in Kleinschreibung zurückgegeben.

BEISPIEL:

```
Text.Proper("fIschErs fRITz fiSchT FrisChe fischE")
//Ergebnis: "Fischers Fritz Fischt Frische Fische"
```

Text.Repeat

```
Text.Repeat(string as text, repeatCount as number) as text
```

Der Textwert *text* wird so oft wiederholt, wie es das zweiten Argument angibt.

BEISPIEL:

```
Text.Repeat("abc", 5)  //Ergebnis: "abcabcabcabcabc"
```

Text.Reverse

```
Text.Reverse(text as nullable text) as nullable text
```

Der Textwert *text* wird rückwärts zurückgegeben.

BEISPIEL:

```
Text.Reverse("Knäckebrot")  //Ergebnis: "torbekcänK"
```

Text.Split

```
Text.Split(string as text, separator as text) as list
```

Gibt eine Liste mit Textwerten zurück, für die ein Textwert *(text)* auf der Grundlage des angegebenen Trennzeichens *(separator)* aufgeteilt wurde.

Im Unterschied zu Text.SplitAny kann bei Text.Split auch ein Trenner angegeben werden, der aus mehreren Zeichen besteht.

BEISPIELE:

```
Text.Split("Name|Adresse|Telefon", "|")
//Ergebnis: {"Name", "Adresse", "Telefon"}
```

```
Text.Split("Name, Adresse, Telefon", ", ")
//Ergebnis: {"Name", "Adresse", "Telefon"}
```

Text.SplitAny

```
Text.SplitAny(string as text, separators as text) as list
```

Gibt eine Liste mit Textwerten zurück, für die ein Textwert *(text)* auf der Grundlage eines oder mehrerer Trennzeichen *(separators)* aufgeteilt wurde.

Im Unterschied zu Text.Split werden die Trennzeichen bei Text.SplitAny nicht zusammen, sondern einzeln als Trenner interpretiert.

BEISPIEL:

```
Text.SplitAny("Name|Straße,Hausnummer,Ort|Telefon", "|,")
//Ergebnis: {"Name", "Straße", "Hausnummer", "Ort", "Telefon"}
```

Text.Trim

```
Text.Trim(text as nullable text, optional trimChars as any) as nullable text
```

Entfernt alle Leerzeichen am Beginn und am Ende des Textes.

Über den zweiten Parameter können alternativ auch andere Zeichen angegeben werden. Sogar eine Liste aus verschiedenen Zeichen ist möglich.

BEISPIELE:

```
Text.Trim("   a b c   ") //Ergebnis: "a b c"
```

```
Text.Trim("...a.b.c... ", ".") //Ergebnis: "a.b.c"
```

```
Text.Trim("__..a.b.c._. ", {".", "_"}) //Ergebnis: "a.b.c"
```

Text.TrimEnd

```
Text.TrimEnd(text as nullable text, optional trimChars as any) as nullable text
```

Entfernt alle Leerzeichen am Ende des Textes.

Über den zweiten Parameter können alternativ auch andere Zeichen angegeben werden. Sogar eine Liste aus verschiedenen Zeichen ist möglich.

BEISPIELE:

```
Text.TrimEnd("   a b c   ") //Ergebnis: "   a b c"
```

```
Text.TrimEnd("...a.b.c... ", ".") //Ergebnis: "...a.b.c"
```

```
Text.TrimEnd("__..a.b.c._. ", {".", "_"}) //Ergebnis: "__..a.b.c"
```

Text.TrimStart

```
Text.TrimStart(text as nullable text, optional trimChars as any) as nullable text
```

Entfernt alle Leerzeichen am Beginn und am Ende des Textes.

Über den zweiten Parameter können alternativ auch andere Zeichen angegeben werden. Sogar eine Liste aus verschiedenen Zeichen ist möglich.

BEISPIELE:

```
Text.TrimStart("   a b c   ") //Ergebnis: "a b c   "
```

```
Text.TrimStart("...a.b.c... ", ".") //Ergebnis: "a.b.c..."
```

```
Text.TrimStart("__..a.b.c._. ", {".", "_"}) //Ergebnis: "a.b.c._."
```

14.7 Zahlenfunktionen

14.7.1 Informationen über Zahlen

Number.IsEven

```
Number.IsEven(value as number) as logical
```

Gibt an, ob eine Zahl gerade ist.

BEISPIELE:

```
Number.IsEven(25) //Ergebnis: false
```

```
Number.IsEven(12) //Ergebnis: true
```

Number.IsOdd

```
Number.IsOdd(value as number) as logical
```

Gibt an, ob eine Zahl ungerade ist.

BEISPIELE:

```
Number.IsOdd(25) //Ergebnis: true
```

```
Number.IsOdd(12) //Ergebnis: false
```

Number.IsNaN

```
Number.IsNaN(value as number) as logical
```

Gibt an, ob es sich um einen nicht numerischen Wert (NaN-Wert) handelt. NaN steht für „not a number“.

BEISPIELE:

```
Number.IsNaN(1)  //Ergebnis: false
```

```
Number.IsNaN(0/0)  //Ergebnis: true
```

14.7.2 Rechenoperationen

Number.Abs

```
Number.Abs(number as nullable number) as nullable number
```

Der absolute Wert einer Zahl, d. h., ihr Abstand von 0 wird zurückgegeben.

BEISPIELE:

```
Number.Abs(-3)  //Ergebnis: 3
```

```
Number.Abs(3)  //Ergebnis: 3
```

Number.Factorial

```
Number.Factorial(number as nullable number)  as nullable number
```

Gibt die Fakultät der Zahl zurück.

BEISPIEL:

```
Number.Factorial(10)  //Ergebnis: 3628800
```

Number.Exp

```
Number.Exp(number as nullable number) as nullable number
```

Potenziert die Eulersche Zahl e mit dem angegebenen Wert.

BEISPIEL:

```
Number.Exp(3)  //Ergebnis: 20.085536923187668
```

Number.Log

```
Number.Log(number as nullable number, optional base as nullable number) as nullable
number
```

Gibt den Logarithmus einer Zahl *(number)* zur angegebenen Basis *(base)* zurück. Ohne Angabe von *base* wird standardmäßig die Eulersche Zahl e verwendet.

BEISPIELE:

```
Number.Log(2, 10) //Ergebnis: 0.3010299956639812
```

```
Number.Log(2) //Ergebnis: 0.69314718055994529
```

Number.Log10

```
Number.Log10 (number as nullable number) as nullable number
```

Gibt den Logarithmus der Zahl zur Basis 10 zurück.

BEISPIEL:

```
Number.Log10(2) //Ergebnis: 0.3010299956639812
```

Number.Ln

```
Number.Ln(number as nullable number) as nullable number
```

Gibt den natürlichen Logarithmus der Zahl zurück.

BEISPIEL:

```
Number.Ln(15) //Ergebnis: 2.70805020110221
```

Number.IntegerDivide

```
Number.IntegerDivide (number1 as nullable number, number2 as nullable number,
optional precision as nullable number) as nullable number
```

Dividiert zwei Zahlen und gibt den ganzzahligen Teil des Ergebnisses zurück.

Der Parameter *precision* kann folgende Werte für die Genauigkeit erhalten: *Precision.Double* und *Precision.Decimal.*

BEISPIELE:

```
Number.IntegerDivide(6, 4) //Ergebnis: 1
```

```
Number.IntegerDivide(8, 3) //Ergebnis: 2
```

Diese Funktion bietet eine einfache Möglichkeit, eine Tabelle in gleich große Blöcke zu unterteilen, beispielsweise um sie auf mehrere Seiten zu verteilen. Fügen Sie einfach eine Indexspalte hinzu und erstellen Sie anschließend eine Spalte mit dieser Formel:

```
= Number.IntegerDivide([Index], 50) + 1
```

Diese Formel würde für jede Zeile eine Blocknummer bzw. Seitennummer erzeugen, wobei jeder Block aus 50 Zeilen besteht. Das + 1 am Ende stellt sicher, dass die Zählung nicht mit 0 beginnt, sondern mit 1.

Number.Mod

```
Number.Mod(number as nullable number, divisor as nullable number, optional precision
as nullable number) as nullable number
```

Die Zahl *number* wird durch die Zahl *divisor* geteilt und der verbleibende Rest wird zurückgegeben.

Der Parameter *precision* kann folgende Werte für die Genauigkeit erhalten: *Precision.Double* und *Precision.Decimal.*

BEISPIELE:

```
Number.Mod(105, 10)  //Ergebnis: 5
```

```
Number.Mod(5, 3)  //Ergebnis: 2
```

Die Mod-Funktion ist sehr nützlich, wenn Sie eine Position in einem wiederkehrenden Muster finden wollen.

Beispiel: Wenn Sie jede fünfte Zeile einer Tabelle ermitteln wollen, erstellen Sie eine Indexspalte und anschließend eine benutzerdefinierte Spalte mit folgender Formel:

```
= Number.Mod([Index], 5) = 0
```

Noch ein Beispiel: Angenommen eine Tabelle besteht aus Blöcken zu je 15 Zeilen. Sie möchten die jeweils dritte Zeile jedes Blocks identifizieren. Erstellen Sie einfach eine Index-Spalte und fügen Sie diese Formel für eine benutzerdefinierte Spalte ein:

```
= Number.Mod([Index], 15) = 2
```

Number.Combinations

```
Number.Combinations (setSize as nullable number, combinationSize as nullable number)
as nullable number
```

Gibt die Anzahl eindeutiger Kombinationen aus einer Liste mit Elementen *(setSize)* mit der angegebenen Kombinationsgröße *(combinationSize)* zurück.

BEISPIEL:

```
Number.Combinations(5, 3) //Ergebnis: 10
```

Number.Permutations

```
Number.Permutations(setSize as nullable number, permutationSize as nullable number)
as nullable number
```

Gibt die Anzahl von Permutationen zurück, die auf der Grundlage einer Reihe von Elementen *(setSize)* mit einer angegebenen Permutationsgröße *(permutationSize)* generiert werden können.

BEISPIEL:

```
Number.Permutations(5, 3) //Ergebnis: 60
```

Number.Sign

```
Number.Sign(number as nullable number) as nullable number
```

Hiermit wird das Vorzeichen einer Zahl ermittelt. Die Funktion gibt *1* zurück, wenn die Zahl positiv ist, *-1*, wenn sie negativ ist, und *0*, wenn die Zahl *0* ist.

BEISPIELE:

```
Number.Sign(12) //Ergebnis: 1
```

```
Number.Sign(-12) //Ergebnis: -1
```

```
Number.Sign(0) //Ergebnis: 0
```

Number.Power

```
Number.Power(number as nullable number, power as nullable number) as nullable number
```

Potenziert eine Zahl mit dem angegebenen Wert.

BEISPIEL:

```
Number.Power(5, 2) //Ergebnis: 25
```

Number.Sqrt

```
Number.Sqrt(number as nullable number) as nullable number
```

Gibt die Quadratwurzel der Zahl zurück.

BEISPIEL:

```
Number.Sqrt(25) //Ergebnis: 5
```

14.7.3 Rundung

Number.Round

```
Number.Round(value as nullable number, optional digits as nullable number, optional
roundingMode as nullable number) as nullable number
```

Diese Funktion wird verwendet, um Zahlen zu runden. Mit dem Argument *digits* können Sie festlegen, wie viele Nachkommastellen der zurückgegebene Wert maximal haben soll. Ohne Angabe von *digits* wird auf die nächste ganze Zahl gerundet.

Es stehen fünf Rundungsmethoden zur Verfügung, die über den dritten Parameter *roundingMode* eingestellt werden können:

- *RoundingMode.Up* bzw. *0*: Wenn die letzte Dezimalstelle größer oder gleich 5 ist, wird zur größeren Dezimalstelle bzw. Zahl aufgerundet. Dezimalstellen kleiner als 5 werden abgerundet.
- *RoundingMode.Down* bzw. *1*: Wenn die letzte Dezimalstelle größer als 5 ist, wird zur größeren Dezimalstelle bzw. Zahl aufgerundet. Dezimalstellen kleiner oder gleich 5 werden abgerundet.
- *RoundingMode.AwayFromZero* bzw. *2*: Wenn die letzte Dezimalstelle 5 ist, wird bei positiven Zahlen auf- und bei negativen Zahlen abgerundet.
- *RoundingMode.TowardZero* bzw. *3*: Wenn die letzte Dezimalstelle 5 ist, wird bei positiven Zahlen ab- und bei negativen Zahlen aufgerundet.
- *RoundingMode.ToEven* bzw. *4* (Standardeinstellung): Wenn die letzte Dezimalstelle 5 ist, wird zur nächsten geraden Zahl bzw. Dezimalstelle gerundet. Für Hintergrundinfos zu dieser Rundungstechnik siehe Hinweiskasten in Kapitel 3.7.

> **!** Die Rundungsmethoden unterscheiden sich nur darin, wie 5er-Dezimalstellen gerundet werden. Bei den übrigen Ziffern liefern alle das gleiche Ergebnis. ■

BEISPIELE:

```
Number.Round(1.2345) //Ergebnis: 1
```

```
Number.Round(1.2345, 2) //Ergebnis: 1.23
```

```
Number.Round(2.5) //Ergebnis: 2
```

```
Number.Round(2.5, 0, RoundingMode.AwayFromZero) //Ergebnis: 3
```

Number.RoundUp

```
Number.RoundUp(value as nullable number, optional digits as nullable number) as
nullable number
```

Die angegebene Zahl wird aufgerundet. Mit dem Argument *digits* können Sie festlegen, wie viele Nachkommastellen der zurückgegebene Wert maximal haben soll. Ohne Angabe von *digits* wird auf die nächsthöhere ganze Zahl gerundet.

BEISPIELE:

```
Number.RoundUp(1.234) //Ergebnis: 2
```

```
Number.RoundUp(1.999) //Ergebnis: 2
```

```
Number.RoundUp(1.234, 2) //Ergebnis: 1.24
```

Number.RoundDown

```
Number.RoundDown(value as nullable number, optional digits as nullable number) as
nullable number
```

Die angegebene Zahl wird abgerundet. Mit dem Argument *digits* können Sie festlegen, wie viele Nachkommastellen der zurückgegebene Wert maximal haben soll. Ohne Angabe von *digits* wird auf die nächstniedrigere ganze Zahl gerundet.

BEISPIELE:

```
Number.RoundDown(1.234) //Ergebnis: 1
```

```
Number.RoundDown(1.999) //Ergebnis: 1
```

```
Number.RoundDown(1.999, 2) //Ergebnis: 1.99
```

Number.RoundAwayFromZero

```
Number.RoundAwayFromZero(value as nullable number, optional digits as nullable
number) as nullable number
```

Positive Zahlen werden aufgerundet, negative Zahlen werden abgerundet. Mit dem Argument *digits* können Sie festlegen, wie viele Nachkommastellen der zurückgegebene Wert maximal haben soll. Ohne Angabe von *digits* wird auf ganze Zahlen gerundet.

BEISPIELE:

```
Number.RoundAwayFromZero(-1.1) //Ergebnis: -2
```

```
Number.RoundAwayFromZero(1.1) //Ergebnis: 2
```

```
Number.RoundAwayFromZero(-1.234, 2) //Ergebnis: -1.24
```

Number.RoundTowardZero

```
Number.RoundTowardZero(value as nullable number, optional digits as nullable number)
as nullable number
```

Positive Zahlen werden abgerundet, negative Zahlen werden aufgerundet. Mit dem Argument *digits* können Sie festlegen, wie viele Nachkommastellen der zurückgegebene Wert maximal haben soll. Ohne Angabe von *digits* wird auf ganze Zahlen gerundet.

BEISPIELE:

```
Number.RoundTowardZero(-1.8) //Ergebnis: -1
```

```
Number.RoundTowardZero(1.8) //Ergebnis: 1
```

```
Number.RoundTowardZero(-1.234, 2) //Ergebnis: -1.23
```

14.7.4 Zufallszahlen

Number.Random

```
Number.Random() as number
```

Gibt eine Zufallszahl zwischen 0 und 1 zurück.

BEISPIEL:

```
Number.Random() //Ergebnis (z.B.): 0.6051202
```

Number.RandomBetween

```
Number.RandomBetween(bottom as number, top as number) as number
```

Gibt eine Zufallszahl im Bereich zwischen dem Minimalwert *bottom* und dem Maximalwert *top* zurück.

BEISPIEL:

```
Number.RandomBetween(1, 10) //Ergebnis (z.B.): 3.0184732
```

14.7.5 Trigonometrie

Number.Acos

```
Number.Acos(angle as nullable number) as nullable number
```

Gibt den Arkuskosinus der Zahl zurück.

BEISPIEL:

```
Number.Acos(-1)  //Ergebnis: 3,1415926535897931
```

Number.Asin

```
Number.Asin(angle as nullable number) as nullable number
```

Gibt den Arkussinus der Zahl zurück.

BEISPIEL:

```
Number.Asin(1)  //Ergebnis: 1,5707963267948966
```

Number.Atan

```
Number.Atan(angle as nullable number) as nullable number
```

Gibt den Arkustangens der Zahl zurück.

BEISPIEL:

```
Number.Atan(1)  //Ergebnis: 0,78539816339744828
```

Number.Atan2

```
Number.Atan2(y as nullable number, x as nullable number) as nullable number
```

Gibt den Arkustangens der Division der beiden Zahlen zurück (y/x).

BEISPIEL:

```
Number.Atan2(9000, 3)  //Ergebnis: 1,5704629934739089
```

Number.Cos

```
Number.Cos (angle as nullable number) as nullable number
```

Gibt den Kosinus der Zahl zurück.

BEISPIEL:

```
Number.Cos(0)  //Ergebnis: 1
```

Number.Cosh

```
Number.Cosh(angle as nullable number) as nullable number
```

Gibt den hyperbolischen Kosinus der Zahl zurück.

BEISPIEL:

```
Number.Cosh(0)  //Ergebnis: 1
```

Number.Sin

```
Number.Sin (angle as nullable number) as nullable number
```

Gibt den Sinus der Zahl zurück.

BEISPIEL:

```
Number.Sin(0)  //Ergebnis: 0
```

Number.Sinh

```
Number.Sinh(angle as nullable number) as nullable number
```

Gibt den hyperbolischen Sinus der Zahl zurück.

BEISPIEL:

```
Number.Sinh(0)  //Ergebnis: 0
```

Number.Tan

```
Number.Tan (angle as nullable number) as nullable number
```

Gibt den Tangens der Zahl zurück.

BEISPIEL:

```
Number.Tan(1)  //Ergebnis: 1.5574077246549023
```

Number.Tanh

```
Number.Tanh(angle as nullable number) as nullable number
```

Gibt den hyperbolischen Tangens der Zahl zurück.

BEISPIEL:

```
Number.Tanh(1)  //Ergebnis: 0,76159415595576485
```

14.7.6 Konvertierung und Formatierung

Number.From

```
Number.From(value as any, optional culture as nullable text) as nullable number
```

Wenn möglich, wird der übergebene Wert, in eine Zahl umgewandelt.

Bei den folgenden Datentypen ist eine Umwandlung möglich:

- *Text:* Es werden allgemein übliche Textformate akzeptiert (z.B. „5“, „7.599“, „3.423,10“, „5.0E-10“).
- *Logical: true* wird zu *1*, *false* wird zu *0*.
- *Datetime:* Wird zu einer Gleitkommazahl mit doppelter Genauigkeit, die eine Entsprechung des OLE-Automatisierungsdatums enthält.
- *Datetimezone:* Wird zu einer Gleitkommazahl mit doppelter Genauigkeit, die eine Entsprechung des OLE-Automatisierungsdatums für das lokale Datum und die lokale Uhrzeit enthält.
- *Date:* Wird zu einer Gleitkommazahl mit doppelter Genauigkeit, die eine Entsprechung des OLE-Automatisierungsdatums enthält.
- *Time:* Die erzeugte Zahl gibt den Anteil an Tagen an.
- *Duration:* Die erzeugte Zahl gibt den Anteil an Tagen an.

Handelt es sich bei *value* um einen anderen Typ, wird ein Fehler zurückgegeben. Weitere Informationen zu den numerischen Darstellungen verschiedener Datentypen finden Sie in Kapitel 11.

Über den optionalen Parameter *culture* legen Sie fest, in welcher regionstypischen Darstellungsweise der angegebene Wert formatiert ist. Dies betrifft hauptsächlich das Dezimaltrennzeichen und das Tausender-Trennzeichen bei Textwerten.

> Wenn Sie den optionalen Parameter *culture* nicht angeben, wird die Regionseinstellung des jeweiligen Systems verwendet.
>
> Dies kann zu unerwarteten Ergebnissen führen, wenn Ihre Abfrage auf anderen Computern ausgeführt wird.

BEISPIELE:

```
Number.From("4") //Ergebnis: 4
```

```
Number.From(#datetime(2020, 3, 20, 6, 0, 0)) //Ergebnis: 43910.25
```

```
Number.From("12.3%") //Ergebnis: 0.123
```

Number.FromText

```
Number.FromText(text as nullable text, optional culture as nullable text) as nullable
number
```

Wandelt einen Textwert in einen Zahlenwert um. Grundlage sind allgemein übliche Darstellungsweisen (z.B. „15“, „7.599“, „3.423,10“, „5.0E-10“).

Über den optionalen Parameter *culture* legen Sie fest, in welcher regionstypischen Darstellungsweise der angegebene Textwert formatiert ist. Dies betrifft hauptsächlich das Dezimaltrennzeichen und das Tausender-Trennzeichen.

Wenn Sie keine Regionsangabe machen, wird die Regionseinstellung des jeweiligen Systems verwendet.

BEISPIELE:

```
Number.FromText("4") //Ergebnis: 4
```

```
Number.FromText("5.0e-10") //Ergebnis: 5E-10
```

```
Number.FromText("7.500", "de-DE") //Ergebnis: 7500
```

```
Number.FromText("7.500", "en-US") //Ergebnis: 7.5
```

Number.ToText

```
Number.ToText(number as number, optional format as nullable text, optional culture as
nullable text) as nullable text
```

Formatiert die angegebene Zahl als Text.

Wenn keine weiteren Argumente angegeben werden, wird das Standardformat des jeweiligen Systems verwendet. Alternativ können Sie das gewünschte Format und/oder die gewünschte regionstypische Darstellungsweise angeben.

Der Parameter *format* akzeptiert bestimmte Zeichencodes. Durch eine nachgestellte Zahl können Sie optional die Anzahl der Dezimalstellen bestimmen (soweit möglich).

Tabelle 14.2 Format-Zeichencodes und ihre Bedeutung

Zeichencode	Name	Beschreibung
„D“ oder „d“	Decimal	Der Name ist etwas irreführend: Hiermit werden ganze Zahlen dargestellt.
„E“ oder „e“	Exponential (wissenschaftl.)	Die Exponentialschreibweise wird verwendet.
„F“ oder „f“	Fixed-point	Darstellung als Ganzzahl oder ggf. mit Dezimaltrennzeichen (Festkomma/Punkt).
„G“ oder „g“	General	Standardformat, die Darstellung hängt von der Systemeinstellung ab.
„N“ oder „n“	Number	Darstellung mit Dezimaltrennzeichen und Gruppentrennzeichen (z. B. zwischen Tausendern).
„P“ oder „p“	Percent	Anzeige als Prozentzahl.
„X“ oder „x“	Hexadecimal	Anzeige als hexadezimaler Textwert.

BEISPIELE:

```
Number.ToText(4) //Ergebnis: "4"
```

```
Number.ToText(4500, "e1") //Ergebnis: "4,5e+003"
```

```
Number.ToText(-0.123456, "P2", "de-DE") //Ergebnis: "-12,35 %"
```

```
Number.ToText(75, "x") //Ergebnis: "4b"
```

Currency.From

```
Currency.From(value as any, optional culture as nullable text, optional roundingMode
as nullable number) as nullable number
```

Der übergebene Wert wird in einen Currency-Wert umgewandelt. Dies entspricht dem Datentyp *Feste Dezimalzahl* bzw. *Währung* bei den Spaltentypen.

Der gültige Bereich für Currency ist -922.337.203.685.477,5808 bis 922.337.203.685.477,5807. Wenn der angegebene Wert eine Zahl ist oder in eine Zahl umgewandelt werden kann, die innerhalb des Bereichs von Currency ist, wird er auf vier Dezimalstellen gerundet.

Sie können optional eine Region (z. B. „en-US" oder „de-DE") sowie einen Rundungsmodus für die Umwandlung angeben.

BEISPIELE:

```
Currency.From("12.34567")
//Ergebnis (bei deutscher Regionseinstellung): 1234567
```

```
Currency.From(12.34567)
//Ergebnis: 12.3457
```

```
Currency.From("12.34567", "en-US")
//Ergebnis: 12.3457
```

```
Currency.From("12,34567", "de-DE")
//Ergebnis: 12.3457
```

Decimal.From

```
Decimal.From(value as any, optional culture as nullable text) as nullable number
```

Wandelt den angegebenen Wert in eine Zahl mit Decimal-Genauigkeit um.

Falls der angegebene Wert einen anderen Datentyp als Zahl aufweist, wird versucht, ihn in eine Zahl umzuwandeln (vgl. Number.From). Sie können hierfür optional eine Region (z. B. „en-US" oder „de-DE") für die Umwandlung angeben.

BEISPIELE:

```
Decimal.From(4.5) //Ergebnis: 4.5
```

```
Decimal.From("4,5")
//Ergebnis (bei deutscher Regionseinstellung): 4.5
```

Double.From

```
Double.From(value as any, optional culture as nullable text) as nullable number
```

Wandelt den angegebenen Wert in eine Zahl mit Double-Genauigkeit um.

Falls der angegebene Wert einen anderen Datentyp als Zahl aufweist, wird versucht, ihn in eine Zahl umzuwandeln (vgl. Number.From). Sie können hierfür optional eine Region (z.B. „en-US" oder „de-DE") für die Umwandlung angeben.

BEISPIEL:

```
Double.From("4,5")
//Ergebnis (bei deutscher Regionseinstellung): 4.5
```

Byte.From

```
Byte.From(value as any, optional culture as nullable text, optional roundingMode as
nullable number) as nullable number
```

Erstellt einen ganzzahligen 8-Bit-Wert aus dem angegebenen Wert.

Falls der angegebene Wert ein Zahlenwert aus dem 8-Bit-Ganzzahlbereich ohne Bruchteil ist, wird derselbe Wert wieder zurückgegeben. Wenn ein Bruchteil vorhanden ist, wird der Wert gerundet.

Falls der angegebene Wert kein Zahlenwert ist, z.B. eine Zahl als Text, wird versucht, ihn umzuwandeln. Sie können optional eine Region (z.B. „en-US" oder „de-DE") sowie einen Rundungsmodus für die Umwandlung angeben.

BEISPIELE:

```
Byte.From("4") //Ergebnis: 4
```

```
Byte.From("4,5", "de-DE", RoundingMode.AwayFromZero) //Ergebnis: 5
```

Int8.From

```
Int8.From(value as any, optional culture as nullable text, optional roundingMode as
nullable number) as nullable number
```

Erstellt einen signierten ganzzahligen 8-Bit-Wert aus dem angegebenen Wert.

Falls der angegebene Wert ein Zahlenwert aus dem signierten 8-Bit-Ganzzahlbereich ohne Bruchteil ist, wird derselbe Wert wieder zurückgegeben. Wenn ein Bruchteil vorhanden ist, wird der Wert gerundet.

Falls der angegebene Wert kein Zahlenwert ist, z. B. eine Zahl als Text, wird versucht, ihn umzuwandeln. Sie können optional eine Region (z. B. „en-US“ oder „de-DE“) sowie einen Rundungsmodus für die Umwandlung angeben.

BEISPIELE:

```
Int8.From("4") //Ergebnis: 4
```

```
Int8.From("4,5", "de-DE", RoundingMode.AwayFromZero) //Ergebnis: 5
```

Int16.From

```
Int16.From(value as any, optional culture as nullable text, optional roundingMode as
nullable number) as nullable number
```

Erstellt einen ganzzahligen 16-Bit-Wert aus dem angegebenen Wert.

Falls der angegebene Wert ein Zahlenwert aus dem 16-Bit-Ganzzahlbereich ohne Bruchteil ist, wird derselbe Wert wieder zurückgegeben. Wenn ein Bruchteil vorhanden ist, wird der Wert gerundet.

Falls der angegebene Wert kein Zahlenwert ist, z. B. eine Zahl als Text, wird versucht, ihn umzuwandeln. Sie können optional eine Region (z. B. „en-US“ oder „de-DE“) sowie einen Rundungsmodus für die Umwandlung angeben.

BEISPIELE:

```
Int16.From("4") //Ergebnis: 4
```

```
Int16.From("4,5", "de-DE", RoundingMode.AwayFromZero) //Ergebnis: 5
```

Int32.From

```
Int32.From(value as any, optional culture as nullable text, optional roundingMode as
nullable number) as nullable number
```

Erstellt einen ganzzahligen 32-Bit-Wert aus dem angegebenen Wert.

Falls der angegebene Wert ein Zahlenwert aus dem 32-Bit-Ganzzahlbereich ohne Bruchteil ist, wird derselbe Wert wieder zurückgegeben. Wenn ein Bruchteil vorhanden ist, wird der Wert gerundet.

Falls der angegebene Wert kein Zahlenwert ist, z. B. eine Zahl als Text, wird versucht, ihn umzuwandeln. Sie können optional eine Region (z. B. „en-US“ oder „de-DE“) sowie einen Rundungsmodus für die Umwandlung angeben.

BEISPIELE:

```
Int32.From("4") //Ergebnis: 4
```

```
Int32.From("4,5", "de-DE", RoundingMode.AwayFromZero) //Ergebnis: 5
```

Int64.From

```
Int64.From(value as any, optional culture as nullable text, optional roundingMode as
nullable number) as nullable number
```

Erstellt einen ganzzahligen 64-Bit-Wert aus dem angegebenen Wert.

Falls der angegebene Wert ein Zahlenwert aus dem 64-Bit-Ganzzahlbereich ohne Bruchteil ist, wird derselbe Wert wieder zurückgegeben. Wenn ein Bruchteil vorhanden ist, wird der Wert gerundet.

Falls der angegebene Wert kein Zahlenwert ist, z. B. eine Zahl als Text, wird versucht, ihn umzuwandeln. Sie können optional eine Region (z. B. „en-US" oder „de-DE") sowie einen Rundungsmodus für die Umwandlung angeben.

BEISPIELE:

```
Int64.From("4") //Ergebnis: 4
```

```
Int64.From("4,5", "de-DE", RoundingMode.AwayFromZero) //Ergebnis: 5
```

Single.From

```
Single.From(value as any, optional culture as nullable text) as nullable number
```

Erstellt einen Single-Wert aus dem angegebenen Wert.

Wenn der angegebene Wert ein Zahlenwert im Bereich von Single ist, wird er zurückgegeben. Andernfalls wird ein Fehler zurückgegeben.

Falls der angegebene Wert kein ist, z. B. eine Zahl als Text, wird versucht, ihn umzuwandeln. Sie können optional eine Region (z. B. „en-US" oder „de-DE") für die Umwandlung angeben.

BEISPIEL:

```
Single.From("1.5") //Ergebnis: 1.5
```

Percentage.From

```
Percentage.From(value as any, optional culture as nullable text) as nullable number
```

Der angegebene Wert wird in einen Prozentwert umgewandelt.

Falls der angegebene Wert kein Zahlenwert ist, z. B. eine Zahl als Text, wird versucht, ihn umzuwandeln. Sie können optional eine Region (z. B. „en-US" oder „de-DE") für die Umwandlung angeben.

> **!** Die Umwandlung in einen Prozentwert betrifft nur die Genauigkeit. Prozentwerte werden wie normale Zahlen ohne Prozentzeichen dargestellt. ■

BEISPIELE:

```
Percentage.From(12.3)  //Ergebnis: 12.3
```

```
Percentage.From("12,3%", "de-DE")  //Ergebnis: 0.123
```

■ 14.8 Logical-Funktionen

Logical.From

```
Logical.From(value as any) as nullable logical
```

Wandelt einen Wert in einen Wahrheitswert um.

Folgende Datentypen können verarbeitet werden:

- *Text:* Die Textwerte „true" und „false" werden entsprechend umgewandelt.
- *Number: 0* wird zu *false,* alle anderen Werte werden zu *true.*

Handelt es sich bei *value* um einen anderen Typ, wird ein Fehler zurückgegeben.

BEISPIELE:

```
Logical.From(2)  //Ergebnis: true
```

```
Logical.From("false")  //Ergebnis: false
```

Logical.FromText

```
Logical.FromText(text as nullable text) as nullable logical
```

Hiermit werden die Textwerte „true" und „false" in die entsprechenden Logical-Werte umgewandelt. Groß-/Kleinschreibung wird dabei nicht unterschieden. Alle anderen Zeichenfolgen außer „true" und „false" lösen einen Fehler aus.

BEISPIELE:

```
Logical.FromText("true")  //Ergebnis: true
```

```
Logical.FromText("FALSE")  //Ergebnis: false
```

Logical.ToText

```
Logical.ToText(logical as nullable logical) as nullable text
```

Der übergebene Wahrheitswert wird in einen Text umgewandelt (entweder „true“ oder „false“).

BEISPIEL:

```
Logical.ToText(true)  //Ergebnis: "true"
```

14.9 Datumsfunktionen

14.9.1 Erzeugung und Umwandlung

Date.From

```
Date.From(value as any, optional culture as nullable text) as nullable date
```

Erstellt ein Datum auf der Grundlage des angegebenen Werts. Folgende Datentypen können verarbeitet werden: Text, Datetime, Datetimezone und Number.

Über den optionalen Parameter *culture* geben Sie an, welches regionstypische Format verwendet wird (betrifft hauptsächlich Textwerte, vgl. Date.FromText).

BEISPIELE:

```
Date.From(43910)  //entspricht 20.03.2020
```

```
Date.From(#datetime(1899, 12, 30, 06, 45, 12))
//entspricht 30.12.1899
```

Date.FromText

```
Date.FromText(date as nullable text, optional culture as nullable text) as nullable
date
```

Wandelt einen Textwert nach Möglichkeit in einen Datumswert um.

Die Funktion ist sehr flexibel in Bezug auf das Eingabeformat. Um Fehlinterpretationen zu vermeiden, empfiehlt es sich jedoch, das verwendete Regionsformat (z. B. „en-US“ oder „de-DE“) über den optionalen Parameter *culture* anzugeben.

BEISPIELE:

```
Date.FromText("31.12.2010")  //31. Dezember 2010
```

```
Date.FromText("2010-12-31")  //31. Dezember 2010
```

```
Date.FromText("2010, 12, 31") //31. Dezember 2010
```

```
Date.FromText("2010, 12") //1. Dezember 2010
```

Derselbe Textwert kann je nach Regionseinstellung zu unterschiedlichen Ergebnissen führen:

```
Date.FromText("01/02/03", "en-IO") //1. Februar 2003 (Indien)
```

```
Date.FromText("01/02/03", "en-ZA") //3. Februar 2001 (Südafrika)
```

```
Date.FromText("01/02/03", "en-US") //2. Januar 2003 (USA)
```

Date.ToRecord

```
Date.ToRecord(date as date) as record
```

Erzeugt einen Datensatz mit den Feldern *Year*, *Month* und *Day* aus dem angegebenen Datum.

BEISPIEL:

```
Date.ToRecord(#date(2015, 8, 31))
//Ergebnis: [Year = 2015, Month = 5, Day = 31]
```

Ein einfacher Trick, um ganz schnell eine Datumsspalte in drei Spalten für Tag, Monat und Jahr umzuwandeln: Erstellen Sie einfach eine benutzerdefinierte Spalte, in der Sie das Datum mit Hilfe von `Date.ToRecord` in einen Datensatz umwandeln. Anschließend klicken Sie in der Überschrift der neuen Spalte auf die Schaltfläche zum Expandieren. Schon haben Sie aus einer Spalte drei Spalten gemacht. ■

Date.ToText

```
Date.ToText(date as nullable date, optional format as nullable text, optional culture
as nullable text) as nullable text
```

Der Datumswert wird in einen Text umgewandelt.

Standardmäßig werden die jeweiligen Systemeinstellungen für die Darstellung verwendet. Sie können aber auch ein Format und/oder eine Regionseinstellung angeben.

Die Formatangabe erfolgt mittels der Kürzel *y* (Jahr), *M* (Monat) und *d* (Tag).

BEISPIELE:

```
Date.ToText(#date(2010, 12, 31))
//z.B. 31.12.2010 (je nach Systemeinstellung verschieden)
```

```
Date.ToText(#date(2003, 2, 1), "M/d/yyyy", "en-US")
//Ergebnis: "2/1/03"
```

```
Date.ToText(#date(2003, 2, 1), "d.M.yy", "de-DE")
//Ergebnis: "1.2.03"
```

```
Date.ToText(#date(2003, 2, 1), "dd.MM.yyyy", "de-DE")
//Ergebnis: "01.02.2003"
```

```
Date.ToText(#date(2003, 2, 1), "d. MMMM yyyy", "de-DE")
//Ergebnis: "1. Februar 2003"
```

14.9.2 Informationen über Datumswerte

Die meisten Funktionen in den folgenden Rubriken akzeptieren Date-, Datetime- und Datetimezone-Werte gleichermaßen.

Date.Day

```
Date.Day(dateTime as any) as nullable number
```

Gibt die Tageskomponente eines Date-, Datetime- oder Datetimezone-Werts zurück.

BEISPIEL:

```
Date.Day(#date(2011, 5, 14)) //Ergebnis: 14
```

Date.Month

```
Date.Month(dateTime as datetime) as nullable number
```

Gibt die Monatskomponente zurück.

BEISPIEL:

```
Date.Month(#date(2011, 12, 31)) //Ergebnis: 12
```

Date.Year

```
Date.Year(dateTime as any) as nullable number
```

Gibt die Jahreskomponente zurück.

BEISPIEL:

```
Date.Year(#datetime(2011, 12, 31, 9, 15, 36)) //Ergebnis: 2011
```

Date.DayOfWeek

```
Date.DayOfWeek(dateTime as any, optional firstDayOfWeek as nullable number) as
nullable number
```

Gibt eine Zahl zwischen 0 und 6 zurück, die für den Wochentag des angegebenen Datums steht.

Diese Funktion akzeptiert einen optionalen Tageswert *(firstDayOfWeek)*, um den ersten Tag der Woche für diese relative Berechnung festzulegen. Folgende Tageskonstanten können verwendet werden: *Day.Sunday, Day.Monday, Day.Tuesday, Day.Wednesday, Day.Thursday, Day.Friday* und *Day.Saturday.*

BEISPIEL:

```
Date.DayOfWeek(#date(2018, 3, 29), Day.Monday) //Ergebnis: 3
```

Date.DayOfWeekName

```
Date.DayOfWeekName(date as any, optional culture as nullable text)
```

Gibt den Namen des Wochentags zurück. Über den optionalen Parameter *culture* können Sie die Sprache festlegen.

BEISPIELE:

```
Date.DayOfWeekName(#date(2018, 3, 29), "de-DE")
//Ergebnis: "Donnerstag"
```

```
Date.DayOfWeekName(#date(2018, 3, 29), "en-US")
//Ergebnis: "Thursday"
```

Date.MonthName

```
Date.MonthName(date as any, optional culture as nullable text)
```

Gibt den Monatsnamen zurück. Über den optionalen Parameter *culture* legen Sie die Ausgabesprache fest.

BEISPIELE:

```
Date.MonthName(#datetime(2015, 1, 31, 5, 0, 0), "en-US") //Ergebnis: "January"
```

```
Date.MonthName(#datetime(2015, 1, 31, 5, 0, 0), "de-DE") //Ergebnis: "Januar"
```

```
Date.MonthName(#datetime(2015, 1, 31, 5, 0, 0), "de-AT") //Ergebnis: "Jänner"
```

Date.DayOfYear

```
Date.DayOfYear(dateTime as any) as nullable number
```

Gibt eine Zahl zwischen 1 und 366 zurück, die für den Tag des Jahres steht.

BEISPIEL:

```
Date.DayOfYear(#date(2011, 03, 01))  //Ergebnis: 60
```

Date.DaysInMonth

```
Date.DaysInMonth(dateTime as any) as nullable number
```

Gibt an, wie viele Tage der Monat des angegebenen Datums hat.

BEISPIEL:

```
Date.DaysInMonth(#date(2011, 12, 01))  //Ergebnis: 31
```

Date.IsLeapYear

```
Date.IsLeapYear(dateTime as any) as nullable logical
```

Gibt an, ob ein Datum in einem Schaltjahr liegt.

BEISPIEL:

```
Date.IsLeapYear(#date(2012, 01, 01))  //Ergebnis: true
```

Date.QuarterOfYear

```
Date.QuarterOfYear(dateTime as any) as nullable number
```

Gibt eine Zahl zwischen eins und vier zurück, die angibt, in welchem Quartal des Jahres das Datum liegt.

BEISPIEL:

```
Date.QuarterOfYear(#date(2017, 12, 1))  //Ergebnis: 4
```

Date.StartOfDay

```
Date.StartOfDay(dateTime as any) as nullable datetime
```

Gibt den Beginn des jeweiligen Tages zurück. Der Datentyp des Rückgabewerts entspricht dem des angegebenen Arguments.

BEISPIEL:

```
Date.StartOfDay(#datetime(2011, 10, 10, 8, 0, 0))
//Ergebnis: #datetime(2011, 10, 10, 0, 0, 0)
```

Date.EndOfDay

```
Date.EndOfDay(dateTime as any) as nullable datetime
```

Gibt das Ende des jeweiligen Tages zurück. Der Datentyp des Rückgabewerts entspricht dem des angegebenen Arguments.

BEISPIEL:

```
Date.EndOfDay(#datetime(2011, 5, 14, 17, 0, 0))
//Ergebnis: #datetime(2011, 5, 14, 23, 59, 59.9999999)
```

Date.StartOfWeek

```
Date.StartOfWeek(dateTime as any, optional firstDayOfWeek as nullable number) as
nullable datetime
```

Gibt den Beginn der jeweiligen Woche zurück. Der Datentyp des Rückgabewerts entspricht dem des angegebenen Arguments.

Diese Funktion akzeptiert einen optionalen Tageswert *(firstDayOfWeek)*, um den ersten Tag der Woche für diese relative Berechnung festzulegen. Folgende Tageskonstanten können verwendet werden: *Day.Sunday, Day.Monday, Day.Tuesday, Day.Wednesday, Day.Thursday, Day.Friday* und *Day.Saturday*.

BEISPIEL:

```
Date.StartOfWeek(#datetime(2011, 10, 10, 8, 10, 32), Day.Monday)
//Ergebnis: #datetime(2011, 10, 10, 0, 0, 0)
```

Date.EndOfWeek

```
Date.StartOfWeek(dateTime as any, optional firstDayOfWeek as nullable number) as any
```

Gibt das Ende der jeweiligen Woche zurück. Der Datentyp des Rückgabewerts entspricht dem des angegebenen Arguments.

Diese Funktion akzeptiert einen optionalen Tageswert *(firstDayOfWeek)*, um den ersten Tag der Woche für diese relative Berechnung festzulegen. Folgende Tageskonstanten können verwendet werden: *Day.Sunday, Day.Monday, Day.Tuesday, Day.Wednesday, Day.Thursday, Day.Friday* und *Day.Saturday*.

BEISPIEL:

```
Date.EndOfWeek(#datetime(2011, 5, 17, 15, 0, 0), Day.Monday)
//Ergebnis: #datetime(2011, 5, 21, 23, 59, 59.9999999)
```

Date.StartOfMonth

```
Date.StartOfMonth(dateTime as any) as nullable datetime
```

Gibt den Beginn des jeweiligen Monats zurück. Der Datentyp des Rückgabewerts entspricht dem des angegebenen Arguments.

BEISPIEL:

```
Date.StartOfMonth(#datetime(2011, 10, 10, 8, 10, 32))
//Ergebnis: #datetime(2011, 10, 1, 0, 0, 0)
```

Date.EndOfMonth

```
Date.EndOfMonth(dateTime as any) as nullable datetime
```

Gibt das Ende des jeweiligen Monats zurück. Der Datentyp des Rückgabewerts entspricht dem des angegebenen Arguments.

BEISPIELE:

```
Date.EndOfMonth(#date(2011, 5, 14))  //Ergebnis: #date(2011, 5, 31)
```

```
Date.EndOfMonth(#datetimezone(2011, 5, 17, 5, 0, 0, -7, 0))  //Ergebnis:
#datetimezone(2011, 5, 31, 23, 59, 59.9999999, -7, 0)
```

Date.StartOfQuarter

```
Date.StartOfQuarter(dateTime as any) as any
```

Gibt den Beginn des jeweiligen Quartals zurück. Der Datentyp des Rückgabewerts entspricht dem des angegebenen Arguments.

BEISPIEL:

```
Date.StartOfQuarter(#datetime(2011, 10, 10, 8, 0, 0))
//Ergebnis: #datetime(2011, 10, 1, 0, 0, 0)
```

Date.EndOfQuarter

```
Date.EndOfQuarter(dateTime as any) as nullable datetime
```

Gibt das Ende des jeweiligen Quartals zurück. Der Datentyp des Rückgabewerts entspricht dem des angegebenen Arguments.

BEISPIEL:

```
Date.EndOfQuarter(#datetime(2011, 10, 10, 8, 0, 0))
//Ergebnis: #datetime(2011, 12, 31, 23, 59, 59.9999999)
```

Date.StartOfYear

```
Date.StartOfYear(dateTime as any) as nullable datetime
```

Gibt den Beginn des jeweiligen Jahres zurück. Der Datentyp des Rückgabewerts entspricht dem des angegebenen Arguments.

BEISPIEL:

```
Date.StartOfYear(#datetime(2011, 10, 10, 8, 10, 32))
//Ergebnis: #datetime(2011, 1, 1, 0, 0, 0)
```

Date.EndOfYear

```
Date.EndOfYear(dateTime as any) as nullable datetime
```

Gibt das Ende des jeweiligen Jahres zurück. Der Datentyp des Rückgabewerts entspricht dem des angegebenen Arguments.

BEISPIEL:

```
Date.EndOfYear(#datetime(2011, 5, 14, 17, 0, 0))
//Ergebnis: #datetime(2011, 12, 31, 23, 59, 59.9999999)
```

Date.WeekOfMonth

```
Date.WeekOfMonth(dateTime any, optional firstDayOfWeek) as nullable number
```

Gibt eine Zahl zwischen eins und fünf zurück, die angibt, in welcher Woche des Monats das Datum liegt.

Diese Funktion akzeptiert einen optionalen Tageswert *(firstDayOfWeek)*, um den ersten Tag der Woche für diese relative Berechnung festzulegen. Folgende Tageskonstanten können verwendet werden: *Day.Sunday, Day.Monday, Day.Tuesday, Day.Wednesday, Day.Thursday, Day.Friday* und *Day.Saturday*.

BEISPIEL:

```
Date.WeekOfMonth(#date(2011, 03, 15), Day.Monday)  //Ergebnis: 3
```

Date.WeekOfYear

```
Date.WeekOfYear(dateTime any, optional firstDayOfWeek) as nullable number
```

Gibt eine Zahl zwischen 1 und 54 zurück, die angibt, in welcher Woche des Jahres (Kalenderwoche) das Datum liegt.

Diese Funktion akzeptiert einen optionalen Tageswert *(firstDayOfWeek)*, um den ersten Tag der Woche für diese relative Berechnung festzulegen. Folgende Tageskonstanten können verwendet werden: *Day.Sunday, Day.Monday, Day.Tuesday, Day.Wednesday, Day.Thursday, Day.Friday* und *Day.Saturday*.

BEISPIEL:

```
Date.WeekOfYear(#date(2011, 03, 23), Day.Monday) //Ergebnis: 13
```

14.9.3 Berechnungen

Bei den Funktionen in dieser Rubrik können Sie auch negative Werte für Tage, Monate usw. angeben. Die Zeiträume werden dann nicht addiert, sondern subtrahiert.

Date.AddDays

```
Date.AddDays(dateTime as any, numberOfDays as number) as any
```

Addiert eine bestimmte Zahl von Tagen zu einem Date-, Datetime- oder Datetimezone-Wert.

BEISPIEL:

```
Date.AddDays(#date(2011, 5, 14), 5) //Ergebnis: #date(2011, 5, 19)
```

Date.AddMonths

```
Date.AddMonths(dateTime as any, numberOfMonths as number) as any
```

Addiert eine bestimmte Zahl von Monaten zu einem Date-, Datetime- oder Datetimezone-Wert.

BEISPIEL:

```
Date.AddMonths(#date(2011, 5, 14), 5)
//Ergebnis: #date(2011, 10, 14)
```

Date.AddQuarters

```
Date.AddQuarters(dateTime as any, numberOfQuarters as number) as any
```

Addiert eine bestimmte Zahl von Quartalen zu einem Date-, Datetime- oder Datetimezone-Wert.

BEISPIEL:

```
Date.AddQuarters(#date(2011, 5, 14), 1)
//Ergebnis: #date(2011, 8, 14)
```

Date.AddWeeks

```
Date.AddWeeks(dateTime as any, numberOfWeeks as number) as any
```

Addiert eine bestimmte Zahl von Wochen zu einem Date-, Datetime- oder Datetimezone-Wert.

BEISPIEL:

```
Date.AddWeeks(#date(2011, 5, 14), 2) //Ergebnis: #date(2011, 5, 28)
```

Date.AddYears

```
Date.AddYears(dateTime as any, numberOfYears as number) as any
```

Addiert eine bestimmte Zahl von Jahren zu einem Date-, Datetime- oder Datetimezone-Wert.

BEISPIEL:

```
Date.AddYears(#date(2011, 5, 14), 4) //Ergebnis: #date(2015, 5, 14)
```

14.9.4 Vergleiche mit 'Jetzt'

> Für diese Rubrik werden keine Beispiele angegeben, weil das Ergebnis davon abhängt, zu welchem Zeitpunkt die Funktionen ausgeführt werden. Der Rückgabewert ist demnach entweder *true* oder *false*.

Date.IsInCurrentDay

```
Date.IsInCurrentDay(dateTime as any) as nullable logical
```

Gibt auf Grundlage des aktuellen Systemdatums und der aktuellen Systemzeit an, ob ein Datum dem aktuellen Tag entspricht.

Date.IsInCurrentWeek

```
Date.IsInCurrentWeek(dateTime as any) as nullable logical
```

Gibt auf Grundlage des aktuellen Systemdatums und der aktuellen Systemzeit an, ob ein Datum in der aktuellen Woche liegt.

Date.IsInCurrentMonth

```
Date.IsInCurrentMonth(dateTime as any) as nullable logical
```

Gibt auf Grundlage des aktuellen Systemdatums und der aktuellen Systemzeit an, ob ein Datum im aktuellen Monat liegt.

Date.IsInCurrentQuarter

```
Date.IsInCurrentQuarter(dateTime as any) as nullable logical
```

Gibt auf Grundlage des aktuellen Systemdatums und der aktuellen Systemzeit an, ob ein Datum im aktuellen Quartal liegt.

Date.IsInCurrentYear

```
Date.IsInCurrentYear(dateTime as any) as nullable logical
```

Gibt auf Grundlage des aktuellen Systemdatums und der aktuellen Systemzeit an, ob ein Datum im aktuellen Jahr liegt.

Date.IsInNextDay

```
Date.IsInNextDay(dateTime as any) as nullable logical
```

Gibt auf Grundlage des aktuellen Systemdatums und der aktuellen Systemzeit an, ob ein Datum dem nächsten Tag entspricht.

Date.IsInNextWeek

```
Date.IsInNextWeek(dateTime as any) as nullable logical
```

Gibt auf Grundlage des aktuellen Systemdatums und der aktuellen Systemzeit an, ob ein Datum in der nächsten Woche liegt.

Date.IsInNextMonth

```
Date.IsInNextMonth(dateTime as any) as nullable logical
```

Gibt auf Grundlage des aktuellen Systemdatums und der aktuellen Systemzeit an, ob ein Datum im nächsten Monat liegt.

Date.IsInNextQuarter

```
Date.IsInNextQuarter(dateTime as any) as nullable logical
```

Gibt auf Grundlage des aktuellen Systemdatums und der aktuellen Systemzeit an, ob ein Datum im nächsten Quartal liegt.

Date.IsInNextYear

```
Date.IsInNextYear(dateTime as any) as nullable logical
```

Gibt auf Grundlage des aktuellen Systemdatums und der aktuellen Systemzeit an, ob ein Datum im nächsten Jahr liegt.

Date.IsInPreviousDay

```
Date.IsInPreviousDay(dateTime as any) as nullable logical
```

Gibt auf Grundlage des aktuellen Systemdatums und der aktuellen Systemzeit an, ob ein Datum dem vorherigen Tag entspricht.

Date.IsInPreviousWeek

```
Date.IsInPreviousWeek(dateTime as any) as nullable logical
```

Gibt auf Grundlage des aktuellen Systemdatums und der aktuellen Systemzeit an, ob ein Datum in der vorherigen Woche liegt.

Date.IsInPreviousMonth

```
Date.IsInPreviousMonth(dateTime as any) as nullable logical
```

Gibt auf Grundlage des aktuellen Systemdatums und der aktuellen Systemzeit an, ob dieses Datum im vorherigen Monat liegt.

Date.IsInPreviousQuarter

```
Date.IsInPreviousQuarter(dateTime as any) as nullable logical
```

Gibt auf Grundlage des aktuellen Systemdatums und der aktuellen Systemzeit an, ob ein Datum im vorherigen Quartal liegt.

Date.IsInPreviousYear

```
Date.IsInPreviousYear(dateTime as any) as nullable logical
```

Gibt auf Grundlage des aktuellen Systemdatums und der aktuellen Systemzeit an, ob ein Datum im vorherigen Jahr liegt.

Date.IsInYearToDate

```
Date.IsInYearToDate(dateTime as any) as nullable logical
```

Gibt auf Grundlage des aktuellen Systemdatums und der aktuellen Systemzeit an, ob ein Datum im aktuellen Jahr liegt und nicht nach dem aktuellen Tag ist.

Date.IsInNextNDays

```
Date.IsInNextNDays(dateTime as any, days as number) as nullable logical
```

Gibt auf Grundlage des aktuellen Systemdatums und der aktuellen Systemzeit an, ob ein Datum innerhalb der nächsten Tage liegt. Die Anzahl der Tage wird über den zweiten Parameter bestimmt.

Date.IsInNextNWeeks

```
Date.IsInNextNWeeks(dateTime as any, weeks as number) as nullable logical
```

Gibt auf Grundlage des aktuellen Systemdatums und der aktuellen Systemzeit an, ob ein Datum innerhalb der nächsten Wochen liegt. Die Anzahl der Wochen wird über den zweiten Parameter bestimmt.

Date.IsInNextNMonths

```
Date.IsInNextNMonths(dateTime as any, months as number) as nullable logical
```

Gibt auf Grundlage des aktuellen Systemdatums und der aktuellen Systemzeit an, ob ein Datum innerhalb der nächsten Monate liegt. Die Anzahl der Monate wird über den zweiten Parameter bestimmt.

Date.IsInNextNQuarters

```
Date.IsInNextNQuarters(dateTime as any, quarters as number) as nullable logical
```

Gibt auf Grundlage des aktuellen Systemdatums und der aktuellen Systemzeit an, ob ein Datum innerhalb der nächsten Quartale liegt. Die Anzahl der Quartale wird über den zweiten Parameter bestimmt.

Date.IsInNextNYears

```
Date.IsInNextNYears(dateTime as any, years as number) as nullable logical
```

Gibt auf Grundlage des aktuellen Systemdatums und der aktuellen Systemzeit an, ob ein Datum innerhalb der nächsten Jahre liegt. Die Anzahl der Jahre wird über den zweiten Parameter bestimmt.

Date.IsInPreviousNDays

```
Date.IsInPreviousNDays(dateTime as any, days as number) as nullable logical
```

Gibt auf Grundlage des aktuellen Systemdatums und der aktuellen Systemzeit an, ob ein Datum innerhalb der vergangenen Tage liegt. Die Anzahl der Tage wird über den zweiten Parameter bestimmt.

Date.IsInPreviousNWeeks

```
Date.IsInPreviousNWeeks(dateTime as any, weeks as number) as nullable logical
```

Gibt auf Grundlage des aktuellen Systemdatums und der aktuellen Systemzeit an, ob ein Datum innerhalb der vergangenen Wochen liegt. Die Anzahl der Wochen wird über den zweiten Parameter bestimmt.

Date.IsInPreviousNMonths

```
Date.IsInPreviousNMonths(dateTime as any, months as number) as nullable logical
```

Gibt auf Grundlage des aktuellen Systemdatums und der aktuellen Systemzeit an, ob ein Datum innerhalb der vergangenen Monate liegt. Die Anzahl der Monate wird über den zweiten Parameter bestimmt.

Date.IsInPreviousNQuarters

```
Date.IsInPreviousNQuarters(dateTime as any, quarters as number) as nullable logical
```

Gibt auf Grundlage des aktuellen Systemdatums und der aktuellen Systemzeit an, ob ein Datum innerhalb der vergangenen Quartale liegt. Die Anzahl der Quartale wird über den zweiten Parameter bestimmt.

Date.IsInPreviousNYears

```
Date.IsInPreviousNYears(dateTime as any, years as number) as nullable logical
```

Gibt auf Grundlage des aktuellen Systemdatums und der aktuellen Systemzeit an, ob ein Datum innerhalb der vergangenen Jahre liegt. Die Anzahl der Jahre wird über den zweiten Parameter bestimmt.

14.10 DateTime-Funktionen

14.10.1 Erzeugung und Umwandlung

DateTime.LocalNow

```
DateTime.LocalNow() as datetime
```

Gibt das aktuelle Datum und die aktuelle Uhrzeit in der lokalen Zeitzone zurück.

Der Zeitpunkt wird im Moment des Aufrufs angegeben. Falls die Funktion bzw. der zugehörige Transformationsschritt in derselben Abfrage mehrmals aufgerufen wird, kann es sein, dass verschiedene Werte zurückgegeben werden.

DateTime.FixedLocalNow

```
DateTime.FixedLocalNow() as datetime
```

Gibt das aktuelle Datum und die aktuelle Uhrzeit in der lokalen Zeitzone zurück.

Es wird der Zeitpunkt zum Start der Abfrage zurückgegeben. Auch wenn die Funktion bzw. der zugehörige Transformationsschritt in derselben Abfrage mehrmals aufgerufen wird, wird immer der gleiche Wert zurückgegeben.

DateTime.From

```
DateTime.From(value as any, optional culture as nullable text) as nullable datetime
```

Erstellt einen Datetime-Wert aus einem anderen Wert.

Folgende Datentypen können verarbeitet werden: Text, Date, Datetimezone, Time und Number. Enthält der angegebene Wert keine Zeitkomponente, wird 0:00:00 Uhr verwendet. Ebenso wird bei fehlender Datumskomponente der Startwert des Kalenders verwendet.

Über den optionalen Parameter *culture* geben Sie an, welches regionstypische Format verwendet wird (betrifft hauptsächlich Textwerte, vgl. DateTime.FromText).

BEISPIELE:

```
DateTime.From("21.4.2017, 18:30:00", "de-DE")
//Ergebnis: #datetime(2017, 4, 21, 18, 30, 0)

DateTime.From(#time(06, 45, 12))
//Ergebnis: #datetime(1899, 12, 30, 06, 45, 12)

DateTime.From(#date(1975, 4, 4))
//Ergebnis: #datetime(1975, 4, 4, 0, 0, 0)
```

DateTime.FromText

```
DateTime.FromText(dateTime as nullable text, optional culture as nullable text) as
nullable date
```

Wandelt einen Textwert nach Möglichkeit in einen Datetime-Wert um.

Die Funktion ist sehr flexibel in Bezug auf das Eingabeformat. Um Fehlinterpretationen zu vermeiden, empfiehlt es sich jedoch, das verwendete Regionsformat (z. B. „en-US“ oder „de-DE“) über den optionalen Parameter *culture* anzugeben.

BEISPIEL:

```
DateTime.FromText("21.4.2017, 18:30:00", "de-DE")
//Ergebnis: #datetime(2017, 4, 21, 18, 30, 0)
```

DateTime.FromFileTime

```
DateTime.FromFileTime(fileTime as nullable number) as nullable datetime
```

Erstellt einen Datetime-Wert auf der Grundlage einer 64-Bit-Zahl, die eine sogenannte Dateizeit (filetime) repräsentiert.

Dateizeit steht für die Anzahl der verstrichenen 100-Nanosekunden-Intervalle seit dem 1. Januar 1601 n.Chr., 0:00 Uhr, koordinierte Weltzeit (UTC).

BEISPIEL:

```
DateTime.FromFileTime(129876402529842245)
//Ergebnis: #datetime(2012, 7, 24, 14, 50, 52.9842245)
```

DateTime.ToRecord

```
DateTime.ToRecord(dateTime as datetime) as record
```

Wandelt einen Datetime-Wert in einen Datensatz um.

BEISPIEL:

```
DateTime.ToRecord(#datetime(2011, 12, 31, 11, 56, 2))
/* Ergebnis: [Year = 2011, Month = 12, Day = 31,
Hour = 11, Minute = 56, Second = 2] */
```

DateTime.ToText

```
DateTime.ToText(dateTime as nullable datetime, optional format as nullable text,
optional culture as nullable text) as nullable text
```

Gibt eine Textdarstellung eines Datetime-Werts zurück.

Standardmäßig werden die jeweiligen Systemeinstellungen für die Darstellung verwendet. Sie können aber auch ein Format und/oder eine Regionseinstellung angeben.

Die Formatangabe erfolgt mittels der Kürzel *y* (Jahr), *M* (Monat), *d* (Tag), *h* (Stunde), *m* (Minute) und *s* (Sekunde).

BEISPIELE:

```
DateTime.ToText(#datetime(2018,4,3,12,7,0),
"dd.MM.yyyy hh:mm:ss", "de-DE")
//Ergebnis: "03.04.2018 12:07:00"
```

```
DateTime.ToText(#datetime(2018,4,3,12,7,0),
"d. MMMM yy, hh ""Uhr"" m", "de-DE")
//Ergebnis: "3. April 18, 12 Uhr 7"
```

DateTime.AddZone

```
DateTime.AddZone(dateTime as nullable datetime, timezoneHours as number, optional
timezoneMinutes as nullable number) as nullable datetimezone
```

Legt die Zeitzoneninformationen für einen Datetime-Wert fest.

BEISPIEL:

```
DateTime.AddZone(#datetime(2010, 12, 31, 11, 56, 02), 7, 30) //Ergebnis:
#datetimezone(2010, 12, 31, 11, 56, 2, 7, 30)
```

DateTime.Date

```
DateTime.Date(dateTime as any) as nullable datetime
```

Gibt die Datumskomponente des angegebenen Date-, Datetime- oder Datetimezone-Werts zurück.

BEISPIEL:

```
DateTime.Date(#datetime(2010, 12, 31, 11, 56, 02))
//Ergebnis: #date(2010, 12, 31)
```

DateTime.Time

```
DateTime.Time(dateTime as any) as nullable time
```

Gibt den Uhrzeitanteil des angegebenen Datetime- oder Datetimezone-Werts zurück.

BEISPIEL:

```
DateTime.Time(#datetime(2010, 12, 31, 11, 56, 02))
//Ergebnis: #time(11, 56, 2)
```

14.10.2 Vergleiche mit ‚Jetzt'

Für diese Rubrik werden keine Beispiele angegeben, weil das Ergebnis davon abhängt, zu welchem Zeitpunkt die Funktionen ausgeführt werden. Der Rückgabewert ist demnach entweder *true* oder *false*. ■

DateTime.IsInCurrentSecond

```
DateTime.IsInCurrentSecond(dateTime as any) as nullable logical
```

Gibt an, ob ein Datetime-Wert während der aktuellen Sekunde auftritt, die vom aktuellen Datum und der aktuellen Uhrzeit des Systems festgelegt wird.

DateTime.IsInCurrentMinute

```
DateTime.IsInCurrentMinute(dateTime as any) as nullable logical
```

Gibt an, ob ein Datetime-Wert während der aktuellen Minute auftritt, die vom aktuellen Datum und der aktuellen Uhrzeit des Systems festgelegt wird.

DateTime.IsInCurrentHour

```
DateTime.IsInCurrentHour(dateTime as any) as nullable logical
```

Gibt an, ob ein Datetime-Wert während der aktuellen Stunde auftritt, die vom aktuellen Datum und der aktuellen Uhrzeit des Systems festgelegt wird.

DateTime.IsInNextSecond

```
DateTime.IsInNextSecond(dateTime as any) as nullable logical
```

Gibt an, ob ein Datetime-Wert während der nächsten Sekunde auftritt, die vom aktuellen Datum und der aktuellen Uhrzeit des Systems festgelegt wird.

DateTime.IsInNextMinute

```
DateTime.IsInNextMinute(dateTime as any) as nullable logical
```

Gibt an, ob ein Datetime-Wert während der nächsten Minute auftritt, ausgehend vom aktuellen Datum und der aktuellen Uhrzeit des Systems.

DateTime.IsInNextHour

```
DateTime.IsInNextHour(dateTime as any) as nullable logical
```

Gibt an, ob ein Datetime-Wert während der nächsten Stunde auftritt, ausgehend vom aktuellen Datum und der aktuellen Uhrzeit des Systems.

DateTime.IsInPreviousSecond

```
DateTime.IsInPreviousSecond(dateTime as any) as nullable logical
```

Gibt an, ob ein Datetime-Wert während der vorherigen Sekunde auftritt, ausgehend vom aktuellen Datum und der aktuellen Uhrzeit des Systems.

DateTime.IsInPreviousMinute

```
DateTime.IsInPreviousMinute(dateTime as any) as nullable logical
```

Gibt an, ob ein Datetime-Wert während der vorherigen Minute auftritt, ausgehend vom aktuellen Datum und der aktuellen Uhrzeit des Systems.

DateTime.IsInPreviousHour

```
DateTime.IsInPreviousHour(dateTime as any) as nullable logical
```

Gibt an, ob ein Datetime-Wert während der vorherigen Stunde auftritt, ausgehend vom aktuellen Datum und der aktuellen Uhrzeit des Systems.

DateTime.IsInNextNSeconds

```
DateTime.IsInNextNSeconds(dateTime as any, seconds as number) as nullable logical
```

Gibt an, ob ein Datetime-Wert innerhalb einer bestimmten Anzahl von Sekunden auftritt, ausgehend vom aktuellen Datum und der aktuellen Uhrzeit des Systems.

DateTime.IsInNextNMinutes

```
DateTime.IsInNextNHours(dateTime as any, minutes as number) as nullable logical
```

Gibt an, ob ein Datetime-Wert innerhalb einer bestimmten Anzahl von Minuten auftritt, ausgehend vom aktuellen Datum und der aktuellen Uhrzeit des Systems.

DateTime.IsInNextNHours

```
DateTime.IsInNextNHours(dateTime as any, hours as number) as nullable logical
```

Gibt an, ob ein Datetime-Wert innerhalb einer bestimmten Anzahl von Stunden auftritt, ausgehend vom aktuellen Datum und der aktuellen Uhrzeit des Systems.

DateTime.IsInPreviousNSeconds

```
DateTime.IsInPreviousNSeconds(dateTime as any, seconds as number) as nullable logical
```

Gibt an, ob ein Datetime-Wert innerhalb einer bestimmten Anzahl von Sekunden aufgetreten ist, ausgehend vom aktuellen Datum und der aktuellen Uhrzeit des Systems.

DateTime.IsInPreviousNMinutes

```
DateTime.IsInPreviousNMinutes(dateTime as any, minutes as number) as nullable logical
```

Gibt an, ob ein Datetime-Wert innerhalb einer bestimmten Anzahl von Minuten aufgetreten ist, ausgehend vom aktuellen Datum und der aktuellen Uhrzeit des Systems.

DateTime.IsInPreviousNHours

```
DateTime.IsInPreviousNHours(dateTime as any, hours as number) as nullable logical
```

Gibt an, ob ein Datetime-Wert innerhalb einer bestimmten Anzahl von Stunden aufgetreten ist, ausgehend vom aktuellen Datum und der aktuellen Uhrzeit des Systems.

14.11 DateTimeZone-Funktionen

DateTimeZone.LocalNow

```
DateTimeZone.LocalNow() as datetimezone
```

Gibt das aktuelle Datum und die aktuelle Uhrzeit in der lokalen Zeitzone zurück.

Der Zeitpunkt wird im Moment des Aufrufs angegeben. Falls die Funktion bzw. der zugehörige Transformationsschritt in derselben Abfrage mehrmals aufgerufen wird, kann es sein, dass verschiedene Werte zurückgegeben werden.

DateTimeZone.UtcNow

```
DateTimeZone.UtcNow() as datetimezone
```

Gibt das aktuelle Datum und die aktuelle Uhrzeit in koordinierter Weltzeit (GMT-Zeitzone) zurück.

Der Zeitpunkt wird im Moment des Aufrufs angegeben. Falls die Funktion bzw. der zugehörige Transformationsschritt in derselben Abfrage mehrmals aufgerufen wird, kann es sein, dass verschiedene Werte zurückgegeben werden.

DateTimeZone.FixedLocalNow

```
DateTimeZone.FixedLocalNow() as datetimezone
```

Gibt das aktuelle Datum und die aktuelle Uhrzeit in der lokalen Zeitzone zurück.

Es wird der Zeitpunkt zum Start der Abfrage zurückgegeben. Auch wenn die Funktion bzw. der zugehörige Transformationsschritt in derselben Abfrage mehrmals aufgerufen wird, wird immer der gleiche Wert zurückgegeben.

DateTimeZone.FixedUtcNow

```
DateTimeZone.FixedUtcNow() as datetimezone
```

Gibt das aktuelle Datum und die aktuelle Uhrzeit in koordinierter Weltzeit (GMT-Zeitzone) zurück.

Es wird der Zeitpunkt zum Start der Abfrage zurückgegeben. Auch wenn die Funktion bzw. der zugehörige Transformationsschritt in derselben Abfrage mehrmals aufgerufen wird, wird immer der gleiche Wert zurückgegeben.

DateTimeZone.From

```
DateTimeZone.From(value as any, optional culture as nullable text) as nullable
datetimezone
```

Erstellt einen Datetimezone-Wert auf der Grundlage des angegebenen Werts.

Folgende Datentypen können verarbeitet werden: Text, Date, Datetime, Time und Number. Enthält der angegebene Wert keine Zeitkomponente, wird 0:00 Uhr verwendet. Ebenso wird bei fehlender Datumskomponente der Startwert des Kalenders verwendet.

Über den optionalen Parameter *culture* geben Sie an, welches regionstypische Format verwendet wird (betrifft hauptsächlich Textwerte, vgl. DateTimeZone.FromText).

BEISPIEL:

```
DateTimeZone.From("2020-10-30T01:30:00-08:00")
//Ergebnis: #datetimezone(2020, 10, 30, 01, 30, 00, -8, 00)
```

DateTimeZone.FromText

```
DateTimeZone.FromText(dateTimeZone as nullable text, optional culture as nullable
text) as nullable datetimezone
```

Wandelt einen Textwert nach Möglichkeit in einen Datetimezone-Wert um.

Über den optionalen Parameter *culture* kann das verwendete Regionsformat angegeben werden.

BEISPIELE:

```
DateTimeZone.FromText("2010-12-31T01:30:00-08:00")
//Ergebnis: #datetimezone(2010, 12, 31, 1, 30, 0, -8, 0)
```

```
DateTimeZone.FromText("2010-12-31T01:30:00.121212-08:00") //Ergebnis:
#datetimezone(2010, 12, 31, 1, 30, 0.121212, -8, 0)
```

```
DateTimeZone.FromText("2010-12-31T01:30:00Z")
//Ergebnis: #datetimezone(2010, 12, 31, 1, 30, 0, 0, 0)
```

DateTimeZone.FromFileTime

```
DateTimeZone.FromFileTime(fileTime as nullable number) as nullable datetimezone
```

Erstellt einen Datetimezone-Wert auf der Grundlage einer 64-Bit-Zahl, die eine sogenannte Dateizeit (filetime) repräsentiert.

Dateizeit steht für die Anzahl der verstrichenen 100-Nanosekunden-Intervalle seit dem 1. Januar 1601 n. Chr., 0:00 Uhr, koordinierte Weltzeit (UTC).

BEISPIEL:

```
DateTimeZone.FromFileTime(129876402529842245)
//Ergebnis: #datetimezone(2012, 7, 24, 14, 50, 52.9842245, -7, 0)
```

DateTimeZone.RemoveZone

```
DateTimeZone.RemoveZone(dateTimeZone as datetimezone) as nullable datetime
```

Entfernt Zeitzoneninformationen aus dem angegebenen Datetimezone-Wert, sodass ein Datetime-Wert entsteht.

BEISPIEL:

```
DateTimeZone.RemoveZone(#datetimezone(2011, 12, 31,
9, 15, 36,-7, 0))
//Ergebnis: #datetime(2011, 12, 31, 9, 15, 36)
```

DateTimeZone.SwitchZone

```
DateTimeZone(dateTimeZone as datetimezone, timezoneHours as number, optional
timezoneMinutes as nullablenumber ) as nullable datetimezone
```

Ändert die Zeitzone des Werts. Die neue Zeitverschiebung wird über die Parameter *timezoneHours* und *timezoneMinutes* angegeben.

BEISPIEL:

```
DateTimeZone.SwitchZone(#datetimezone(2010, 12, 31,
11, 56, 02, 7, 30), 8)
//Ergebnis: #datetimezone(2010, 12, 31, 12, 26, 2, 8, 0)
```

```
DateTimeZone.SwitchZone(#datetimezone(2010, 12, 31,
11, 56, 02, 7, 30), 0, -30)
//Ergebnis: #datetimezone(2010, 12, 31, 3, 56, 2, 0, -30)
```

DateTimeZone.ToLocal

```
DateTimeZone.ToLocal(dateTime as datetimezone) as nullable datetimezone
```

Konvertiert die Zeitzonenkomponente in die lokale Zeitzone.

BEISPIEL:

```
DateTimeZone.ToLocal(#datetimezone(2010, 12, 31, 11, 56, 02, 7, 30)) //Ergebnis
(z.B.): #datetimezone(2010, 12, 31, 5, 26, 2, 1, 0)
```

DateTimeZone.ToRecord

```
DateTimeZone.ToRecord(dateTimeZone as datetimezone) as record
```

Wandelt einen Datetimezone-Wert in einen Datensatz um.

BEISPIEL:

```
DateTimeZone.ToRecord(#datetimezone(2011, 12, 31, 11, 56, 2, 8, 0))  /*Ergebnis:
[Year = 2011, Month = 12, Day = 31,
Hour = 11, Minute = 56, Second = 2, ZoneHours = 8, ZoneMinutes = 0] */
```

DateTimeZone.ToText

```
DateTimeZone.ToText(dateTimeZone as nullable datetimezone, optional format as
nullable text, optional culture as nullable text) as nullable text
```

Gibt eine Textdarstellung des Datetimezone-Werts zurück.

Standardmäßig werden die jeweiligen Systemeinstellungen für die Darstellung verwendet. Sie können aber auch ein Format und/oder eine Regionseinstellung angeben.

Die Formatangabe erfolgt mittels der Kürzel *y* (Jahr), *M* (Monat), *d* (Tag), *h* (Stunde), *m* (Minute), *s* (Sekunde) und *z* (Zeitzonenangabe).

BEISPIELE:

```
DateTimeZone.ToText(#datetimezone(2010, 12, 31, 11, 56, 2, 8, 0)) //Ergebnis (z.B.):
"31.12.2010 11:56:02 +08:00"
```

```
DateTimeZone.ToText(#datetimezone(2010, 12, 31, 11, 56, 2, 1, 0),
"dd.MM.yyy hh:mm:ss z", "de-DE")
//Ergebnis: 31.12.2010 11:56:02 +1
```

```
DateTimeZone.ToText(#datetimezone(2010, 12, 31, 11, 56, 2, 10, 12),
"yyyy/MM/ddThh:mm:sszzz", "en-US")
//Ergebnis: "2010/12/31T11:56:02+10:12"
```

DateTimeZone.ToUtc

```
DateTimeZone.ToUtc(dateTime as datetimezone) as nullable datetimezone
```

Konvertiert die Zeitzonenkomponente in die UTC-Zeitzone.

BEISPIEL:

```
DateTimeZone.ToUtc(#datetimezone(2010, 12, 31, 11, 56, 02, 7, 30)) //Ergebnis:
#datetimezone(2010, 12, 31, 4, 26, 2, 0, 0)
```

DateTimeZone.ZoneHours

```
DateTimeZone.ZoneHours(dateTime as datetimezone) as nullable number
```

Gibt die Zeitzonen-Stundenverschiebung eines Datetimezone-Werts zurück.

BEISPIEL:

```
DateTimeZone.ZoneHours(#datetimezone(2010, 8, 1, 11, 0, 2, 7, 30))
//Ergebnis: 7
```

DateTimeZone.ZoneMinutes

```
DateTimeZone.ZoneMinutes(dateTime as datetimezone) as nullable number
```

Gibt die Zeitzonen-Minutenverschiebung eines Datetimezone-Werts zurück.

BEISPIEL:

```
DateTimeZone.ZoneMinutes(#datetimezone(2010, 8, 1, 11, 0, 2, 7, 30))
//Ergebnis: 30
```

14.12 Duration-Funktionen

Duration.From

```
Duration.From(value as any) as nullable duration
```

Wandelt einen Wert in eine Dauer um. Der angegebene Wert kann ein Text- oder Zahlenwert sein, andernfalls wird ein Fehler zurückgegeben.

BEISPIELE:

```
Duration.From(2.5)  //Ergibt zweieinhalb Tage
```

```
Duration.From("5:30")  //Ergibt fünfeinhalb Stunden
```

Duration.FromText

```
Duration.FromText(duration as nullable text) as nullable duration
```

Wandelt einen Text in einen Duration-Wert um.

Folgende Formate können von dieser Funktion analysiert werden:

- -**hh:mm**:ss.ff
- -**ddd**.hh:mm:ss.ff

Die Kürzel *d, h, m, s* und *f* stehen für Tage, Stunden, Minuten, Sekunden und Sekundenbruchteile (100 Nanosekunden). Die nicht fettgedruckten Bestandteile sind optional.

BEISPIELE:

```
Duration.FromText("1")  //ergibt einen Tag
```

```
Duration.FromText("12:00")  //ergibt einen halben Tag
```

```
Duration.FromText("0:00:01")  //ergibt eine Sekunde
```

Duration.ToText

```
Duration.ToText(duration as nullable duration, optional format as nullable text) as
nullable text
```

Gibt eine Textdarstellung des Duration-Werts zurück.

BEISPIEL:

```
Duration.ToText(#duration(2, 5, 55, 20))  //Ergebnis: "2.05:55:20"
```

Duration.ToRecord

```
Duration.ToRecords(duration as duration) as record
```

Wandelt einen Duration-Wert in einen Datensatz um.

BEISPIEL:

```
Duration.ToRecord(#duration(2, 5, 55, 20))
//Ergebnis: [Days = 2, Hours = 5, Minutes = 55, Seconds = 20]
```

Duration.Seconds

```
Duration.Seconds(duration as nullable duration) as nullable number
```

Gibt den Sekundenanteil des angegebenen Duration-Werts zurück.

BEISPIEL:

```
Duration.Seconds(#duration(5, 4, 3, 2)) //Ergebnis: 2
```

Duration.Minutes

```
Duration.Minutes(duration as nullable duration) as nullable number
```

Gibt den Minutenanteil des angegebenen Duration-Werts zurück.

BEISPIEL:

```
Duration.Minutes(#duration(5, 4, 3, 2)) //Ergebnis: 3
```

Duration.Hours

```
Duration.Hours(duration as nullable duration) as nullable number
```

Gibt den Stundenanteil des angegebenen Duration-Werts zurück.

BEISPIEL:

```
Duration.Hours(#duration(5, 4, 3, 2)) //Ergebnis: 4
```

Duration.Days

```
Duration.Days(duration as nullable duration) as nullable number
```

Gibt den Tagesanteil des angegebenen Duration-Werts zurück.

BEISPIEL:

```
Duration.Days(#duration(5, 4, 3, 2)) //Ergebnis: 5
```

Duration.TotalSeconds

```
Duration.TotalSeconds(duration as nullable duration) as nullable number
```

Gibt die Gesamtzahl von Sekunden für den angegebenen Duration-Wert zurück.

BEISPIEL:

```
Duration.TotalSeconds(#duration(5, 4, 3, 2)) //Ergebnis: 446582
```

Duration.TotalMinutes

```
Duration.TotalMinutes(duration as nullable duration) as nullable number
```

Gibt die Gesamtzahl von Minuten für den angegebenen Duration-Wert zurück.

BEISPIEL:

```
Duration.TotalMinutes(#duration(5, 4, 3, 2))
//Ergebnis: 7443.0333333333338
```

Duration.TotalHours

```
Duration.TotalHours(duration as nullable duration) as nullable number
```

Gibt die Gesamtzahl von Stunden für den angegebenen Duration-Wert zurück.

BEISPIEL:

```
Duration.TotalHours(#duration(5, 4, 3, 2))
//Ergebnis: 124.05055555555555
```

Duration.TotalDays

```
Duration.TotalDays(duration as nullable duration) as nullable number
```

Gibt die Gesamtzahl von Tagen für den angegebenen Duration-Wert zurück.

BEISPIEL:

```
Duration.TotalDays(#duration(5, 4, 3, 2))
//Ergebnis: 5.1687731481481478
```

14.13 Zeitfunktionen

Time.From

```
Time.From(value as any, optional culture as nullable text) as nullable time
```

Erstellt eine Uhrzeit auf der Grundlage des angegebenen Werts. Folgende Datentypen können verarbeitet werden: Text, Datetime, Datetimezone und Number.

Über den optionalen Parameter *culture* geben Sie an, welches regionstypische Format verwendet wird (betrifft hauptsächlich Textwerte).

BEISPIELE:

```
Time.From("18:30")
```

```
Time.From(0.5)  //12 Uhr mittags
```

Time.FromText

```
Time.FromText(time as nullable text, optional culture as nullable text) as nullable
date
```

Wandelt einen Textwert nach Möglichkeit in einen Zeitwert um.

BEISPIELE:

```
Time.FromText("10:12:31am")  //Ergebnis: 10:12:31 Uhr
```

```
Time.FromText("1012")  //Ergebnis: 10:12 Uhr
```

```
Time.FromText("10")  //Ergebnis: 10 Uhr
```

Time.ToText

```
Time.ToText(time as nullable time, optional format as nullable text, optional culture
as nullable text) as nullable text
```

Gibt eine Textdarstellung eines Zeitwerts zurück.

Standardmäßig werden die jeweiligen Systemeinstellungen für die Darstellung verwendet. Sie können aber auch ein Format und/oder eine Regionseinstellung angeben.

Die Formatangabe erfolgt mittels der Kürzel *h* (Stunde), *m* (Minute) und *s* (Sekunde).

BEISPIELE:

```
Time.ToText(#time(11, 56, 2), null, "en-US")  //Ergebnis: "11:56 AM"
```

```
Time.ToText(#time(11, 56, 2), "hh:mm")  //Ergebnis: "11:56"
```

Time.ToRecord

```
Time.ToRecord(time as time) as record
```

Erstellt einen Datensatz aus einem Zeitwert.

BEISPIEL:

```
Time.ToRecord(#time(11, 56, 2))
//Ergebnis: [Hour = 11, Minute = 56, Second = 2]
```

Time.Hour

```
Time.Hour(dateTime as any) as nullable number
```

Gibt die Stundenkomponente zurück.

BEISPIEL:

```
Time.Hour(#time(9, 15, 36))  //Ergebnis: 9
```

Time.Minute

```
Time.Minute(dateTime as any) as nullable number
```

Gibt die Minutenkomponente zurück.

BEISPIEL:

```
Time.Minute(#time(9, 15, 36))  //Ergebnis: 15
```

Time.Second

```
Time.Second(dateTime as any) as nullable number
```

Gibt die Sekundenkomponente zurück.

BEISPIELE:

```
Time.Second(#time(9, 15, 36))  //Ergebnis: 36
```

Time.StartOfHour

```
Time.StartOfHour(datetime as any) as any
```

Gibt den Beginn der jeweiligen Stunde zurück. Der Datentyp des Rückgabewerts entspricht dem des angegebenen Arguments.

BEISPIELE:

```
Time.StartOfHour(#time(15, 30, 00))
//Ergebnis: #time(15, 0, 0)
```

```
Time.StartOfHour(#datetime(2011, 10, 10, 8, 10, 32))
//Ergebnis: #datetime(2011, 10, 10, 8, 0, 0)
```

Time.EndOfHour

```
Time.EndOfHour(dateTime as any) as any
```

Gibt das Ende der jeweiligen Stunde zurück. Der Datentyp des Rückgabewerts entspricht dem des angegebenen Arguments.

BEISPIELE:

```
Time.EndOfHour(#time(15, 30, 00))
//Ergebnis: #time(15, 59, 59.9999999)

Time.EndOfHour(#datetime(2011, 5, 14, 17, 0, 0))
//Ergebnis: #datetime(2011, 5, 14, 17, 59, 59.9999999)
```

14.14 Hilfsfunktionen

Diese Kategorie umfasst Funktionen, die nur selten eigenständig benutzt werden und in der Regel als Argument für eine andere Funktion angegeben werden.

14.14.1 Comparer-Funktionen

Viele Funktionen, mit denen Werte ausgewählt, geordnet oder verglichen werden, besitzen einen Parameter, über den eine Comparer-Funktion angegeben werden kann.

Die Comparer-Funktion ist dafür zuständig, zu ermitteln, ob zwei Werte gleich sind und welcher Wert ggf. der größere ist. Dies ist in vielen Fällen trivial, doch in bestimmten Fällen müssen die Regeln genau festgelegt werden. Ein Beispiel ist die Unterscheidung von Groß- und Kleinschreibung. Es hängt von der jeweiligen Situation ab, ob „Müller" und „müller" als gleich interpretiert werden. Genauso gibt es unterschiedliche Anforderungen bei der Anordnung von Werten, zum Beispiel beim Alphabet in unterschiedlichen Sprachen.

Um also beim Vergleich von Werten möglichst viele Optionen zu bieten, ermöglichen viele Funktionen die Angabe einer Vergleichsmethode in Form einer Funktion. Die entsprechenden Parameter heißen üblicherweise *equationCriteria*, *comparisonCriteria* oder *comparer*.

Die Comparer-Funktionen erhalten zwei Werte und erzeugen einen der folgenden drei Rückgabewerte:

- *-1*, wenn der erste Wert kleiner oder vorrangig ist.
- *0*, wenn beide Werte als gleich betrachtet werden.
- *1*, wenn der erste Wert größer oder nachrangig ist.

Sie können selbst eine solche Funktion schreiben oder eine der nachfolgenden integrierten Vergleichsfunktionen verwenden.

Falls die zu vergleichenden Werte Datensätze sind, können Sie den Vergleich auch auf ein bestimmtes Feld beschränken. Geben Sie dazu als Vergleichsfunktion *each* gefolgt von einem Feldnamen in eckigen Klammern an.

Wenn Sie die Feldnamenangabe mit einer der nachfolgenden Vergleichsfunktion kombinieren wollen, geben Sie eine Liste mit zwei Elementen an:

1. each und der Feldname in eckigen Klammern.
2. Die anzuwendende Vergleichsfunktion.

Comparer.Ordinal

```
Comparer.Ordinal(x as any, y as any) as number
```

Diese Funktion wendet die typischen Vergleichs- und Ordnungskriterien an, die auf dem jeweiligen System üblich sind.

BEISPIELE:

```
Comparer.Ordinal(5, 5) //Ergebnis: 0
```

```
Comparer.Ordinal(4, 5) //Ergebnis: -1
```

```
Comparer.Ordinal(5, 4) //Ergebnis: 1
```

```
Comparer.Ordinal("a", "b") //Ergebnis: -1
```

```
Comparer.Ordinal("a", "A") //Ergebnis: 1
```

Comparer.OrdinalIgnoreCase

```
Comparer.OrdinalIgnoreCase(x as any, y as any) as number
```

Wie Comparer.Ordinal mit dem Unterschied, dass Groß- und Kleinschreibung nicht unterschieden wird.

BEISPIELE:

```
Comparer.OrdinalIgnoreCase ("a", "b") //Ergebnis: -1
```

```
Comparer.OrdinalIgnoreCase ("a", "A") //Ergebnis: 0
```

Comparer.FromCulture

```
Comparer.FromCulture(culture as text, optional ignoreCase as nullable logical) as
function
```

Bei dieser Funktion können Sie angeben, aufgrund welcher Regions- bzw. Sprachnorm der Vergleich durchgeführt wird. Dies hat vor allem Auswirkungen bei Textwerten, da Buchstaben in verschiedenen Sprachen unterschiedlich angeordnet werden. Es gibt auch bestimmte Zeichen, die je nach Region als gleich interpretiert werden (beispielsweise „æ“ und „ae“).

Die Regionsangabe erfolgt über Sprach- und Regionskürzel wie z. B. „de-DE“ (deutsch), „de-AT“ (deutsch, Österreich), „de-CH“ (deutsch, Schweiz), „en-US“ (englisch, USA), „en-GB“ (englisch, Großbritannien), „fr-FR“ (französisch), „es-ES“ (spanisch) usw. Eine komplette Liste finden Sie unter dieser Adresse:

https://msdn.microsoft.com/en-us/library/cc233982.aspx

Als zweites Funktionsargument können Sie angeben, ob Groß- und Kleinschreibung ignoriert *(true)* oder unterschieden werden soll *(false)*.

Der Rückgabewert der Funktion ist die entsprechende Vergleichsfunktion.

BEISPIELE:

```
Comparer.FromCulture("de-DE")("Rot", "rot")  //Ergebnis: 1
```

```
Comparer.FromCulture("de-DE", true)("Rot", "rot")  //Ergebnis: 0
```

14.14.2 Replacer-Funktionen

Replacer-Funktionen ersetzen einen Wert durch einen anderen. Sie werden unter anderem als Argumente für die Funktionen List.ReplaceValue und Table.ReplaceValue verwendet. Es gibt zwei integrierte Replacer-Funktionen, die sich dadurch unterscheiden, ob ein kompletter Wert ersetzt wird oder nur ein Teil eines Textes.

Replacer.ReplaceText

```
Replacer.ReplaceText(text as nullable text, old as text, new as text) as nullable
text
```

Wie bei der Funktion Text.Replace wird ein Zeichen oder eine Zeichenfolge *(old)* innerhalb einer anderen Zeichenfolge *(text)* gesucht und jedes Vorkommen durch die neue Zeichenfolge *(new)* ersetzt.

BEISPIEL:

```
Replacer.ReplaceText("ABC","C","XY")  //Ergebnis: "ABXY"
```

Replacer.ReplaceValue

```
Replacer.ReplaceValue(value as any, old as any, new as any) as any
```

Nur wenn für die Parameter *value* und *old* der gleiche Wert übergeben wird, wird stattdessen der Ersatzwert *(new)* zurückgegeben. Ansonsten wird wieder der alte Wert zurückgegeben.

BEISPIEL:

```
Replacer.ReplaceValue("ABC", "ABC", "XYZ")  //Ergebnis: "XYZ"
```

```
Replacer.ReplaceValue("ABC", "C", "XY")  //Ergebnis: "ABC"
```

14.14.3 Combiner-Funktionen

Combiner-Funktionen erstellen einen Wert aus der Verkettung bzw. Kombination anderer Werte. Die folgenden Funktionen sind keine Combiner-Funktionen, sondern werden dazu verwendet, Combiner-Funktionen zu erzeugen. Diese können dann wiederum als Funktionsargumente verwendet oder mit weiteren Argumenten aufgerufen werden.

Combiner.CombineTextByDelimiter

```
Combiner.CombineTextByDelimiter(delimiter as text, optional quoteStyle as nullable
number) as function
```

Gibt eine Funktion zurück, die eine Liste mit Textwerten zu einem einzelnen Text zusammenfasst, wobei zwischen den einzelnen Elementen ein oder mehrere Trennzeichen *(delimiter)* eingefügt werden.

Über das zweite Argument kann ein sogenannter Quote-Style festgelegt werden. Hierfür haben Sie zwei Optionen:

- *QuoteStyle.None:* Die Textbausteine werden aneinandergereiht, wobei zwischen den Ursprungswerten je ein Trennzeichen eingefügt wird.
- *QuteStyle.Csv:* Um die spätere Aufspaltung der erzeugten Texte zu erleichtern, wird die Aneinanderreihung so durchgeführt, wie es bei CSV-Dokumenten üblich ist. Das bedeutet, dass Textbausteine, die ein Anführungszeichen, einen Zeilenumbruch oder das angegebene Trennzeichen enthalten, in Anführungszeichen gestellt werden (Standardeinstellung).

BEISPIELE:

```
Combiner.CombineTextByDelimiter(",") ({"a","b","c"})
//Ergebnis: "a,b,c"
```

```
Combiner.CombineTextByDelimiter(",", QuoteStyle.None)
({"Meier, Fritz","Müller, Hannes","Huber, Franz"})
//Ergebnis: "Meier, Fritz,Müller, Hannes,Huber, Franz"
```

```
Combiner.CombineTextByDelimiter(",", QuoteStyle.Csv)
({"Meier, Fritz","Müller, Hannes","Huber, Franz"})
```

Bild 14.23 Der zurückgegebene Text enthält Anführungszeichen.

Combiner.CombineTextByEachDelimiter

```
Combiner.CombineTextByEachDelimiter(delimiters as list, optional quoteStyle as
number) as function
```

Gibt eine Funktion zurück, die eine Liste mit Textwerten zu einem einzelnen Text zusammenfasst. Es muss eine Liste mit Trennzeichen übergeben werden, die der Reihe nach zwischen den einzelnen Elementen eingefügt werden. Die Anzahl der Trennzeichen muss sich aber nicht mit der Anzahl der Textelemente decken. Die Trennzeichenliste darf auch leer sein.

Über das zweite Argument kann ein sogenannter Quote-Style festgelegt werden. Hierfür haben Sie zwei Optionen:

- *QuoteStyle.None:* Die Textbausteine werden aneinandergereiht, wobei zwischen den Ursprungswerten je ein Trennzeichen eingefügt wird.
- *QuteStyle.Csv:* Um die spätere Aufspaltung der erzeugten Texte zu erleichtern, wird die Aneinanderreihung so durchgeführt, wie es bei CSV-Dokumenten üblich ist. Das bedeutet, dass Textbausteine, die ein Anführungszeichen, einen Zeilenumbruch oder das angegebene Trennzeichen enthalten, in Anführungszeichen gestellt werden (Standardeinstellung).

BEISPIEL:

```
Combiner.CombineTextByEachDelimiter({"-", "|", "+", ":"})
({"a", "b", "c", "d", "e", "f", "g", "h"})
//Ergebnis: "a-b|c+d:efgh"
```

Combiner.CombineTextByLengths

```
Combiner.CombineTextByLengths(lengths as list, optional template as nullable text) as
function
```

Gibt eine Funktion zurück, die eine Liste mit Text zu einem einzelnen Text zusammenfasst, wobei die einzelnen Textelemente gekürzt werden. Der Parameter *lengths* benötigt eine Liste mit Zahlen, die die Längen angeben, auf die die Textwerte gekürzt werden. Die Anzahl der angegebenen Längen ist auch die maximale Anzahl der verketteten Texte.

Über den zweiten Parameter können Sie einen Text angeben, der sozusagen die Unterlage für das Ergebnis bildet. Die Funktion gibt einen Text zurück, der genauso lang ist, wie der angegebene *template*-Text, wobei Teile des *template*-Textes durch die aneinandergereihten Textelemente überschrieben werden.

BEISPIELE:

```
Combiner.CombineTextByLengths({1, 2, 3})
({"aaa", "bbb", "ccc", "ddd"})  //Ergebnis: "abbccc"
```

```
Combiner.CombineTextByLengths({1, 2, 3}, "..........")
({"aaa", "bbb", "ccc", "ddd"})  //Ergebnis: "abbccc.... "
```

Combiner.CombineTextByPositions

```
Combiner.CombineTextByPositions(positions as list, optional template as nullable
text) as function
```

Gibt eine Funktion zurück, die eine Liste mit Text zu einem einzelnen Text zusammenfasst, wobei die einzelnen Textelemente an bestimmten Positionen im Ausgabetext platziert werden. Die Positionsnummern werden in einer Liste angegeben *(positions)*. Dabei muss jede Nummer größer als die vorhergehende Nummer sein.

Wenn die aneinandergereihten Textelemente länger sind, als es die Positionsangaben erlauben, werden sie entsprechend abgeschnitten. Wenn sie kürzer sind, als die Positionsangaben vorgeben, entstehen Lücken.

Optional kann ein Template-Text angegeben werden, der sozusagen die Unterlage für das Ergebnis bildet. Er wird vor, nach oder zwischen den einzelnen Textelementen angezeigt.

BEISPIELE:

```
Combiner.CombineTextByPositions({0, 5, 6, 10})
({"aaa", "bbb", "ccc", "ddd"})
//Ergebnis: "aaa  bccc ddd"
```

```
Combiner.CombineTextByPositions({0, 5, 6, 10}, "................")
({"aaa", "bbb", "ccc", "ddd"})
//Ergebnis: "aaa..bccc.ddd..."
```

```
Combiner.CombineTextByPositions({7, 22},
"Länge:    cm, Breite:    cm")
({"25", "12"})
//Ergebnis: Länge: 25 cm, Breite: 12 cm
```

Combiner.CombineTextByRanges

```
Combiner.CombineTextByRanges(ranges as list, optional template as nullable text) as
function
```

Gibt eine Funktion zurück, die eine Liste mit Text zu einem einzelnen Text zusammenfasst, wobei die einzelnen Textelemente an bestimmten Positionen und mit bestimmten Längen im Ausgabetext platziert werden. Die Positions- und Längenangaben werden über eine Liste festgelegt. Diese enthält wiederum Listen aus je zwei Werten, wovon einer die Position und der andere die Maximallänge des jeweiligen Textbausteins angibt.

Optional kann ein Template-Text angegeben werden, der sozusagen die Unterlage für das Ergebnis bildet. Er wird vor, nach oder zwischen den einzelnen Textelementen angezeigt.

BEISPIELE:

```
Combiner.CombineTextByRanges({{0, 1}, {5, 1}, {6, 1}, {10, 1}}) ({"aaa", "bbb",
"ccc", "ddd"})
//Ergebnis: "a    bc   d"
```

```
Combiner.CombineTextByRanges({{0, 1}, {5, 1}, {6, 1}, {10, 1}},
"..........")
({"aaa", "bbb", "ccc", "ddd"})
//Ergebnis: "a....bc...d"
```

14.14.4 Splitter-Funktionen

Splitter-Funktionen spalten einen Wert, üblicherweise einen Textwert, in mehrere Einzelwerte auf. Der Rückgabewert ist daher immer eine Liste.

Die folgenden Funktionen sind keine Splitter-Funktionen, sondern werden dazu verwendet, Splitter-Funktionen zu erzeugen. Diese können dann wiederum als Funktionsargumente verwendet oder mit weiteren Argumenten aufgerufen werden.

Splitter.SplitTextByDelimiter

```
Splitter.SplitTextByDelimiter(delimiter as text, optional quoteStyle as nullable
number) as function
```

Gibt eine Funktion zurück, die Text auf der Grundlage des angegebenen Trennzeichens in eine Liste mit Textwerten aufteilt.

Für den optionalen Parameter *quoteStyle* haben Sie zwei Optionen:

- *QuoteStyle.None:* Jedes Vorkommen des angegebenen Zeichens wird als Trennzeichen interpretiert.
- *QuteStyle.Csv:* Wie es bei CSV-Dokumenten üblich ist, werden Textteile, die in Anführungszeichen stehen, nicht aufgetrennt (Standardeinstellung).

BEISPIELE:

```
Splitter.SplitTextByDelimiter(";") ("a;b;c;d;e;f;g")
//Ergebnis: {"a", "b", "c", "d", "e", "f", "g"}
```

```
Splitter.SplitTextByDelimiter(";") ("a;b;""c;d;e"";f;g")
//Ergebnis: {"a", "b", "c;d;e", "f", "g"}
```

```
Splitter.SplitTextByDelimiter(";", QuoteStyle.None)
("a;b;""c;d;e"";f;g")
//Ergebnis: {"a", "b", """c", "d", "e""", "f", "g"}
```

Splitter.SplitTextByAnyDelimiter

```
Splitter.SplitTextByAnyDelimiter(delimiters as list, optional quoteStyle as nullable
number, optional startAtEnd as nullable logical) as function
```

Gibt eine Funktion zurück, die Text an den angegebenen Trennzeichen in eine Liste mit Textwerten aufteilt. Es können mehrere Trennzeichen als Liste angegeben werden. Die Reihenfolge ist dabei egal.

Für den optionalen Parameter *quoteStyle* haben Sie zwei Optionen:

- *QuoteStyle.None:* Jedes Vorkommen eines der angegebenen Zeichen wird als Trennzeichen interpretiert.
- *QuteStyle.Csv:* Wie es bei CSV-Dokumenten üblich ist, werden Textteile, die in Anführungszeichen stehen, nicht aufgetrennt (Standardeinstellung).

BEISPIEL:

```
Splitter.SplitTextByAnyDelimiter({";", "-"}) ("a-b;c;d-e;f-g")
//Ergebnis: {"a", "b", "c", "d", "e", "f", "g"}
```

Auch wenn es nicht der ursprüngliche Zweck dieser Splitter-Funktion ist, kann sie verwendet werden, um einen Mangel bei den Textfunktionen auszugleichen: Es gibt zwar eine Funktion *Text.Contains*, aber leider existiert kein *Text.ContainsAny*, um einen Textwert auf mehrere Textteile zu prüfen.

Ein Beispiel: Sie haben eine Spalte „Produktname“ und möchten in einer benutzerdefinierten Spalte prüfen, ob in den Texten bestimmte Farbangaben enthalten sind. Natürlich könnten Sie mehrere Varianten von *Text.Contains* mit dem Schlüsselwort *or* verbinden. Eleganter ist es aber mit der Splitter-Funktion:

```
= List.Count(Splitter.SplitTextByAnyDelimiter({"grün", "gelb", "blau"})
([Produktname])) > 1
```

In diesem Beispiel haben wir der Einfachheit halber nur drei Werte, die in den Produktnamen gesucht werden: „grün“, „gelb“ und „blau“. Wirklich sinnvoll ist diese Formelkonstruktion vermutlich nur, wenn Sie eine längere Liste haben. Da die Formel nicht gerade übersichtlich ist, sehen wir uns die einzelnen Teile separat an:

- Die Liste in geschweiften Klammern enthält die Farbnamen, die gesucht werden.
- Die Liste ist das Argument der Splitter-Funktion *Splitter.SplitTextByAnyDelimiter*. Das Ergebnis dieser Funktion ist eine Funktion, die einen Text auftrennt. Als Trenner dienen die Farbnamen.
- An diese Funktion muss nun ein Text übergeben werden, der aufgetrennt wird. Wie immer werden die Funktionsargumente in runden Klammern geschrieben. In diesem Fall ist es der Produktname, und da es sich um einen Spaltennamen handelt, steht er auch noch in eckigen Klammern.

- Wie oben erwähnt, wird nach dem Aufteilen des Textwerts eine Liste zurückgegeben. Falls keine Auftrennung stattgefunden hat, weil kein Trennwort enthalten war, besteht die Liste nur aus einem Element. Aus diesem Grund wird mit der Funktion *List.Count* geprüft, ob die Anzahl der Listenelemente größer als eins ist. Falls ja, bedeutet das, dass eines der Trennwörter im Text enthalten ist.

■

Splitter.SplitTextByEachDelimiter

```
Splitter.SplitTextByEachDelimiter(delimiters as list, optional quoteStyle as nullable
number, optional startAtEnd as nullable logical) as function
```

Gibt eine Funktion zurück, die Text an den angegebenen Trennzeichen in eine Liste mit Textwerten aufteilt. Die Trennzeichen werden in genau der Reihenfolge gesucht, wie sie in der Liste angegeben wurden. Jedes Trennzeichen wird nur einmal verwendet.

Für den optionalen Parameter *quoteStyle* haben Sie zwei Optionen:

- *QuoteStyle.None:* Jedes Vorkommen eines der angegebenen Zeichen wird als Trennzeichen interpretiert (in der entsprechenden Reihenfolge).
- *QuteStyle.Csv:* Wie es bei CSV-Dokumenten üblich ist, werden Textteile, die in Anführungszeichen stehen, nicht aufgetrennt (Standardeinstellung).

Die Richtung, in der die Trennzeichen abgearbeitet werden, können Sie mit dem dritten Parameter ändern: Wenn Sie hier *true* angeben, wird die Aufspaltung vom Textende aus begonnen. Die Rückgabe der Textbausteine erfolgt dennoch in der Reihenfolge, wie sie im Originaltext vorkommen.

BEISPIELE:

```
Splitter.SplitTextByEachDelimiter({";", "-"}) ("a-b;c;d-e;f-g")
//Ergebnis: {"a-b", "c;d", "e;f-g"}

Splitter.SplitTextByEachDelimiter({";", "-"}, null, true) ("a-b;c;d-e;f-g")
//Ergebnis: {"a-b;c;d", "e", "f-g"}
```

Splitter.SplitTextByWhitespace

```
Splitter.SplitTextByWhitespace(optional quoteStyle as nullable number) as function
```

Gibt eine Funktion zurück, die Text an den Leerzeichen zu einer Liste aus Textwerten aufteilt.

Für den optionalen Parameter *quoteStyle* haben Sie zwei Optionen:

- *QuoteStyle.None:* Jedes Leerzeichen wird als Trennzeichen interpretiert.
- *QuteStyle.Csv:* Wie es bei CSV-Dokumenten üblich ist, werden Textteile, die in Anführungszeichen stehen, nicht aufgetrennt (Standardeinstellung).

BEISPIELE:

```
Splitter.SplitTextByWhitespace() ("a b c d e f g")
//Ergebnis: {"a", "b", "c", "d", "e", "f", "g"}
```

```
Splitter.SplitTextByWhitespace() ("a b ""c d e"" f g")
//Ergebnis: {"a", "b", "c d e", "f", "g"}
```

Splitter.SplitTextByLengths

```
Splitter.SplitTextByLengths(lengths as list, optional startAtEnd as nullable logical)
as function
```

Gibt eine Funktion zurück, die Text anhand der angegebenen Längenwerte in eine Liste mit Textwerten aufteilt.

Mit dem optionalen Parameter *startAtEnd* können Sie festlegen, dass die Längenliste vom Textende aus abgearbeitet wird. Die Rückgabe der Textbausteine erfolgt dennoch in der Reihenfolge, wie sie im Originaltext vorkommen.

BEISPIELE:

```
Splitter.SplitTextByLengths({3, 2, 1}) ("abcdefg")
//Ergebnis: {"abc", "de", "f"}
```

```
Splitter.SplitTextByLengths({3, 2, 1}, true) ("abcdefg")
//Ergebnis: {"b", "cd", "efg"}
```

Splitter.SplitTextByPositions

```
Splitter.SplitTextByPositions(positions as list, optional startAtEnd as nullable
logical) as function
```

Gibt eine Funktion zurück, die Text an den angegebenen Positionen in eine Liste mit Textwerten aufteilt. Die Positionsnummern müssen in der Liste in aufsteigender Reihenfolge angegeben werden. Es werden jeweils die Textabschnitte von einer Position bis zur nächsten Position bzw. bis zum Textende ausgegeben.

Mit dem optionalen Parameter *startAtEnd* können Sie festlegen, dass die Positionsliste vom Textende aus abgearbeitet wird. Die Rückgabe der Textbausteine erfolgt dennoch in der Reihenfolge, wie sie im Originaltext vorkommen.

BEISPIELE:

```
Splitter.SplitTextByPositions({0, 2, 6}) ("abcdefg")
//Ergebnis: {"ab", "cdef", "g"}
```

```
Splitter.SplitTextByPositions({0, 2, 6}, true) ("abcdefg")
//Ergebnis: {"a", "bcde", "fg"}
```

Splitter.SplitTextByRanges

```
Splitter.SplitTextByRanges(ranges as list, optional startAtEnd as nullable logical)
as function
```

Gibt eine Funktion zurück, die Text in eine Liste mit Textwerten aufteilt, wobei die Positionen der Aufspaltung und die Längen der Textbausteine genau festgelegt sind. Die Positions- und Längenangaben werden über eine Liste festgelegt. Diese enthält wiederum Listen aus je zwei Werten, wovon einer die Position und der andere die Länge des jeweiligen Textbausteins angibt.

Mit dem optionalen Parameter *startAtEnd* können Sie festlegen, dass die Liste vom Textende aus abgearbeitet wird. Die Rückgabe der Textbausteine erfolgt dennoch in der Reihenfolge, wie sie im Originaltext vorkommen.

BEISPIELE:

```
Splitter.SplitTextByRanges({{0,1}, {3,2}, {4,1}}) ("abcdefg")
//Ergebnis: {"a", "de", "e"}
```

```
Splitter.SplitTextByRanges({{0,1}, {3,2}, {4,1}}, true) ("abcdefg")
//Ergebnis: {"c", "cd", "g"}
```

Splitter.SplitTextByRepeatedLengths

```
Splitter.SplitTextByRepeatedLengths(length as number, optional startAtEnd as nullable
logical) as function
```

Gibt eine Funktion zurück, die einen Text in gleich lange Teile aufteilt. Nur wenn die Aufteilung nicht aufgeht, wird der letzte Teil entsprechend kürzer. Die Textteile werden in einer Liste ausgegeben.

Mit dem optionalen Parameter *startAtEnd* können Sie festlegen, dass die Aufteilung vom Textende aus durchgeführt wird. Wenn Sie hier *true* angeben, wird der erste Textabschnitt u. U. kürzer. Die Rückgabe der Textbausteine erfolgt dennoch in der Reihenfolge, wie sie im Originaltext vorkommen.

BEISPIELE:

```
Splitter.SplitTextByRepeatedLengths(3) ("abcdefg")
//Ergebnis: {"abc", "def", "g"}
```

```
Splitter.SplitTextByRepeatedLengths(3, true) ("abcdefg")
//Ergebnis: {"a", "bcd", "efg"}
```

Splitter. SplitTextByCharacterTransition

```
Splitter.SplitTextByCharacterTransition(before as anynonnull, after as anynonnull) as
function
```

Erzeugt eine Funktion, die einen Text bei den Übergängen zwischen bestimmten Zeichenarten aufteilt. Welche Zeichenarten das sind, können Sie selbst definieren, indem Sie Listen aus Zeichen an die Parameter *before* und *after* übergeben.

Also immer, wenn im Text ein Zeichen aus der before-Gruppe gefolgt von einem Zeichen aus der after-Gruppe auftaucht, wird der Text an dieser Stelle getrennt.

Alternativ können Sie an die Parameter *before* und *after* auch Funktionen geben, die einzelne Zeichen auswerten und entweder *true* oder *false* zurückgeben.

BEISPIELE:

```
Splitter.SplitTextByCharacterTransition({"0".."9"},{"A".."Z", "a".."z"})
("99Luftballons")
//Ergebnis: {"99", "Luftballons"}
//(Als Trenner ist der Übergang von Zahlen zu Buchstaben definiert)
```

```
Splitter.SplitTextByCharacterTransition({",", " ", "."},
each try Number.IsEven(Number.From(_)) otherwise false)
("Ungerade Zahlen wie 5 bewirken keine Trennung, aber bei geraden Zahlen wie 4 wird
getrennt. Das funktioniert aber nur, wenn die 4 nach einem Zeichen aus der ersten
Gruppe steht, also nicht, wenn sie zum Beispiel in ABC4 vorkommt.")
/*Ergebnis:
{"Ungerade Zahlen wie 5 bewirken keine Trennung, aber bei geraden Zahlen wie ",
"4 wird getrennt. Das funktioniert aber nur, wenn die ",
"4 nach einem Zeichen aus der ersten Gruppe steht, also nicht, wenn sie zum Beispiel
in ABC4 vorkommt."}
*/
```

Splitter.SplitByNothing

```
Splitter.SplitByNothing() as function
```

Erzeugt eine Funktion, die nichts anderes macht, als den ihr übergebenen Wert in einer Liste zurückzugeben.

Diese Splitter-Funktion (die eigentlich gar keine ist) kann als Funktionsargument verwendet werden, wenn eine Splitter-Funktion verlangt wird, aber keine Aufspaltung von Werten erfolgen soll.

BEISPIEL:

```
Splitter.SplitByNothing()("abc")  //Ergebnis: {"abc"}
```

15 Eigene Funktionen erstellen

Mit Blick auf das letzte Kapitel möchte man meinen, die integrierten Funktionen seien mehr als genug. Doch bei der Arbeit mit M werden Sie früher oder später in eine Situation kommen, in der eigene Funktionen sinnvoll sind. Sei es, dass Sie eine Lösung für ein häufig auftretendes Problem finden oder dass ein Teil Ihrer Abfrage so komplex ist, dass Sie ihn optisch vom Rest der Abfrage trennen möchten. Gelegentlich erleichtert Ihnen eine selbstgebaute Funktion das Leben ungemein.

15.1 Funktionen innerhalb einer Abfrage

Da eine Funktion ein Wert ist, wird sie bei der Erstellung einem Schrittnamen zugewiesen, der dadurch zum Funktionsnamen wird. Die Zuweisung enthält die Parameter der Funktion sowie den Ausdruck, der festlegt, wie diese Parameter verarbeitet werden.

Listing 15.1 zeigt, wie eine Funktion in einem einzelnen Transformationsschritt erstellt wird.

Listing 15.1 Eine einzeilige Funktion

```
let
    DreiecksflächeRW = (a,b) => (a * b) / 2,
    Funktionstest = DreiecksflächeRW(5,3)
in
    Funktionstest
```

Es handelt sich hier um die Funktion zur Berechnung der Fläche eines rechtwinkligen Dreiecks. Es müssen zwei Argumente übergeben werden, die entsprechenden Parameter wurden *a* und *b* genannt. Die Funktion multipliziert die beiden übergebenen Werte und teilt das Ergebnis durch zwei.

Im zweiten Schritt der Abfrage wird die Funktion *DreiecksflächeRW* mit den Werten *5* und *3* aufgerufen. Der Rückgabewert ist das Ergebnis der Rechnung *(5 * 3)/2*, also *7,5*.

Datentypen festlegen

Beim Erstellen von Funktionen ist es oft sinnvoll, die Datentypen der erwarteten Werte sowie den Datentyp des Rückgabewerts festzulegen. Auf diese Weise kann Fehleingaben vorgebeugt werden. Die Angabe der Datentypen erfolgt bei der Definition über das Schlüsselwort `as`, wie in Listing 15.2 gezeigt wird.

Listing 15.2 Eine einzeilige Funktion mit festgelegten Datentypen.

```
let
    DreiecksflächeRW = (a as number, b as number) as number => (a * b) / 2,
    Funktionstest = DreiecksflächeRW(5,3)
in
    Funktionstest
```

Im Unterschied zum vorherigen Beispiel sind die Datentypen nun im Funktionskopf definiert. Man weiß also schon beim Aufruf der Funktion, dass Zahlen angegeben werden müssen. Andere Datentypen würden nicht akzeptiert werden.

Optionale Parameter

Für bestimmte Parameter können Sie festlegen, dass die Angabe nicht zwingend erforderlich ist. Dies geschieht über das Schlüsselwort `optional`. Optionale Parameter müssen immer hinter den erforderlichen Parametern aufgeführt werden. Wenn sie nicht übergeben werden, ist ihr Wert *null*.

Die Funktion im folgenden Beispiel berechnet die Fläche eines Rechtecks. Es können zwei Seiten, *a* und *b*, angegeben werden. Die Seite *b* ist jedoch optional. Wenn sie nicht angegeben ist, wird angenommen, dass es sich um ein Quadrat handelt.

Listing 15.3 Eine Funktion mit einem optionalen Parameter.

```
let
    Rechtecksfläche = (a as number, optional b as number) as number =>
        if b = null then (a * a) else (a * b),
    Funktionstest = Rechtecksfläche(2)
in
    Funktionstest
```

15.2 Das Schlüsselwort *each*

Die kürzeste Art, eine Funktion zu erstellen, ist die Verwendung des Schlüsselworts `each`. Damit wird eine Funktion erzeugt, die einen einzigen Parameter enthält. Der Parameter hat keinen festen Datentyp und keinen Namen, sondern wird einfach über einen Unterstrich symbolisiert.

In Listing 15.4 sehen Sie, wie eine Funktion mit `each` erzeugt wird.

Listing 15.4 Eine Funktion mithilfe von *each*.

```
let
    Verdoppeln = each _ * 2,
    Funktionstest = Verdoppeln(7)
in
    Funktionstest
```

Die Funktion *Verdoppeln* multipliziert jeden Wert, der ihr übergeben wird mit 2. Der Rückgabewert in diesem Beispiel ist somit *14*.

Alternativ könnte die obige Funktion auch so geschrieben werden:

```
Verdoppeln = (_) => _ * 2
```

Die häufigste Verwendung des Schlüsselworts *each* ist beim Aufruf von Funktionen, die ihrerseits Funktionen als Argumente benötigen. Möglicherweise ist Ihnen das schon aufgefallen, wenn Sie neue Spalten hinzugefügt oder Tabellen gefiltert haben. Die hierfür verwendeten Funktionen erwarten Funktionen als Argumente. Nur so kann die Vielzahl der Möglichkeiten abgedeckt werden, die diese Transformationen erlauben.

Dabei ist übrigens nicht immer der Unterstrich als Parameter erforderlich. Bei Transformationen, die zeilenweise arbeiten, wird *each* mit der Spaltenbezeichnung verwendet. Folgendes Beispiel zeigt den Befehl, der entsteht, wenn Sie eine neue Spalte hinzufügen:

```
= Table.AddColumn(AlteTabelle, "NeueSpalte", each [Guthaben] + 100)
```

Als drittes Argument wird hier die Funktion angegeben, die den Inhalt der neuen Spalte berechnet. Die Logik dahinter ist, dass jede Zeile als Datensatz übergeben wird. Mit dem Spaltennamen `Guthaben` in eckigen Klammern wird daher der entsprechende Wert aus dem Datensatz ausgelesen und 100 addiert. Der Unterstrich ist hier nicht nötig, aber alternativ könnte die Zuweisung auch so geschrieben werden:

```
= Table.AddColumn(AlteTabelle, "NeueSpalte", each _[Guthaben] + 100)
```

15.3 Funktionen als eigene Abfrage

Wenn Sie Funktionen mehrmals verwenden oder mit anderen teilen möchten, ist es am besten, sie in eine eigene Abfrage zu schreiben. Auf diese Weise können sie in beliebig vielen Abfragen innerhalb der Arbeitsmappe oder des Power-BI-Modells verwendet werden.

Um eine eigenständige Funktion zu erstellen, erstellen Sie einfach eine Abfrage, die als Rückgabewert eine Funktion hat.

Listing 15.5 Eine Funktion als eigenständige Abfrage.

```
let
    Funktion = (a as number, b as number, c as number) as number => a * b * c
in
    Funktion
```

- Erstellen Sie eine leere Abfrage und geben Sie über den Erweiterten Editor den Code aus Listing 15.5 ein.
- Geben Sie der Abfrage den Namen *fnVolumen*. Das ist der Name, mit dem Sie die Funktion später aufrufen können.

Die Abfrage erscheint in der Liste der Abfragen nun mit dem Symbol, das sie als Funktion ausweist. Anstelle eines Rückgabewerts als Vorschau gibt es Eingabefelder für die Argumente.

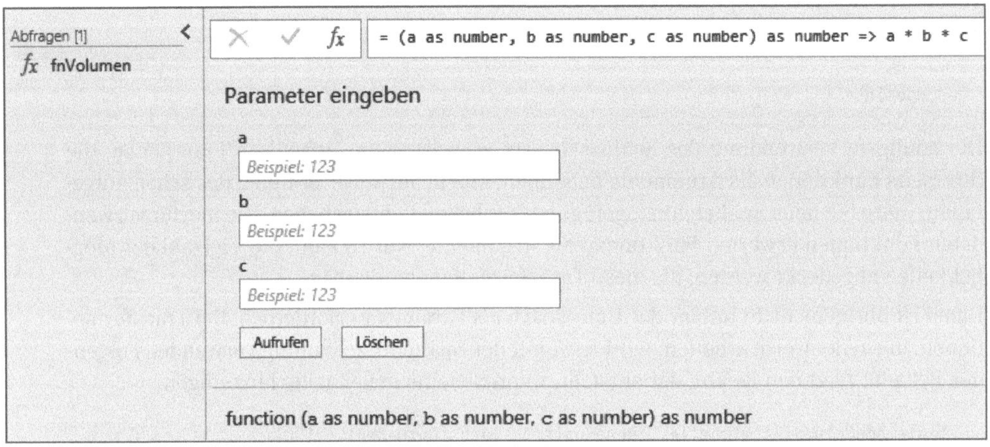

Bild 15.1 Die Funktion in der Vorschau.

Die Funktion kann nun in anderen Abfragen auf dieselbe Weise wie jede andere Funktion benutzt werden.

- Testen Sie Ihre Funktion, indem Sie eine neue Abfrage auf die Excel-Datei *15-01-Werkstücke.xlsx* erstellen.

Die Tabelle zeigt eine Liste verschiedener Werkstücke, bei denen Länge, Breite und Höhe angegeben sind. Mithilfe der soeben erstellten Funktion können Sie das Volumen berechnen und in einer neuen Spalte ausgeben lassen.

Es gibt zwei Möglichkeiten, dies zu bewerkstelligen. Welche die bessere ist, ist Geschmackssache, daher sollen hier beide vorgestellt werden.

Funktionsaufruf über benutzerdefinierte Spalte

- Erstellen Sie eine neue **Benutzerdefinierte Spalte**. Geben Sie den Namen *Volumen1* und folgende Spaltenformel ein:

```
= fnVolumen([Länge],[Breite],[Höhe])
```

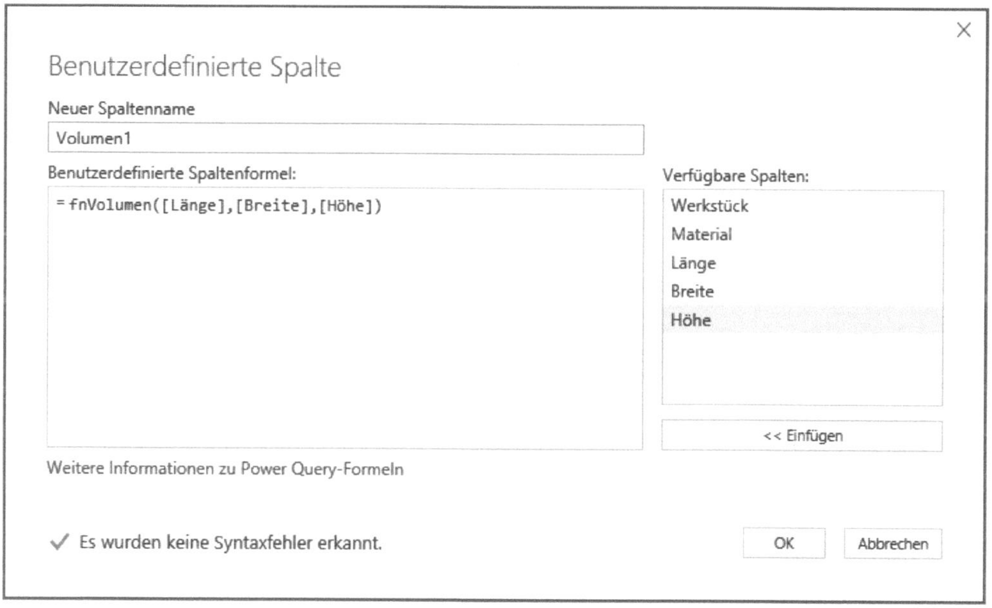

Bild 15.2 Test der selbsterstellten Funktion.

Sie sehen, die neue Funktion wird genauso verwendet wie die integrierten Standardfunktionen. Als Argumente werden hier die Spaltennamen übergeben.

Funktionsaufruf über benutzerdefinierte Funktion

Die zweite Methode, um eine Spalte mit der selbsterstellten Funktion hinzuzufügen, ist tatsächlich nur auf eigene Funktionen beschränkt und funktioniert nicht bei internen Funktionen.

- Klicken Sie im Register *Spalte hinzufügen* auf die Schaltfläche **BENUTZERDEFINIERTE FUNKTION AUFRUFEN.**
- Geben Sie den Spaltennamen *Volumen2* ein und wählen Sie die Funktion *fnVolumen* aus dem Dropdown.
- Daraufhin ändert sich die Dialogbox und es erscheinen Eingabefelder für die von Ihnen erstellten Parameter. Sie können entweder fixe Werte eingeben oder umschalten auf die Auswahl von Spalten. Wählen Sie die Spalten *Länge*, *Breite* und *Höhe* für die Parameter *a*, *b* und *c*.

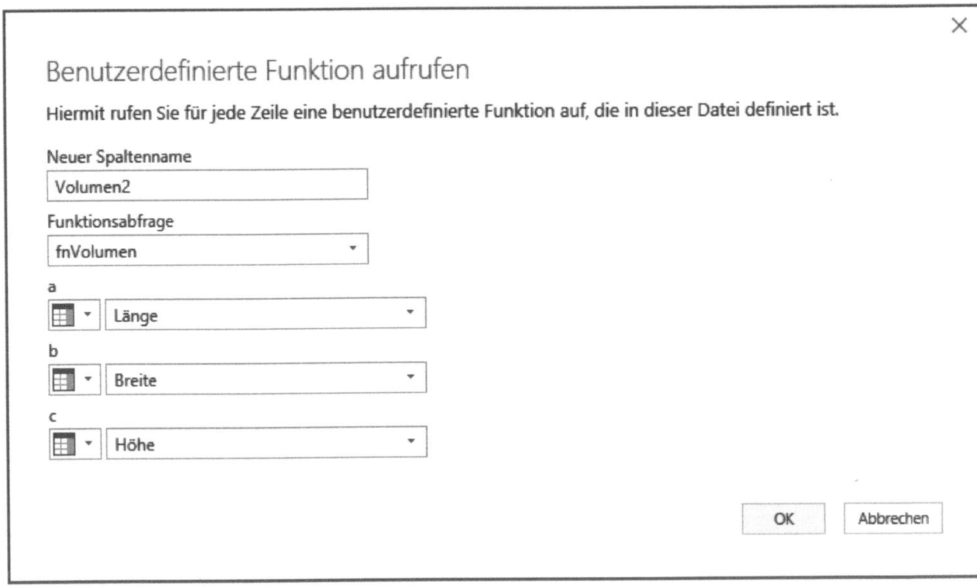

Bild 15.3 Die Angabe der Argumente erfolgt per Dialog.

- Bestätigen Sie mit **OK**.

Wie Sie an der Ausgabe und den erzeugten Befehlen sehen, erzielen beide Methoden das gleiche Ergebnis.

	Werkstück	Material	Länge	Breite	Höhe	Volumen1	Volumen2
1	1	B	56	63	33	116424	116424
2	2	D	53	53	56	157304	157304
3	3	A	15	31	67	31155	31155
4	4	D	28	69	11	21252	21252
5	5	D	43	31	34	45322	45322
6	6	B	59	11	26	16874	16874

Bild 15.4 Das Resultat der Transformation.

- Die zweite Volumen-Spalte wurde nur für Demonstrationszwecke angelegt. Löschen Sie sie wieder und ändern Sie den Namen der verbleibenden Spalte auf *Volumen*.

15.4 Funktionen, die aus mehreren Schritten bestehen

Die Berechnung im letzten Beispiel war relativ einfach und benötigte nur eine Codezeile. Komplexere Funktionen umfassen dagegen mehr als einen Berechnungsschritt. Das ist aber auch kein Problem, denn wie Sie wissen, werden mithilfe der Anweisungen *let* und *in* Rückgabewerte aus mehreren Schritten erzeugt. Es spricht nichts dagegen, einen Block aus *let-in*-Anweisungen innerhalb eines anderen zu schreiben.

Listing 15.6 zeigt, wie die Funktion zur Volumenberechnung in mehrere Schritte aufgeteilt wird.

Listing 15.6 Verschachtelte *let*-Ausdrücke als Funktionsabfrage.

```
let
    Funktion = (a as number, b as number, c as number) as number =>
        let
            Grundfläche = a * b,
            Volumen = Grundfläche * c,
            Rundung = Number.Round(Volumen, 2, 0)
        in
            Rundung
in
    Funktion
```

Anstatt die Berechnung als einzelne Anweisung direkt nach dem Pfeilsymbol (=>) zu schreiben, wurde sie hier mittels `let` und `in` in drei Schritten durchgeführt. Der erste Schritt berechnet die Grundfläche. Dessen Rückgabewert wird mit der Seitenlänge c multipliziert. Als dritten Schritt wurde noch eine Rundung eingeführt: Mithilfe der Funktion *Number.Round* wird das Ergebnis der Rechnung auf zwei Dezimalstellen gerundet. Der Rückgabewert des Schritts *Rundung* ist somit der Rückgabewert der Funktion. Die Funktion selbst ist der Rückgabewert des äußeren *let-in*-Blocks.

Erstellen einer Switch-Funktion

Sie kennen bereits die *if*-Anweisung, mit der eine Auswahl aus zwei verschiedenen Szenarien angestellt werden kann: Je nachdem, ob das Ergebnis einer Prüfung wahr oder falsch ist, wird die Zuweisung nach *then* oder die Zuweisung nach *else* ausgeführt.

In vielen Fällen gibt es jedoch mehr als zwei Alternativen. In der Beispieltabelle aus Abschnitt 15.3 haben Sie eine Liste von Werkstücken in unterschiedlichen Materialien. Nachdem Sie das Volumen berechnet haben, liegt es nahe, das Gewicht zu berechnen. Dabei muss aber beachtet werden, dass jedes Material eine andere Dichte hat. Nehmen wir an, die Dichten sind bekannt und müssen nur noch den verschiedenen Materialien zugewiesen werden.

Sie könnten zu diesem Zweck mehrere *if* Anweisungen nach folgendem Prinzip verschachteln:

```
if [Material]="A" then
    //...
else
```

```
if [Material]="B" then
    //...
else
    if [Material] = "C" then //...
```

Dieses Vorgehen würde funktionieren, ist aber nicht besonders elegant. In vielen Programmiersprachen gibt es hierfür eine Anweisung, die mehr als zwei Szenarien zulässt, also nicht nur *true* oder *false* als Prüfungsergebnis akzeptiert. Die Schlüsselwörter für diese Anweisung lauten je nach Programmiersprache meist *switch*, *select* oder *case*. In M existiert eine solche Anweisung nicht, aber wir können sie relativ einfach als Funktion nachbauen. Da es ein häufiger Anwendungsfall ist, wird die Funktion so erstellt, dass sie möglichst flexibel ist und nicht nur für das aktuelle Beispiel verwendet werden kann.

Überlegen wir uns zunächst, wie der Aufruf einer Switch-Funktion erfolgen soll: Als erstes Argument sollte der Wert übergeben werden, der geprüft wird, in unserem Beispiel das Material. Des Weiteren braucht die Funktion paarweise die möglichen Werte und die zugehörigen Rückgabewerte. Die Anzahl der möglichen Szenarien sollte idealerweise nicht begrenzt sein. Deshalb bietet sich der Datentyp Liste für das Argument an, da eine Liste beliebig viele Elemente enthalten kann. Die Liste kann wiederum Unterlisten mit Vergleichswert und Ausgabewert enthalten.

Ein möglicher Funktionsaufruf könnte also so aussehen:

```
= fnSwitch("C",{{"A",2.7},{"B",7.3},{"C",7.7},{"D",7.9},{"E",8.5}})
```

Die Funktion hat die Aufgabe, den ersten Wert (`"C"`) mit den jeweils ersten Werten aus den Unterlisten zu vergleichen und, wenn der richtige Vergleichswert gefunden wurde, den zugehörigen Ergebniswert auszugeben (`7.7`).

Im Folgenden sehen Sie, wie eine solche Funktion erstellt wird.

- Falls Sie die Tabelle aus Abschnitt 15.3 mit der Volumen-Spalte noch geöffnet haben, können Sie das Beispiel fortsetzen. Alternativ können Sie auch eine neue Abfrage auf die Beispieldatei *15-02-Werkstücke_inkl_Volumen.xlsx* erstellen.
- Erstellen Sie eine neue leere Abfrage und geben Sie im Erweiterten Editor den Code aus Listing 15.7 ein.

Listing 15.7 Der erste Entwurf der Switch-Funktion.

```
let
    Prüfwert = "C",
    ListeWertAusgabe = {{"A",2.71},{"B",7.25},{"C",7.7},
        {"D",7.9},{"E",8.5}},
    AuswahlUnterliste = List.Select(ListeWertAusgabe,
        each _{0} = Prüfwert),
    AuswahlErste = List.First(AuswahlUnterliste),
    Ausgabewert = if AuswahlErste = null then null else AuswahlErste{1}
in
    Ausgabewert
```

Der obige Code ist noch keine Funktion, sondern eine einfache Abfrage. Anstelle der Parameter werden Variablen (Schritte) mit Testwerten erstellt. Später werden diese Werte mit den Parametern der Funktion ersetzt.

Bei der hier vorgestellten Methode wird die Funktion zuerst als Abfrage entworfen. Das hat den Vorteil, dass sie Schritt für Schritt getestet werden kann. Im Abfrage-Editor können Sie die einzelnen Schritte anklicken und ihre Rückgabewerte prüfen.

Bei Funktionsabfragen mit verschachtelten *let-in*-Blöcken ist das leider nicht möglich.

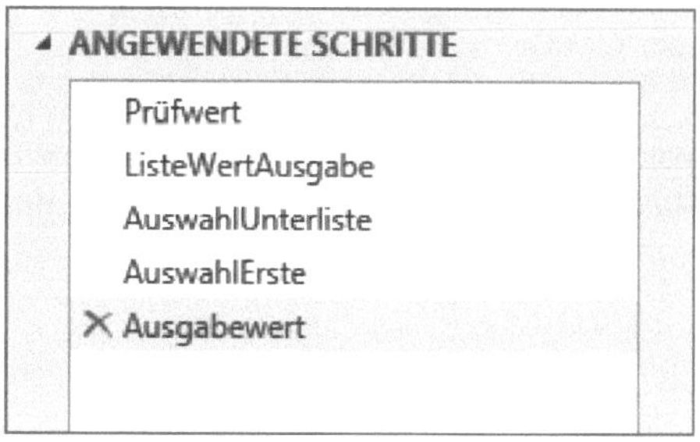

Bild 15.5
Die Schritte im Abfrage-Editor.

Die einzelnen Schritte haben folgenden Zweck:

1. Die Zuweisung eines Prüfwerts geschieht nur, damit die Funktionsweise der Abfrage getestet werden kann. Später wird dieser Schritt entfernt, weil *Prüfwert* der erste Parameter der Funktion sein wird.
2. Die zweite Zuweisung ist auch nur der vorläufige Ersatz für den zweiten Parameter. Über *ListeWertAusgabe* wird die Liste der möglichen Werte und der zugehörigen Rückgabewerte angegeben. Es handelt sich um eine Liste, deren Elemente Listen sind. Diese Unterlisten haben je zwei Elemente: Vergleichswert und Rückgabewert.
3. Im Schritt *AuswahlUnterliste* wird der Prüfwert in der Liste *ListeWertAusgabe* gesucht. Dies geschieht über die Funktion *List.Select*. Aus der Liste werden alle Unterlisten ausgewählt, deren erstes Element gleich dem Prüfwert ist.
4. In Ausnahmefällen könnte der Schritt *AuswahlUnterliste* mehr als eine Unterliste zurückgeben, nämlich wenn ein Vergleichswert zweimal angegeben wird. Damit in diesem Fall kein Fehler entsteht, wird mit der Funktion *List.First* einfach das erste Ergebnis gewählt.
5. Es könnte vorkommen, dass der Prüfwert nicht unter den Vergleichswerten gefunden wird. In diesem Fall soll die Funktion *null* zurückgeben. Ansonsten wird aus der gefundenen Unterliste der gesuchte Rückgabewert ausgewählt. Dieser ist das zweite Element, aber da die Elementzählung immer mit *0* beginnt, schreiben wir {1}.

In der aktuellen Form hat die Abfrage den Rückgabewert *7.7*, passend zum Prüfwert „C“. Sie können nun verschiedene Tests mit verschiedenen Prüfwerten, Vergleichswerten oder Ausgabewerten durchführen, indem Sie die entsprechenden Stellen ändern. Wenn alles in Ordnung ist, wird die Abfrage in eine Funktion umgewandelt.

- Ändern Sie den Code der Abfrage im Erweiterten Editor wie in Listing 15.8 zu sehen.

Listing 15.8 Der komplette Code der Switch-Funktion.

```
let
    Funktion = (Prüfwert as any, ListeWertAusgabe as list) as any =>
        let
            AuswahlUnterliste = List.Select(ListeWertAusgabe,
                each _{0} = Prüfwert),
            AuswahlErste = List.First(AuswahlUnterliste),
            Ausgabewert = if AuswahlErste = null then null else AuswahlErste{1}
        in
            Ausgabewert
in
    Funktion
```

Der vorherige Abfragecode ist nun in die Funktionszuweisung eingebettet. Anstelle der vorbestimmten Werte für *Prüfwert* und *ListeWertAusgabe*, sind dies nun die Parameter der Funktion.

- Geben Sie der Abfrage den Namen *fnSwitch*.
- Die Funktion kann nun anhand der Tabelle mit den Werkstücken getestet werden. Wechseln Sie im Abfrage-Editor auf diese Abfrage.
- Fügen Sie eine **Benutzerdefinierte Spalte** hinzu.
- Der Name der neuen Spalte ist *Dichte*. Geben Sie folgende Formel ein:

```
= fnSwitch([Material],
  {{"A",2.7},{"B",7.3},{"C",7.7},{"D",7.9},{"E",8.5}})
```

	Werkstück	Material	Länge	Breite	Höhe	Volumen	Dichte
1	1	B	56	63	33	116424	7,3
2	2	D	53	53	56	157304	7,9
3	3	A	15	31	67	31155	2,7
4	4	D	28	69	11	21252	7,9
5	5	D	43	31	34	45322	7,9
6	6	B	59	11	26	16874	7,3
7	7	A	16	32	43	22016	2,7

Bild 15.6 Die Funktion *fnSwitch* wählt für jedes Material eine Dichte aus.

- Fügen Sie eine weitere **Benutzerdefinierte Spalte** namens *Gewicht* hinzu, in der Volumen und Dichte miteinander multipliziert werden.

Damit ist die Abfrage abgeschlossen. Die enthaltene Funktion fnSwitch ist allerdings so gestaltet, dass sie für die verschiedensten Anwendungsfälle geeignet ist: Anstatt Material und zugehörige Dichte können Sie beliebige Werte vergleichen und eine Liste mit zugehörigen Rückgabewerten definieren.

15.5 Rekursive Funktionen

Rekursive Funktionen sind Funktionen, die sich selbst aufrufen. Auf diese Weise können Sie Schleifen erstellen, also Befehle, die immer wieder aufgerufen werden, bis eine bestimmte Bedingung erfüllt ist.

Wenn innerhalb einer Funktion dieselbe Funktion nochmal aufgerufen wird, muss das Zeichen @ vor den Funktionsnamen gestellt werden. Listing 15.9 zeigt eine Funktion, die die Fakultät einer Zahl berechnet.

Um die Fakultät einer Zahl zu berechnen, werden alle natürlichen Zahlen (ohne Null) kleiner oder gleich dieser Zahl miteinander multipliziert.

Beispiele:

2! = 1 * 2 = 2

3! = 1 * 2 * 3 = 6

4! = 1 * 2 * 3 * 4 = 24

Listing 15.9 Eine rekursive Funktion, die die Fakultät einer ganzen Zahl berechnet.

```
let
    Fakultät = (x) => if x = 0 then 1 else x * @Fakultät(x - 1),
    Funktionstest = Fakultät(4)
in
    Funktionstest
```

Die Funktion *Fakultät,* die im ersten Schritt definiert wird, wird im zweiten Schritt mit der Zahl 4 aufgerufen. Da *4* ungleich *0* ist, wird die Funktion erneut aufgerufen mit dem Wert *4 - 1*, also *3*. Die Funktion wird immer wieder aufgerufen, bis der Parameter den Wert *0* hat. Am Ende werden alle Werte miteinander multipliziert, sodass der Rückgabewert *4 * 3 * 2 * 1 = 24* ist.

Eine rekursive Funktion sollte sich nur selbst aufrufen, solange eine bestimmte Bedingung erfüllt ist. Ohne eine solche Bedingung wird der Funktionsaufruf unendlich oft wiederholt (bzw. so lange, bis der verfügbare Speicher voll ist).

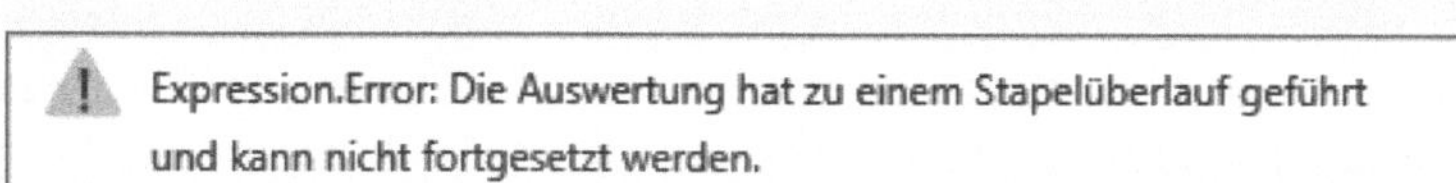

Bild 15.7 Diese Fehlermeldung erscheint, wenn eine rekursive Funktion zu oft wiederholt wird.

Erstellen einer Textbereinigungsfunktion

Im Beispiel in Abschnitt 5.1 wurde eine Namensliste bereinigt, indem doppelte Leerzeichen durch einzelne Leerzeichen ersetzt wurden. Dabei wurde schon auf das Problem hingewiesen, dass man in der Praxis unter Umständen nicht weiß, ob zwei, drei oder zehn Leerzeichen hintereinander auftreten. Die komplette Sicherheit erreichen Sie in diesem Fall nur mittels einer rekursiven Funktion. Diese kann einfach so lange überzählige Leerzeichen entfernen, bis nur noch einzelne Leerzeichen vorliegen.

Listing 15.10 Entfernen von überflüssigen Leerzeichen per Funktion.

```
let
    Funktion = (Textwert as text) as text =>
        //Prüfung auf doppelte Leerzeichen
        if Text.Contains(Textwert, "  ") then
            let
                //doppelte Leerzeichen werden durch ein einzelnes ersetzt
                Ersetzen = Text.Replace(Textwert, "  ", " "),
                //Funktion wird erneut aufgerufen
                ErneutAufrufen = @Funktion(Ersetzen)
            in
                ErneutAufrufen
        else
            Textwert,
    Funktionstest = Funktion("Mut zur         Lücke")
in
    Funktionstest
```

Die Bereinigung geschieht hier mithilfe zweier interner Funktionen: Zunächst wird mit der Funktion *Text.Contains* geprüft, ob der Text doppelte Leerzeichen enthält. Falls ja, werden diese mit der Funktion *Text.Replace* durch ein einzelnes Leerzeichen ersetzt. Da es sein kann, dass nach dieser Aktion immer noch doppelte Leerzeichen vorhanden sind (z.B. weil vorher drei in einer Reihe waren), wird die Funktion erneut aufgerufen. Erst wenn keine doppelten Leerzeichen mehr gefunden werden, wird der verbleibende Text zurückgegeben.

15.6 Funktionsbeschreibungen in der Metadata

Die Funktionen, die bei Power Query integriert sind, sind in der Regel mit einer Beschreibung und einem oder mehreren Beispielen ausgestattet. Sie können diese hinterlegten Informationen sehen, wenn Sie eine Funktion ohne die anschließenden Klammern in der Vorschau anzeigen lassen.

Diese Informationen sind in der sogenannten Metadata des Funktionstyps enthalten.

> Metadata sind Zusatzinformationen, die einem Wert zugeordnet werden können. Wenn Sie sich die Werte Ihrer Abfrage als Akten in einem Ordner vorstellen, dann ist Metadata so etwas wie Notizen, die Sie auf die Rückseiten der einzelnen Akten schreiben. Sie beeinflussen das Verhalten der zugehörigen Werte in keiner Weise, sind aber eine Möglichkeit, zusätzliche Informationen zu speichern. ■

Sie können die Metadata von Funktionen mithilfe der Funktionen *Value.Metadata* und *Value.GetType* abfragen. Den Datensatz mit den Zusatzinformationen zur Funktion *Number.Round* erhalten Sie beispielsweise mit diesem Befehl:

```
= Value.Metadata(Value.Type(Number.Round))
```

= Value.Metadata(Value.Type(Number.Round))

Documentation.Name	Number.Round
Documentation.Description	Gibt die gerundete Zahl zurück. Dezimalstellenanzahl und Rundungsmodus können angegeben werden.
Documentation.LongDescriptio	Gibt das Ergebnis der Rundung von <code>number</code> auf die nächste Zahl zurück. Ist <code>numbe <code>number</code> wird auf die nächste ganze Zahl gerundet, sofern der optionale Parameter "<c
Documentation.Category	Number.Rounding
Documentation.Examples	List

Bild 15.8 Der Metadata-Datensatz der Funktion *Number.Round*.

Falls Sie Ihre eigenen Funktionen mit Zusatzinformationen und Beispielen versehen wollen, müssen Sie nur einen Metadata-Datensatz mit den entsprechenden Feldern erstellen. Listing 15.11 zeigt anhand einer einfachen Verdoppeln-Funktion, wie das gemacht wird.

Listing 15.11 Die Beispielfunktion Verdoppeln mit Metadata-Dokumentation.

```
let
    Funktion = (x as number) as number => x * 2,
    Doku = [
        Documentation.Name = "fnVerdoppeln",
        Documentation.Description = "Multipliziert eine Zahl mit 2.",
        Documentation.LongDescription = "Der übergebene Zahlenwert wird mit 2
            multipliziert, der Rückgabewert ist also doppelt so groß.",
        Documentation.Category = "Number",
        Documentation.Examples = {[Description = "Verdoppeln von 5.",
            Code = "Verdoppeln(5)", Result = "10"]}
        ]
in
    Value.ReplaceType(Funktion, Value.ReplaceMetadata(Value.Type(Funktion), Doku))
```

Mit einer so erstellten Funktion bleiben keine Fragen offen. Zusätzlich zur Funktionssyntax wird nun der Name, eine Beschreibung sowie eine Liste von Beispielen angezeigt.

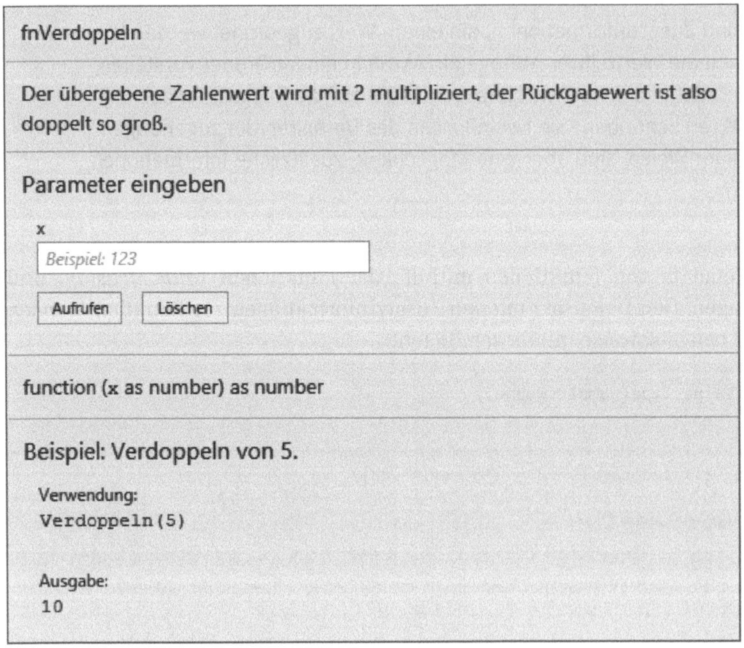

Bild 15.9 Die Anzeige der Funktion im Abfrage-Editor.

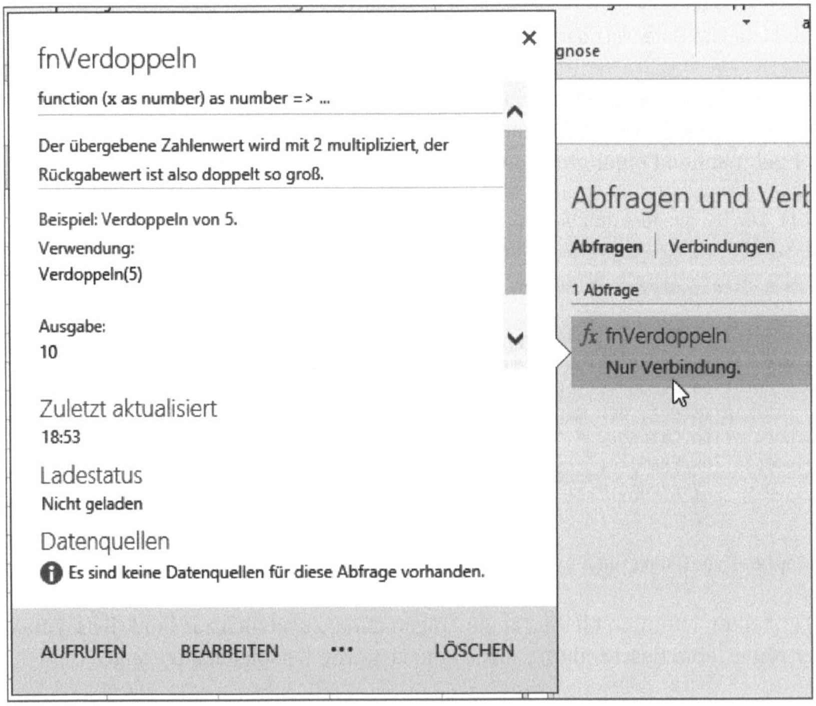

Bild 15.10 Die Anzeige der Funktion in Excel unter *Abfragen und Verbindungen*.

15.7 Funktionen teilen

Möglicherweise haben Sie eine interessante Lösung in M erarbeitet, die Sie gerne mit anderen Entwicklern teilen möchten. Natürlich könnten Sie einfach den entsprechenden Code weitergeben, sodass andere ihn in ihre Abfragen einfügen können. Eleganter ist es jedoch, den Code als M-Erweiterung zu speichern. Das ermöglicht es anderen oder Ihnen selbst, jederzeit auf die entsprechenden Funktionen zuzugreifen.

> Zum Zeitpunkt der Buchveröffentlichung sind benutzerdefinierte Erweiterungen bzw. Datenkonnektoren nur in Power BI Desktop möglich.
>
> Wann und ob Excel-Nutzer sich auf dieses Feature freuen können, ist leider noch nicht bekannt.

15.7.1 Aktivierung und Vorbereitung

Datenerweiterungen werden als Dateien im Format MEZ bereitgestellt. Power BI Desktop liest automatisch die MEZ-Dateien in einem bestimmten Verzeichnis ein. Es befindet sich in Ihrem Dokumente-Verzeichnis und hat standardmäßig folgende Pfadangabe:

C:\Users\<Benutzername>\Documents\Microsoft Power BI Desktop\Custom Connectors\

- Erstellen Sie das Verzeichnis, falls es nicht bereits existiert.

Microsoft bietet die Möglichkeit an, Erweiterungen zertifizieren zu lassen und so sicherzustellen, dass keine fehlerhaften oder gar gefährlichen Erweiterungen verbreitet werden. Standardmäßig akzeptiert Power BI auch nur zertifizierte Erweiterungen. Wenn Sie trotzdem vertrauenswürdige Erweiterungen ohne Zertifizierung nutzen wollen, müssen Sie zunächst eine Einstellung in Power BI Desktop ändern.

- Öffnen Sie die Optionen im Power Query-Editor über den Menübefehl **Datei – Optionen und Einstellungen – Optionen.**
- Unter der Rubrik **Sicherheit** finden Sie den Bereich *Datenerweiterungen*. Aktivieren Sie hier die Option mit der Bezeichnung *(Nicht empfohlen) Alle Erweiterungen ohne Überprüfung oder Warnung laden.*
- Klicken Sie auf **OK** zum Bestätigen.

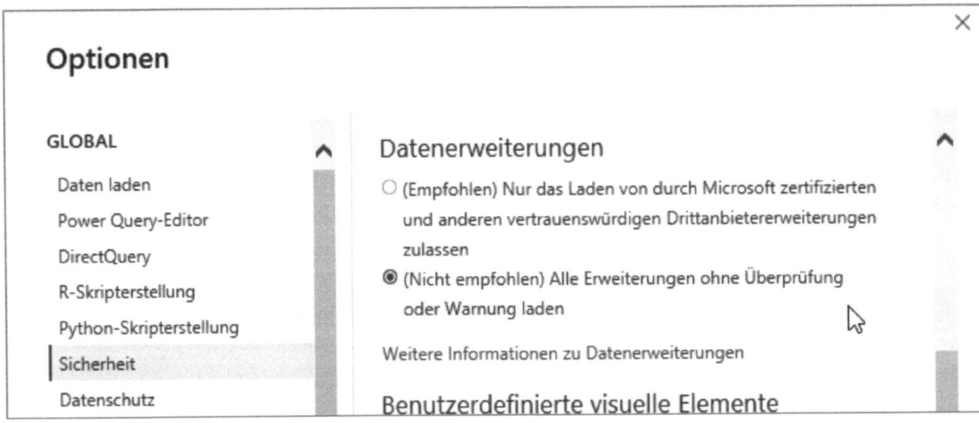

Bild 15.11 Der Bereich „Datenerweiterungen" in den Power-Query-Optionen.

Diese Einstellung bezieht sich nur auf die Erweiterungen im oben genannten Ordner. Falls Sie also keine fremden Dateien in diesem Ordner ablegen, müssen Sie sich keine Sorgen um die Sicherheit Ihrer Daten machen. ■

15.7.2 Funktionserweiterungen

Der englische Name *Connectors* verrät es bereits: Normalerweise sind Erweiterungen dafür gedacht, benutzerdefinierte Datenquellen in Power BI zu integrieren. Sie können damit aber jede Art von Funktionen einfügen, denn letztendlich ist jeder Connector auch nur eine M-Funktion. Wenn Sie eine Funktion in einer MEZ-Datei definieren und im oben genannten Verzeichnis abspeichern, werden sie Teil der normalen Funktionsbibliothek.

Als Erstes benötigen Sie eine PQ-Datei, die eine oder mehrere Funktionen in einer sogenannten Section enthält. Dabei handelt es sich um eine normale Textdatei, die Sie beispielsweise im Windows-Editor erstellen können.

- Starten Sie das Programm Editor, das zu den Windows-Standardprogrammen gehört (oder ein anderes Textverarbeitungsprogramm), um eine Textdatei zu erstellen.
- Geben Sie folgenden Beispielcode ein:

Listing 15.12 Inhalt der PQ-Datei

```
section MeineFunktionen;

shared Number.DreiecksflaecheRW = (a as number, b as number) as number =>
    (a * b) / 2;
shared Value.Switch = (Pruefwert as any, ListeWertAusgabe as list) as any =>
    let
        AuswahlUnterliste = List.Select(ListeWertAusgabe,
            each _{0} = Pruefwert),
        AuswahlErste = List.First(AuswahlUnterliste),
```

```
        Ausgabewert = if AuswahlErste = null then null else AuswahlErste{1}
    in
        Ausgabewert;
```

Power BI scheint Probleme damit zu haben, Umlaute in PQ-Dateien richtig zu verarbeiten. Aus diesem Grund wurden im Code stattdessen ae und ue verwendet. ■

Es handelt sich hier nicht um eine Abfrage, sondern um eine Section. Anders als eine Abfrage hat sie keinen einzelnen Rückgabewert. Stattdessen kann jeder der enthaltenen Ausdrücke abgefragt werden, sofern er mit *shared* entsprechend freigegeben wurde. Beachten Sie, dass die Ausdrücke hier nicht mit einem Komma, sondern einem Semikolon abgeschlossen werden.

Der Codeabschnitt besteht aus zwei Ausdrücken, die Funktionen enthalten. Die zweite Funktion (die Switch-Funktion aus dem letzten Kapitel) ist über *let* und *in* in mehrere Ausdrücke aufgespalten. Da sie nur untergeordnete Teile eines Section-Ausdrucks sind, haben sie wie gewohnt ein Komma am Ende, während der gesamte Ausdruck mit einem Semikolon abgeschlossen wird.

- Speichern Sie die Datei unter dem Namen *MeineFunktionen.pq*.
- Erstellen Sie ein Zip-Archiv aus der Datei, indem Sie im Datei-Explorer einen Rechtsklick darauf ausführen und im Menü **Senden an – ZIP-komprimierter Ordner** wählen.

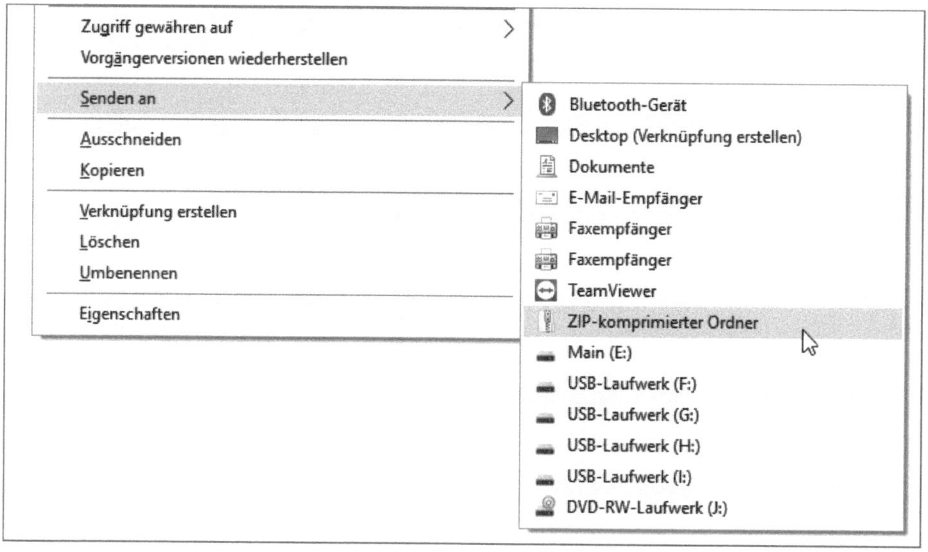

Bild 15.12 Packen Sie die PQ-Datei in ein Zip-Archiv.

- Ändern Sie die Dateinamenerweiterung des Zip-Archivs von ZIP auf MEZ.
- Kopieren Sie die MEZ-Datei in den oben erwähnten Ordner *Custom Connectors*.

Ab dem nächsten Neustart von Power BI Desktop können die Funktionen Number.DreiecksflaecheRW und Value.Switch in jeder Abfrage verwendet werden.

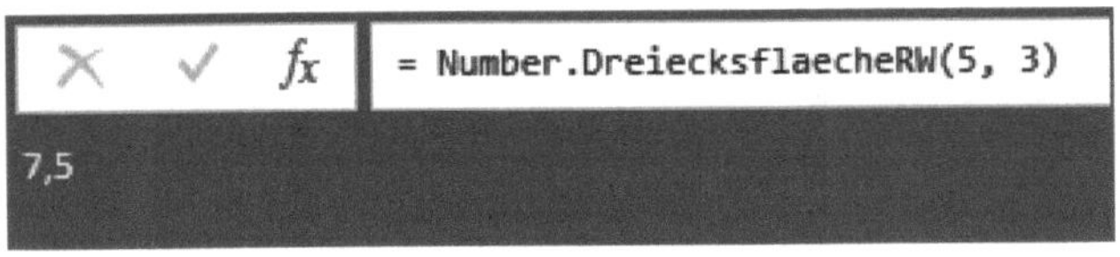

Bild 15.13 Berechnung der Fläche eines rechtwinkligen Dreiecks mit der Funktion DreiecksflaecheRW.

Die Funktionen in einer MEZ-Datei können natürlich auch mit einer Dokumentation ausgestattet werden. Das Grundprinzip wurde im vorangegangenen Abschnitt beschrieben.

Bei den Beispieldateien zum Buch finden Sie die Switch-Funktion samt ausführlicher Dokumentation. Bei Interesse werfen Sie einen Blick auf den Code in der Datei *15-03-SwitchMitDoku.pq* oder kopieren Sie die Datei *15-04-SwitchMitDoku.mez* in Ihren Ordner *Custom Connectors*, um die Funktion zu verwenden. ■

16 Die KI macht's möglich

Es gibt wenige Themen, denen so viel Interesse, Hoffnung und zugleich Skepsis entgegengebracht wird wie dem komplexen Fachgebiet der künstlichen Intelligenz, kurz KI. Da Microsoft eines der führenden Unternehmen in dieser Technologie ist, ist es nicht überraschend, dass nach und nach auch KI-Funktionen in den Office-Produkten und in Power BI Einzug halten. Das Angebot ist allerdings noch überschaubar und man kann darüber streiten, wie viel „Intelligenz" sich tatsächlich hinter den einzelnen Werkzeugen verbirgt. Erwarten Sie also nicht zu viel, es wird wohl noch einige Zeit dauern, bis die KI unsere ganze Arbeit übernimmt. Es gibt jedoch schon jetzt einige Anwendungsfälle, wo sie auch in Power Query nützlich eingesetzt werden kann.

16.1 Spaltenformeln aus Beispielen erstellen

Es gibt zwar sehr viele M-Funktionen und unzählige Möglichkeiten, diese anzuwenden und miteinander zu kombinieren. Die Herausforderung liegt aber oft darin, die richtige Funktion zu finden und dann auch noch so einzugeben, dass sie auch das macht, was man von ihr will. Manchmal weiß man einfach nur das gewünschte Ergebnis, aber nicht, wie man es erreicht.

In solchen Fällen hilft vielleicht das Werkzeug **Spalte aus Beispielen**. Damit erstellen Sie eine neue Tabellenspalte, ohne dass Sie eine Spaltenformel angeben müssen. Stattdessen geben Sie einfach einige Beispielwerte ein. Power Query versucht dann zu erkennen, welche Logik sich dahinter verbirgt. Das funktioniert natürlich nicht immer gut, aber doch erstaunlich oft.

Am besten versuchen Sie es an einer Beispieltabelle:

- Erstellen Sie eine neue Abfrage auf die Excel-Datei *16-01-Umfrageergebnis.xlsx*.
- Klicken Sie auf die Schaltfläche **Spalte aus Beispielen** auf dem Register **Spalte hinzufügen**.
- Es erscheint zunächst eine neue leere Spalte und anders als sonst können Sie hier tatsächlich direkt in die einzelnen Zellen schreiben. Wir wollen zunächst eine einfache Ver-

kettung von Nachname und Vorname probieren. Schreiben Sie also in die erste leere Zelle den Wert *Sailer, Klaus.*

- Bestätigen Sie mit der **ENTER**-Taste.

Power Query erkennt, dass Sie die Texte aus den Spalten *Nachname* und *Vorname* verwenden und dass Sie dazwischen ein Komma und ein Leerzeichen machen. Die übrigen Zellen werden nach der gleichen Logik befüllt.

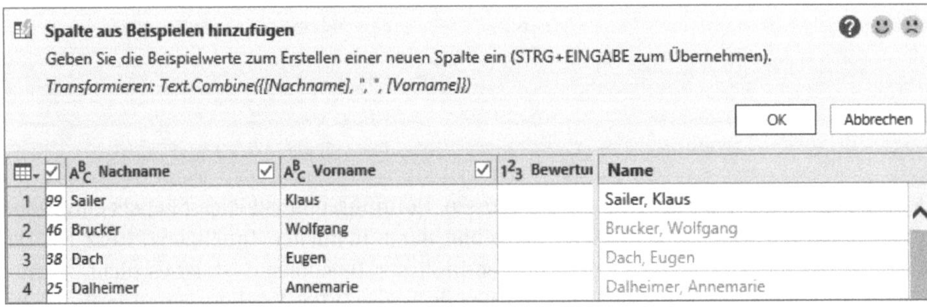

Bild 16.1 Aus dem Beispiel wird eine Spaltenformel erstellt.

Im Bereich über der Tabelle finden Sie die Spaltenformel, die anhand Ihres Beispiels vorgeschlagen wird. In unserem Fall ist es *Text.Combine.* Falls Sie mit dem Ergebnis noch nicht zufrieden wären, könnten Sie nun weitere Beispiele in die anderen Zellen schreiben. Power Query versucht dann, die Formel so anzupassen, dass sie für alle Beispiele passt. In unserem Fall war aber schon der erste Versuch ein Treffer und wir brauchen keine Korrekturen mehr.

- Ändern Sie den Titel der neuen Spalte auf *Name*, indem Sie einen Doppelklick auf den vorgeschlagenen Titel machen und ihn anpassen.
- Klicken Sie auf **OK**, um die neue Spalte zu erstellen.

> Sobald die neue Spalte erstellt ist, ist nicht mehr zu erkennen, auf welche Weise sie erstellt wurde. Die Beispiele, die Sie eingegeben haben, waren nur eine Hilfestellung zum Erstellen der Spaltenformel. Es wird nur die Formel gespeichert, nicht die Beispiele. ■

Das obige Beispiel war relativ einfach. In der Praxis schafft es Power Query nicht immer so schnell, aus Ihren Beispielen eine Spaltenformel abzuleiten. Sie können das „Ratespiel" aber erheblich vereinfachen, wenn Sie von Vorneherein schon angeben, welche Spalten für die Berechnung verwendet werden sollen. Versuchen wir es mit einem Rechenbeispiel.

- Markieren Sie die Spalten *Bewertung 1* bis *Bewertung 5* mit gedrückter **SHIFT**-Taste.
- Klicken Sie auf den kleinen Menüpfeil an der Schaltfläche **SPALTE AUS BEISPIELEN** und wählen Sie den Menüpunkt **AUS AUSWAHL**.

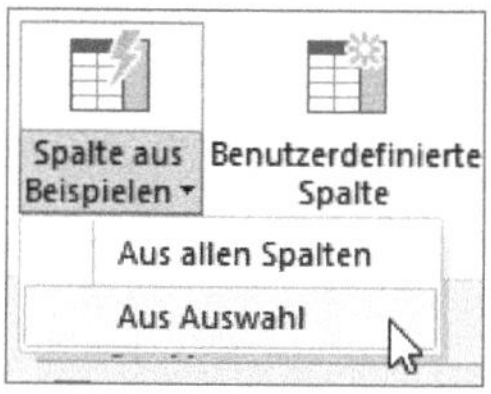

Bild 16.2
Die neue Spalte basiert nur auf den ausgewählten Spalten.

Nun berücksichtigt Power Query nur die ausgewählten Spalten beim Erstellen der Spaltenformel, womit die Wahrscheinlichkeit für Missverständnisse deutlich reduziert wird.

- Geben Sie in das erste Feld der Beispielspalte den Wert 25 ein.
- Geben Sie in das zweite Feld den Wert 40 ein.
- An diesem Punkt müsste Power Query bereits erkannt haben, welche Logik hier zugrunde liegt. Falls nicht, geben Sie auch in das dritte Feld die Summe aller Bewertungen ein, nämlich 21.

Ändern Sie den Spaltentitel in *Gesamtbewertung* und bestätigen Sie mit **OK**.

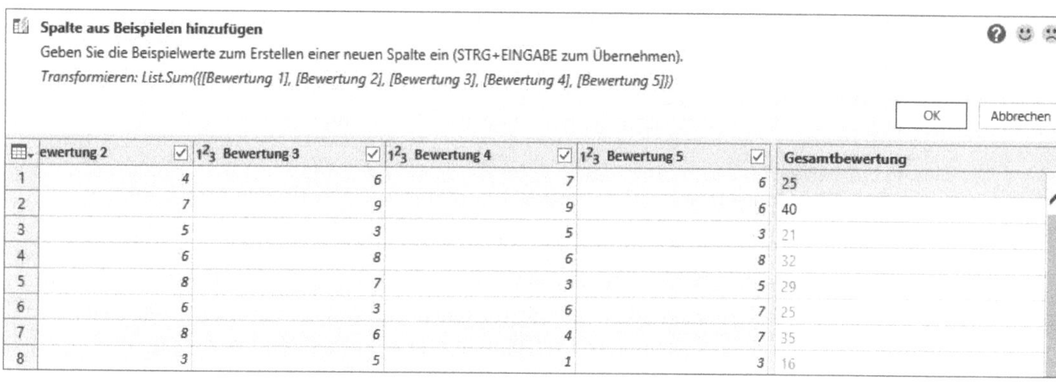

Bild 16.3 Auch die zweite Beispielspalte wird richtig interpretiert.

Interessanterweise wird hier die Funktion *List.Sum* verwendet, um die fünf Werte zu summieren. Ein menschlicher Formel-Ersteller hätte vermutlich eine Addition mit dem Plus-Zeichen geschrieben (`[Bewertung 1] + [Bewertung 2] + ...`). Das Ergebnis ist jedenfalls das gleiche, die Werte werden summiert in einer neuen Spalte.

Betrachten wir zum Abschluss noch ein komplexeres Beispiel, bei dem Power Query tatsächlich eine Spaltenformel erstellt, die auch ein fortgeschrittener Power-Query-Benutzer nicht so ohne weiteres spontan schreiben könnte.

- Markieren Sie die Spalte *Gesamtbewertung*.
- Erstellen Sie eine weitere **Spalte aus Beispielen** und wählen Sie dabei wieder die Variante **Aus Auswahl**.
- Schreiben Sie in die erste Beispiel-Zelle den Text *25 bis 30* (vgl. Bild 16.4).

1.2 Gesamtbewertung	Bereich
25	25 bis 30
40	40 bis 45
21	20 bis 25
32	30 bis 35
29	25 bis 30
25	25 bis 30

Bild 16.4 Die Zahlen werden Bereichen zugeteilt.

Die Beispiele machen deutlich, was hier erreicht werden soll: Jede Zahl soll einem Bereich zugeteilt werden, wobei jeder Bereich aus fünf Zahlen besteht. Power Query erkennt sofort die Anforderung und erstellt eine etwas umständliche, aber immerhin funktionierende Formel dafür. Sie können die Spaltenformel untersuchen, wenn Sie auf das Zahnrad-Symbol neben dem entsprechenden Transformationsschritt klicken.

Listing 16.1 Die automatisch erstellte Formel für die neue Spalte

```
let
   rangeSize = 5,
   offset = 0,
   inclusive = false,
   rangeIndex = Number.RoundDown(([Gesamtbewertung] - offset) / rangeSize)
in
   Text.From(rangeIndex * rangeSize + offset, "de-DE") & " bis "
   & Text.From((rangeIndex + 1) * rangeSize + offset - (if inclusive then 1 else 0),
   "de-DE")
```

Es gibt sicherlich andere, kürzere Strategien, um zum selben Ergebnis zu kommen, doch die Beispiele zeigen, dass das Erstellen einer Spalte aus Beispielen ein mächtiges Werkzeug ist, mit dem man einfache und komplexe Probleme in relativ kurzer Zeit lösen kann.

16.2 KI-Funktionen (in Power BI mit Premium-Lizenz)

Microsoft bietet auf seiner Cloud-Computing-Plattform Azure zahlreiche KI-Dienste an, die man über Umwege (beispielsweise über den Azure Marketplace) auch in Power Query nutzen kann. Da wir technologisch aber noch weit entfernt von einer wirklich intelligenten und lernfähigen „All-Round-KI" sind, erfordern diese Werkzeuge meist ein gewisses Spezialwissen und Vorarbeit, etwa um Modelle zu trainieren etc.

Es gibt aber auch einfach zu bedienende Funktionen, die direkt in Power Query integriert sind und ziemlich unkompliziert zu bedienen sind. Hierzu zählen die Textanalyse- und Bildanalyse-Funktionen in der Rubrik *KI-Insights*.

> **!** Die hier vorgestellten Funktionen sind zur Zeit nur in Power BI in Verbindung mit einer Premium-Lizenz verfügbar.

16.2.1 Textanalyse mit KI-Insights

Meistens dreht sich beim Reporting und der Analyse alles um Zahlen. Dabei können die Informationen, die in Texten kommuniziert werden, ebenso wertvoll und aufschlussreich sein. Produktrezensionen, Kundennachrichten oder Kommentare in Social-Media-Kanälen beinhalten oft große Mengen an hochinteressanten Daten, deren Auswertung sehr nützlich sein kann.

Leider ist die Auswertung von Texten deutlich schwieriger als die von Zahlen, da die menschliche Sprache ein komplexes und vieldeutiges System ist. Doch die computergestützte Analyse von Texten hat in den letzten Jahren enorme Fortschritte gemacht. Mittlerweile stellt auch Power Query Funktionen bereit, die Ihnen zumindest dabei helfen, Strukturen und Muster zu erkennen oder Filter zu definieren. Konkret gibt es aktuell drei Textanalyse-Funktionen, die schon in Power BI integriert sind: die Spracherkennung, die Extrahierung von Schlüsselbegriffen und die Bewertung von Stimmungen.

Das folgende Beispiel verdeutlicht, wie es funktioniert.

- Stellen Sie in Power BI Desktop eine Verbindung zur Beispieldatei *16-01-Umfrageergebnis.xlsx* her.
- Markieren Sie die Spalte *Kommentar*. Hier befinden sich Texte, die Kundenerfahrungen wiedergeben.
- Auf dem Register **SPALTE HINZUFÜGEN** finden Sie die Rubrik **KI-INSIGHTS**. Klicken Sie hier auf die Schaltfläche **TEXTANALYSE**.
- Es erscheint ein Fenster, in dem Sie verschiedene Funktionen zur Auswahl haben (vorausgesetzt Sie besitzen die richtige Lizenz). Wählen Sie zunächst die Spracherkennung bzw. **DETECT LANGUAGE**.

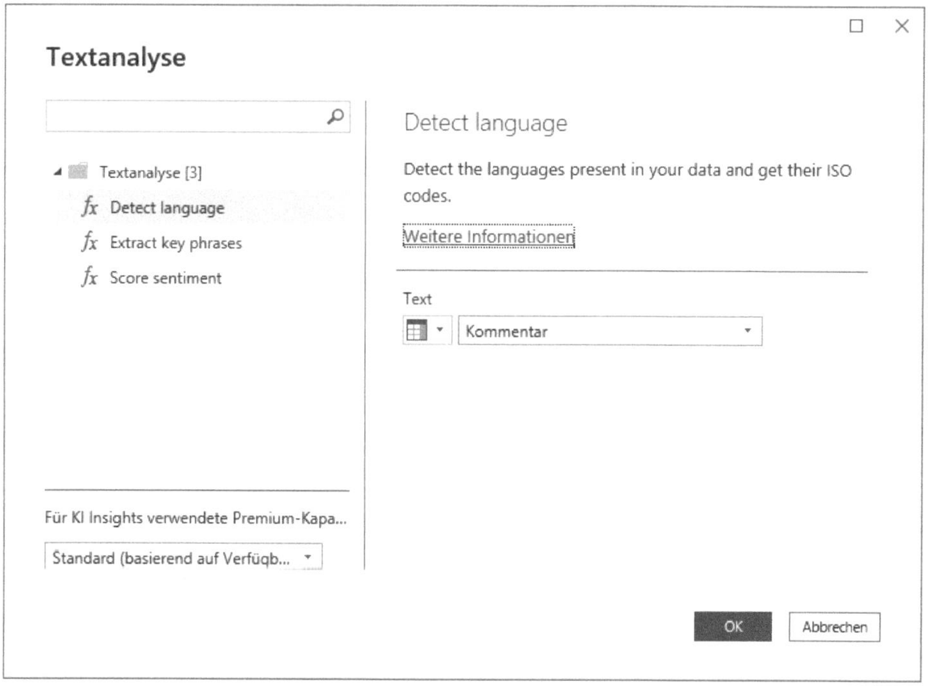

Bild 16.5 Die Textanalyse-Funktionen in Power BI

- Nachdem Sie mit **OK** bestätigen, erscheint vermutlich die Warnung „Informationen zum Datenschutz sind erforderlich“. Klicken Sie beim Warnhinweis auf **WEITER** und stellen Sie die Datenschutzebenen so ein, dass alle Datenquellen den Status *Öffentlich* haben.
  Der Hintergrund dieser Sicherheitsvorkehrung ist, dass bei der Textanalyse Daten an die AI-Dienste in der Cloud geschickt werden. Dies geschieht allerdings erst nach Ihrer Freigabe, Sie können es bei vertraulichen Daten auch entsprechend blockieren.
  (Weitere Informationen dazu finden Sie im Kapitel *19: Datenschutz und Firewall.*)
- Die Text-KI prüft nun, in welcher Sprache die einzelnen Texte geschrieben sind. Es werden zwei neue Spalten zu Ihrer Tabelle hinzugefügt, eine zeigt den ausgeschriebenen Namen der jeweiligen Sprache (zum Beispiel *German* oder *English*) und eine zeigt die Abkürzung nach der ISO-Norm (*de* bzw. *en*).
  Diese Sprachangabe könnten Sie nutzen, um eine erste Sortierung oder Filterung vorzunehmen. Sie eignet sich aber auch als Parameter für andere KI-Funktionen.
- Markieren Sie wieder die Spalte *Kommentar* und klicken Sie erneut auf die Schaltfläche **TEXTANALYSE.**
- Wählen Sie nun die Funktion *Extract key phrases.*
- Diese Funktion braucht als Parameter die Angabe der entsprechenden Sprache. Hierfür können Sie die soeben erstellte Spalte mit dem Sprach-ISO-Code angeben.

Daraufhin versucht die KI, die wichtigsten Begriffe aus jedem Text zu extrahieren. Bei allen Kommentaren, die sich auf die Lieferung beziehen, wird beispielsweise der Schlüsselbegriff „Lieferung“ extrahiert. Das hilft Ihnen bei größeren Tabellen, relevante Texte herauszufiltern oder nach Schlüsselbegriffen zu gruppieren.

Kommentar	Extract key phrases	Extract key phrases.KeyPhrase
Ich finde es war alles ziemlich teuer. Schade.	Schade	Schade
Ich wurde sehr gut beraten und der Service war hervorragend. Vielen ...	beraten, Service	beraten
Ich wurde sehr gut beraten und der Service war hervorragend. Vielen ...	beraten, Service	Service
Eigentlich hätte ich mir mehr erwartet für den Preis. Die Qualität war ...	Preis, Qualität	Preis
Eigentlich hätte ich mir mehr erwartet für den Preis. Die Qualität war ...	Preis, Qualität	Qualität
Danke, es war alles OK.	Danke, OK	Danke
Danke, es war alles OK.	Danke, OK	OK
Die Lieferung hat leider sehr lange gedauert, aber sonst war alles OK.	Lieferung, OK	Lieferung
Die Lieferung hat leider sehr lange gedauert, aber sonst war alles OK.	Lieferung, OK	OK

Bild 16.6 Die Schlüsselbegriffe wurden extrahiert.

Das Ergebnis ist etwas ungewohnt: Die Tabelle wird um zwei Spalten erweitert. Eine Spalte zeigt alle Schlüsselbegriffe getrennt durch Komma und eine weitere Spalte zeigt die Schlüsselbegriffe einzeln. Wie in Bild 16.6 zu sehen ist, werden dafür die Zeilen vervielfältigt, wenn bei einem Eintrag mehrere Schlüsselbegriffe gefunden wurden.

Die Schlüsselbegriffserkennung funktioniert umso besser, je länger die ausgewerteten Textblöcke sind. ■

- Eine weitere nützliche Textanalyse-Funktion ist die Sentimentanalyse. Markieren Sie wieder die Spalte *Kommentar*, klicken Sie auf die Schaltfläche **TEXTANALYSE** und wählen Sie die Funktion **SCORE SENTIMENT**.
- Geben Sie auch hier die Sprache als Parameter an und bestätigen Sie mit **OK**.

Bei dieser Funktion wird versucht, die Stimmung eines Textes zu bewerten. Je nachdem, ob die Grundstimmung negativ oder positiv ist, wird eine Bewertung zwischen 0 und 1 vergeben. Je positiver der Text nach Ansicht der KI ist, umso höher ist der ausgegebene Wert.

Anders als bei der Schlüsselbegriffserkennung ist es bei der Stimmungsbewertung von Vorteil, wenn die Texte kurz sind. Je länger die Texte sind, umso öfter findet die KI widersprüchliche Stimmungen, also positive und negative Begriffe im selben Text, was die Interpretation erschwert.

16.2.2 Bildanalyse mit KI-Insights

Die Auswertung von Bildern ist mit herkömmlichen Methoden fast unmöglich. Sie können zwar Bilddateien in Power BI einlesen, doch diese erscheinen in der Tabelle lediglich als *Binary*-Werte, von denen Sie außer einigen Meta-Daten wie der Dateigröße kaum nützliche Erkenntnisse ziehen können. Die Bildanalyse eröffnet Ihnen hier ganz neue Welten: Mit Hilfe der KI werden Objekte, Lebewesen, Szenerien und typische Aktionen erkannt und als sogenannte *Tags* ausgegeben. Diese Schlagwörter ermöglichen Ihnen das Filtern, Ordnen und Auswerten von größeren Listen aus Bildern.

- Die Datenquelle für das nächste Beispiel ist ein Ordner mit Bilddateien. Erstellen Sie eine Abfrage auf den Ordner *16-02-Bilder*.
- Es erscheint eine Tabelle, in der die Dateien des Ordners aufgelistet sind. Entfernen Sie alle Spalten außer den ersten beiden, damit das Ergebnis nicht zu unübersichtlich wird.
- Die Spalte *Content* enthält die Rohdaten als *Binary*-Werte. Markieren Sie diese Spalte.
- Klicken Sie im Register **SPALTE HINZUFÜGEN** auf die Schaltfläche **MASCHINELLES SEHEN** in der Rubrik *KI-Insights*.
- Wählen Sie im Auswahlfenster die Funktion *Tag images* aus.
- Bei dieser Funktion kann auch die Sprache als Parameter angegeben werden, doch da Deutsch zum aktuellen Zeitpunkt nicht unterstützt wird, können wir uns auch mit den englischen Rückgabewerten zufriedengeben. Lassen Sie also das Eingabefeld für die Sprache einfach leer.
- Bestätigen Sie mit **OK**.

Die Funktion fügt mehrere Spalten zur Tabelle hinzu, wobei die erste neue Spalte die entscheidende ist. Unter dem Spaltentitel *Tag images.Tags* befinden sich Schlagwörter, die die Hauptinhalte der Bilder beschreiben. In der Regel handelt es sich um mehrere Begriffe, die den Bildinhalt möglichst detailliert beschreiben. Die nächste neue Spalte führt diese Begriffe einzeln auf, was dafür sorgt, dass bei mehreren Begriffen die ursprünglichen Zeilen vervielfältigt werden. Das heißt, es gibt am Ende mehrere Zeilen für dasselbe Bild.

Die Umsetzung dieser Funktion ist etwas umständlich und das Ergebnis ist nicht gerade übersichtlich. Wenn es Sie stört, dass Sie am Ende mehrere Zeilen pro Bild haben, entfernen Sie die Spalte *Tag images.Tag* und führen Sie die Aktion **DUPLIKATE ENTFERNEN** aus.

Die übrigen Spalten sind eher technischer Natur und enthalten eine Bewertungskennzahl *Confidence*, die angibt, wie verlässlich die Angabe in den Tag-Spalten sind, eine Darstellung der Rückgabewerte im JSON-Format sowie eventuelle Fehlermeldungen.

Bild 16.7 Zwei Beispielbilder, die die KI richtig identifiziert hat

Die Bilderkennung funktioniert erstaunlich gut. Bei den beiden Hundefotos, die in Bild 16.7 zu sehen sind, hat die KI erkannt, dass es sich um Tiere (*animal*), Säugetiere (*mammal*) und Hunde (*dog*) handelt. Auch die jeweiligen Besonderheiten werden deutlich, indem der erste Hund als weiß (*white*) und der zweite Hund als schwarz (*black*) identifiziert wurde. Es wird sogar angegeben, dass beide Hunde sitzen (*sitting*) und im ersten Foto wurde der Untergrund identifiziert (*grass*), obwohl das Gras ziemlich unscharf ist.

17 M und VBA

> Dieses Kapitel ist nur für Excel-Nutzer relevant. Bei Power BI wird VBA leider nicht unterstützt.

Visual Basic for Applications, kurz VBA, ist eine Makro-Programmiersprache, mit der viele Prozesse in MS-Office-Anwendungen automatisiert werden können. Besonders in Excel können damit sehr vielseitige und leistungsfähige Programme erstellt werden.

Power Query ist zwar sehr effektiv beim Abfragen und Verarbeiten von Daten, doch es stößt schnell an seine Grenzen, wenn es um die Steuerung durch den Benutzer oder die Darstellung von Ergebnissen geht. Eine Verbindung aus M-Abfrage und VBA-Makro bietet Ihnen deshalb neue Möglichkeiten, um die Benutzererfahrung zu verbessern.

17.1 Abfragen per VBA-Befehl aktualisieren

In Kapitel 2.3 wurde gezeigt, wie Sie in den Verbindungseigenschaften festlegen, dass eine Abfrage in regelmäßigen Zeitabständen oder beim Öffnen einer Datei aktualisiert wird. Um noch mehr Flexibilität und Benutzerfreundlichkeit zu erreichen, können Sie auch eine einfache VBA-Prozedur zum Aktualisieren nutzen.

17.1.1 Schaltflächen zum Aktualisieren nutzen

- Öffnen oder erstellen Sie eine Excel-Datei mit einer Abfrage.
- Klicken Sie im Excel-Register **Einfügen** auf **Formen** und wählen Sie das Rechteck mit abgerundeten Ecken.
- Erstellen Sie die Form an einer passenden Stelle, zum Beispiel neben der Tabelle, die zur Abfrage gehört.
- Beschriften und verschönern Sie die Form nach Lust und Laune, sodass ihr Zweck als Schaltfläche erkennbar ist.

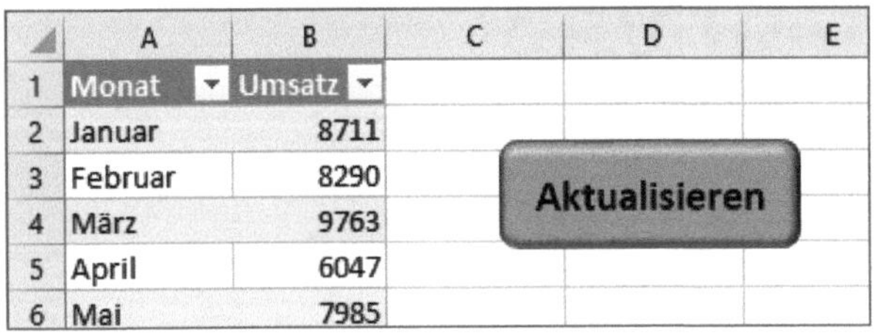

Bild 17.1 Mit einem Button weiß der Benutzer sofort, was zu tun ist.

- Klicken Sie mit der rechten Maustaste auf die Form und wählen Sie im Kontextmenü den Befehl **MAKRO ZUWEISEN**.

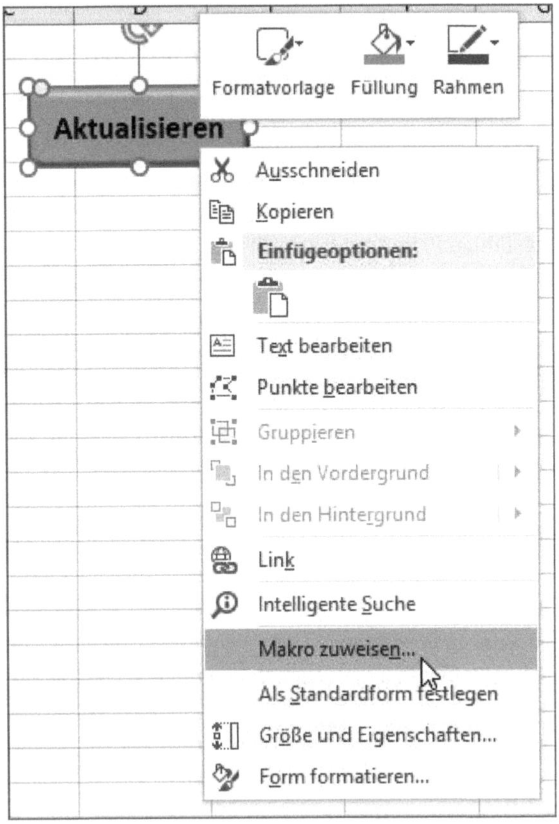

Bild 17.2
So weisen Sie ein Makro zu.

- Klicken Sie in dem nun erscheinenden Dialogfenster auf die Schaltfläche **NEU**.
- Daraufhin öffnet sich der Visual Basic Editor. Hier werden die VBA-Programme erstellt. Es sollte bereits ein Codefenster geöffnet sein, in dem das Grundgerüst des neuen Makros eingetragen ist: Der Prozedurheader beginnend mit `Sub` und dem Namen der Prozedur und das Prozedurende `End Sub`. Fügen Sie zwischen diesen beiden Zeilen den folgenden Befehl ein:

```
ThisWorkbook.RefreshAll
```

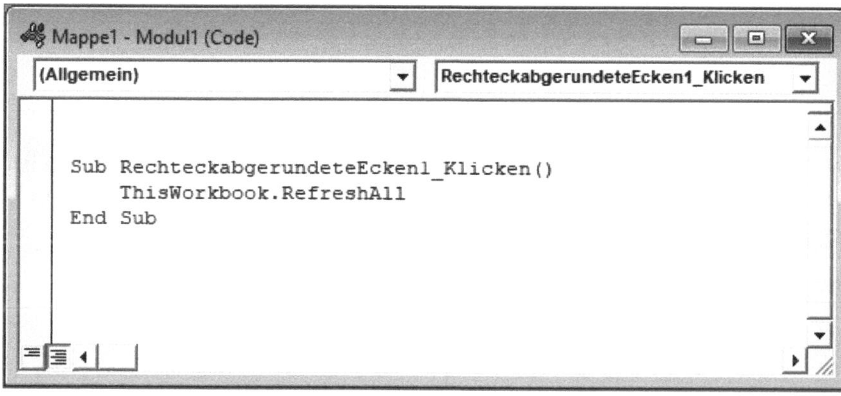

Bild 17.3 Der Programmcode im VBA-Editor.

- Schließen Sie den VBA-Editor und wechseln Sie zurück zum Excel-Fenster.

Wenn Sie nun auf die soeben erstellte Schaltfläche klicken, geschieht dasselbe, wie wenn Sie im Register **DATEN** auf **ALLE AKTUALISIEREN** klicken. Der Vorteil ist, dass Sie niemandem erklären müssen, was zu tun ist, falls Sie die Arbeitsmappe mit anderen teilen.

Es ist natürlich auch möglich, einzelne Abfragen zu aktualisieren, anstatt alle auf einmal. Nehmen wir an, die Tabelle, die Sie aktualisieren wollen, heißt *Umsatz_2015*. Der Befehl, um nur diese Tabelle zu aktualisieren, lautet:

```
ActiveSheet.ListObjects("Umsatz_2015").Refresh
```

Dieser Befehl funktioniert, sofern die Schaltfläche auf dem gleichen Blatt liegt wie die betroffene Tabelle. Ansonsten müssen Sie `ActiveSheet` durch einen Verweis auf das entsprechende Tabellenblatt ersetzen, etwa mit `Sheets("Tabelle2")`.

Die Arbeitsmappe muss im XLSM- oder XLSB-Format gespeichert werden, damit die Makros funktionieren. Außerdem erscheint beim ersten Öffnen durch einen fremden Benutzer die Warnung, dass Makros enthalten sind. ■

17.1.2 Aktualisieren bei Ereignissen

Mit VBA können Sie bestimmen, dass ein Programm startet, sobald ein bestimmtes Ereignis eintritt. Mögliche Ereignisse in Excel sind zum Beispiel das Wechseln des Arbeitsblatts, das Ändern einer Zelle oder das Öffnen und Schließen der Datei.

Die folgende Methode ist besonders nützlich bei Abfragen, die Parameter aus Excel-Zellen beziehen (vgl. Kapitel 12.3.2). Sie können es so einrichten, dass die Abfrage sofort aktualisiert wird, wenn ein Parameter geändert wird. ■

Wenn Sie möchten, dass eine Abfrage aktualisiert wird, sobald ein bestimmter Bereich des Arbeitsblatts geändert wird, gehen Sie folgendermaßen vor:

- Öffnen oder erstellen Sie eine Excel-Datei mit einer Abfrage.
- Starten Sie den Visual Basic Editor mit der Tastenkombination ALT + F11.
- Auf der linken Fensterseite sehen Sie den Projekt-Explorer, in dem alle offenen Arbeitsmappen aufgelistet sind. Falls er nicht geöffnet ist, aktivieren Sie ihn über **ANSICHT – PROJEKT-EXPLORER**.

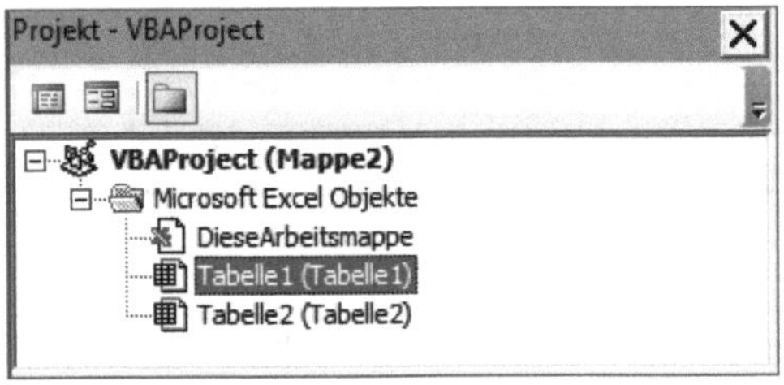

Bild 17.4
Der Projekt-Explorer im VBA-Editor

- Machen Sie einen Doppelklick auf das Tabellenblatt, in dem der Bereich liegt, der das Ereignis auslösen soll.
- Es öffnet sich ein Code-Fenster mit zwei Dropdown-Feldern am oberen Rand. Wählen Sie im linken Dropdown *Worksheet* und im rechten Dropdown *Change*.

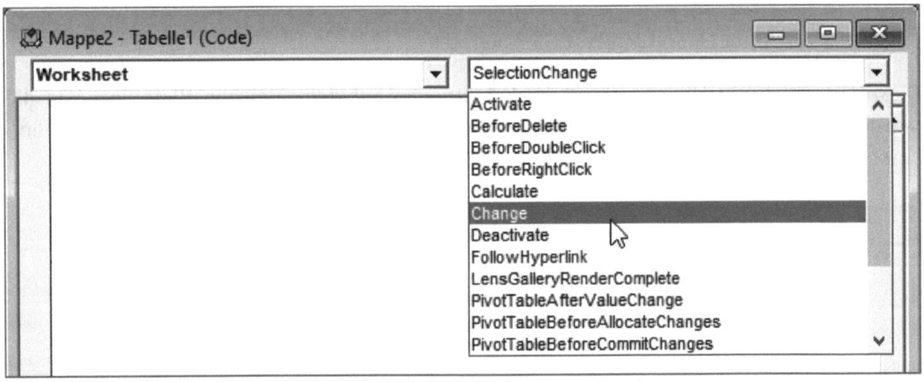

Bild 17.5 Auswahl des Change-Ereignisses.

- Daraufhin wird der Code-Rahmen für das Change-Ereignis eingefügt, der in Listing 17.1 zu sehen ist.

Listing 17.1 Prozedur-Header und Prozedur-Ende des Change-Ereignisses

```
Private Sub Worksheet_Change(ByVal Target As Range)

End Sub
```

Die Befehle, die zwischen diesen zwei Zeilen eingefügt werden, werden ausgeführt, sobald irgendeine Zelle auf dem ausgewählten Arbeitsblatt geändert wird. Die Prozedur hat einen

Parameter namens *Target*. Dieser enthält die Zelle oder den Bereich, der geändert wurde und damit das Ereignis ausgelöst hat.

Es ist selten sinnvoll, die Abfrage bei jeder Änderung zu aktualisieren, denn das würde nur zu unnötigen Verzögerungen führen. In der Praxis möchten Sie vermutlich einen bestimmten Bereich definieren, der die Aktualisierung auslöst. Das könnte etwa eine Tabelle mit Parametern sein, die das Ergebnis der Abfrage beeinflussen. Für dieses Beispiel wählen wir einfach den Bereich `L5:M6`.

Achten Sie darauf, dass es keine Überschneidung gibt zwischen dem Bereich, der die Aktualisierung auslöst und der Tabelle, die aktualisiert wird.

Ändern Sie den Bereich ggf. ab, damit das Ereignis nicht immer wieder ausgelöst wird.

Listing 17.2 zeigt, wie der Ereignis-Code angepasst werden muss.

Listing 17.2 Aktualisierung aller Abfragen, sobald ein Bereich geändert wird.

```
Private Sub Worksheet_Change(ByVal Target As Range)
    If Not Intersect(Target, Range("L5:M6")) Is Nothing Then
        ThisWorkbook.RefreshAll
    End If
End Sub
```

Wenn Sie nun eine Zelle in dem entsprechenden Bereich ändern, werden alle Abfragen der Arbeitsmappe aktualisiert. Bei Änderungen an anderen Stellen passiert nichts.

17.2 Abfrage-Code per VBA anpassen

VBA und Power Query sind zwei komplett verschiedene Entwicklungsumgebungen und Sie benötigen grundsätzlich keine VBA-Kenntnisse, um professionelle Lösungen mit Power Query zu erstellen.

Falls Sie aber bereits mit VBA arbeiten, kann Ihnen die Kombination von VBA und M die Arbeit immens erleichtern. Die restlichen Beispiele in diesem Kapitel richten sich daher an Leser mit Grundkenntnissen in VBA-Programmierung.

In Kapitel 12 wurde beschrieben, wie Sie Parameter erstellen, um Abfragen „von außen" zu steuern. Sie benötigen also kein VBA, um eine Abfrage zu erstellen, deren Ergebnis von einem Steuerungsfeld, z. B. einer Zelle in Excel, abhängt.

Oft ist es aber einfacher, bestimmte Werte nicht als Parameter zu definieren, sondern stattdessen den M-Code direkt mit einem VBA-Makro anzupassen.

Sie können ohne großen Aufwand auf den M-Code einer Abfrage zugreifen. Der komplette Code ist als String in der Formula-Eigenschaft des Queries-Objekts hinterlegt. Wenn Sie eine Abfrage in Ihrer Arbeitsmappe haben, gibt Ihnen der folgende Code den zugehörigen M-Code aus:

```
MsgBox ThisWorkbook.Queries(1).Formula
```

Andere Abfragen können Sie über die Anpassung des Index in Klammern ansteuern. Alternativ können Sie auch den Namen der Abfrage in den Klammern angeben:

```
MsgBox ThisWorkbook.Queries("Umsatz 2015").Formula
```

Über die Formula-Eigenschaft können Sie den M-Code nicht nur auslesen, sondern auch nach Belieben ändern.

- Öffnen Sie die Beispieldatei *17-01-Makro-Abfragecode.xlsm.* Die Arbeitsmappe enthält eine Abfrage und ein Makro. Deshalb erhalten Sie unter Umständen eine Sicherheitswarnung. Bestätigen Sie, dass Sie Makros und externe Verbindungen aktivieren möchten.

Listing 17.3 zeigt den M-Code zur Abfrage, die in der Beispieldatei enthalten ist. Es handelt sich um eine einfache Abfrage auf eine Excel-Datei. Dabei ist aber weder der Dateipfad noch der Name eines Arbeitsblatts angegeben. Stattdessen sind Platzhalter eingefügt *(PlatzhalterPfad* und *PlatzhalterBlatt).*

Listing 17.3 Der M-Code mit Platzhaltern.

```
let
    Quelle = Excel.Workbook(File.Contents("PlatzhalterPfad"), null, true),
    Blatt = Quelle{[Item="PlatzhalterBlatt", Kind="Sheet"]}[Data],
    #"Höher gestufte Header" = Table.PromoteHeaders(Blatt, [PromoteAllScalars=true])
in
    #"Höher gestufte Header"
```

Zudem enthält die Arbeitsmappe bereits eine einfache Benutzeroberfläche, wie sie in Bild 17.6 zu sehen ist. Hier können ein Dateipfad und ein Blattname eingegeben werden. Diese werden später mit VBA an die entsprechenden Stellen im M-Code eingefügt.

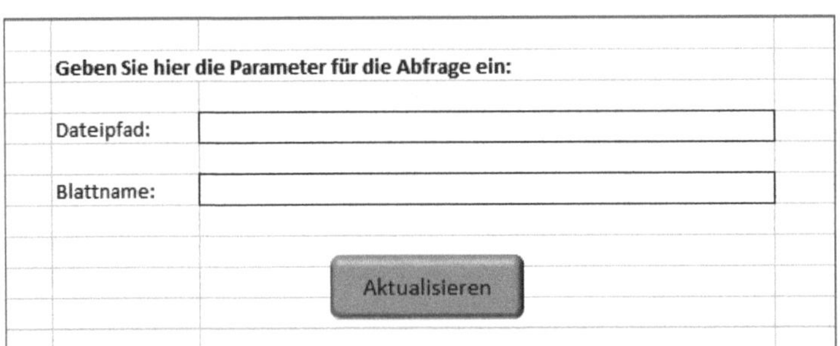

Bild 17.6 Über zwei Zellen können Parameter eingegeben werden.

Die zwei Zellen zur Eingabe des gewünschten Dateipfads und des Blattnamens sind bereits benannt (*rngPfad* und *rngBlatt*). Die Schaltfläche *Aktualisieren* ist mit einer Prozedur namens *ButtonClick* verknüpft. Hier müssen nur noch die Befehle zum Anpassen des M-Codes eingetragen werden.

- Öffnen Sie den VBA-Editor über die Tastenkombination **Alt + F11**.
- Ändern Sie die Prozedur *ButtonClick* wie in Listing 17.4 gezeigt.

Listing 17.4 Der VBA-Code zum Anpassen des M-Codes.

```
Sub ButtonClick()
    Dim mCode As String
    mCode = ThisWorkbook.Queries(1).Formula

    'Ersetzungen:
    mCode = Replace(mCode, "PlatzhalterPfad", Range("rngPfad"))
    mCode = Replace(mCode, "PlatzhalterBlatt", Range("rngBlatt"))

    ThisWorkbook.Queries(1).Formula = mCode
    ThisWorkbook.RefreshAll
End Sub
```

Zunächst wird eine Variable namens *mCode* deklariert, die den Code der Abfrage zugewiesen bekommt. Im Anschluss werden die beiden Platzhalter durch die Werte der jeweiligen Zellen ersetzt. Der Inhalt der Variable wird dann wieder zurück in die Abfrage geschrieben. Schließlich wird die Abfrage aktualisiert.

- Sie können das Programm nun testen: Geben Sie eine Pfadangabe zu einer Excel-Datei sowie den Namen eines Arbeitsblatts an.
- Klicken Sie auf die Schaltfläche *Aktualisieren*. Der Inhalt des entsprechenden Arbeitsblatts sollte nun abgefragt werden und in der Tabelle erscheinen.

Leider kann die Abfrage nur einmal auf diese Weise angepasst werden. Nachdem die Parameter einmal eingesetzt wurden, gibt es keine Platzhalter mehr, die ersetzt werden könnten. Aus diesem Grund enthält die Arbeitsmappe eine Zelle, in der der Original-M-Code gespeichert ist. Mit einer geringfügigen Änderung kann das Programm auch mehrmals ausgeführt werden.

- Passen Sie den VBA-Code so an, wie es in Listing 17.5 zu sehen ist. Der M-Code wird nun nicht mehr aus der Abfrage gelesen, sondern aus der Zelle *rngCode*.

Listing 17.5 Der neue VBA-Code.

```
Sub ButtonClick()
    Dim mCode As String
    mCode = Range("rngCode")    '<-- Neu

    'Ersetzungen:
    mCode = Replace(mCode, "PlatzhalterPfad", Range("rngPfad"))
    mCode = Replace(mCode, "PlatzhalterBlatt", Range("rngBlatt"))

    ThisWorkbook.Queries(1).Formula = mCode
    ThisWorkbook.RefreshAll
End Sub
```

Dieses Makro können Sie nun beliebig oft verwenden, um Excel-Dateien einzulesen. Der Dateipfad und der Blattname werden aus den entsprechenden Excel-Zellen in den M-Code kopiert.

17.3 Abfrageergebnisse mit VBA auslesen

Wenn Sie ein bisschen Erfahrung mit VBA haben, wissen Sie, wie der Inhalt einer Zelle ausgelesen wird. Genauso kann natürlich auch das Ergebnis einer Abfrage ausgelesen werden, sobald es in einer Tabelle ausgegeben wurde. Auf diese Weise können Sie die Stärken von Power Query, zum Beispiel bei der Verbindung zu den verschiedensten Datenquellen, in Ihren VBA-Lösungen nutzen.

> In VBA können Sie vieles erledigen, was mit Power Query nicht möglich ist. Sie können komplexe Benutzeroberflächen erstellen, auf fast alle Excel-Objekte zugreifen und im Prinzip die komplette Windows-Umgebung ansteuern.
>
> Power Query bietet dagegen nur wenig, was in VBA nicht auch auf die eine oder andere Weise bewerkstelligt werden könnte. Es hat aber ganz klare Vorteile bei der Einfachheit der Bedienung und der Vielfalt der vorgefertigten Lösungen. Bestimmte Aufgaben benötigen in VBA hunderte Zeilen Code, wohingegen sie in Power Query mit wenigen Klicks erledigt sind.
>
> Der Königsweg ist daher oft eine Kombination aus beiden Sprachen: Nutzen Sie beispielsweise Power Query, um Daten einzulesen, und VBA, um die Ergebnisse darzustellen oder anderweitig umzusetzen.

Die Beispieldatei *17-02-Makro-Währungsrechner.xlsm* enthält eine Abfrage, die der Abfrage aus Kapitel 6 ähnelt: Sie stellt eine Verbindung zur Webseite der Wiener Börse her und lädt die Tabelle mit den aktuellen Währungskursen. Außerdem gibt es eine kleine Benutzeroberfläche, in die man einen Betrag und ein Währungskürzel eingeben kann.

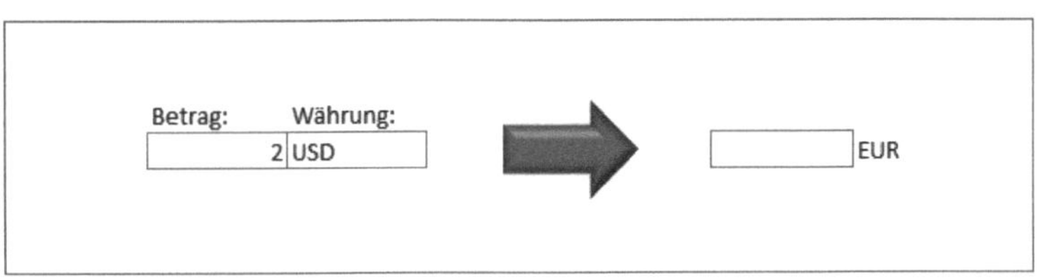

Bild 17.7 Währungsumrechnung im Excel-Arbeitsblatt.

Der rote Pfeil ist bereits mit einem Makro verbunden. Es sucht das angegebene Währungskürzel in der Tabelle mit den Währungskursen und wandelt den Betrag mit dem entsprechenden Kurs in Euro um. Das Ergebnis wird im rechten Feld angezeigt.

Die Ein- und Ausgabefelder sind bereits mit Bereichsnamen versehen, sie heißen *rngBetrag*, *rngWährung* und *rngBetragEUR*. Listing 17.6 zeigt den Code, der ausgeführt wird, wenn der rote Pfeil angeklickt wird.

Listing 17.6 Der Code zur Umrechnung der angegebenen Währung in Euro.

```
Sub Umrechnen()
    Dim Zeile
    Dim rngKurstabelle As Range
```

```
    Range("rngBetragEUR").ClearContents

    Set rngKurstabelle = Sheets("Kurse").ListObjects("tblKurse").DataBodyRange
    Zeile = Application.Match(Range("rngWährung"), rngKurstabelle.Columns(1), 0)
    If IsError(Zeile) Then
        MsgBox "Das Währungskürzel wurde nicht gefunden.", vbCritical
        Exit Sub
    End If

    Range("rngBetragEUR") = Range("rngBetrag") / rngKurstabelle.Cells(Zeile, 3)
End Sub
```

So weit so gut, doch eine Abfrage nützt nichts, wenn sie nicht regelmäßig aktualisiert wird. Damit die Aktualisierung nicht vor jeder Währungsumrechnung erfolgt, soll neben der Abfragetabelle angezeigt werden, wann die letzte Aktualisierung gemacht wurde. Auf diese Weise kann sichergestellt werden, dass die Web-Abfrage höchstens einmal pro Tag gemacht wird.

Es wurde bereits eine entsprechende Zelle festgelegt und mit dem Namen *rngLetzte Aktualisierung* versehen.

- Fügen Sie im VBA-Editor folgenden Prozedurcode in das Modul ein:

Listing 17.7 Die Prozedur zum Aktualisieren der Abfrage.

```
Sub aktualisierenBeiBedarf()
    If Range("rngLetzteAktualisierung") < Date Then
        Sheets("Kurse").ListObjects(1).QueryTable.Refresh BackgroundQuery:=False
        Range("rngLetzteAktualisierung") = Date
    End If
End Sub
```

- Diese Prozedur muss aufgerufen werden, bevor die Währungsumrechnung erfolgt. Fügen Sie also den Befehl `aktualisierenBeiBedarf` an oberster Stelle in die Prozedur *Umrechnen* ein.

Schon haben Sie einen Währungsrechner, mit dem beliebige Währungen zu tagesaktuellen Kursen in Euro umgerechnet werden können.

Vorsicht bei Hintergrundaktualisierung (BackgroundQuery)

Sie haben vielleicht bemerkt, dass im obigen Beispiel nicht einfach der Befehl `ThisWorkbook.RefreshAll` verwendet wurde. Stattdessen wurde die `Refresh`-Methode des `QueryTable`-Objekts aufgerufen. Der Grund ist der Methoden-Parameter `BackgroundQuery`. Er ist sehr wichtig, wenn Sie auf das Ergebnis der Abfrage zugreifen wollen.

> Abfragen werden standardmäßig als Hintergrundabfragen ausgeführt. Wenn sie durch ein Makro gestartet werden, bedeutet das, dass die Programmausführung parallel zur Abfrage weiterläuft.
>
> Bei Abfragen, die keine Hintergrundabfragen sind, wird die Programmausführung unterbrochen und erst fortgesetzt, wenn die Abfrage fertig ist und alle Daten ausgegeben wurden.

Um also sicherzustellen, dass Ihr Programm nicht auf veraltete Daten zugreift, darf die Aktualisierung nicht im Hintergrund stattfinden. Sie haben mehrere Möglichkeiten, um das zu erreichen:

1. Setzen Sie beim Aufruf der `Refresh`-Methode den Parameter `BackgroundQuery` auf `False` wie im obigen Beispiel.
2. Ändern Sie die Eigenschaft `BackgroundQuery` des `QueryTable`-Objekts auf `False`. Daraufhin wird die Abfrage auch bei `RefreshAll` nicht im Hintergrund ausgeführt. Beispiel:

```
Sheets("Kurse").ListObjects(1).QueryTable.BackgroundQuery = False
```

3. Deaktivieren Sie die Option *Aktualisierung im Hintergrund zulassen* bei den Abfrageeigenschaften (ehemals Verbindungseigenschaften bei älteren Excel-Versionen). Diese finden Sie, wenn Sie einen Rechtsklick auf die Abfrage ausführen und **EIGENSCHAFTEN** wählen.

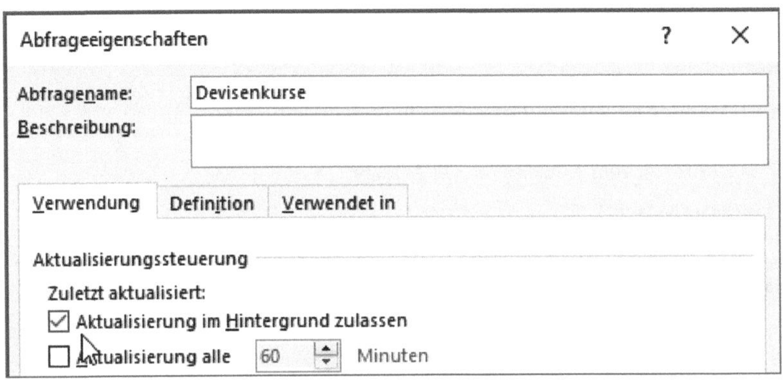

Bild 17.8 Hintergrundaktualisierung bei den Abfrageeigenschaften.

18 Excel-Datentypen aus Power Query

> **!** Dieses Kapitel ist nur für Excel-Nutzer mit Microsoft 365 relevant.

Vor einigen Jahren wurde Excel um eine Besonderheit erweitert, der viele Nutzer noch immer keine große Beachtung schenken, obwohl sie sehr nützlich sein kann. Die Rede ist von speziellen Datentypen (nicht zu verwechseln mit Datenformaten wie „Text" oder „Datum").

Wenn Excel-Zellen einen Datentyp zugewiesen bekommen, erkennt Excel im Idealfall die eingetragenen Werte und liefert bei Bedarf relevante Zusatzinformationen aus anderen Quellen, beispielsweise aus dem Internet.

Falls Sie diese Funktion noch nicht kennen und eine aktuelle Excel-Version besitzen, können Sie es ganz einfach anhand des Datentyps „Geografie" ausprobieren.

- Schreiben Sie den Namen eines Landes, zum Beispiel *Spanien,* in eine beliebige Zelle in Excel.
- Markieren Sie diese Zelle.
- Wechseln Sie auf das Register „Daten". Hier sollten Sie den Bereich „Datentypen" sehen. Klicken Sie auf den Datentyp „Geografie".
- Ein Kartensymbol in der Zelle zeigt den neuen Datentyp an. Sie können auf das Symbol klicken, um Zusatzinformationen aus dem Web anzuzeigen.

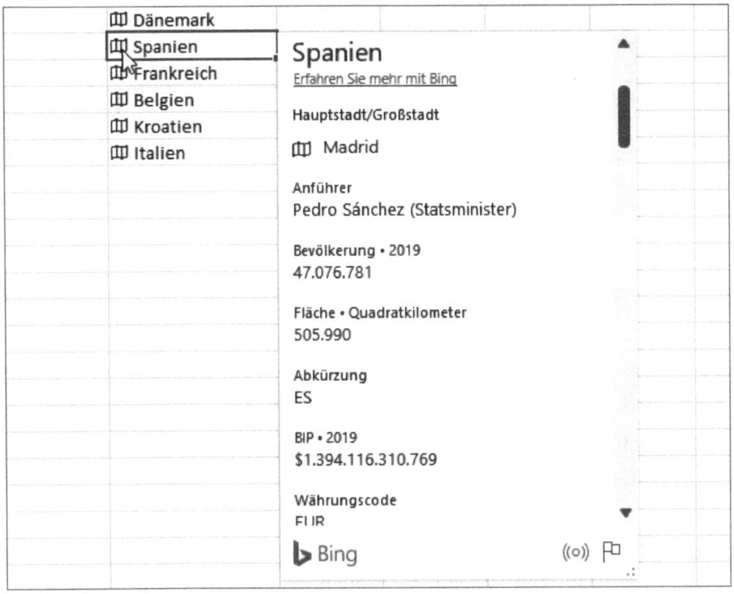

Bild 18.1 Der Datentyp „Geografie" liefert Zusatzinformation zu Ländern und Orten.

- Wenn Sie per Formel auf die Zelle mit dem Datentyp verweisen, können Sie diese Zusatzinformationen auch abfragen. Nehmen wir an, Sie haben die Zelle B5 verwendet. Wenn Sie nun in einer anderen Zelle die Bevölkerung Spaniens anzeigen wollen, schreiben Sie dort die folgende Formel:

```
= B5.Bevölkerung
```

18.1 Eigenen Datentyp per Abfrage erzeugen

Sie kennen das wahrscheinlich: Beim Entwerfen einer Tabelle möchte man sichergehen, dass in jeder erdenklichen Situation möglichst alle benötigten Informationen sichtbar sind. Am Ende hat die Tabelle aber so viele Spalten, dass man sich fast gar nicht mehr darin zurechtfindet. Eine elegante Methode, um derartige Tabellen übersichtlicher zu gestalten, ist, nur die wichtigsten Spalten anzuzeigen und die weniger wichtigen Information mit Hilfe des Datentyps verfügbar zu machen.

- Erstellen Sie eine Abfrage auf die Tabelle in der Beispieldatei *18-01-Schrauben.xlsx*.
- Markieren Sie im Power Query-Editor alle Spalten mit Hilfe der Tastenkombination STRG + A.
- Klicken Sie im Register „Transformieren" auf die Schaltfläche **DATENTYP ERSTELLEN**.
- Es erscheint ein Dialogfenster, in dem Sie den Datentypnamen und die enthaltenen Spalten festlegen können. Geben Sie als Namen *Schrauben* an und stellen Sie sicher, dass alle

Spalten aus der Tabelle enthalten sind. Hierfür müssen Sie unter Umständen zunächst die Option *Weitere* aktivieren (vgl. Bild 18.2).

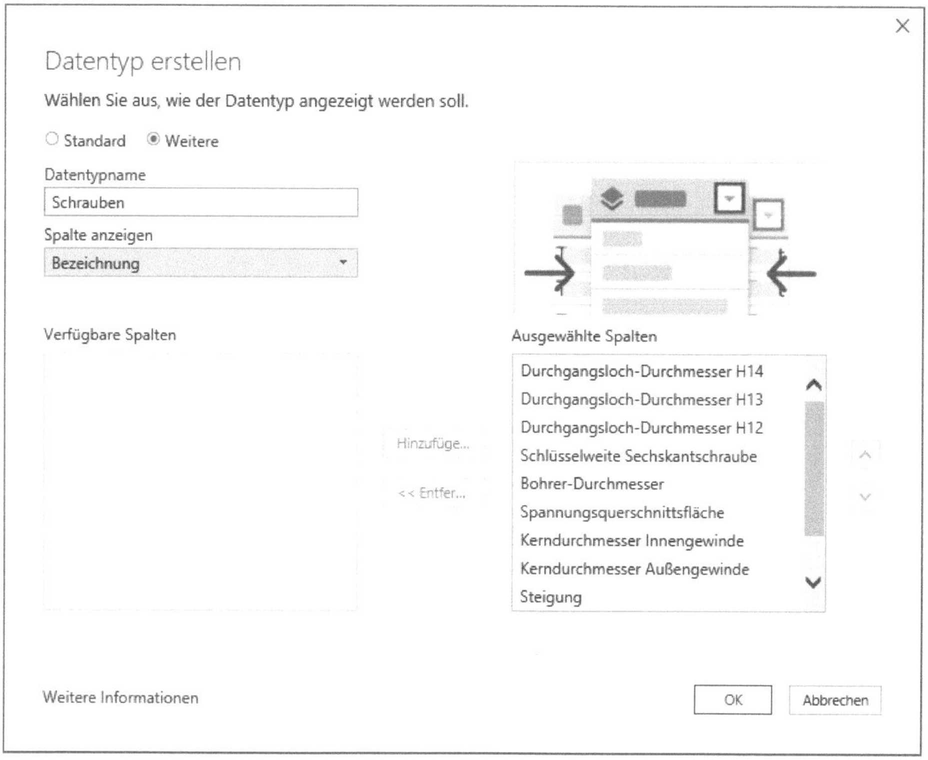

Bild 18.2 Wählen Sie die Spalten für den neuen Datentyp aus.

- Bestätigen Sie mit **OK**.

Die Tabelle wird daraufhin zu einer einzigen Spalte zusammengefasst. Diese enthält den „Datentyp". Die Bezeichnung ist etwas verwirrend, denn in Power Query verstehen wir unter Datentypen etwas anderes als in Excel. In Power Query haben Werte und Spalten einen Datentyp wie zum Beispiel Text, Zeit, Dauer. Diese neue Spalte enthält nun einen Excel-Datentyp. Die Spalte hat somit auch den speziellen Datentyp namens „Datentyp", aber die Werte sind im Prinzip Datensätze bzw. Records – zumindest innerhalb von Power Query.

Die Datensätze in dieser Spalte enthalten noch alle Informationen der Ursprungstabelle. Angezeigt wird jedoch nur der Wert, der anfangs in der Spalte *Bezeichnung* stand. Um die anderen Werte direkt sichtbar zu machen, können wir sie wie bei normalen Records in eine neue Spalte kopieren.

- Erstellen Sie eine neue Benutzerdefinierte Spalte und geben Sie die folgende Spaltenformel dafür ein:

```
= [Schrauben][#"Bohrer-Durchmesser"]
```

- Klicken Sie im Register **START** auf **SCHLIESSEN & LADEN**, um zu Excel zurückzukehren.

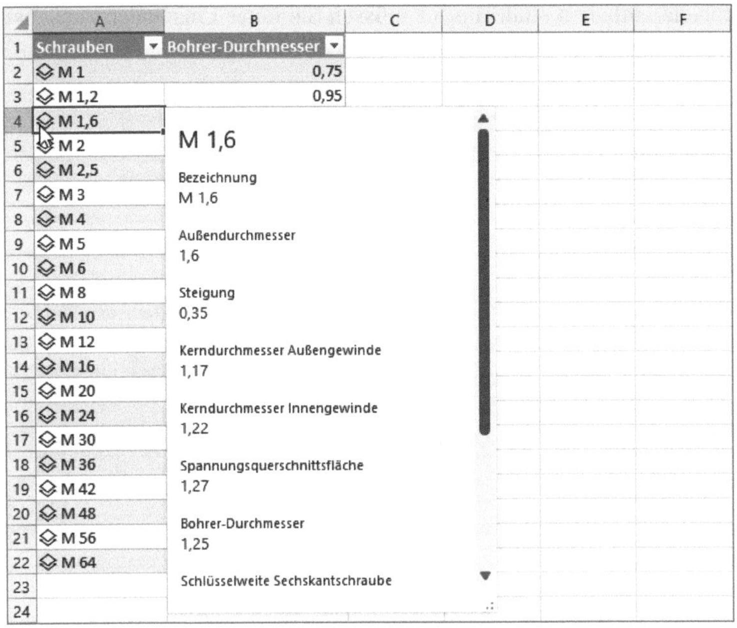

Bild 18.3 Der Datentyp „Schrauben" enthält Zusatzinformationen, die in einer Karte angezeigt werden können.

Die Tabelle wird wie gewohnt in einem Excel-Arbeitsblatt eingefügt. In der Spalte mit den Datentypen wird aber ein Symbol angezeigt, das darauf hinweist, dass es sich bei den Bezeichnungen nicht um normale Textwerte handelt. Klicken Sie auf das Symbol, um zu sehen, welche Zusatzinformationen sich dahinter verstecken (vgl. Bild 18.3).

Auf diese Weise können Sie Ihre Tabellen übersichtlich strukturieren und haben trotzdem schnell Zugang zu allen relevanten Daten. Die Info-Karte ist aber nicht die einzige Möglichkeit, auf diese Daten zuzugreifen. Sie können sie auch in Excel-Formeln verwenden. Wenn Sie beispielsweise in einer Formel auf eine Zelle mit dem Datentyp Schraube verweisen, machen Sie nach dem Zellverweis einen Punkt und können danach eines der Felder des Datentyps in eckigen Klammern ansteuern. Sie müssen den Feldnamen auch nicht selbst eingeben, IntelliSense zeigt Ihnen normalerweise schon eine Auswahlliste, sobald Sie beim Schreiben einer Formel auf eine entsprechende Zelle verweisen.

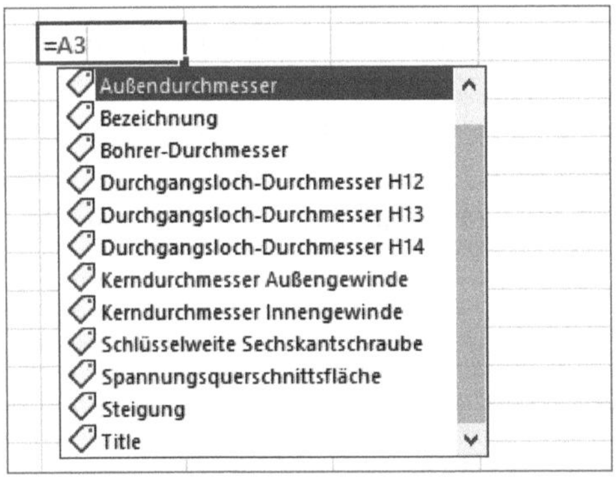

Bild 18.4
Wenn ein Zellverweis in einer Formel auf den Datentyp Schraube verweist, schlägt Excel die zugehörigen Felder vor.

Die folgende Formel gibt beispielsweise den Kerndurchmesser für das Außengewinde bei der Schraube an, die in der Zelle A3 eingetragen ist:

```
=A3.[Kerndurchmesser Außengewinde]
```

18.2 Datentypen aus Power BI-Datasets für die ganze Organisation

Excel stellt standardmäßig bereits einige nützliche Datentypen bereit, beispielsweise Geografie, Währungen oder Aktien. Je nachdem, in welcher Branche Sie arbeiten oder mit welchen Themen Sie sich häufig beschäftigen, gibt es vielleicht noch weitere Sachgebiete, für die ein Datentyp vorteilhaft wäre.

Falls Sie Power BI mit dem gleichen Account nutzen wie Excel, ist das kein Problem. Sie können sogar Datentypen für Ihre ganze Organisation definieren. Alle Kollegen können dann beispielsweise auf die aktuelle Artikelliste zugreifen oder die Adressen aller Klienten. Die Daten stehen in jeder Excel-Arbeitsmappe zur Verfügung, sofern der Nutzer mit einem berechtigten Nutzeraccount eingeloggt und online ist.

Nehmen wir an, Sie arbeiten mit Papier und benötigen für Ihre Berechnungen oft die Maße verschiedener Papierformate. Anstatt sie jedes Mal nachzuschlagen, erstellen Sie einen Excel-Datentyp aus einem Power BI-Dataset.

- Öffnen Sie Power BI Desktop und erstellen Sie eine Abfrage auf die Beispieldatei *18-02-Papierformate.xlsx*.
- Laden Sie die Tabelle *Papierformate* in das Datenmodell.
- Wir benötigen keine Diagramme, der Bericht darf leer erscheinen. Wechseln Sie stattdessen auf die Modellansicht (auch bekannt unter Beziehungsansicht).
- Klicken Sie auf das Kästchen der Tabelle *Papierformate*, sodass die Seitenleiste für die Eigenschaften erscheint. Aktivieren Sie hier die Option *Ist eine empfohlene Tabelle.*

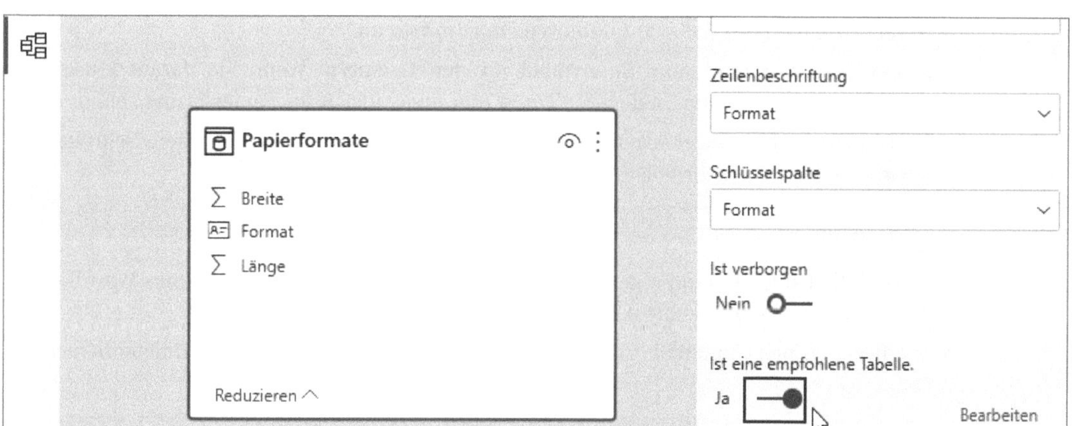

Bild 18.5 In der Modellansicht wird die Tabelle als „empfohlen" markiert.

- Setzen Sie die Eigenschaften *Zeilenbeschriftung* und *Schlüsselspalte* auf den Feldnamen *Format*. Dies ist die Spalte aus der Tabelle, die als Hauptspalte angezeigt wird. In unserem Beispiel enthält sie die Bezeichnungen der Papierformate („DIN A4", „DIN A5" usw.).
- Speichern Sie die Datei und veröffentlichen Sie den Bericht in der Cloud, indem Sie im Register **Start** auf **Veröffentlichen** klicken.

> Der Administrator Ihrer Organisation legt fest, ob Benutzer Zugriff auf diese empfohlenen bzw. ausgewählten Tabellen haben (englisch „featured tables"). Die Einstellung befindet sich im Power-BI-Verwaltungsportal unter *Mandanteneinstellungen*.
>
> Des Weiteren können Sie (oder der Administrator) in Power BI definieren, welche Benutzer Zugriff auf das Dataset haben. Nur diese können den entsprechenden Datentyp in Excel nutzen.

- Falls Sie Excel geöffnet haben, müssen Sie es erst schließen und neu starten, damit der neue Datentyp sichtbar wird.
- Erstellen Sie eine neue Arbeitsmappe in Excel.
- Wechseln Sie auf das Register **Daten** und suchen Sie im Bereich *Datentypen* den neuen Datentyp *Papierformate*. Stellen Sie sicher, dass Sie in Excel mit dem gleichen Benutzer eingeloggt sind wie in Power BI. Oft dauert es eine Weile, bis die Änderung von Power BI zu Excel übermittelt wird. Falls der Datentyp noch nicht erscheint, beenden Sie Excel und prüfen Sie nach ca. einer Stunde nochmal.

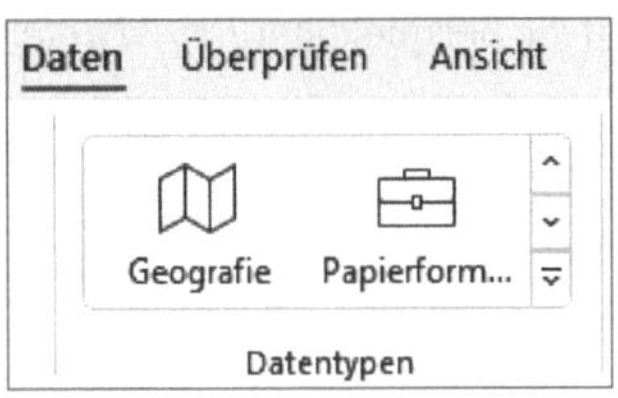

Bild 18.6
Der selbst erstellte Excel-Datentyp „Papierformate" aus Power BI.

- Schreiben Sie in die Zelle A1 den Text DIN A9.
- Wenden Sie in dieser Zelle den Datentyp *Papierformat* an.
- In der Zelle erscheint nun ein Symbol für den Datentyp. Wenn Sie darauf klicken, erscheint ein Info-Kasten, in dem Sie *Länge* und *Breite* für dieses Papierformat sehen.
- Sie können auch in Excel-Formeln auf die Felder *Länge* und *Breite* zugreifen. Schreiben Sie in eine leere Zelle diese Formel:

  ```
  = A1.Länge
  ```

  Es wird die Länge (in mm) ausgegeben. Da es sich bei *Länge* um ein einzelnes Wort handelt, brauchen Sie hier keine eckigen Klammern wie im letzten Beispiel.
- Mit dieser Formel können Sie die Fläche eines DIN-A9-Blatts in Quadratmillimeter berechnen:

  ```
  = A1.Länge * A1.Breite
  ```

Mit Hilfe von Datentypen können Sie also relativ einfach Tabellen aus Power BI-Datasets in Excel verfügbar machen. Auf diese Weise können Sie lästige Verweise auf häufig genutzte Tabellen oft gänzlich vermeiden. Besonders vorteilhaft ist dies bei großen Datenmengen, die sich öfter ändern. Da der Abruf aus der Power BI Cloud stattfindet, hat jeder Nutzer Zugriff auf die aktuellen Daten.

Der Abgleich des Werts aus Excel mit dem entsprechenden Wert aus der Quelltabelle funktioniert nicht immer ideal. Es handelt sich dabei um eine Textsuche, die optimiert ist auf Spracheingaben in Englisch.

Das hat zwar den Vorteil, dass die Werte nicht immer exakt übereinstimmen müssen. Schon bei teilweisen Übereinstimmungen bei einzelnen Wörtern macht Excel Vorschläge, aus denen der Benutzer den gewünschten Eintrag auswählen kann. Bei Zahlen, Sonderzeichen oder mehreren ähnlichen Wörtern gibt es allerdings manchmal Schwierigkeiten.

Auch bei unserem Beispiel mit den Papierformaten findet Excel nicht alle Entsprechungen, wenn man mehrere Zellen gleichzeitig als Papierformat deklariert. Trotz gleicher Schreibweise wie in der Quelltabelle erscheint ein Fragezeichen neben den Werten. Man kann dann in einem Auswahlfeld das gewünschte Format festlegen.

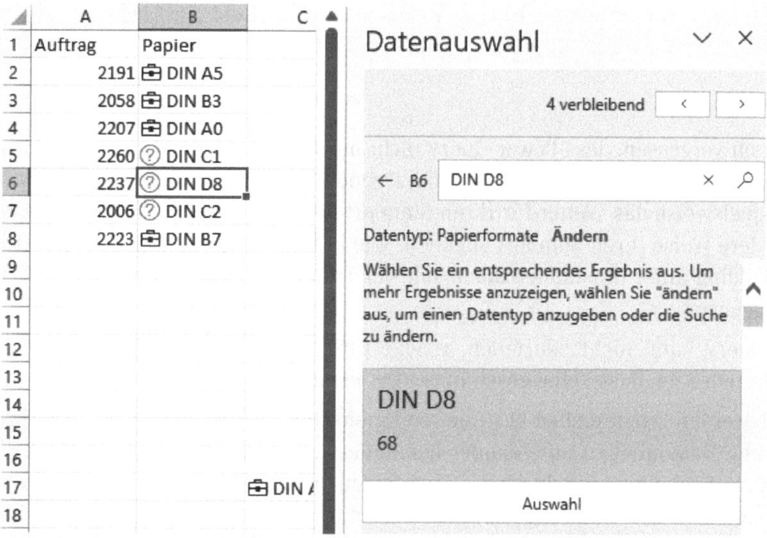

Bild 18.7 Bei der Zuordnung muss der Benutzer manchmal mithelfen.

19 Datenschutz und Firewall

Power Query ist sehr gründlich beim Schutz der verarbeiteten Daten. Diese Vorsicht führt leider manchmal zu lästigen Hindernissen. Es ist daher wichtig zu wissen, auf welche Weise die Daten abgeschirmt werden, in welchen Fällen das nötig ist und wie Sie diese Abschirmung bei Bedarf umgehen.

19.1 Datenschutz bei verschiedenen Datenquellen

Es wird oft vergessen, dass Power Query nicht nur Daten einliest, sondern auch Daten versendet. Es gibt keine Abfrage, in der nicht irgendeine Information übermittelt wird. Wenn Sie beispielsweise das Wetter für Ihren Standort erfahren wollen, müssen Sie auf die eine oder andere Weise Ihren Standort angeben. Wie in Kapitel 7.2 erklärt wurde, werden dank Query Folding unter Umständen auch Teile der Transformation an die externen Datenquellen ausgelagert.

Power Query kann nicht beurteilen, welche Ihrer Daten vertraulich sind, aber es muss sichergestellt sein, dass keine geschützten Daten nach außen gelangen.

Deshalb werden Datenquellen bestimmten Datenschutzstufen zugeordnet. Sie werden relevant, wenn Datenquellen miteinander kombiniert werden, etwa durch das Zusammenführen von zwei Tabellen oder durch das Verwenden eines Parameters. Wenn zwei Datenquellen miteinander in Verbindung gebracht werden und Power Query nicht entscheiden kann, ob dabei potenziell geschützte Daten ausgetauscht werden, werden Sie aufgefordert, die Datenschutzstufen zu definieren. Die entsprechende Meldung sieht so oder so ähnlich wie in Bild 19.1 aus (je nach Version).

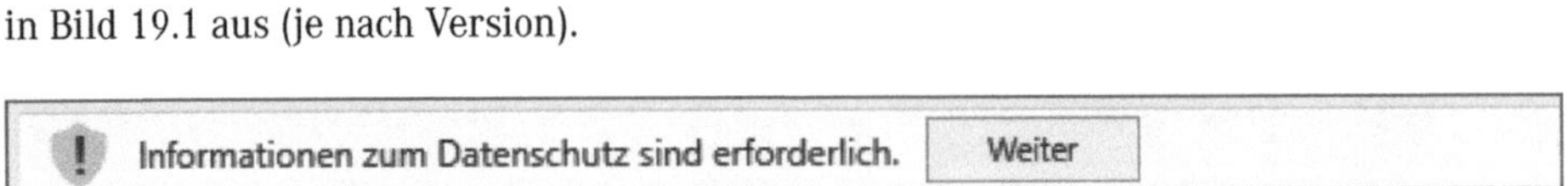

Bild 19.1 Die Aufforderung zum Einstellen der Datenschutzstufen.

Es gibt drei Datenschutzstufen:

- *Privat:* Die Daten einer privaten Datenquelle werden von anderen Datenquellen vollständig isoliert.
- *Organisation:* Die Daten dürfen mit anderen Datenquellen der gleichen Datenschutzstufe geteilt werden. Verwenden Sie diese Einstellung für Datenquellen, die einer vertrauenswürdigen Gruppe von Personen zugänglich sind.
- *Öffentlich:* Es handelt sich um Daten, die jeder sehen darf, sie müssen nicht geschützt werden.

Stellen Sie für jede Datenquelle die passende Stufe ein. Ihre Einstellung hat Einfluss darauf, welche Informationen weitergegeben werden. Es können nur Datenquellen miteinander kombiniert werden, deren Datenschutzstufen zusammenpassen.

Die Datenschutzstufen, die Sie festlegen, werden für jede Datenquelle gespeichert. Um sie nachträglich zu ändern, bearbeiten Sie die Berechtigungen in den Datenquelleneinstellungen. Sie erreichen sie aus dem Abfrage-Editor über den Menübefehl **DATEI – OPTIONEN UND EINSTELLUNGEN – DATENQUELLENEINSTELLUNGEN.**

19.2 Der Formula.Firewall-Fehler

Um zu verhindern, dass geschützte Daten nach außen gegeben werden, errichtet Power Query eine interne Barriere, die sogenannte Firewall. Sollte Gefahr bestehen, dass die Barriere verletzt wird, wird die Abfrage nicht ausgeführt. Stattdessen erscheint ein Fehler mit dem Namen *Formula.Firewall.*

Bild 19.2 zeigt eine Fehlermeldung, die erscheint, wenn zwei Datenquellen miteinander kombiniert werden, deren Datenschutzstufen nicht zusammenpassen.

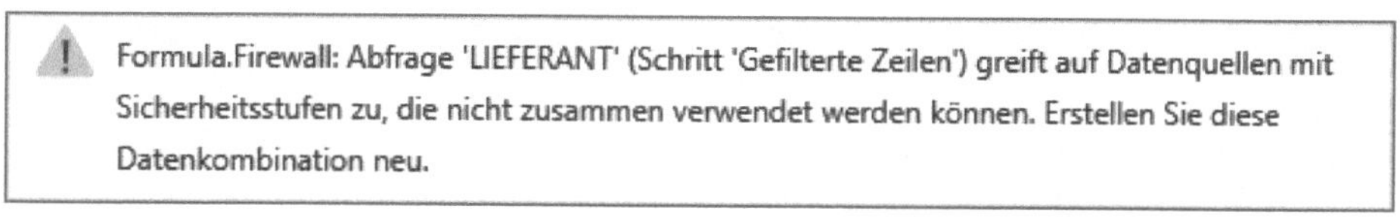

Bild 19.2 Fehlermeldung bei Verletzung der Datenschutzregeln.

Manchmal ist die Fehlerursache einfach zu beheben. Möglicherweise waren Sie zu streng bei der Vergabe der Datenschutzstufen. Ändern Sie sie gegebenenfalls wie im letzten Abschnitt beschrieben und aktualisieren Sie die Abfrage.

Leider ist das nicht immer möglich, ohne Ihre Datensicherheit zu gefährden. Außerdem ist dem Formula.Firewall-Fehler nicht in allen Fällen so einfach beizukommen. Bild 19.3 zeigt eine andere Fehlermeldung, die erscheint, wenn Power Query nicht entscheiden kann, ob eine Verletzung der Datenschutzregeln vorliegt oder nicht.

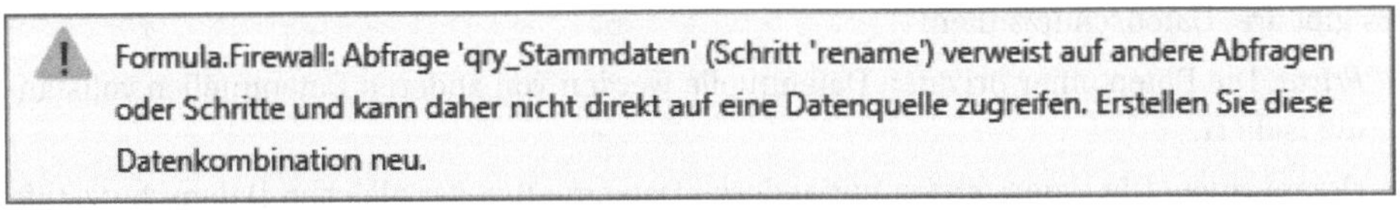

Bild 19.3 Eine andere Variante des Formula.Firewall-Fehlers.

Hier wird bewusst darauf verzichtet, Beispiele mit konkreten Szenarien für den Formula. Firewall-Fehler durchzugehen, da es selbst für erfahrene Entwickler nicht immer nachvollziehbar ist, wann er auftritt und warum. Wichtiger ist zu wissen, wie man das Problem löst, wenn man es hat. Dafür gibt es mehrere Strategien:

Staging Queries und Loading Queries

Vermeiden Sie es, die Daten in derselben Abfrage einzulesen und zu transformieren, wenn Sie mit mehreren Datenquellen arbeiten. Erfahrene Entwickler zerlegen diese Aufgabe in mehrere Abfragen. Dies verbessert die Übersicht, erleichtert die Fehlersuche und verhindert den Formula.Firewall-Fehler.

Es gibt natürlich viele Systeme, um Abfragen aufzuteilen und zu ordnen. Eine gängige Methode ist die Aufteilung in zwei Phasen bzw. Gruppen. Hierfür haben sich die Begriffe *Staging Queries* und *Loading Queries* eingebürgert (entlehnt aus der Data-Warehouse-Welt).

- *Staging Queries:* Erstellen Sie für jede Datenquelle eine Abfrage, die nur diese Datenquelle einliest. Dort dürfen auch weitere Modellierungen stattfinden, aber es darf kein Bezug zu anderen Datenquellen oder anderen Abfragen hergestellt werden.
- *Loading Queries:* Mit Loading Queries werden die Ergebnisse von einer oder mehreren Staging Queries weiterverarbeitet. Sie greifen nie direkt auf eine Datenquelle zu, sondern beziehen sich stattdessen auf die jeweilige Staging Query.

Dadurch, dass Query Folding nur in den Staging Queries stattfinden kann, gibt es keine Bedenken bezüglich Datenlecks.

> Wenn Ihr Datenmodell viele Abfragen enthält, können Sie sie im Abfrage-Editor gruppieren. Sie finden einen entsprechenden Menübefehl, wenn Sie in der Abfrageliste mit der rechten Maustaste auf eine Abfrage klicken. ■

> Excel-Nutzer sollten Staging Queries nur als Verbindung laden. Wählen Sie hierfür **LADEN IN – NUR VERBINDUNG ERSTELLEN**. Power-BI-Nutzer sollten für Staging Queries die Option *Laden aktivieren* ausschalten, damit sie nicht ins Datenmodell geladen werden (vgl. Kapitel 2.1).
>
> Für die Ausgabe der Daten nutzen Sie die Loading Queries. ■

Keine Vermischung der Datenquellen im selben Transformationsschritt

Wenn Sie in einem Transformationsschritt Verweise zu zwei verschiedenen Datenquellen verwenden, kann es vorkommen, dass Power Query nicht die richtige Sicherheitsstufe ermitteln kann. Oft reicht es dann schon, den Schritt in zwei Schritte aufzuspalten.

Sicherheitsstufen ignorieren

Manchmal kann man es sich einfach leichtmachen. Mit dem Ändern einer kleinen Einstellung können Sie lästige Formula.Firewall-Fehlermeldungen umgehend abstellen. Die Voraussetzung ist natürlich, dass die verwendeten Datenquellen in Bezug auf den Datenschutz unbedenklich sind.

- Öffnen Sie im Abfrage-Editor das DATEI-Menü und klicken Sie auf OPTIONEN UND EINSTELLUNGEN – ABFRAGEOPTIONEN bzw. OPTIONEN (je nach Programm und Version).
- In der Rubrik AKTUELLE ARBEITSMAPPE (Excel) bzw. AKTUELLE DATEI (Power BI) wählen Sie die Unterrubrik DATENSCHUTZ. Dort finden Sie die Option *Sicherheitsstufen ignorieren und potentiell die Leistung verbessern*. Aktivieren Sie diese Option, damit in dieser Datei die Datenschutzstufen nicht mehr geprüft werden.
- In der Rubrik GLOBAL – DATENSCHUTZ finden Sie die Option *Einstellungen auf Datenschutzebene immer ignorieren*. Wenn Sie diese Option aktivieren, werden Verletzungen der Firewall generell nicht mehr beachtet.

Verwenden Sie beide Optionen, besonders aber die zweite, mit Vorsicht. Wenn Sie in einem Unternehmen arbeiten, gibt es oft sehr strenge Datenschutzvorschriften. Sie könnten schon bei scheinbar unwichtigen Daten ein Risiko für sich und Ihr Unternehmen eingehen.

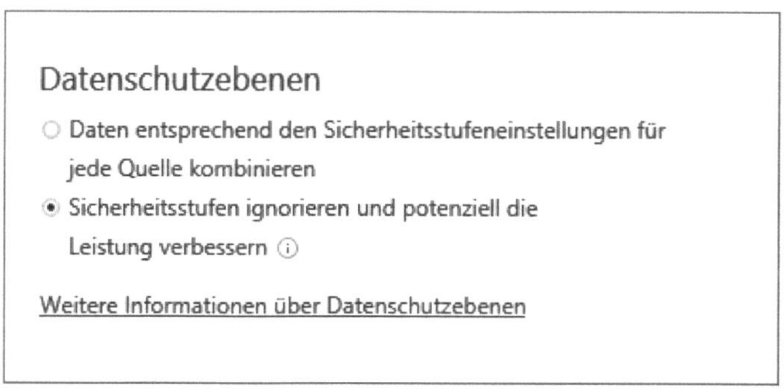

Bild 19.4 Ändern der Einstellung für Datenschutzebenen.

Diese Einstellungen gelten nur für Ihren Computer. Wenn Sie die Lösung mit anderen teilen, gilt die Einstellung des jeweiligen Systems. Auch beim Veröffentlichen in Power BI Service werden diese Einstellungen nicht weitergegeben.

Excel-Nutzer können mit einem VBA-Befehl dafür sorgen, dass die Sicherheitsstufen in der Arbeitsmappe ignoriert werden, auch wenn die Datei weitergegeben wird. Lassen Sie dafür die folgende Anweisung vor dem Refresh ausführen:

```
ThisWorkbook.Queries.FastCombine = True
```

20 Tipps für mehr Geschwindigkeit

Je größer die verarbeitete Datenmenge ist, umso wichtiger wird der Faktor Zeit. Es gibt Abfragen, die sowohl beim Erstellen als auch beim Aktualisieren die Geduld ihrer Nutzer stark auf die Probe stellen. Zum Abschluss dieses Buchs gibt es deshalb noch einige Tipps, mit denen Sie wertvolle Zeit sparen können.

20.1 Schnelleres Entwerfen der Abfrage

Abfragen auf große Datenmengen können schon bei der Erstellung im Abfrage-Editor sehr zeitraubend sein. Bei jedem Transformationsschritt werden Tausende Werte berechnet und das sorgt für lästige Verzögerungen.

Filtern für den Entwurf

Wenn es Sie stört, bei jedem Klick erst warten zu müssen, bis die Daten verarbeitet sind, reduzieren Sie einfach die Datenmenge – natürlich nur für den Entwurf.

Fügen Sie zu Beginn der Transformation einen Schritt ein, in dem die Tabelle auf etwa 100 Zeilen gefiltert wird. Mit der verkleinerten Tabelle lässt es sich viel einfacher arbeiten. Wenn alle weiteren Transformationsschritte erstellt sind, entfernen Sie den Filterschritt einfach wieder.

Zeitraubende Transformationsschritte später ausführen

Power Query zeigt grundsätzlich nur eine Vorschau der gesamten Datenmenge. Auch wenn eine Tabelle eine Million Zeilen hat, besteht die Vorschau nur aus 1000 Zeilen. Für den Entwurf der Abfrage reicht es oft völlig aus, mit diesen Beispiel-Zeilen zu arbeiten. Bei manchen Transformationen muss Power Query aber schon für die Vorschau die gesamte Datenmenge herunterladen. Wenn Sie beispielsweise eine Tabelle filtern, muss Power Query nur 1000 Einträge finden, die den Filterkriterien entsprechen und kann dann aufhören, zu suchen. Wenn Sie dagegen sortieren, muss Power Query die gesamten Quelldaten durchsuchen, denn die erste Zeile der Ergebnistabelle könnte ja auch am Ende der Quelldaten liegen.

Um Ihre Arbeit im Abfrage-Editor zu erleichtern, führen Sie die zeitraubenden Transformationsschritte am besten so spät wie möglich aus.

20.2 Schnelleres Aktualisieren

Der Zeitbedarf für die Aktualisierung einer Abfrage hängt von sehr vielen Faktoren ab. Manche können Sie einfach anpassen, bei anderen ist etwas Experimentieren nötig und einige Faktoren können Sie gar nicht beeinflussen.

Auswahl der Datenquelle

In den meisten Fällen ist die Datenquelle für eine Abfrage schon vorbestimmt. Unter Umständen sind Sie jedoch in der angenehmen Situation, mehrere Formate zur Auswahl zu haben oder mitbestimmen zu können, wie die Rohdaten gespeichert werden.

Die Art der Datenquelle hat großen Einfluss auf die Geschwindigkeit: Einfache Formate wie CSV und Text werden schneller verarbeitet als zum Beispiel Excel-Dateien. Noch schneller sind relationale Datenbanken, da ein Teil der Rechenleistung dank Query Folding an den Server ausgelagert werden kann.

Bei diversen Datenbanken haben Sie beim Herstellen der Verbindung die Auswahlmöglichkeiten *DirectQuery* oder *Liveverbindung*. Diese Varianten sind in der Regel deutlich schneller als die Alternative *Importieren*, weil nicht die komplette Datenmenge in den Arbeitsspeicher des Programms geladen wird. Stattdessen werden sämtliche Transformationen auf Seiten des Servers gemacht und nur die Ergebnisse, die angezeigt werden, heruntergeladen. Der Nachteil ist aber, dass sie weniger Flexibilität bei der Transformation oder Modellierung der Daten auf Ihrer Seite haben.

Excel: Schnelles Laden von Daten

In Excel gibt es eine Einstellung, die beeinflusst, wie viel Rechenleistung für die Abwicklung der Transformation zur Verfügung gestellt wird. Sie finden sie unter den Abfrageeigenschaften (Verbindungseigenschaften bei älteren Excel-Versionen). Öffnen Sie dazu die Liste der Abfragen über **DATEN – ABFRAGEN UND VERBINDUNGEN**. Klicken Sie mit der rechten Maustaste auf eine Abfrage und wählen Sie den Menübefehl **EIGENSCHAFTEN**.

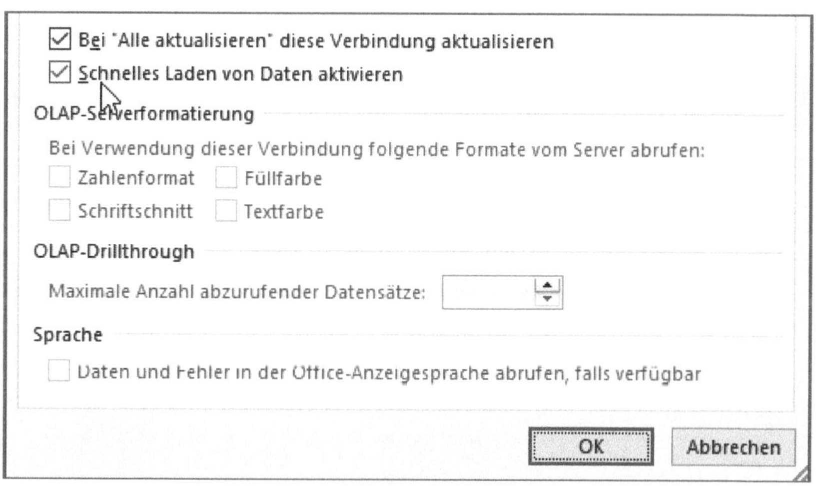

Bild 20.1 Die Option zum schnellen Laden von Daten in Excel.

Im Dialog für die Abfrageeigenschaften finden Sie die Option *Schnelles Laden von Daten aktivieren*. Diese Einstellung bewirkt, dass die Hauptrechenleistung, die Excel zur Verfügung steht, für die Transformation verwendet wird. Bei komplexen Transformationen kann das bewirken, dass Excel scheinbar „hängt", d. h., dass die Benutzeroberfläche für eine Weile nicht mehr reagiert.

Das Aktivieren dieser Option ist besonders effektiv bei Abfragen mit vielen und aufwendigen Transformationsschritten, die nicht per Query Folding ausgelagert werden.

64-bit statt 32-bit

Bei der Installation von Excel und Power BI Desktop haben Sie die Wahl zwischen der 32-bit- und der 64-bit-Version. Es hängt von Ihrem Computer ab, ob 64-bit unterstützt wird, aber falls ja, ist die 64-bit-Version generell schneller, weil sie mehr Arbeitsspeicher nutzen kann als die 32-bit-Version.

Query Folding verbessern

In Abschnitt 7.2 wurde bereits erklärt wie Query Folding funktioniert. Ergänzend dazu sollten Sie die folgenden Empfehlungen kennen:

- Geben Sie bei der Verbindung zu einem Server keinen eigenen SQL-Befehl an, wenn Sie weitere Transformationsschritte im Abfrage-Editor planen. Führen Sie stattdessen die gesamte Datenauswahl und -modellierung im Abfrage-Editor durch. Auf diese Weise wird meist mehr Arbeit an den Server ausgelagert.
- Bestimmte Transformationsschritte können nicht per Query Folding an den Server ausgelagert werden. Welche das sind, erkennen Sie daran, dass beim Rechtsklick auf den Schrittnamen im Kontextmenü der Eintrag *Systemeigene Abfrage anzeigen* deaktiviert ist. Führen Sie diese Transformationen möglichst spät durch, damit die vorhergehenden Schritte ausgelagert werden können.
- Benutzerdefinierte Funktionen können nicht per Query Folding übersetzt werden. Verzichten Sie darauf oder wenden Sie sie möglichst spät an.
- Vermeiden Sie nach Möglichkeit Verbindungen zu *Views*, wenn Sie stattdessen die zugrunde liegenden Tabellen einlesen können.

Normalerweise können Sie davon ausgehen, dass die Verarbeitung der Daten auf dem Server schneller ist als auf Ihrer Workstation. Das liegt daran, dass der Server genau dafür gebaut wurde und sowohl Hardware als auch Software darauf ausgelegt sind, mit riesigen Datenmengen zu jonglieren.

Es gibt aber auch Spezialfälle, in denen Query Folding kontraproduktiv ist, nämlich dann, wenn aus irgendeinem Grund mehrere Anfragen an den Server nötig sind und das Hin-und-her-Schicken der Daten mehr Zeit in Anspruch nimmt als die Verarbeitung in Power Query. Es würde zu weit führen, diese Spezialfälle im Einzelnen zu beleuchten. Wenn Sie merken, dass eine Abfrage an einen Server ungewöhnlich lange dauert, sollten Sie ausprobieren, wie lange sie dauert, wenn Sie Query Folding blockieren. Nutzen Sie hierfür die Funktionen List.Buffer oder Table.Buffer.

Schlüsselspalten definieren

Beim Verbinden zweier Tabellen über eine Schlüsselspalte zeigt sich oft eine deutliche Verbesserung der Geschwindigkeit, wenn diese Spalte vorher aktiv als Schlüsselspalte definiert wurde. Hierfür steht die M-Funktion *Table.AddKey* zur Verfügung (vgl. Kapitel 14.5.8). Ein typisches Beispiel für diese offiziell kaum dokumentierte Besonderheit ist das Verbinden zweier Abfragen über die Aktion **Abfragen zusammenführen** mit einer anschließenden Aggregation, also zum Beispiel dem Bilden einer Summe aus Werten der Fremd-Tabelle. Die Verbindung der beiden Abfragen geschieht normalerweise über Schlüsselspalten. Auch wenn dies nicht erforderlich ist, hilft es, eine dieser Spalten in einem vorherigen Transformationsschritt mit der Funktion *Table.AddKey* als Schlüsselspalte zu definieren. Die Voraussetzung dafür ist, dass die Spalte nur eindeutige Werte enthält. Einen ähnlichen Effekt hat die Funktion *Table.Distinct*, mit der Duplikate entfernt werden. In beiden Fällen kann Power Query die anschließende Aggregation effizienter vornehmen und Zeit sparen.

Hintergrund-Downloads deaktivieren

Wie Sie wissen, zeigt Ihnen Power Query immer eine Vorschau Ihrer Daten im Abfrage-Editor. Sie besteht nur aus maximal 1000 Zeilen pro Tabelle, aber falls Ihr Projekt viele Abfragen enthält, kann das Laden und Speichern dieser Vorschau-Daten den allgemeinen Aktualisierungsprozess deutlich verlangsamen. Um das automatische Laden zu deaktivieren, öffnen Sie die Optionen in Power Query über **Datei – Optionen und Einstellungen – Abfrageoptionen** (bzw. **Optionen**) und wechseln Sie zur Rubrik **Aktuelle Arbeitsmappe** (bzw. **Aktuelle Datei**) **– Daten laden**. Hier finden Sie die Option *Download der Datenvorschau im Hintergrund zulassen*. Deaktivieren Sie die Einstellung, um das Aktualisieren zu beschleunigen.

Die Datenvorschau wird dann nur noch bei Bedarf für einzelne Abfragen heruntergeladen, nämlich wenn Sie im Abfrage-Editor auf **Aktualisieren** klicken. Beachten Sie, dass diese Einstellung nur für die aktuelle Datei wirksam ist.

20.3 Messen der Geschwindigkeit

Die Empfehlungen im letzten Teil dieses Kapitels sind hilfreich als generelle Orientierungshilfe, lassen sich aber nicht auf jeden Fall anwenden. Um Probleme zu identifizieren und alternative Strategien zu testen, müssen Sie methodisch vorgehen. Typischerweise werden Sie verschiedene Varianten probieren und miteinander vergleichen, bis Sie wissen, welche die schnellste ist. Dafür ist ein Messen der Geschwindigkeit unerlässlich.

Seltsamerweise zeigt Power Query (noch?) nicht an, wie lange das Aktualisieren einer Abfrage dauert, aber es gibt verschiedene Möglichkeiten, damit Sie immerhin nicht mit der Stoppuhr vor dem Computer sitzen müssen.

20.3.1 Power BI: Nutzen der Diagnose-Werkzeuge

Power BI Desktop stellt mittlerweile Diagnose-Werkzeuge zur Verfügung, mit denen Sie sehr detaillierte Einsichten in die Prozesse während der Aktualisierung einer Abfrage erhalten. Sie können damit nicht nur die Dauer der gesamten Abfrage messen, sondern auch einzelne Teilabschnitte und Transformationsschritte untersuchen.

> Es ist nicht auszuschließen, dass die Diagnose-Tools irgendwann auch in Excel eingeführt werden. In Power Query Online und Power BI sind sie zweifelsohne das effektivste Hilfsmittel bei der Analyse der Geschwindigkeit.
>
> In den nachfolgenden Unterkapiteln werden auch Alternativen für Excel vorgestellt. Doch falls Sie als Excel-Nutzer ganz einfach die Diagnose-Werkzeuge von Power BI nutzen möchten, können Sie versuchen, die Excel-Abfrage vorübergehend in Power BI einzurichten. Oft reicht es, dazu den M-Code aus dem Erweiterten Editor aus Excel herauszukopieren und in Power BI Desktop im Erweiterten Editor einzufügen. ■

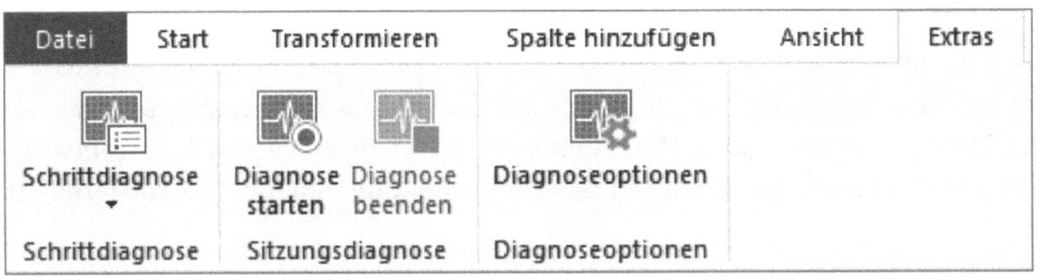

Bild 20.2 Die Diagnose-Tools auf dem Register Extras in Power Query von Power BI Desktop.

Je nachdem, ob Sie einen einzelnen Transformationsschritt oder die ganze Abfrage untersuchen wollen, können Sie entweder die Schrittdiagnose oder die Sitzungsdiagnose nutzen. In beiden Fällen müssen Sie die Diagnose zunächst über die entsprechende Schaltfläche in der Registerkarte **Extras** starten. Klicken Sie anschließend auf **Vorschau aktualisieren** auf dem Register **Start**. Sobald die Abfrage aktualisiert ist, beenden Sie die Diagnose wieder.

Die Ergebnisse der Diagnose werden als Tabellen in neuen Abfragen ausgegeben. Sie finden sie in einer Gruppe namens „Diagnose" in der linken Seitenleiste bei Ihren Abfragen. Sie erscheinen, sobald eine Diagnose beendet wurde.

Die Tabellen sind relativ technisch und müssen nicht im Detail verstanden werden. Sie geben Ihnen aber einen guten Einblick in die Prozesse, die beim Aktualisieren der Abfrage ablaufen. Entscheidend für die Geschwindigkeitsanalyse sind die Spalten mit Zeitangaben *Timestamp* bzw. *Start Time* und *End Time*. Zudem wird die Dauer für jeden Teilprozess in einer Spalte namens *Exclusive Duration* angegeben. Bei der detaillierten Sitzungsdiagnose sehen Sie in der Spalte *Step* die Namen der jeweiligen Transformationsschritte. Achten Sie hier besonders darauf, welche Schritte ungewöhnlich viel Zeit in Anspruch nehmen. Manchmal wird ein und derselbe Schritt auch mehrmals abgearbeitet. Das ist mitunter beabsichtigt, es kann aber auch ein Hinweis auf eine ineffiziente Codestruktur sein. Experimentieren Sie in solchen Fällen mit den Bufferfunktionen wie *Table.Buffer* (vgl. Kapitel 14.5.10).

Falls Query Folding in Ihrer Abfrage genutzt wird, erhalten Sie über die Spalte *Data Source Query* Informationen zur Hintergrundabfrage.

20.3.2 Excel: Messen der Zeit über VBA

Wenn Sie Excel benutzen, können Sie auf ein VBA-Makro zurückgreifen, um die Zeit zu messen. Der folgende Prozedurcode aktualisiert eine Abfrage und gibt die verstrichene Zeit in Sekunden aus:

Listing 20.1 VBA-Code zum Messen der Aktualisierungsdauer.

```
Sub Zeitmessung()
    Dim tStart, tEnde
    tStart = Timer
    Sheets(1).ListObjects(1).QueryTable.Refresh BackgroundQuery:=False
    tEnde = Timer
    MsgBox "Dauer: " & tEnde - tStart & " Sekunden"
End Sub
```

Hier wird das Timer-Objekt verwendet, das immer die seit Mitternacht verstrichenen Sekunden angibt. Die Zeit wird jeweils vor und nach dem Aktualisieren der Abfrage gemessen und die Differenz im Anschluss ausgegeben. Die Tabelle, die mit der Abfrage verknüpft ist, liegt in diesem Fall auf dem ersten Arbeitsblatt und ist dort die erste Tabelle.

20.3.3 Auswertung der Trace-Datei

Sowohl in Excel als auch in Power BI gibt es die Möglichkeit, eine sogenannte Trace-Datei erstellen zu lassen. Sie enthält eine Menge technischer Informationen und ist höchstwahrscheinlich hauptsächlich für den Microsoft-internen Gebrauch bestimmt.

Die Auswertung dieser Datei ist zwar längst nicht so komfortabel wie die oben genannten Diagnose-Werkzeuge, aber trotzdem können Sie auch damit die exakte Dauer einer Abfrageaktualisierung herausfinden.

Zunächst muss die Option für das Schreiben in die Trace-Datei aktiviert werden.

- Öffnen Sie im Power Query-Editor das **Datei**-Menü und klicken Sie auf **Optionen und Einstellungen – Abfrageoptionen** bzw. **Optionen** (je nach Programm und Version).
- In der Rubrik **Diagnose** aktivieren Sie die Option *Ablaufverfolgung aktivieren*.
- Darunter befindet sich ein Link, der den Ablaufverfolgungsordner öffnet. Öffnen Sie ihn, damit Sie später die Trace-Dateien gleich finden.
- Schließen Sie den Dialog mit **OK**.

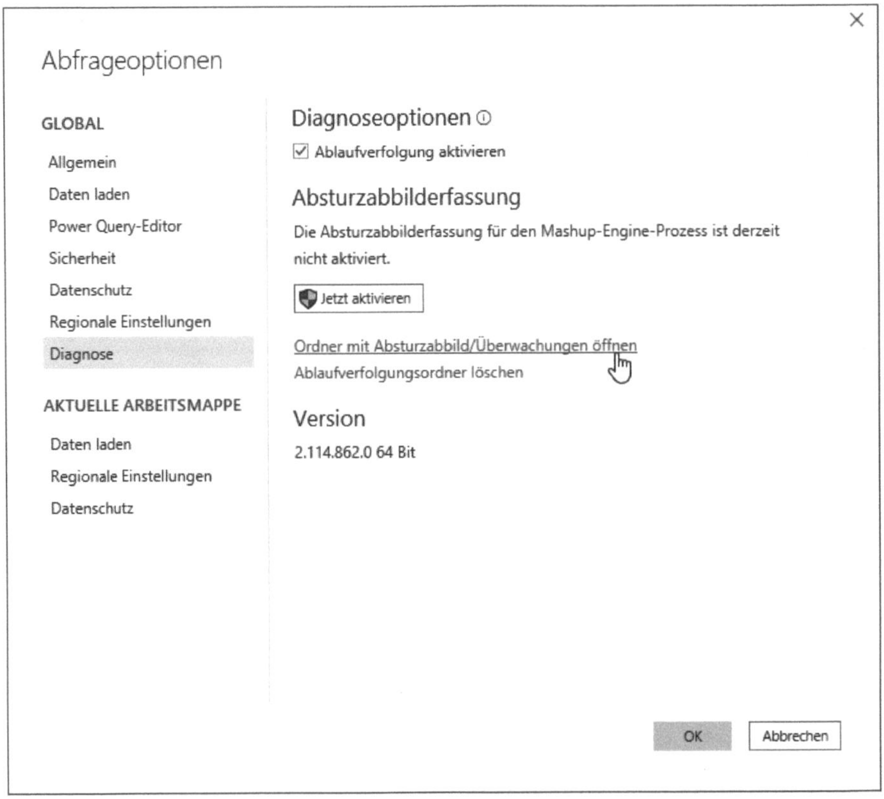

Bild 20.3 Aktivieren der Ablaufverfolgung.

> **!** Diese Option bleibt nur so lange aktiviert, bis Sie das Programm schließen. Sie müssen sie also bei Bedarf neu aktivieren. ■

Sobald die Ablaufverfolgung aktiviert ist, werden bei jeder Aktualisierung einer Abfrage eine Menge Daten in eine Trace-Datei geschrieben. Sie finden die Datei im Ordner aus dem Optionsdialog und können sie mit einem beliebigen Texteditor öffnen.

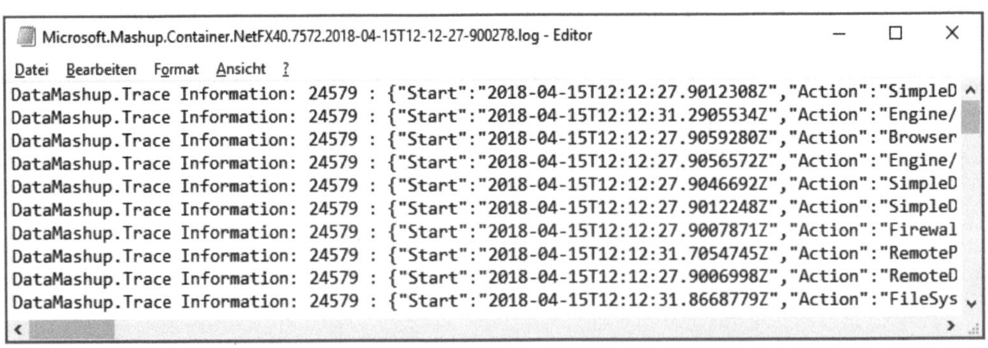

Bild 20.4 Ausschnitt einer Trace-Datei.

Der Inhalt der Trace-Datei ist alles andere als übersichtlich und umfasst eine Unmenge an Informationen, die vermutlich nur für die Entwickler bei Microsoft von Bedeutung sind. Das entscheidende Merkmal ist jedoch, dass zu jedem Eintrag ein exakter Zeitstempel sowie eine Angabe zur Dauer vorliegt. Mit ein bisschen Suchen finden Sie womöglich auch hier schon die Einträge, die den Start und den Abschluss einer Abfrage markieren.

Noch einfacher ist es jedoch, wenn Sie innerhalb einer Abfrage definieren, was in die Datei geschrieben werden soll. Hierbei hilft Ihnen die Funktion Diagnostics.Trace. Sie hat folgende Syntax:

```
Diagnostics.Trace(traceLevel as number, message as text, value as any, optional
delayed as nullable logical) as any
```

Die Parameter bestimmen, wie die Trace-Einträge erscheinen:

- Für den ersten Parameter *traceLevel* haben Sie folgende Möglichkeiten, um die Kategorie Ihres Trace-Eintrags anzugeben: *TraceLevel.Critical, TraceLevel.Error, TraceLevel.Warning, TraceLevel.Information, TraceLevel.Verbose.*
- Als *message* können Sie einen beliebigen Text angeben, über den Sie die Einträge später finden. Wenn Sie mehrere Tests machen, empfiehlt es sich, die verschiedenen Tests zu nummerieren, denn sie landen alle in der gleichen Datei.
- *Value* ist ein beliebiger Ausdruck, der ausgewertet werden soll. Er bestimmt den Rückgabewert der Funktion. Wenn Sie eine komplette Abfrage auswerten wollen, geben Sie hier eine Funktion an, die die Abfrage ausführt. Die Dauer der Verarbeitung wird dann mit der Trace-Nachricht ausgegeben.
- Schließlich müssen Sie noch angeben, ob mit der Auswertung des Ausdrucks gewartet werden soll, bis die Trace-Einträge geschrieben sind.

Mit dem folgenden Befehl wird eine Abfrage namens *LangsameAbfrage* ausgewertet, während dazu Einträge in die Trace-Datei geschrieben werden:

```
= Diagnostics.Trace(TraceLevel.Information, "Abfragetest1",
  () => LangsameAbfrage, true)
```

Suchen Sie einfach die angegebene Zeichenfolge (hier „Abfragetest1“) in der Trace-Datei bzw. den Trace-Dateien. Bei den entsprechenden Einträgen finden Sie dann auch die Angaben zum Zeitpunkt und zur Dauer der einzelnen Aktionen.

Trace-Dateien wirken chaotisch und enthalten eine Unmenge an Text, der für die meisten Nutzer weder verständlich noch relevant ist. Dennoch können sie interessante Informationen enthalten, die sonst nirgends zu finden sind.

Eigentlich ein perfekter Fall für eine Abfrage: Sollten Sie öfter mit Trace-Dateien arbeiten wollen, haben Sie mit Power Query das perfekte Werkzeug an der Hand, um aus der Datenmenge die benötigten Informationen zu extrahieren.

Index

A

Ablaufverfolgung 347
Access 48
Add-In 3
AI 313
Aktualisieren 8
- automatisch (Excel) 9
Anfügen 58
Anführungszeichen 98
Ausfüllen (nach oben/unten) 27
Azure 48

B

Bearbeitungsleiste 82
Bedingte Spalte 72
Beispieldateien 2
Benutzerdefinierte Spalte 76
Binary 101

C

Combiner-Funktionen 286
Comparer-Funktionen 283
Connector 309
CSV 14

D

Dae-Funktionen 255
Data-Connector 309
Date 95
Datenbank 48
Datenmodell 7
Datensatz 103
Datensatzfunktionen 168
Datenschutzstufen 339
Datentyp 92, 107
- Excel-Datentyp 331
- Spalte 18
- Übersicht 20
Datetime 96
DateTime-Funktionen 268
Datetimezone 96
DateTimeZone-Funktionen 273
Datum 95
Datumstransformationen 36
Dauer 97
DB2 48
Diagnose 346
DirectQuery 9
Duration 97
Duration-Funktionen 278

E

Each 296
Entpivotieren 30, 187
Error 130, 133
Ersetzen 18
Erweiterter Editor 83
Escape-Sequenz 99
Euro 99

F

False 92
Fehler 88, 129
Filter 16
Formula.Firewall-Fehler 339
Funktionen
- Datentyp 109
- Erstellen 295
- Übersicht 137
Funktionsbeschreibung 109, 306
Funktionsbibliothek 140
Fuzzy-Join 65

G

Geänderter Typ 89
Glätten 34
Groß- und Kleinschreibung 80
Großschreiben 34
Gruppieren 38

H

Header 17
Hexadezimalzahl 94
HTML 46

I

If 78
Index 118, 121

J

Join 61

K

KI 313
Komma 86, 90
Kommentar 90
Kürzen 34

L

Laden in (Excel) 6, 59
Leere Abfrage 84
Leerzeichen 77
let...in 85, 301
Liste 101
Listenfunktionen 142
Logical 92
Logical-Funktionen 254

M

M
- Grundstruktur 85
- Operatoren 78
- Schrittnamen 86
- Variablen 86
Makro 321
Metadata 306
MSDN 138

N

Navigator-Fenster 6
Null 92
Number 94

O

Oracle 48
Ordnerabfrage 67

P

Parameter 122
Pivotieren 186
Pivot-Tabelle 26
- Entpivotieren 30

Q

Query Folding 54, 344

R

Record 103
Record-Funktionen 168
Rekursive Funktionen 305
Replacer-Funktionen 285
Runden 21, 243

S

Schleife 144
Schlüssel 52, 219
Schnelles Laden (Excel) 343
shared 140
Sicherheitsstufen 339
Sortieren 201
Spalte
- Löschen 17
- Teilen 31
- Typ 18
- Zusammenführen/Verbinden 29
Splitter-Funktionen 289
SQL Server 48
Suffix 35
Switch-Funktion 301
Syntax 137

T

Tab 99
Tabelle 104
Tabellenfunktionen 176
Text 98
Textfunktionen 223
Texttransformationen 33
Time 95
Time-Funktionen 281
Trace-Datei 347
Transformationsschritte
- Anzeigen 15
- Löschen 15
- Umbenennen 23
- Zusammenfassen 89
Transponieren 28
True 92
try...otherwise 132
Type 107

U

Überschrift 17
Unendlich 94, 99
Unicode 100
Ursprüngliche Spaltennamen als Präfix verwenden 66

V

VBA 321
Verbindung erstellen 7, 59
Vertauschen 28

W

Web-Abfrage 40

Z

Zahl 94
Zahlenfunktionen 238
Zahlentransformationen 37
Zeilenumbruch 79, 100
Zeit 95
Zeitfunktionen 281
Zusammenführen 58, 61